尚志钧本草文献全集

本草古籍辑注丛书·第一辑

2018年度国家古籍整理出版专项经费资助项目

尚志钧/辑注
尚元胜 尚云飞
尚元藕 任 何/整理

尚志钧百年诞辰典藏

《本草拾遗》辑释

【唐】陈藏器 撰
尚志钧 辑释

北京科学技术出版社

图书在版编目（CIP）数据

本草古籍辑注丛书．第一辑．《本草拾遗》辑释／（唐）陈藏器撰；尚志钧辑释．—北京：北京科学技术出版社，2019.1
ISBN 978-7-5304-9988-7

Ⅰ．①本… Ⅱ．①陈…②尚… Ⅲ．①本草-中医典籍-注释②本草-中国-唐代 Ⅳ．①R281.3

中国版本图书馆CIP数据核字（2018）第268277号

本草古籍辑注丛书·第一辑．《本草拾遗》辑释

辑　　释：尚志钧
策划编辑：侍　伟　白世敬
责任编辑：杨朝晖　张　洁　董桂红　白世敬　朱会兰　吴　丹
责任印制：张　良
责任校对：贾　荣
出 版 人：曾庆宇
出版发行：北京科学技术出版社
社　　址：北京西直门南大街16号
邮政编码：100035
电话传真：0086-10-66135495（总编室）
0086-10-66113227（发行部）
0086-10-66161952（发行部传真）
电子信箱：bjkj@bjkjpress.com
网　　址：www.bkydw.cn
经　　销：新华书店
印　　刷：北京七彩京通数码快印有限公司
开　　本：787mm×1092mm　1/16
字　　数：630千字
印　　张：35.5
版　　次：2019年1月第1版
印　　次：2019年1月第1次印刷
ISBN 978-7-5304-9988-7/R·2543

定　　价：**900.00元**

前　言

陈藏器是唐代开元年间（713—741）四明（今宁波）人，曾做过京兆府（今西安）三原县县尉（唐代县令下职掌治安的官）。他看到唐代的官修本草——《新修本草》多有遗漏，因而撰写了《本草拾遗》。

《本草拾遗》，简称《拾遗》，约成书于唐代开元后期，因为《本草拾遗》“骨碎补”条注云：“本名猴姜，开元皇帝以其主伤折，补骨碎，故作此名耳。”宋代钱易的《南部新书·辛集》记载：“开元二十七年（739），明州人陈藏器撰《本草拾遗》云‘人肉治羸疾’，自是闾阎相效割股，于今尚之。”是以《本草拾遗》撰成年代当在739年，正好是《新修本草》颁行80年后。

本书撰成后，流传较广。五代时日本源顺《和名类聚钞》和日本丹波康赖《医心方》都曾引用过本书。宋代的《太平御览》《开宝本草》《嘉祐本草》《本草图经》《证类本草》等也都引用过本书。唐、宋图书目录对本书均有记载。这说明本书在唐、宋时期于国内外都有流行。《本草拾遗》原书已佚，本人于“文革”前辑有本书手稿本，与诸稿捆在一起，置之楼角，存放至今。今乘诊余之暇，将捆放多年的旧稿捡出，在无人打扰的陋室中，日以继夜重新整理成册。

《本草拾遗》由“序例”“拾遗”“解纷”3部分组成。宋代《嘉祐本草》的作者掌禹锡在《补注所引书传》中云：“《本草拾遗》，陈藏器撰，以《神农本草经》虽有陶、苏补集之说，然遗逸尚多，故别为‘序例’一卷，‘拾遗’六卷，

‘解纷’三卷，总曰《本草拾遗》。”

其卷1“序例”，相当于总论部分，序文虽佚，但部分内容仍散见于《证类本草》中。《证类本草》所引陈藏器《本草拾遗》的条文，其内容和《雷公炮炙论·序》文词异而义同。例如，《证类本草》所引《本草拾遗·序》云：“久渴心烦，服竹沥；延胡索止心痛，酒服……”而《雷公炮炙论·序》云：“久渴心烦，宜投竹沥；心痛欲死，速觅延胡……”

另外，“序例”中尚有“十剂”的内容，谓诸药有宣、通、补、泄、轻、重、涩、滑、燥、湿等10种，又云“重可去怯，即磁石、铁粉之属是也”“湿可去枯，即紫石英、白石英之属是也”。《本草纲目》注此等资料出典，既标为“徐之才曰”，又注为“陈藏器曰”。

其卷2~7为“拾遗”。“拾遗”部分共收载药物712种，这些药物都不见录于《新修本草》。其中绝大部分被后世本草引用为正品。《海药本草》引用2种，《开宝本草》引用64种，《嘉祐本草》引用59种，《证类本草》引用488种，其他如《和名类聚钞》《医心方》《太平御览》等亦都有引用。本书收罗资料极为广博，内容亦很丰富。正如李时珍《本草纲目》卷1“历代诸家本草”所说：“其所著述，博极群书，精核物类，订绳谬误，搜罗幽隐，自本草以来，一人而已。”

其卷8~10为“解纷”。“解纷”部分所论的药物有265种，多数已见录于《新修本草》中。其内容以审辨药物为主。例如，《证类本草》卷9“姜黄”条记载：“陈藏器解纷云：蒁，味苦，色青；姜黄，味辛，温，色黄；郁金，味苦，寒，色赤，主马热病，三物不同，所用全别。”

“解纷”另一部分内容是纠正《新修本草》的错误。例如，《新修本草》新增药物中有“接骨木，味甘、苦，平，无毒”。陈藏器云：“接骨木有小毒，《本经》云无毒，误也。”[《本经》云，是指《新修本草》(即《唐本草》)云，因“接骨木”是《新修本草》新增的。]

由于“解纷”以审辨药物为主，所以《本草纲目》“黄精”条注云：“历代本草惟陈藏器辨物最精审，尤当信之。”

本书对药物的分类，基本上和《新修本草》对药物的分类相同，分为玉石、草、木、兽禽、虫鱼、果菜米谷等各部。

例如，“兰草”条云：“泽兰……已别出中品之下。”查《新修本草》，泽兰就是列在中品之下的。又“千金藤”条云：“其中有草，今并入木部，草部亦重载之。”又如“独自草”条云：“解之法，在拾遗石部盐药条中。”“鲵鱼”条云：

“橄榄木、鱼茗木，已出木部。”“乳穴中水”条云：“穴中有鱼，出鱼部中。”从这类药物条文中，可以窥测到本书有草部、石部、木部、鱼部等类别名称。这些类别名称和《新修本草》目次相吻合，这就提示本书目次是沿用《新修本草》目次的。

本书的价值有下列四点。

第一，在《新修本草》的基础上，继续总结唐代药物学的成就。如《开宝本草》新增的药物京三棱、青黛、天麻等，在本书中已有收录。正如李时珍所说：“海马、胡豆之类，皆隐于昔而用于今；仰天皮、灯花、败扇之类，皆万家所用者，若非此书收载，何以稽考。”

第二，本书有一定的学术价值。本书刊行不久，即受到国内外学者的重视，如李珣《海药本草》、日本源顺《和名类聚钞》、日本丹波康赖《医心方》、马志《开宝本草》、掌禹锡《嘉祐本草》、李昉《太平御览》等皆有引用。

第三，从本书的内容可以看出陈藏器治学态度的严谨。陈藏器著述本书时，参考的文献很多，含史书、地志、杂记、小学、医方等共116种，其中有些书是和陈藏器同时代的作品，如《食疗本草》《崔知悌方》等。

同时，本书内容也有不少是源自陈藏器本人的实际观察。例如，《神农本草经》有“柳华，一名柳絮”。陈藏器观察到，柳絮不是柳树花，而是柳树的种子，所以陈藏器说：“柳絮，《本经》以絮为花，花即初发时黄蕊，子为飞絮，以絮为花，其误甚矣。”类似的例子很多。

第四，本书记载了很多可贵的自然科学史料。例如，“石漆”条云：“堪燃，烛膏半缸如漆，不可食……”这是对石油的记载。又如“蟹膏”条云：“蚯蚓破之，去泥，以盐涂之化成水”，这是对盐的渗透压作用的记载。类似的例子很多，此处从略。

由于历史条件的限制，书中也存在一些封建迷信的糟粕。例如“姑获”条，陈藏器云：“姑获能收入魂魄，今人一云乳母鸟，言产妇死，变化作之，能取人之子以为己子。”对于这类内容的批判、分析自属本草研究之要务，但本辑释本的主旨是先复归其旧，故一般未加删削。

书中有些记载亦系传闻，缺乏实践的基础。宋代《开宝本草》即对本书“金屑”条有批评，云：“按：陈藏器《拾遗》云‘岭南人云生金是毒蛇屎，此有毒’，此乃藏器传闻之言，全非。据皇朝（指北宋）收复岭表，询其事于彼人，殊无蛇屎之事，恐后人览藏器之言惑之，故此明辨。”诸如此类，今之学者定能批判继承、正确对待。

本辑释本基本上恢复了这一唐代药学名著的原貌，聊以弥补本草馆藏典籍的空白。在辑释过程中，通过对诸书相关辑复内容的考订，校正了诸书在辑录传抄中的衍误。相信这个辑释本对研究药物发展史和研究本草文献的渊源嬗递，都会有较好的参考价值。

尚志钧

1973 年 10 月 23 日初稿

2001 年 10 月 23 日编定

辑释说明

一、《本草拾遗》原书早佚，辑释本主要从下列各书中辑之

日本丹波康赖《医心方》，1955 年人民卫生出版社影印。

孙思邈《千金方》，1955 年人民卫生出版社影印。

日本深江辅仁《本草和名》，1926 年日本古典全集刊行会影印。

日本源顺《和名类聚钞》，日本元和三年（1617）镌版。

唐慎微《经史证类备急大观本草》，清光绪三十年武昌柯逢时影宋并重刊，简称《大观》。

唐慎微《重修政和经史证类备用本草》，1957 年人民卫生出版社影印，又名《政和本草》。该书是《证类本草》中的最佳本，可以作为《证类本草》的代表本，简称《证类》。

李时珍《本草纲目》，1957 年人民卫生出版社影印，简称《纲目》。

二、《大观》及《政和》与《本草拾遗》的关系

《大观》及《政和》中所存陈藏器文有下列 6 种情况。

(1)《开宝本草》新增药物正文大字中包含的陈藏器《本草拾遗》文字，及《开宝本草》援引《本草拾遗》文作的注文。

（2）《嘉祐本草》新增药物中，注明的“新补见陈藏器”。

（3）《证类本草》收载的“陈藏器余”条文。

（4）掌禹锡引《本草拾遗》作的注文。

（5）唐慎微引《本草拾遗》作的注文。

（6）苏颂《本草图经》引的《本草拾遗》文。

兹将这6种情况简述如下。

第一，《开宝本草》采用陈藏器文所组成新增药物的内容，由于《开宝本草》未标注任何记号，加以陈藏器文全被糅合，所以在实际上无法区别陈藏器文和非陈藏器文。

如何知道《开宝本草》新增药物中，采用过陈藏器的文字呢？这可以通过《证类》《医心方》所引《本草拾遗》文了解。

例如，《证类》卷4页110“生银”条，是《开宝本草》新增的。《医心方》卷25页578引《本草拾遗》云：“生银治小儿诸热，以水磨服。功胜紫雪。”此文与《开宝本草》新增药“生银”条正文大字相同。由此可知《开宝本草》新增药是采用过陈藏器文的。

又如，《证类》卷23页478“胡桃”条是《开宝本草》新增的。《医心方》卷4页105云：“今案《本草拾遗》胡桃烧令烟尽，和胡粉为泥，拔白发，以内孔中，其毛皆黑。”同书卷30页695“胡桃”条引《本草拾遗》云：“胡桃，味甘，平，无毒。食之令人肥健，润肤黑发，去野鸡病。”把这两段文字合并起来，与《开宝本草》新增“胡桃”条文字基本相同。由此可见《开宝本草》新增的“胡桃”条，主要是根据《本草拾遗》中“胡桃”文字编成的。

又如，《证类》卷5页135“淋石”条，是《开宝本草》新增的，其条文与《医心方》卷12页266引《本草拾遗》文全同。由此可知《开宝本草》新增的“淋石”条，是采用《本草拾遗》文字编写而成的。

《开宝本草》除新增药物条文杂有《本草拾遗》资料外，还援引《本草拾遗》资料作某些药物注释文。其标记为“今按陈藏器云”。这种标记，就是该书辑录陈藏器文的依据之一。

第二，《嘉祐本草》新增药物正文大字，凡引用《本草拾遗》时，都注明“新补见陈藏器”，或注明“新补见孟诜、陈藏器、日华子”。注明“新补见陈藏器”的引文是纯《本草拾遗》文字；注明“新补见孟诜、陈藏器、日华子”的引文，已把《本草拾遗》文同诸家本草糅合在一起，目前无法区分各家之文。本书虽将这两类文字辑入，但必须指出，后者并不是纯粹的《拾遗》佚文。

第三，《证类本草》收载的“陈藏器余”条文，都是很完整的条文，不像掌氏、唐氏所引的《本草拾遗》文，都经过节略，不完整。例如，在《证类本草》卷13页328“墨”条下，掌氏引陈藏器文，仅云“墨温”两字。通检“陈藏器余”的条文，没有一条文字简短到像墨条一样仅有“墨温”两个字。这就说明掌氏引《本草拾遗》文删节了很多。只有《证类本草》自引的“陈藏器余”条文没有节略。《证类本草》辑录的“陈藏器余”文字，都是完整的条文，这些完整条文对研究陈藏器本草最有价值。

第四，掌禹锡作小注引的《本草拾遗》文，其引文前冠有“臣禹锡等谨案陈藏器”黑底白字标记。掌氏引文，凡与《嘉祐本草》正文大字功用相同文，多省略之。例如，《证类》卷24页483“胡麻油”条中有“生秃发”之语，掌禹锡引《本草拾遗》时，有关“生秃发”功用的文字即省略掉。但《医心方》卷30页688援引陈藏器《本草拾遗》文时，却有“叶：沐头，长发”。所以本书辑录掌氏引《本草拾遗》时，还用《医心方》核校补缀之。

另外，掌氏引《本草拾遗》文，往往夹有掌氏本人的按语。例如，《证类》卷13页331“郁金香”条，掌氏引《本草拾遗》云：“郁金香……为百草之英，合而酿酒，以降神也。以此言之，则草也，不当附于木部。”文末“以此言之，则草也，不当附于木部”13字，是掌氏的按语，不是陈藏器之言。因为“郁金香”是《开宝本草》新增的药，《开宝本草》将它列入木部。掌氏引《本草拾遗》时，见文中有“百草之英”，认为郁金香既是“百草之英”，则当为草部，不当附于木部，故加此13字按语。本书辑录时，即删除此13字。

第五，唐慎微援引的《本草拾遗》文，其引文都排列在墨盖子标记之下。唐氏援引《本草拾遗》时，凡与旧本药物正文大字相同的文字，是省略不录的。例如，《证类》卷5页135“淋石”条，是《开宝本草》新增的药，其条文有“淋石，主石淋，水磨服之，当碎石随溺出也”16个字。唐氏引《本草拾遗》文时，即把此16个字省略不录了。但《医心方》卷12页266“治石淋方”援引的《本草拾遗》文却有此16字。这说明唐氏引《本草拾遗》文时，凡与旧文相同的文字都省略了。所以本书辑唐氏所引《本草拾遗》文时，仍用《医心方》核校补缀之。

由于掌氏、唐氏引《本草拾遗》文有省略，因而以掌氏、唐氏引文辑录《本草拾遗》资料，不及“陈藏器余”文完整。

在《证类本草》中，有些药物，既有掌氏引文，又有唐氏引文。一般唐氏都缀拾掌氏不录之文。换句话说，掌氏、唐氏援引的《本草拾遗》文字很少有相同的。所以唐氏引文并不与掌氏引文重复，仅有个别条文，因分类不同，偶有重复。例如，《本草拾遗》的“枫皮”条，掌氏在“枫香脂”条下援引此文（《证类》卷12页305），而唐氏在“枫柳皮”条下亦引此文（《证类》卷14页356）。

又唐氏引文间或夹有唐代人读《本草拾遗》时所加的批注文。例如，《证类》卷5页136“不灰木”条，唐氏引《本草拾遗》文有“中和二年于李宗处见传”10个字。这个“中和二年”，即882年，《本草拾遗》书成书于开元二十七年，即739年。二者相隔143年，则此10个字当非《本草拾遗》文，可能是882年时的人读《本草拾遗》书所加的注文。

第六，苏颂《本草图经》援引的《本草拾遗》文，大都经过化裁，并非原貌。例如，《证类本草》卷18页393“鼺鼠”条，援引了两个《本草拾遗》文，一是《开宝本草》引《本草拾遗》云：“陶云有水马，生海中，主产。按：水马，妇人临产带之，不尔临时烧末饮服，亦可手持之。出南海，形如马，长五六寸，虾类也。”二是苏颂《本草图经》云：“又有一种水马，生南海中，头如弓形，长五六寸，虾类也。陈藏器云，妇人将产带之，不尔临时烧末饮服，亦可手持之。”比较这两个引文，内容意思全同，不同之处在于《开宝本草》是全文转录，而《本草图经》引文是经过化裁的。如无《开宝本草》引文在前，很难看出苏颂化裁了《本草拾遗》文。根据这个例子，我们也可以从苏颂《本草图经》中找出一些《本草拾遗》的佚文。如本书中“泽兰”条，就是从《本草图经》中辑录的。

又如，《证类》卷22页443“蚺蛇胆”条，苏颂《本草图经》曰：“陈藏器说，蛇中此蛇独胎产，形短，鼻反，锦文。其毒最猛，著手断手，著足断足，不尔合身糜溃矣。蝮蛇至七八月毒盛，常自啮木，以泄其毒，其木即死。又吐口中沫于草木上，著人身成疮，名曰蛇漠，卒难疗治。所主与众蛇同方。”此文字与《嘉祐本草》“蝮蛇胆”条所引“陈藏器云”文，各不相同，盖苏颂所引《本草拾遗》文，是经过一番化裁的。

三、《医心方》与《本草拾遗》的关系

《医心方》中所存的《本草拾遗》佚文，为数不及《证类》多，而且很零碎，因为《医心方》是方书体例，其援引是根据《医心方》中所列病证治疗需要而定的。

例如，《医心方》卷25页567“治小儿腹胀方”引《本草拾遗》云：“小儿

痞，三白草捣汁服之，令人吐。”同页“治小儿癥癖方”引《本草拾遗》云：“苦瓠取未硬者，煮令热解开，熨小儿闪癖。”同书页572“治小儿夜啼方”引《本草拾遗》云：“灶中土及四交道中土合末，以饮小儿，辟夜啼。”

又如，《医心方》卷1页34，引《本草拾遗》药名砺石、温石、鼠场土等共25种。

《医心方》所引《拾遗》文，有的亦不见于《证类本草》中。例如，《医心方》卷24页531引《本草拾遗》云：“夫溺处土，令人有子，壬子日妇人取少许，水和服之，是日就房，即有娠也。”同书卷25页583“治小儿恶疮久不差方”引《本草拾遗》云：“厕中泥傅之。”以上两条《本草拾遗》文，皆不见录于《证类本草》。

此外，还有同样的条文，《证类》《医心方》皆援引，而隶属的药名不同。例如，《医心方》卷30页690“粳米”条引《本草拾遗》云：“凡米，热食则热，冷食则冷，假以火气，体自温平。”《证类》卷25页489“粳米”无此文，但卷26页497“陈廪米”条，《证类》援引有此文。

四、关于《本草拾遗》辑文的采集和处理

一部分辑文采自《证类本草》“陈藏器余”条文。这些条文一般都很完整。

一部分辑文采自《证类本草》掌氏或唐氏援引的《本草拾遗》文。对掌氏、唐氏在同一药物下援引的，即进行合并。对掌氏或唐氏分别在不同药物下援引的，即各自立为条目。由于掌氏或唐氏在援引时有所节略，因而此等辑录文大多数是不够完整的。

一部分辑文取自《医心方》《太平御览》《和名类聚钞》《南部新书》。

凡《医心方》引文和《证类本草》引文相同的，即进行归并，对其中差异之处加以说明，注于当药之下。

全书所辑之文，以《纲目》核校之，并将其差异注于当药之下。

每条辑文末，标注文献出典，并加括号。括号内文献出典，原先标注《大观本草》卷次页次。但该书不及人民卫生出版社影印四页合一页的《重修政和经史证类备用本草》（简称《证类》）流传广。为便于检寻，改用《证类》页次行次。

对所有采集的条文，进行分门别类，参照《嘉祐本草》所记载《本草拾遗》“别为序例一卷，拾遗六卷，解纷三卷，总曰《本草拾遗》，共十卷”的格局进行归复。

“拾遗”6卷，载药物712种，每味药编一个序码。卷2为玉石部，载药143种；卷3为草部，载药178种；卷4为木部，载药140种；卷5为兽禽部，载药63种；卷6为虫鱼部，载药97种；卷7为果菜米部，载药91种。

“解纷”3卷，涉及药物265种，每味药各编一个序码。卷8为解纷（一），涉及药物133种；卷9为解纷（二），涉及药物69种；卷10为解纷（三），涉及药物63种。

编校说明

（一）本书为尚志钧先生辑注的本草古籍。本次整理以尚志钧先生已出版的图书《〈本草拾遗〉辑释》为基础书稿。

（二）尚志钧先生原书有简化字，也有繁体字，本次统一使用简化字编排。对书稿进行编辑加工时，主要依据国家语言文字工作委员会文字规范文件（《简化字总表》《异体字整理表》等）的规定以及《汉语大字典》的相关释义，在不影响原义的情况下，将书稿中的繁体字、异体字、通假字等改为现行规范字。但对以下情况做变通或特别处理。

1. 简化字可能使字义淆错或不明晰的，不予简化。如中医病名“癥瘕”之“癥”不简化为“症”，“禹餘粮”之“餘”只简化为“馀”而不作“余”，等。

2. 《异体字整理表》等归并不当或关系有歧见的异体字，不做简单归并。如《异体字整理表》将“剉”并入“锉”，但中草药切制古只作“剉”，与“锉”使用的工具、加工的方式与结果都不相同，故不予归并；“鱓”与“鼍”“鳝”二字有关，不易确定古书中的指向，故保留原字。

3. 古书中的特有、习惯表达，不改为现代用字。如中医濡脉，“濡”同“软”，但“濡”字习用，故不改“软”。他如“华”不改“花”，“文”不改“纹”，“合”不改“盒”。

4. 同一物名，若古今用字不同，作者已出注说明者，不予改动。如“马脑”

不改为“玛瑙”。尚志钧先生摘录古籍药名时尊重古籍文字原貌，所写药名与现代规范药名不同者，也不作改动，如“芒消”“朴消”等。但在非属引古籍条文部分，仍用现行规范名称表述。

（三）对于书稿中的明显的错别字以及常识性错误，编加时直接予以改正，不予出注。

（四）同一地名不同时期的所指代地理位置可能有所不同，故校注中同一地名解释不同时，尊原书，不予改动。

（五）为方便读者阅读，古籍卷页均以阿拉伯数字表示。如卷23页76，卷987页3，等。

（六）本书涉及诸多古籍，为方便阅读，对部分本草古籍使用简称。如：

《名医别录》简称《别录》，

《肘后备急方》简称《肘后方》，

《本草拾遗》简称《拾遗》，

《日华子本草》简称《日华子》，

《太平御览》简称《御览》

《开宝本草》简称《开宝》，

《嘉祐本草》简称《嘉祐》，

《证类本草》简称《证类》，

《大观本草》简称《大观》，

《本草纲目》简称《纲目》，等。

（七）为方便查找及统计，尊重并保留原书对古籍药物条文添加的编号。

（八）文中“188 石荠苧”与“320 石荠苧”语句相似，语义重复，尊原书，予以保留。

（九）文中涉及的反切注音，悉尊原书。

在本书的编辑整理过程中，得到了尚志钧先生弟子郑金生研究员以及国内多位中医文献学者、古籍出版专家的悉心指教。由于本书体量巨大，且出版时间紧促，编辑水平有限，疏漏谬误，恐所难免，欢迎广大读者批评指正，以期再版更正。

目 录

拾遗　虫鱼部　卷第六

序例　卷第一

说明：原序已佚，兹从《证类本草》所引陈藏器《本草拾遗·序》片断文稿中录之。由于片断文字和《雷公炮炙论·序》文词异而义同，即按《雷公炮炙论·序》文内容次序排列如下。

象胆挥粘[1]。

（《证类》页371下13行）

【校注】

[1] **象胆挥粘**　《雷公炮炙论·序》云："象胆挥粘，乃知药有情异。"

雄鼠脊骨，末，长齿，多年不生者效[1]。

（《证类》页441上1行）

【校注】

[1] **雄鼠脊骨……不生者效**　《雷公炮炙论·序》云："长齿生牙，赖雄鼠之骨末。"注云："其齿若折，年多不生者，取雄鼠脊骨作末，揩折处，齿立生如故。"

五加皮花者，治眼䁾人，捣末，酒服自正[1]。

（《证类》页302上14行）

【校注】

[1] **五加皮花者……酒服自正**　《雷公炮炙论·序》云："目辟眼䁾，有五花而自正。"注云：

“五加皮是也，其叶有雌、雄，三叶为雄，五叶为雌，须使五叶者作末，酒浸饮之，其目睛者正。”正，《大观》作“止”。

甘瓜子，止月经太过，为末，去油，水调服[1]**。**

（《证类》501页下14行）

【校注】

[1] **甘瓜子……水调服**　《雷公炮炙论·序》云：“血泛经过，饮调瓜子”。注云：“甜瓜子内仁，捣作末，去油，饮调服之，立绝。”

五倍子，治肠虚泻痢，熟汤服[1]**。**

（《证类》页333下5行）

【校注】

[1] **五倍子……熟汤服**　《雷公炮炙论·序》云：“肠虚泻痢，须假草零”。注云：“捣五倍子作末，以熟水下之，立止也。”

久渴心烦，服竹沥[1]**。**

（《证类》页317上17行）

【校注】

[1] **久渴心烦，服竹沥**　《雷公炮炙论·序》云：“久渴心烦，宜投竹沥。”

强筋健髓，苁蓉、鳝鱼为末，黄精汁丸服之，力可十倍。此说出《乾宁记》[1]**。**

（《证类》页179上18行）

【校注】

[1] **强筋健髓……此说出《乾宁记》**　《雷公炮炙论·序》云：“强筋健骨，须是苁鳝。”注云：“苁蓉并鳝鱼二味作末，以黄精汁丸服之，可力倍常十也。出《乾宁记》中。”

头疼欲死，鼻内吹硝末愈[1]**。**

（《证类》页86上9行）

【校注】

[1] **头疼欲死，鼻内吹硝末愈** 《雷公炮炙论·序》云："脑痛欲亡，鼻投硝末。"注云："头痛者，以硝石作末，内鼻中，立止。"

延胡索止心痛，酒服[1]。

（《证类》页231上4行）

【校注】

[1] **延胡索止心痛，酒服** 《雷公炮炙论·序》云："心痛欲死，速觅延胡。"注云："以延胡索作散，酒服之，立愈也。"

诸药有宣、通、补、泄、轻、重、涩、滑、燥、湿，此十种者，是药之大体，而本经都不言之，后人亦所未述，遂令调合汤丸，有昧于此者。至如宣可去壅，即姜、橘之属是也；通可去滞，即通草、防己之属是也；补可去弱，即人参、羊肉之属是也；泄可去闭，即葶苈、大黄之属是也；轻可去实，即麻黄、葛根之属是也；重可去怯，即磁石、铁粉之属是也；涩可去脱，即牡蛎、龙骨之属是也；滑可去著，即冬葵、榆皮之属是也；燥可去湿，即桑白皮、赤小豆之属是也；湿可去枯，即紫石英、白石英之属是也。只如此体，皆有所属，凡用药者，审而详之，则靡所遗失矣。

（《证类》页38下12～22行）

凡五方之气，俱能损人，人生其中，即随气受疾，虽习成其性，亦各有所资，乃天生万物以与人，亦人穷急以致物。今岭南多毒，足解毒药之物，即金蛇、白药之属是也；江湖多气，足破气之物，即姜、橘、吴茱萸之属是也；寒温不节，足疗温之物，即柴胡、麻黄之属是也；凉气多风，足理风之物，即防风、独活之属是也；湿气多痹，足主痹之物，即鱼、鳖、螺、蚬之属是也；阴气多血，足主血之物，即地锦、石血之属是也；岭气多瘴，足主瘴之物，即常山、盐麸、涪醋之属是也；石气多毒，足主毒之物，即犀角、射香、羚羊角之属是也；水气多痢，足主痢之物，即黄连、黄檗之属是也；野气多蛊，足主蛊之物，蘘荷、茜根之属是也；沙气多狐，足主短狐之物，即鸀鳿、鸂鶒之属是也。大略如此，各随所生。中央气交，兼有诸病，故医人之疗，亦随方之能，若易地而

居，即致乖舛矣。故古方或多补养，或多导泄，或众味，或单行。补养即去风，导泄即去气，众味则贵要，单行乃贫下，岂前贤之偏有所好，或复用不遂其宜耳。

（《证类》页39上1~17行）

说明：这两段文字，是从《嘉祐本草》的作者掌禹锡所撰的序文中摘录的。《嘉祐本草》已佚，但它的内容散存于《证类本草》中。检《证类本草》卷1“序例”上，自页37下17行，到页39上17行，约1300字，是《嘉祐本草》掌禹锡所写的序文。掌氏对这段序文，在其标题上申明说，是按徐之才《药对》、孙思邈《千金方》、陈藏器《本草拾遗·序例》三书写的。那么在此序文中，如何分辨徐、孙、陈所写的不同部分呢？

仔细阅读《证类本草》中掌氏这段序文，可发现其大致可分为三节。

第一节：夫众病积聚……夫处方者宜准此。（《证类》页37下19行~页38上18行）

第二节：凡诸药子人……务令极细。（《证类》页38上19行~页38下12行）

第三节：诸药有宣通补泄……不遂其宜耳。（《证类》页38下13行~页39上17行）

关于第一节文字，李时珍认为是属陈藏器《本草拾遗·序例》文。李时珍将第一段文字，收录在《纲目》卷2“序例”下，并冠以“陈藏器诸虚用药凡例”的标题（见《纲目》页396，1957年人卫版）。李时珍的看法对不对呢？查孙思邈《千金方》卷1“序例”处方第五所引“《药对》”曰文字，（《千金方》页4下12行）和第一节文字全同，此与掌禹锡所云“谨按之才《药对》”吻合，足证第一节文字是出于《药对》，而不是出于陈藏器的《拾遗》。李时珍把第一节文字当作陈藏器文收入《纲目》“序例”中，并冠以“陈藏器”等语，显然是不合适的。

关于第二节文字，和《千金方》卷1“序例”合，和处方第七的文字相同（《千金方》页9下末3行）。说明第二节文字是出于孙思邈《千金方》。

关于第三节文字，即本书所摘录的作为陈藏器《拾遗》的序文的文字。据掌禹锡所云，第一、二、三节文字是由徐之才《药对》、孙思邈《千金方》、陈藏器《本草拾遗·序例》三书资料所组成。校以《千金方》

“序例”，第一节文字和徐之才《药对》文字全同，第二节和孙思邈《千金方》文字相同，那么第三节文字应是陈藏器《拾遗》的序文。

第三节的文字，李时珍在《纲目》中也曾引用。但李时珍在引用时标注文献来源很不一致。同一条引文，往往标注不同。

例如，在第三节文字中，有“重可去怯，即慈石、铁粉之属是也。”而李时珍对这一句话，在《纲目》中，就有两种不同的标注。在《纲目》卷1“序例”上十剂的“重剂”题目下，引此文时注为“之才曰”（见《纲目》页365上13行）。同时，在《纲目》卷10金石部“慈石”条“发明”项下引此文时，标注出典为“藏器曰”（见《纲目》页662下8行）。

又如“湿可去枯，即紫石英、白石英之属是也。”《纲目》卷1“序例”下十剂的“湿剂”题目下，引此文时，标注出典为“之才曰”（见《纲目》页366上9行）。同时，在《纲目》卷8“白石英”条“发明”项下，引此文时，标注出典为“藏器曰”（见《纲目》页621下末行）。

从上述“重剂”“湿剂”两例引文所注文献来源不一致的情况来看，李时珍对第三节文字的来源似乎也不清楚。根据掌禹锡所注，校以《千金方》，第三节文字应出于陈藏器，并非出于徐之才。

拾遗　玉石部　卷第二

1 铜盆
2 铜青
3 大钱
4 生银
5 黄银
6 水银粉
7 诸金有毒
8 金浆
9 古镜
10 劳铁
11 秤锤
12 铁杵
13 故锯
14 刀刃
15 枷上铁及钉
16 钉棺下斧声
17 布针
18 针砂
19 锻铴下铁屑
20 铁锈
21 铁浆
22 淬铁水
23 铁爇
24 霹雳针
25 大石镇宅
26 石栏干
27 研朱石槌
28 石药
29 石漆
30 石髓
31 石黄
32 金石
33 晕石
34 砺石
35 磁石毛
36 淋石
37 温石及烧砖
38 烧石
39 玄黄石
40 水中石子
41 白师子
42 六月河中诸热砂
43 特蓬杀
44 玻璃
45 琉璃
46 马脑
47 印纸
48 神丹
49 玉膏
50 盐药
51 烟药
52 阿婆赵荣二药
53 流黄香
54 天子藉田三推犁下土
55 社坛四角土
56 土地
57 市门土
58 自然灰
59 桑灰
60 灶中热灰
61 灶中土
62 灶突后黑土
63 好土
64 土消
65 土槟榔
66 铸钟黄土
67 户垠下土
68 铸铧锄孔中黄土
69 瓷瓯里白灰
70 弹丸土
71 执日取天星上土
72 大甑中蒸土
73 鼢鼠壤堆上土
74 冢上土及砖石
75 桑根下土
76 春牛角上土
77 土蜂窠上细土
78 载盐车牛角上土
79 驴溺泥土
80 故鞋底下土
81 鼠壤土
82 屋内墉下虫尘土
83 鬼屎
84 寡妇床头尘土
85 床四脚下土
86 瓦甑
87 甘土
88 二月上壬日取土
89 柱下土
90 胡燕窠内土
91 道中热尘土
92 正月十五日灯盏
93 仰天皮

1 铜盆[1]

主熨霍乱[2]。可盛灰、厚土寸许，以炭火安其上，令微热，下以衣藉患者腹，渐渐熨之，腹中通热，差。(《证类》页97上4行，《大观》页38)。

【校注】

[1] **铜盆** 作物理疗法的工具，不是药物。

[2] **霍乱** 突然大吐大泻，烦闷不舒，挥霍之间，便致缭乱，故名。有寒霍乱、热霍乱、干霍乱、湿霍乱、霍乱转筋。本条指寒霍乱，以炭火盆热熨腹治之。此病多见于急性胃肠炎、霍乱，治宜温中散寒化湿，轻者用藿香正气散，重者用理中汤、四逆汤加减。

2 铜青[1]

平，微毒。治妇人血气心痛，合金疮[2]，止血，明目，去肤赤息肉[3]。生铜皆有青，青则铜之精华，铜器上绿色是。北庭罨者最佳[4]。治目时淘洗用[5]。陶云青铜，不入方用。按：青铜明目，去肤赤，合金疮，止血，入水不烂，令疮青黑。生熟铜皆有青，即是铜之精华，大者即空绿，以次空青也。铜青独在铜器上，绿色者是。(《证类》页128上16行，《大观》卷5页13，《纲目》页598)

【校注】

[1] **铜青** 为铜的表面所生绿衣，一名铜绿，含碱式碳酸铜。

[2] **金疮** 指由金属器刃损伤肢体所致创伤。亦有人将伤后溃烂而成的疮，称为金疮或金疡。

[3] **息肉** 即长的小肉片或块，大小、多少不等，常见的有鼻息肉、息肉痔等。

[4] **北庭罨者最佳** 用北庭（硇砂）覆盖铜上，所生的铜青最佳。铜青能催吐，古人用以吐风

疾，并能收湿敛疮。配炉甘石、雄黄、冰片为散，擦湿疹瘙痒。配轻粉、黄丹研细末，油调搽溃疡久不收口。《笔峰杂兴》以铜青粉七分、黄蜡一两熔化，以厚纸拖过，表里别以纸隔贴之，治臁疮顽癣。《邵真人经验方》以铜绿、滑石、杏仁等分为末，外擦走马牙疳。

[5] **铜青……治目时淘洗用** 此文原出《嘉祐本草》“铜青”条引《拾遗》文。其条末注云：“新补见陈藏器、日华子”。

3 大钱[1]

银注中陶云，不入用。按：钱青者，是大钱，煮汁服，主五淋[2]；磨入目，主盲瘴肤赤；和薏苡根煮服，主心腹痛。煮比轮钱[3]，以新汲水投服之，又主时气。含青钱，又主口内热疮，以二十文烧令赤，投酒中服之，立差；又主妇人患横产。（《证类》页137上10行，《大观》卷5页35，《纲目》页607）

【校注】

[1] **大钱** 《汉书》卷99上《王莽传》记载，“（居摄二年）五月更造货：错刀，一直五千；契刀，一直五百；大钱，一直五十，与五铢钱并行。”则大钱为货币名称。《日华子》《嘉祐本草》《本草衍义》皆以古文钱名之。

[2] **五淋** 指五种淋证。《外台秘要》引《集验》谓石淋、气淋、膏淋、劳淋、热淋。

[3] **比轮钱** 钱币名。《晋书·食货志》云：“晋自中原丧乱，元帝过江，用孙氏旧钱，轻重杂行，大者谓之比轮，中者谓之四文。”《肘后方》云：“治心腹烦满及胸胁痛。比轮钱二十枚，水五升，煮取三升，分三服。”《千金方》云：“治小便气淋，比轮钱三百文，水一斗，煮取三升，温服。”

4 生银[1]

味辛。主小儿诸热，以水磨服，功胜紫雪[2]。（《医心方》卷25页578上5行，《证类》页110下15行，《大观》卷4页21，《纲目》页594）

【校注】

[1] **生银** 《拾遗》首载此药，其后《日华子》亦载之，《开宝本草》收为正品。《嘉祐本草》引陈藏器，仅云：“生银，味辛”，《医心方》引《拾遗》有“主小儿诸热，以水磨服，功胜紫雪。”《开宝本草》著文最多，并含有《医心方》所引之文，但《开宝本草》未明文献出处。《开宝本草》云：“生银，寒，无毒。主热狂惊悸，发痫，恍惚，夜卧不安，谵语，邪气鬼祟。服之明目，镇心安神安志。小儿诸热丹毒，并以水磨服，功胜紫雪。出饶州（今江西鄱阳）、乐平（今江西乐平）诸坑生银矿中，状如硬锡，文理粗错自然者真。”疑《开宝》“生银”条含有陈藏器文，《嘉祐本草》引陈藏器文时，因《开宝本草》已见引过，即不再援引。但《医心方》根据需要而摘引，所以《医心方》在“生银”条引陈藏器文多于《嘉祐本草》。

［2］**紫雪**　清热解毒、镇痉开窍的制剂，由石膏、磁石、寒水石、滑石、犀角、羚羊角、青木香、沉香、丁香、麝香、消石、朴硝、朱砂、升麻、玄参等制成。其后《太平惠民和剂局方》收录此方，改名为紫雪丹，治小儿热盛惊厥。《千金翼方》云："生银治身有赤疵，常以银揩令热，不久渐渐消。"

5　黄银[1]

银注中苏云：作器辟恶，瑞物也。按：瑞物黄银载于图经[2]。银瓮丹甑，非人所为，既堪为器，明非瑞物。今乌银[3]辟恶，煮之，工人以为器物，养生者为器，以煮药。兼于庭中，高一丈，夜承得醴，投别器中，饮长年。今人作乌银以硫黄熏之[4]再宿，泻之出，即其银黑矣。此是假，非真也。(《证类》页97行11，《大观》卷3页38，《纲目》页596)

【校注】

［1］**黄银**　《唐本草》注首载此药，并云："又有黄银，《本经》不载，俗云为器辟恶，乃为瑞物也。"宋·方勺《泊宅编》云："黄银出蜀中，也与金无异，但上石则白色。"

［2］**图经**　《纲目》引"藏器曰"作"瑞物图经"。

［3］**乌银**　自"乌银"到条末"非真也"，《纲目》引此文进行化裁，文句大同小异。

［4］**今人作乌银以硫黄熏之**　银经硫黄蒸气熏，其表面产生一层硫化银，硫化银是黑色，使银变成乌银。古人利用银变黑，用以检验毒物。对中毒死者，用银物探试之。用银器盛饮食物，若变黑，即证明有毒，不可食。又，银器无毒，若磨成极细末，其末有毒。

6　水银粉[1]

味辛，冷，无毒。畏磁石、石黄。通大肠[2]，转小儿疳[3]并瘰疬[4]。杀疮疥癣虫[5]，及鼻上酒齄、风疮瘙痒[6]。又名汞粉、轻粉、峭粉。忌一切血。(《证类》页111上10行、页74上9行，《大观》卷4页22，《纲目》页631)

【校注】

［1］**水银粉**　为氯化亚汞。由水银、白矾、食盐升炼而成。《拾遗》首载此药，其后《日华子》亦载之。《嘉祐本草》糅合两家文字为一体，收为正品。《本草衍义》云："水银粉下涎药，并小儿涎潮瘈疭多用，然不可常服。"

［2］**通大肠**　《普济方》云"治大便壅结，腻粉半钱，砂糖一弹丸，研，丸梧子大，每服五丸。"此方亦治血痢。配大戟、芫花、甘遂、大黄、二丑，治水肿便闭。

［3］**疳**　泛指小儿因多种慢性疾患而致形体干瘦，津液干枯之证。症见面黄肌瘦，毛发焦枯，腹大青筋，精神萎靡。

[4] **瘰疬** 即老鼠疮，小者为瘰，大者为疬。生于颈项、腋、胯之间。初起如豆，不痛，后渐增大串生，久则微痛，溃破脓稀，难收口，形成窦道或瘘管。

[5] **杀疮疥癣虫** 《集简方》云："治小儿头疮，鸡子黄炒出油，入麻油及腻粉末，傅之。"《直指方》云："治小儿癣，猪脂和轻粉抹之。"

[6] **风疮瘙痒** 《永类方》云："臁疮（烂腿）不合，轻粉五分，黄蜡一两，以粉掺纸上，以蜡铺之，缚在疮上，黄水出即愈。"

7 诸金[1]有毒

生金有大毒，药人至死。生岭南[2]夷僚洞穴山中，如赤黑碎石金铁屎之类。南人云：毒蛇齿脱[3]在石中，又云蛇著石上，又鸩屎[4]著石上皆碎。取毒处为生金，以此为雌黄有毒，雄黄亦有毒，生金皆同此类。人中金药毒者，用蛇解之，其候法在金蛇条中。本经云黄金有毒，误甚也。生金与彼黄金全别也。（《证类》页97下2行，《大观》卷3页31）

【校注】

[1] **诸金** 即金、银、铜、铁、锡、铅等金属的总称。

[2] **岭南** 五岭以南，今广东、广西、越南北部一带。

[3] **脱** 《纲目》作"落"。

[4] **鸩屎** 《纲目》作"鸩鸟屎"。

[附] 生金[1]

岭南人云，生金是毒蛇屎，此有毒。常见人取金，掘地深丈余，至纷子石，石皆一头黑焦，石下有金，大者如指，小者犹麻豆，色如桑黄，咬时极软，即是真金。夫匠窃而吞者，不见有毒。其麸金出水沙中，毡上淘取，或鹅鸭腹中得之，取便打成器物，亦不重炼。煎取金汁，便堪镇心。（《证类》页109上倒3行，《纲目》页593）

【校注】

[1] **生金** 本条见《开宝本草》"金屑"条[今注]中"按陈藏器《拾遗》云"。

8 金浆[1]

味辛，平，无毒。主长生神仙，久服肠中尽为金色[2]。（《证类》页96下15行，《大观》卷3页38，《纲目》页954）

【校注】

[1] **金浆** 《纲目》云:“金,惟服食家言之。淮南三十六水法,亦化为浆服饵。抱朴子言:饵黄金不亚于金液。”《云笈七签》卷65详载做金液之法。

[2] **主长生神仙,久服肠中尽为金色** 《纲目》云:“别录、陈藏器言金久服神仙。其说盖自秦皇、汉武时方士传流而来,血肉之躯,水谷为赖,岂堪此金石重坠之物久在肠胃乎?求生而丧生,可谓愚也矣。”

9 古镜[1]

味辛,无毒。主惊痫邪气[2],小儿诸恶[3]。煮取汁和诸药煮服之。文字弥古者佳尔。(《证类》页96,《大观》卷3页38,《纲目》页606)

【校注】

[1] **古镜** 《开宝本草》注:“以铜铸镜皆用锡和,不尔即不明白,故言锡铜镜。”

[2] **主惊痫邪气** 《日华子》云:“古镜,平,微毒。辟一切邪魅。”《纲目》云:“古镜如古剑,能辟邪魅忤恶。凡人家宜悬大镜,可辟邪魅。”

[3] **小儿诸恶** 《圣惠方》 “治小儿卒中客忤,用古镜鼻烧令赤,著少许酒中,淬过,少少与儿服之。”

10 劳铁[1]

主贼风[2]。烧赤,投酒中,热服之。劳铁,经用辛苦者铁是也。(《证类》页96,《大观》卷3页38)

【校注】

[1] **劳铁** 经辛苦劳动者使用的铁。

[2] **贼风** 能使人病的风。《内经》云:“虚邪、贼风,避之以时。”

11 秤锤[1]

味辛,温,无毒。(《证类》页114,《大观》卷4页31,《纲目》页613)

【校注】

[1] **秤锤** 《拾遗》《开宝本草》仅言“秤锤”,未言明是铜质,还是铁质。《日华子本草》作“铜秤锤”。《纲目》作“铁秤锤”,并注明出“宋开宝”。《开宝本草》云:“秤锤,主贼风,止产后血瘕腹痛及喉痹热塞,并烧令赤投酒中,及热饮之。时人呼血瘕为儿枕,产后即起痛不可忍。无锤用

斧。”从条文末“用斧”来看，斧是铁制的，则《开宝》所用秤锤，当是铁秤锤。

12　铁杵[1]

无毒。主妇人横产。无杵，用斧并烧令赤，投酒中，饮之，自然顺生。杵，捣药者是也[2]。（《证类》页114，《大观》卷4页31，《纲目》页613）

【校注】

[1] **铁杵**　即铁制的捣药杵。

[2] **铁杵……捣药者是也**　《纲目》引《拾遗》化裁为“铁杵，无毒。主妇人横产，胞衣不下，烧赤淬酒饮，自顺。”此文中“胞衣不下”，《大观》《证类》俱无。

13　故锯[1]

无毒，主误吞竹木入喉咽，出入不得者，烧令赤，渍酒中及热饮并得[2]。（《大观》卷4页31，《证类》页114，《纲目》页613）

【校注】

[1] **故锯**　铁制的锯条用旧了为故锯。

[2] **故锯……渍酒中及热饮并得**　《纲目》引《拾遗》化裁为“故锯，无毒。主误吞竹木入咽，烧故锯令赤，渍酒热饮。”故“锯”条文中，《大观》《证类》有“出入不得者”，《纲目》省掉。

14　刀刃[1]

味辛，平，无毒。主蛇咬毒入腹者，取两刀于水中相磨，饮其汁。又两刀于耳门上相磨，敲作声。主百虫入耳，闻刀声即自出也[2]。（《证类》页114，《大观》卷4页30，《纲目》页611）

【校注】

[1] **刀刃**　《纲目》引《拾遗》作“铁刀”。

[2] **两刀于耳门……自出也**　此文原出《肘后方》，疑陈藏器摘自《肘后方》。

15　枷[1]上铁及钉

有犯罪者，忽遇恩得[2]免枷了，取叶钉，等后遇有人官累，带之除得灾。（《证类》页97，《大观》卷3页38，《纲目》页613）

【校注】

[1] **枷** 是古代犯人刑具，由两长方板相拼，中挖大圆孔，用以夹犯人颈部。

[2] **得** 《纲目》作“赦”。

16 钉棺下斧声[1]

之时，主人身胬肉。可候有时，专听其声，声发之时[2]，便下手速捺二七遍，以后自得消平也，产妇勿用。(《证类》页97，《大观》卷4页31，《纲目》页613)

【校注】

[1] **钉棺下斧声** 古人不火葬，死尸装入棺，盖好，加铁钉固定。钉时用斧锤，斧猛锤铁钉发出斧声。病人在听斧声时，捺身上胬肉（肉瘤），使自消平。

[2] **声发之时** 《大观》脱此4字。

17 布针[1]

主妇人横产，烧令赤，内酒中七遍服之，可取二七布针一时火烧。针者用缝布大针是也。(《证类》页97，《大观》卷3页38，《纲目》页613)

【校注】

[1] **布针** 铁制的针。其主治与前几条秤锤、铁杵、铁斧同，烧令赤，渍酒饮，治难产、横产、胞衣不出。《纲目》记载，铁铳、大刀环烧赤淬酒服，俱能催生。

18 针砂[1]

性平，无毒，堪染白为皂及和没食子染须至黑[2]。飞为粉，功用如铁粉。炼铁粉中亦别须之。针是其真钢砂堪用，人多以杂和之，谬也。(《证类》页114，《大观》卷4页30，《纲目》页609)

【校注】

[1] **针砂** 《纲目》引陈藏器文曰：“此是作针家磨鑢细末，须真钢砂乃堪用，人多以柔铁砂杂和之，飞为粉，人莫能辨也。亦堪染皂。”《纲目》引文与本条文略小异。

[2] **染白为皂及和没食子染须至黑** 《纲目》云：“针砂、荞面各一两，百药煎为末，茶调，夜涂旦洗。再以诃子五钱，没食子醋炒一个，百药煎少许，水和涂一夜，温浆洗去，黑而且光。”《摘玄

方》治黄病（贫血痿黄），用针砂四两，醋炒七次，干漆烧存性二钱，香附三钱，平胃散五钱，为末，蒸饼丸梧子大，任汤使下。

19　锻镬下铁屑[1]

味辛，平，无毒。主鬼打[2]、鬼注[3]、邪气。水渍搅令沫出，澄清去滓，及暖饮一二盏[4]。（《证类》页114，《大观》卷4页30，《纲目》页611）

【校注】

[1] **锻镬下铁屑**　《纲目》作“铁落”。《唐本草》“铁精”条注云：“铁落，是锻家烧铁赤，砧上锻之，皮甲落者也。”铁落为生铁煅至红赤，外层氧化时被锤落的铁屑。主要含四氧化三铁。锻镬即锻砧，锤铁用的砧。

[2] **鬼打**　古病名，因历史条件限制，古人对一些病因不明的疾患（如痉痫），用“鬼打”来解释。《素问》有生铁落饮，治人易怒发狂。《日华子》谓铁屑治惊邪癫痫、小儿客忤。据此可知“鬼打”类似神经异常疾患。

[3] **鬼注**　即鬼疰。一名尸注、转注、劳瘵。《济生方》云：“凡患劳瘵，传变不一，积年染疰，甚至灭门。”说明本病病程缓慢而互相传染，类似今日结核病。

[4] **盏**　《纲目》作“杯”。

20　铁锈[1]

主恶疮疥癣，和油涂之[2]。蜘蛛虫等咬，和蒜磨傅之。此铁上衣也，锈生铁上者堪用。（《证类》页96下末，《大观》卷3页38，《纲目》页612）

【校注】

[1] **铁锈**　为铁的氧化物，主要含四氧化三铁。

[2] **主恶疮疥癣，和油涂之**　恶疮，出《刘涓子鬼遗方》。凡疮疡焮肿痛痒，溃烂经久不愈者，统称为恶疮。疥癣，为疥疮、皮癣的通称。《积德堂方》：“治汤火伤疮，青竹烧油，用铁锈搽之。”《集简方》云：“治风瘙瘾疹，铁锈磨水涂之。”

21　铁浆[1]

铁注中陶为铁落是铁浆，苏云非也。按：铁浆取诸铁于器中，以水浸之，经久色青沫出，即堪染皂，兼解诸毒入腹，服之亦镇心。主癫痫发热，急狂走[2]，六畜癫狂。人为蛇、犬、虎、狼、毒刺、恶虫等啮，服之，毒不入内。（《证类》页114，《大观》卷4页30，《纲目》页612）

【校注】

[1] **铁浆**　《本草图经》云："取诸铁于器中，水浸之，经久色青沫出，可以染皂者为铁浆。"陈承《别说》云："铁浆是以生铁渍水服饵，日取饮，旋添新水。"

[2] **急狂走**　《大观》《纲止》作"急黄狂走"。

22　淬铁水[1]

味辛，无毒。主小儿丹毒[2]，饮一合。此打铁器时坚铁槽中水。（《证类》页114，《大观》卷4页30）

【校注】

[1] **淬铁水**　矿物烧赤热投入冷液体中名淬。将赤热的铁浸入冷水，其水名淬铁水。它是含有微量氧化铁的溶液。

[2] **丹毒**　病名。患部皮肤红如涂丹，热如火灼，名丹毒。发无定处名赤游丹，发于头名抱头火丹，发于下腿名流火。初起患部鲜红一片，边缘清楚，灼热，痒痛间作，迅速蔓延扩大，发热恶寒，头痛，口渴。甚者壮热，烦躁、神昏谵语。

23　铁爇[1]

主恶疮蚀䘌，金疮毒物伤皮肉，止风水不入，入水不烂，手足皲折，疮根结筋，瘰疬，毒肿。染髭发令永黑。并及热未凝涂之，少当干硬。以竹木爇火于刀斧刃上，烧之津出如漆者是也。一名刀烟，江东[2]人多用之防水。项边疬子[3]，以桃核烧熏[4]，杀虫立效。（《证类》页114，《大观》卷4页30，《纲目》页611）

【校注】

[1] **铁□**　以竹木爇火，于刀斧刃上烧之，津出如漆为铁爇。

[2] **江东**　谓长江以东之地。《魏禧日录杂说》："长江有南北而无东西。金陵（今南京）、豫章（今南昌）俱在江南。对豫章言，则金陵居江南之东。"《史记·项羽纪》："籍与江东子弟八千人渡江而西。"

[3] **疬子**　即瘰疬。

[4] **以桃核烧熏**　《纲目》引《陈氏本草》作"以桃核于刀上烧烟熏之"。

24　霹雳针[1]

无毒。主大惊失心，恍惚不识人，并下淋，磨服[2]，亦煮服。此物伺候震处，掘地三尺得之。其形非一，或言是人所造，纳与天曹，不知事实。今得之，亦有似斧刃[3]者，亦有如斲刃者，亦有安[4]二孔者，一用人间石作也。注出雷州[5]，并河东[6]山泽间。因雷震后时，多似斧，色青黑斑文，至硬如玉，作枕，除魔梦，辟不祥，名霹雳屑也。(《证类》页98，《大观》卷3页41，《纲目》页682)

【校注】

[1] **霹雳针** “针”，《纲目》作“砧”，并云：“旧作针及屑，误矣”。又引《雷书》云：“刮末服，主瘵疾，杀劳虫，下蛊毒，止泄泻，置箱、箦（竹片编的床垫子）间，不生蛀虫。”

[2] **并下淋，磨服** 《纲目》作“并石淋磨汁服”。

[3] **刃** 《纲目》作“刀”。

[4] **安** 《纲目》作“穴”。

[5] **雷州** 今广东海康。

[6] **河东** 今山西。

25 大石镇宅[1]

主灾异不起，宅经取大石镇宅四隅。《荆楚岁时记》[2]：十二月暮日，掘宅四角，各埋一大石为镇宅。又《鸿宝万毕术》[3]云：埋丸石于宅四隅，捶桃核七枚，则鬼无能殃也[4]。(《证类》页98，《大观》卷3页41，《纲目》714页)

【校注】

[1] **大石镇宅** 《纲目》作“镇宅大石”。由于历史条件，古人对病因不明的疾病，以为是宅内鬼神所致，用大石埋屋四角以镇压之，名大石镇宅。

[2] **《荆楚岁时记》** 南朝梁·宗懔所撰的笔记。自序“录荆楚岁时风物故事，自元旦至除日，凡二十余事”。每条下正文简述节令时俗，加按语说明源流。是我国最早记述荆楚岁时风物故事的著作。

[3] **《鸿宝万毕术》** 即《淮南万毕》，传为西汉刘安撰。讲用药用符、黄白变化之事，包含有关物理、化学知识。书久佚，后世所见散引于《初学记》《艺文类聚》《太平御览》等类书。清人孙冯翼、茆泮林、王仁俊各有辑本。

[4] **捶桃核七枚，则鬼无能殃也** 古人认为桃能杀鬼。《典术》云：“桃乃仙木，能厌伏邪气，制百鬼。”《纲目》云：“桃之枝、叶、根、核、桃枭、桃橛，皆辟鬼祟产忤。”昔日民间以桃枝驱鬼治病，是历史条件限制的产物。

26 石栏干[1]

味辛，平，无毒。主石淋[2]，破血[3]，产后恶血，磨服，亦煮汁服，亦火烧投酒中服。生大海底，高尺余，如树有眼茎[4]，茎上有孔，如物点之。渔人以网

罾得之，初从水出微红，后渐青。(《证类》页98，《大观》卷3页41，《纲目》页617)

【校注】

[1] **石栏干** 《纲目》并入“青琅玕”条中，是珊瑚一类物品，主要含碳酸钙。《本草图经》云：“《异鱼图》载琅玕青色，生海中，云海人于海底以网挂得之，初出水为红色，久而青黑，枝柯似珊瑚，而上有孔窍如虫蛀，击之有金石之声，乃与珊瑚相类。”此文与“石栏杆”条后半截内容相同。

[2] **石淋** 淋证之一。出《诸病源候论·淋病诸候》。症见尿出困难，阴中痛引小腹，如有砂石排出则痛解，尿多黄赤或尿血。多见于尿路结石、膀胱结石。

[3] **破血** 即祛除瘀血。《唐本草》云：“珊瑚消宿血”。

[4] **眼茎** 《纲目》引陈藏器作“根茎”。

27 研朱石槌

主妒乳[1]，煮令热熨乳上，取二槌更互用之，以巾覆乳上，令热彻内数十遍，取差为度也。(《证类》页98，《大观》卷3页40，《纲目》页1496)

【校注】

[1] **妒乳** 即乳痈，一名妒乳。

28 石药[1]

味苦，寒，无毒。主折伤内损瘀血，止烦闷欲死者，酒消服之。南方俚人，以傅箭镞[2]及深山大蝮中人，速取病者当顶上十字剺之，令皮断出血，以药末疮上，并傅所伤处，其毒必攻上下泄之，当出黄汁数升，则闷解。俚人重之，带于腰，以防毒箭。亦主恶疮，热毒痈肿，赤白游风瘘蚀等疮，北人呼肿名之曰游，并水和傅之。出贺州[3]石上山内，似碎石、硇砂之类，土人以竹筒盛之。(《证类》页97，《大观》卷3页40，《纲目》页702)

【校注】

[1] **石药** 张绍棠刻本《纲目》作“特蓬杀”。张本《纲目》卷十一“蓬砂”条所附“特蓬杀”全文，和《证类》97页“石药”条完全相同。

[2] **箭镞** 即箭头。

[3] **贺州** 今广西贺县。

29　石漆[1]

堪燃，烛膏半缸，如漆，不可食。此物水石之精，固应有所主疗，检诸方，见有说。《博物志》[2]：酒泉[3]南山石出，其水如肥肉汁，取著器中，如凝脂正黑，与膏无异，彼方人为之石漆。今检不见其方，深所恨也。(《证类》页97，《大观》卷1页39，《纲目》页655)

【校注】

[1] **石漆**　《纲目》并在"石脑油"条中。石脑油为《嘉祐本草》新增药。《嘉祐本草》云："石脑油，主小儿惊风，化涎，可和诸药作丸服。宜以瓷器贮之。不可近金银器，虽至完密，直尔透过。道家多用，俗方不甚须。"

[2] **《博物志》**　西晋张华（232—300）撰。记有山水物产，五方人民，文籍典礼，服饰乐考等，是一部杂著录。原书佚，今本殆由后人所辑。

[3] **酒泉**　今甘肃酒泉。

30　石髓[1]

味甘，温，无毒。主寒热中，羸瘦，无颜色，积聚心腹胀满，食饮不消，皮肤枯槁，小便数疾，癖块腹内，肠鸣下利，腰脚疼冷，男子绝阳，女子绝产，血气不调。令人肥健能食，合金疮。性壅宜寒瘦人。生临海[2]华盖山石窟，土人采取澄淘如泥，作丸如弹子，有白有黄弥佳矣。(《证类》页98，《大观》卷3页41，《纲目》页654)

【校注】

[1] **石髓**　《纲目》引《列仙传》云："石髓，即钟乳也。"

[2] **临海**　今浙江临海。

31　石黄[1]

雄黄注中苏云：通名黄石。按：石黄，今人敲取精明者为雄黄，外黑者为熏黄，主恶疮，杀虫，熏疮疥虮虱，和诸药熏嗽。其武都[2]雄黄烧不臭。熏黄中者烧则臭，以此分别之。苏云[3]通名，未之[4]是也。(《大观》卷3页39，《证类》页97，《纲目》页635)

【校注】

[1] **石黄** 为雄黄的矿石，是硫化物类矿物。主含二硫化二砷。《嘉祐本草》“雄黄”条掌禹锡注曰：“陈藏器云挟石黄，今人敲取中精明者为雄黄，外黑者为熏黄。主恶疮，杀虫，熏疮疥虮虱，及和诸药熏嗽。其武都雄黄烧不臭，熏黄中者烧则臭，以此分别之。苏云通名，未之是也。”

[2] **武都** 今甘肃武都。

[3] **苏云** 《大观》作“陶云”。

[4] **未之** 《大观》作“未知”。

32 金石[1]

味甘[2]，无毒。主久羸瘦，不能食，无颜色，补腰脚冷，令人健壮，益阳，有暴热，脱发，飞炼服之。生五台山[3]清凉寺石中，金屑作赤褐色。(《证类》页98，《大观》卷3页40，《纲目》页675)

【校注】

[1] **金石** 《纲目》附在“金星石”条之后。是含金的矿石。

[2] **甘** 其后，《纲目》有“温”字。

[3] **五台山** 今山西五台山。

33 晕石

无毒[1]。主石淋，磨服之[2]，亦烧令赤投酒中服[3]，生大海底，如姜石，紫褐色，极紧似石，是咸水结成之，自然有晕也。(《证类》页98，《大观》卷3页40，《纲目》页659)

【校注】

[1] **无毒** 《纲目》作“味咸寒无毒”。

[2] **磨服之** 《纲目》作“磨汁饮之”。

[3] **服** 《纲目》作“饮”。

34 砺石[1]

无毒。主破宿血[2]，下石淋，除癥结[3]，伏鬼物、恶气[4]。一名磨石[5]，烧赤热投酒中饮之，即今磨刀石，取浧[6]傅蠼螋溺疮[7]有效。又不欲人蹋之，令人患带下，未知所由。又有越砥[8]石，极细，磨汁滴目除瘴闇[9]，烧赤投酒中，破血瘕痛，功状极同，名又相近，应是砺矣。《禹贡》[10]注云：砥细于砺，皆磨石也。（《证类》页117，《大观》卷4页38，《纲目》页678，《本草和名》卷20）

【校注】

［1］**砺石**　即粗糙的磨刀石。

［2］**宿血**　即瘀血。指血液瘀滞积存于体内，多由跌扑损伤、月经闭止、寒凝气滞、血热妄行所致。

［3］**癥结**　腹腔内包块，按之形证可验，坚硬不移，痛有定处者，为癥结。《纲目》作“结瘕”。

［4］**恶气**　指邪气中人，病势凶恶。

［5］**一名磨石**　《医心方》卷1页34引《拾遗》云：“砺石，一名磨石”。《本草和名》卷20“砺石”条作“一名磨刀石”。

［6］**垽**　磨刀液中的沉淀物。

［7］**蠼螋溺疮**　蠼螋是昆虫纲革翅目昆虫的通称，古代认为其溺射人影，可使人生疮，名蠼螋溺疮。

［8］**越砥**　《本草和名》卷20“砺石”条作“一名磨石越砥”。按：《证类本草》卷卅有名未用草木类有越砥。《纲目》将草木类越砥，与本条中“越砥”合并为一条。

［9］**闇**　《纲目》作“翳”。

［10］**《禹贡》**　《尚书》中的一篇。《尚书》是儒家经典之一，是中国上古历史文献及部分追述古代事物著作的汇编。其中《禹贡》篇，记述我国最早地理自然区分情况。

35　磁石毛[1]

味咸，温，无毒。主补绝阳，益阳道[2]，止小便白数，治腰脚，去疮瘘，长肌肤，令人有子，宜入酒。出相州[3]北山。磁石毛，铁之母也。取铁如母之招子焉。《本经》有磁石，不言毛，毛功状殊也。又言磁石寒，此弥误也。（《证类》页111，《大观》卷4页23，《纲目》页661）

【校注】

［1］**磁石毛**　《拾遗》谓磁石毛为铁之母，取铁如母之招子。此言磁石毛亦能吸铁。又云：“毛功状殊也”，即磁石毛与磁石功用形状不同。磁石毛既能吸铁，当是磁铁矿石中的一种。《青霞子》云：“磁石毛治肾之疾”。

［2］**益阳道**　增强性功能。

［3］**相州**　今河南安阳。

36　淋石[1]

有以病为药者。淋石，主石淋，水磨服之，当碎石随溺出也。人患石淋，或于溺中出，正如小石，非他物也。候出时收之，淋为用最佳也。又主噎病吐食，俗云涩饭病者效。(《证类》页135上9行，《大观》卷5页29，《纲目》页1822，《医心方》页266)

【校注】

[1] **淋石** 泌尿系结石。《开宝本草》云："淋石，无毒。主石淋。此是患石淋人或于溺中出者，如小石，水磨服之，当得碎石随溺出。"

37 温石[1]及烧砖

主之得热气彻腰腹，久患下部冷，久痢，肠腹下白脓，烧砖并温石熨，及坐之，并差。但取坚石烧暖用之，非别有温石也。(《证类》页99上8行，《大观》卷3页42，《医心方》页34上12行，《本草和名》卷20)

【校注】

[1] **温石** 《医心方》卷1页34引《拾遗》云："温石，今烧火熨人腰脚者。"《拾遗》云："取坚石烧暖用之，非别有温石也。"据此，温石即一般坚硬的石。

38 烧石[1]

令赤投水中，内盐数合，主风瘙瘾疹[2]及洗之。又取石，如鹅卵大，猛火烧令赤，内醋中十余度，至石碎，尽取屑，曝干，和醋涂肿上。出《北齐书》[3]，医人马嗣明治发背及诸恶肿皆愈[4]，此并是寻常石也。(《证类》页97，《大观》卷3页39)

【校注】

[1] **烧石** 《纲目》无"烧石"药名，将"烧石"条中"烧令赤投水中，内盐数合，主风瘙瘾疹及洗之"并入"水中白石"条主治中。(见《纲目》页680)

[2] **风瘙瘾疹** 皮肤出现的风疹块，大小不等，时隐时现，剧痒。

[3] **《北齐书》** 50卷，原名《齐书》，北宋时为区别萧子显《南齐书》而加北字。唐贞观三年（629年）太宗命李百药撰。记载公元534年前后北魏分裂，东魏政权建立，及550年齐灭东魏，至577年齐亡，共44年王朝兴亡史。

[4] **医人马嗣明治发背及诸恶肿皆愈** 《纲目》云："大凡石类多主痈疽。北齐马嗣明医杨遵产背疮，取粗理黄石如鹅卵大，猛烈火烧令赤，内酽醋中，因有屑落醋里，频烧淬石至尽，取屑曝干捣筛和醋涂之，愈。"

39 玄黄石[1]

味甘，平，温，无毒。主惊恐，身热邪气，镇心。久服令人眼明，令人悦泽。出淄川[2]北海[3]山谷土石中，如赤土代赭之类。又有一名零陵，极细，研服之，如代赭，土人用以当朱，呼为赤石，恐是代赭之类也，人未用之。（《证类》页98上16行，《大观》卷3页40，《纲目》页665）

【校注】

[1] **玄黄石** 《纲目》附在“代赭石”条下，并云：“此亦他方代赭耳”。《拾遗》亦云：“如赤土代赭之类”。按：代赭石为赤铁矿的矿石，主含三氧化二铁，则玄黄石亦当同此。

[2] **淄川** 今山东淄川。

[3] **北海** 泛指渤海沿岸地区。

40 水中石子[1]

无毒。主食鱼鲙腹中[2]胀满成瘕，痛闷，饮食不下，日渐瘦。取水中石子数十枚，火烧赤，投五升水中各七遍，即热饮之，如此三五度，当利出瘕也[3]。（《证类》页97下8行，《大观》卷3页40，《纲目》页680）

【校注】

[1] **水中石子** 《纲目》作“水中白石”。

[2] **腹中** 《纲目》作“多”。

[3] **也** 其后，《纲目》有“又烧淬水中，纳盐三合，洗风瘙瘾疹”14字。按：此14字原属“烧石”条之文，《纲目》移置于此。

41 白师子[1]

主白虎病[2]，向东人[3]呼为历节风，置白师子于病者前自愈，此压伏之义也。白虎鬼，古人言如猫，在粪堆中，亦云是粪神。今时人扫粪莫置门下，令人病此。疗之法，以鸡子揩病人痛，咒愿，送著粪堆头，勿反顾。（《证类》页98上12行，《大观》卷3页40，《纲目》页714）

【校注】

[1] **白师子** 《纲目》作“白狮子石”。

[2] **白虎病** 即痛风，一名白虎风、历节风，症见关节肿痛，游走不定，痛势剧烈，屈伸不利，日轻夜重。

[3] **向东人** 《纲目》作“江东人。”

42 六月河中诸热砂[1]

主风湿顽痹不仁，筋骨挛缩脚疼[2]，冷风掣瘫缓，血脉断绝。取干砂日曝，令极热，伏坐其中，冷则更易之，取热彻通汗，然后随病进[3]药，及食忌风冷劳役。(《证类》页99下2行，《大观》卷3页43，《纲目》页680)

【校注】

[1] **六月河中诸热砂** 《纲目》作“河砂”。

[2] **脚疼** 《纲目》无此2字。

[3] **进** 《纲目》作“用”。

43 特蓬杀[1]

味辛，苦，温，小毒。主飞金石用之，炼丹亦须用。生西国[2]，似石脂、蛎粉之类，能透金、石、铁，无碍下通出。(《证类》页99上18行，《大观》卷3页42，《纲目》页702)

【校注】

[1] **特蓬杀** 张绍棠刻本《纲目》在“特蓬杀”药名下所刻的文字，是“石药”条的全文。

[2] **西国** 自汉代起，甘肃玉门关以西，巴尔喀什湖以东以南的广大地区，被称为西域，生活在这些地区的各民族所组成的国家，称为西国。

44 玻璃

味辛，寒，无毒。主惊悸心热，能安心，明目，去赤眼，熨热肿。此西国之宝也。是水玉，或千岁冰化为之，应玉石之类，生土石中，未必是水。今水精珠，精者极光明，置水中不见珠也。熨目除热泪。或云火燧珠，向日取得火[1]。(《证类》页98下2行，《大观》卷3页41，《纲目》页618)

【校注】

[1] **向日取得火** 此指圆珠形玻璃，向日能聚光，形成焦点，置易燃物于焦点处则燃烧。

45 琉璃

主身热目赤，以水浸令冷熨之。《韵集》[1]曰：“火齐珠也”。《南州异物志》[2]云：“琉璃本是石，以自然灰理之，可器，车渠、马脑并玉石类，是西国重宝”。《佛经》云：“七宝者，谓金、银、琉璃、车渠、马脑、玻璃、真珠是也。”或云珊瑚、琥珀，今马脑碗上刻镂为奇工者，皆以自然灰又昆吾刀治之。自然灰今时以牛皮胶作假者，非也。(《证类》页132“青琅玕”条下引，《大观》卷5页22，《纲目》页618)

【校注】

[1] **《韵集》** 韵书，宋·王应麟《困学纪闻》卷8：“晋·吕静作《韵集》五卷，宫、商、角、徵、羽各为一卷。”

[2] **《南州异物志》** 《本草纲目·序例》“引据古今医家书目”有万震《南州异物志》，疑即此书。

46 马脑[1]

味辛，寒，无毒。主辟恶，熨目赤烂。红色似马之脑，亦美石之类，重宝也。生西国玉石间，来中国者，皆以为器，亦云马脑珠，是马口中吐出，多是胡人谬言，以贵之耳。马脑出日本国，用砑[2]木不热为上，砑木热非真也。(《证类》页118上1行，《大观》卷4页39，《纲目》页618)

【校注】

[1] **马脑** 今名玛瑙。为矿物石英的隐晶质变种之一，主要成分为二氧化硅。《本草衍义》云：“马瑙，非石非玉，自是一类，有红、白、黑三种，亦有其纹如缠丝，出西裔者佳。”

[2] **砑** 音亚，碾也。《玉篇》云：“砑，光石也。今之布疋及纸，用石碾砑光滑。”

47 印纸

无毒。主令妇人断产无子，剪有印处，烧灰水服之，一钱匕[1]，神效。(《证类》页99，《大观》卷3页42，《纲目》页1491)

【校注】

[1] **一钱匕** 古代量取药末的器具名。用汉代五铢钱币抄取药末不落为一钱匕。

48 神丹[1]

味辛，温，有小毒。主万病有寒温，飞金石及诸药随寒温共成之[2]，长生神仙。（《证类》页96，《大观》卷3页38，《纲目》页714）

【校注】

［1］**神丹** 由金石飞炼及诸药合成。《拾遗》首载此药，《大观》《证类》《纲目》转录之。《云笈七签》卷65载有“太清神丹法”。

［2］**随寒温共成之** 纲目作“合成服之”。

49 玉膏[1]

味甘，平，无毒。主延年神仙。术家取蟾蜍膏软玉如泥，以苦酒[2]消之成水，此则为膏之法。今玉石间水饮之长生，令人体润，以玉投朱草[3]汁中，化成醴。朱草瑞物，已出《金水》[4]卷中。《十洲仙记》[5]：瀛洲有玉膏泉如酒，饮之数杯辄醉，令人长生。洲上多有仙家，似吴儿，虽仙境之事，有可凭者，故引以为证也。（《证类》页99上2行，《纲目》页615，《大观》卷3页42）

【校注】

［1］**玉膏** 《纲目》并在“白玉髓”条下。

［2］**苦酒** 即醋。

［3］**朱草** 《云笈七签》卷67“五成丹法”云：“朱草，叶如菰，生不群，长不杂，枝干皆赤，茎如珊瑚，多生名山岩石之下，刻之汁如血，以玉投之，即为玉醴，服之皆长生。”此文与“723 珊瑚”条相校，疑朱草即红珊瑚。

［4］**《金水》** 当是道家书。《云笈七签》卷63～73金丹部，论述金丹、金液诸法。本条所言“以玉投朱草汁中，化成醴……”亦见于《云笈七签》卷67金丹部之五。

［5］**《十洲仙记》** 《纲目》引《拾遗》作“东方朔《十洲记》”。东方朔为汉代人，所著《十洲记》为笔记小说，其中有本草及养生内容。

50 盐药[1]

味咸，无毒。主眼赤眦烂风赤，细研水和点目中。又入腹去热烦，痰满头痛，明目，镇心，水研服之。又主蚖蛇恶虫毒，疥癣痈肿瘰疬。以前入腹，水消服之，著疮正尔摩傅。生海西南雷、罗诸州山谷，似芒硝末细，入口极冷。南人多取傅疮

肿，少有服者，恐极冷，入腹伤人，且宜慎[2]之。(《证类》页130,《大观》卷5页17)

【校注】

[1] **盐药**　《大观》《证类》在“戎盐”条下引《拾遗》“盐药”，说明盐药当是戎盐的一种。

[2] **慎**　《大观》作“谨”。因《大观本草》在南宋翻刻时，避南宋孝宗（1163—1189）赵昚（音慎）讳，改为谨。

51　烟药[1]

味辛，温，有毒。主瘰疬，五痔瘘，瘿瘤[2]疮根恶肿。石黄、空青、桂心并四两，干姜一两为末，取铁片阔五寸，烧赤，以药置铁上，用磁碗，以猪脂涂碗底[3]，药飞上，待冷，即开，如此五度。随疮孔大小，以药如鼠屎，内孔中，面封之，三度根出也。无孔者针破内之[4]。(《证类》页99上13行,《大观》卷3页42,《纲目》页714)

【校注】

[1] **烟药**　由石黄（雄黄矿）、空青昇炼而成。

[2] **瘿瘤**　出《中藏经》。瘿与瘤的合称。瘿即大脖子病，《说文》曰：“瘿，颈瘤也。”多指甲状腺肿大一类疾患。多因缺碘所致。

[3] **以猪脂涂碗底**　作冷却剂用。

[4] **内之**　即纳之。

52　阿婆赵荣二药

有小毒。主疗肿恶疮出根，蚀息肉、肉刺。齐人[1]以白姜石、犬屎、绯帛、棘针钩等，合成如墨，硬土作丸。又有阿婆赵荣药，功状相同云。石灰和诸虫及绯帛、棘针合成之，并出临淄[2]、齐州[3]。(《证类》页99,《大观》卷3页42)

【校注】

[1] **齐人**　山东地区人。

[2] **临淄**　今山东淄博以东地区。

[3] **齐州**　今山东济南地区。

53　流黄香[1]

味辛，温，无毒。去恶气，除冷，杀虫。似流黄而香。吴时《外国传》云：

"流黄香出都昆国[2]，在扶南[3]南三千[4]里。"《南州异物志》云："流黄香出南海边诸国。"今中国用者，从西戎[5]来。(《证类》页98上8行，《大观》卷3页40，《纲目》页706)

【校注】

[1] **流黄香** 《纲目》附录在"石流青"条之后。

[2] **都昆国** 《纲目》作"昆南国。"

[3] **扶南** 今越南最南端龙川等地区。

[4] **千** 《纲目》作"十"。

[5] **西戎** 指中国西部少数民族。

54 天子藉田三推犁下土[1]

无毒。主惊悸癫邪，安神，定魄，强志[2]，入官不惧，利见大官，宜婚市。王者所封[3]五色土，亦其次焉。以前主病，正尔水服，余皆藏宝。(《证类》页119上2行，《大观》卷4页41，《纲目》页578)

【校注】

[1] **天子藉田三推犁下土** "天子"，古人视国君为上天之子，故名。"藉田"，"藉"通"借"，即借民力耕的田。应邵曰："古者天子耕藉田千亩。"《诗·序》云："春藉田而祈社稷"。后世天子在一年的开始，下地示范耕田。人们认为天子用的犁，其犁下土富有国君之威，能镇病邪。这也是一种信仰效应。犹如今日各种口服液，通过广告宣传，也会产生一定信仰效应。

[2] **强志** 其后，《纲目》有"藏之"2字。

[3] **所封** 《纲目》作"封禅"。封禅是天子祭天之处，刻石纪号之。

55 社坛四角土[1]

牧宰临官，自取以涂门户。主盗不入境[2]。今郡县皆有社坛也。(《证类》1页19上5行，《大观》卷4页41，《纲目》页578)

【校注】

[1] **社坛四角土** 《纲目》作"社稷坛土"。社坛是古代以岁时祭祀的处所，二千五百家共一社坛。

[2] **主盗不入境** 《纲目》作"令盗贼不入境"。

56 土地[1]

主敛万物毒，人患发背者，掘地为孔，一头旁通取风，以穴大小可肿处，仰卧穴上，令痈入穴孔中噏之，作三五个，觉热即易，仍以物藉他处。又人卒患急黄热盛欲死者，于沙土中掘坎，斜埋患人，令头出土上，灌之，久乃出，曾试有效。当是土能收摄热也。又人患丹石[2]发肿，以肿处于湿地上卧熨之，地热易之。（《证类》页119，《大观》卷5页41）

【校注】

[1] **土地** 指有泥土的地，不是水地或石头地。

[2] **丹石** 是古人服食用的制剂，由石钟乳、硫黄、白石英、紫石英、赤石脂等多种矿物制成。《千金方》云："人不服石，庶事不佳。所以常须服石，令人手足温暖，骨髓充实，耐寒暑，不著诸病。"按：丹石药本有毒，不可多服。《千金方》云服石有益，也许是因服用少量，可从中摄取微量元素，对健康或许有益。

57 市门土

无毒。主妇人易产，取土临月带之[1]。又临月产时，取一钱匕末，酒服之[2]。又捻为丸，小儿于苦瓠中作白龙乞儿。此法崔知悌[3]方，文多，不录。（《证类》页119上13行，《大观》卷4页41，《纲目》页579）

【校注】

[1] **取土临月带之** 《纲目》作"入月带之"。

[2] **又临月产时，取一钱匕末，酒服之** 《纲目》作"产时酒服一钱"。

[3] **崔知悌** 唐代医学家，唐高宗时任中书侍郎、户部尚书。著有《骨蒸病灸方》《崔氏纂要方》《产图》，均佚。佚文可见于《外台秘要》。

58 自然灰[1]

主白癜风，疬疡，重淋取汁，和醋，先以布揩白癜风[2]破，傅之[3]。当为创[4]勿怪。能软琉璃玉石如泥，至易雕刻，及浣衣令白，洗恶疮疥癣，验于诸灰。生海中如黄土。《南州异物志》云："自然灰，生南海畔，可浣衣，石得此灰即烂，可为器。"今马脑等形质异者，先以此灰埋之，令软，然后雕刻之也[5]。（《证类》页119上16行，《大观》卷4页41，《纲目》页583）

【校注】

[1] **自然灰** 与冬灰相类。自然灰为天然的碱灰，冬灰为植物燃烧后剩下的灰，含有碱性盐。

[2] **白癜风** 为局限性皮肤色素消失。皮肤出现边缘清楚、大小不等的白色斑片，周围皮色较深，斑内毛发亦变白，表面光滑，不痛不痒，经过缓慢，偶有自行消退者。

[3] **先以布揩白癜风破，傅之** 《纲目》作“以布揩破用傅之。”

[4] **当为疮** 《纲目》作“为疮”。

[5] **自然灰……然后雕刻之也** 《纲目》引此条经过简化，所以《纲目》引文略异。

59 桑灰[1]

本功外，去风血癥瘕[2]块。又主水癊，淋取酽汁作食，服三五升。又取鳖一头，治如食法，以桑灰汁煎如泥，和诸癥瘕药重煎，堪丸，众手捻成。日服十五丸，癥瘕痃癖[3]无不差者。其方文多，不具载。(《证类》页132，《大观》卷5页21，《纲目》页589)

【校注】

[1] **桑灰** 《本经》《纲目》作“冬灰”。陶弘景云：“此即今浣衣黄灰，烧诸蒿、藜积聚炼作之。性烈。又荻灰尤烈。欲清黑志、疣、赘，取此三种灰和水蒸以点之，即去，不可广用，烂人皮肉。”《唐本草》注：“桑薪灰用疗黑子、疣、赘，功胜冬灰。用煮小豆大下水肿。”按：桑灰含有钾盐，钾盐、赤小豆俱能利尿，故能下水肿。

[2] **癥瘕** 指腹腔内痞块。按之形证可验，坚硬不移，痛有定处者为癥；聚散无常，推之游移不定，痛无定处者为瘕。

[3] **痃癖** 痃，指脐两旁有条状物凸起，大小不一，或痛或不痛。癖，指积块隐匿于两胁之间。两者均伴有消瘦、食少、疲乏等全身症状。

60 灶中热灰[1]

和醋熨心腹冷气痛，及血气绞痛。冷即易。(《证类》页134，《大观》卷5页29)

【校注】

[1] **灶中热灰** 《大观》《证类》附在“煅灶灰”的注文中。灶中热灰含有余热，利用余热以熨寒痛。

61 灶中土[1]

及四交道土合，末，以饮小儿，辟夜啼[2]。(《证类》页122，《大观》卷5页1，《纲

目》页583，《医心方》页572）

【校注】

［1］**灶中土** 为久经柴草烧熏的灶底中心土块。《别录》首载此药，名伏龙肝。并云：“主妇人崩中，吐血，止咳逆，止血，消痈肿毒气。”按：灶心土亦能止吐，配陈半夏、干姜治虚寒性呕吐。配肉豆蔻、白术、干姜、附子治久泻。

［2］**以饮小儿，辟夜啼** 《日华子》云：“伏龙肝（灶心土）治小儿夜啼。”

62 灶突后黑土[1]

无毒。主产后胞衣不下，末，服三指撮[2]，暖水及酒服之。天未明时取，至验也。（《证类》页135，《大观》卷5页29，《纲目》页589）

【校注】

［1］**灶突后黑土** 灶突后土经烧草木烟熏，日久变黑，名灶突后黑土。

［2］**三指撮** 用拇指、食指、中指聚合，摄一小撮药末的量，为三指撮。

63 好土[1]

味甘，平，无毒。主泄痢冷热赤白，腹内热毒，绞结痛，下血。取入地干土，以水煮三五沸，绞去滓，适稀稠，及暖，服一二升，又解诸药毒，中肉毒，合口椒毒，野菌毒，并解之。取东壁土用之，功亦小同，止泄痢霍乱，烦闷为要。取其向阳壁久干也。张司空[2]云：土三尺已上曰粪，三尺已下曰土，服之当去恶物，勿令入客水。又食牛马肉及肝中毒者，先剉头发，令寸长，拌好土，作溏泥二升，合和饮之，须臾，发皆贯所食肝出。牛马独肝者，有大毒，不可食。汉武云：文成食马肝死。又人卒患心痛，画地作五字，以撮取中央土，水和一升绞，服之，良也。（《证类》页127，《大观》卷5页12，《纲目》页577）

【校注】

［1］**好土** 指未被污染的清洁土。《大观》《证类》列在“东壁土”条下。此条与《别录》“地浆”主治相同，用以解诸毒。取好土，宜掘三尺以下方可取用。宋·钱乙治皇子病瘛疭，国医未能治，长公主举乙入，进黄土汤而愈。黄土即好土，富含钙盐，有镇痉功效。《纲目》以黄土为正名。

［2］**张司空** 即《博物志》作者张华。

64　土消[1]

大寒，无毒。主伤寒时气黄疸病烦热[2]，汤淋取汁[3]，顿服之[4]。《庄子》[5]云："蛣蜣转丸"是也。藏在土中，掘地得之，正圆如人捻作，弥久者佳。(《证类》页127，《大观》卷5页12，《纲目》页580)

【校注】

[1] **土消**　为蜣螂所推的丸。《纲目》作"蜣螂转丸。"

[2] **热**　其后，《纲目》有"及霍乱吐泻"，《大观》《证类》无此文。

[3] **汤淋取汁**　用热汤浇药，使药汁浸入汤中，为汤淋取汁。

[4] **顿服之**　其后，《纲目》有"烧存性酒服，治项瘿，涂一切瘘疮。"《大观》《证类》无此文。疑为李时珍所增，非陈藏器之文。

[5] **《庄子》**　哲学古籍，亦称《南华真经》，战国庄周（约公元前369—前286）及其后学所作。庄周为宋国蒙（今河南商丘东北）人，发展老子思想，宣扬无为、寡欲、超脱。《庄子》为道家重要著作。

65　土槟榔[1]

主恶疮，诸虫咬，及瘰疬[2]、疥瘘[3]等，细研油涂之。状如槟榔，于土穴中及阶除间得之。新者犹软，云蟾蜍屎也。蟾食百虫，故特主恶疮。(《证类》页127下13行，《大观》卷5页12，《纲目》页577，《医心方》页34，《本草和名》卷20)

【校注】

[1] **土槟榔**　即蟾蜍屎。

[2] **瘰疬**　见"6 水银粉"注[4]。

[3] **疥瘘**　泛指疥疮、痔瘘。

66　铸钟黄土[1]

无毒。主卒心痛，疰忤[2]恶气[3]，置酒中温服之，弥佳也[4]。(《证类》页119上末行，《大观》卷4页42，《纲目》页577)

【校注】

[1] **铸钟黄土**　《纲目》附在"黄土"条下。

[2] **疰忤**　"疰"指"劳瘵"，为有传染性且病程长的慢性病。"忤"，犯也。疰忤，即犯了

痓病。

[3] **恶气** 邪气中人病势凶恶者。

[4] **置酒中温服之，弥佳也** 《纲目》作“温酒服一钱”。

67 户垠下土[1]

无毒。主产后腹痛，末一钱匕，酒中热服之。户者门之别名也。《新注》云：“和雄雀粪，暖酒服方寸匕[2]治吹奶[3]效”。(《证类》页119下2行，《大观》卷4页42，《纲目》页579)

【校注】

[1] **户垠下土** 《纲目》作“户限下土”。户垠、户限都指门槛。

[2] **方寸匕** 用方片（每边长一寸）抄干药末不落为一方寸匕。又，“方寸匕”，《纲目》作“一钱”。

[3] **吹奶** 《纲目》作“吹乳”，即乳痈。

68 铸铧钼孔中黄土[1]

主丈夫阴囊湿痒，细末摸之[2]。亦去阴汗[3]，最佳。(《证类》页119，《大观》卷4页42，《纲目》页577)

【校注】

[1] **铸铧钼孔中黄土** 《纲目》附在“黄土”条下。铧钼是农具，除杂草及松土用，有孔可以装柄。铸造时，其孔中有土，名铸铧钼孔中黄土。

[2] **细末摸之** 《纲目》作“细末扑之”，即用细药末扑于患处。

[3] **阴汗** 指外生殖器及其附近局部多汗。或见阴囊多汗，其汗凉，前阴冷而喜温热，臊臭，阳痿。

69 瓷瓯里白灰[1]

主游肿[2]，醋磨傅之。瓷器物初烧时，相隔皆以灰为泥，然后烧之瓯瓷也，但看里有即收之[3]。(《证类》页119下7行，《大观》卷4页42，《纲目》页589)

【校注】

[1] **瓷瓯里白灰** 瓷瓯即瓦盆通称，瓦盆初烧时，相隔皆以灰隔之。然后再烧，视盆里有灰即取之。按：草木灰未烧烬时呈黑色，全烧烬以后即呈白色。故名瓷瓯里白灰。

[2] **游肿** 突然发作，游走不定，皮肤红晕，浮肿，触之坚实，灼热，或痒，或麻木，多见于血管神经性水肿，治宜散风清热利湿。

[3] **收之** 《纲目》作“收之备用”。

70 弹丸土

无毒。主难产[1]。末一钱匕，热酒调服之，大有功效也[2]。（《证类》页119，《大观》卷4页42，《纲目》页583）

【校注】

[1] **主难产** 《纲目》作“主妇人难产”。按：弹丸土、弓弩弦、铜弩牙，皆主难产，胞衣不出。陶弘景云：“弓弩弦主产难，皆取发放快速之义。”

[2] **末一钱匕，热酒调服之，大有功效也** 《纲目》引“藏器”简化为“热酒服一钱”。

71 执日取天星上土[1]

和柏叶、薰草[2]以涂门户，方一尺，盗贼不来。《抱朴子》[3]亦云有之。（《证类》页119下10行，《大观》卷4页42，《纲目》页578）

【校注】

[1] **执日取天星上土** 《纲目》附在“太阳土”条下。

[2] **和柏叶、薰草** 《纲目》作“取和薰草、柏叶”。

[3] **《抱朴子》** 晋·葛洪著。分内、外篇。“内篇”20卷，论“神仙方药，养生延年，炼丹”；“外篇”50卷，论“人间得失，世事臧否”。前者属道家，后者属儒家。

72 大甑中蒸土

一两硕热[1]，坐卧其上，取病处热彻汗遍身，仍随疾服药。和鼠壤[2]用亦得。（《证类》页119，《大观》卷4页42）

【校注】

[1] **硕热** 即大热。

[2] **鼠壤** 老鼠挖洞，排出洞外的碎土为鼠壤。

73 鼢鼠壤堆上土[1]

苦酒和为泥，傅肿极效。又云鬼疰气痛，取土以秫米泔汁搜[2]作饼，烧令热，以物裹熨痛处[3]。凡鼢鼠是野田中尖嘴鼠也。(《证类》页 119 下 7 行,《大观》卷 4 页 42,《纲目》页 581)

【校注】

[1] **鼢鼠壤堆上土** 鼢鼠即田鼠,体小,四肢及尾皆短,耳小,毛呈暗灰褐色,亦有呈沙黄色。掘土打洞,排土于洞外成小堆,名鼢鼠壤堆上土。

[2] **搜** 《纲目》作"和"。

[3] **烧令热,以物裹熨痛处** 《纲目》引《拾遗》作"烧热绵裹熨之"。

74 冢上土及砖石[1]

主温疫。五月一日取之[2],瓦器中盛埋之,著门外阶下,合家不患时气。又正月朝早,将物去冢头,取古砖一口,将咒要断,一年无时疫,悬安大门也[3]。(《证类》页 119,《大观》卷 4 页 42,《纲目》页 579)

【校注】

[1] **冢上土及砖石** 《纲目》作"冢上土"。冢即坟墓。

[2] **取之** 《纲目》作"取土或砖石"。

[3] **又正月朝早……悬安大门也** 《纲目》引《拾遗》作"又正旦(农历正月初一)取古冢砖(年久古墓上砖),咒悬大门上,一年无疫疾。"按:此法虽属迷信活动,但在防疫史上有一定意义。

75 桑根下土

搜成泥饼,傅风肿上,仍灸三二十壮,取热通疮中。又人中恶风水[1]肉肿,一个差以土碗,灸二百壮,当下黄水,即差也[2]。(《证类》页 119 下 7 行,《大观》卷 4 页 43,《纲目》页 580)

【校注】

[1] **恶风水** 《纲目》作"恶风、恶水"。指风邪、水邪中人,病性很凶恶。

[2] **桑根下土……即差也** 此条《纲目》化裁作"中恶风恶水而肉肿者,水和傅上,灸二三十壮,热气透人,即平"。

76 春牛角上土[1]

收置户上,令人宜田。(《证类》页 120 上 1 行,《大观》卷 4 页 43,《纲目》页 578)

【校注】

[1] **春牛角上土** 《纲目》作“春牛土”。

77 土蜂窠上细土

主肿毒，醋和为泥傅之，亦主蜘蛛咬。土蜂者，在地土中作窠者是[1]。（《证类》页120上2行，《纲目》页580，《大观》卷四43页）

【校注】

[1] **土蜂窠上细土……在地土中作窠者是** 本条《纲目》作“土蜂窠，醋调涂肿毒及蜘蛛咬。”

78 载盐车牛角上土[1]

主恶疮黄汁出[2]，不差渐胤者，取土封之，即止。牛角谓是车边脂角也，好用。（《证类》页120上4行，《大观》卷4页43，《纲目》页579）

【校注】

[1] **载盐车牛角上土** 《纲目》作“牛辇土”。“辇”指帝王乘的车。

[2] **黄汁出** 《纲目》作“出黄汁”。

79 驴溺泥土[1]

主蜘蛛咬，先用醋泔汁洗疮，然后泥傅之。黑驴弥佳，浮汁洗之更好[2]。（《证类》页120上6行，《大观》卷4页43，《纲目》页582）

【校注】

[1] **驴溺泥土** 《纲目》作“驴尿泥”。

[2] **主蜘蛛咬……浮汁洗之更好** 此条《纲目》简化为“蜘蛛咬傅之”。

80 故鞋底下土[1]

主人适他方不伏水土，刮取末[2]，和水服之，不伏水土与诸病有异，即其状也[3][4]。（《证类》页120上8行，《大观》卷4页43，《纲目》页579，《医心方》页256下12行）

【校注】

[1] **故鞋底下土** 《纲目》作“鞋底下土”。

[2] **刮取末** 《纲目》作“刮下”。

[3] **不伏……其状也** 《纲目》作“即止”。

[4] **故鞋底下土……即其状也** 《医心方》页256下12行，引《拾遗》云：“旧着鞋履下土，主人适地方不伏水土，刮取末和水服之，不伏水土与诸病有异者是也”。

81 鼠壤土[1]

一名鼠场土。主中风筋骨不随，冷痹骨节疼，手足拘急，风掣痛，偏枯死肌，多收取曝干用之[2]。又云：药有同类相伏者，不伏水土，服云云。以此案之，以鼠壤土蒸熨肿上，可善[3]。(《证类》页120上10行，《大观》卷4页43、页231上4行，《纲目》页581，《医心方》页34上13行，《本草和名》卷20)

【校注】

[1] **鼠壤土** 《医心方》卷1页34，引《拾遗》云：“鼠场土，一名鼠壤土”。《本草和名》卷20同。

[2] **用之** 《纲目》作“蒸热袋盛，更互熨之。”

[3] **药有同类相伏者……可善** 《医心方》页231上4行引《拾遗》云：“药有同类相伏者，不伏水土，服云云。以此案之，以鼠壤土蒸熨肿上，可善。”

82 屋内墉下[1]虫尘土

治恶疮久不差，干傅之，亦油调涂之[2]。(《证类》页120上12行，《大观》卷4页43，《纲目》页581)

【校注】

[1] **墉下** 《纲目》作“壖下”，即墙脚处。

[2] **治恶疮久不差……亦油调涂之** 此条《纲目》简化为“主治恶疮久不干，油调傅之。”

83 鬼屎[1]

主人马反花疮[2]，刮取和油涂之。生阴湿地，如屎，亦如地钱，黄白色。(《证类》页120，《大观》卷4页43，《纲目》页581)

【校注】

[1] **鬼屎** 《拾遗》云："生阴湿地，如屎，亦如地钱，黄白色"。据此，鬼屎疑是不含叶绿素的低等植物。如土菌、黄菌等各种菌。

[2] **人马反花疮** 人与马共患的恶疮，疮口胬肉外翻如花。

84 寡妇床头尘土

主人耳上月割疮[1]，和油涂之，效也。(《证类》页120上15行，《大观》卷4页43，《纲目》页589)

【校注】

[1] **主人耳上月割疮** 张绍棠刻本《纲目》作"主人耳上月蚀疮"。月蚀疮即旋耳疮，耳后折缝间皮肤初潮红，久则湿烂作痒，甚者耳后折缝裂开，状如刀割，故名月割疮。可用黄连、枯矾等分研细面敷之。

85 床四脚下土[1]

主猘犬[2]咬人，和成泥[3]傅疮上，灸之一七壮[4]，疮中得大毛者愈。猘犬，狂犬也。(《证类》页120上16行，《纲目》页579，《大观》卷4页43)

【校注】

[1] **床四脚下土** 《纲目》作"床脚下土"。

[2] **猘犬** 即狂犬（疯狗）。《诸病候论》云："其猘狗啮疮，重发则令人发狂乱，如猘狗之状。"狂犬咬人，发病时初喉部有紧缩感，后出现狂躁、恐惧、恐水、恐声、吞咽和呼吸困难，终乃全身瘫痪、瞳孔散大等。初起用人参败毒散加地榆、紫竹根煎服。

[3] **和成泥** 《纲目》作"和水"。

[4] **灸之一七壮** 《纲目》作"灸七壮"。

86 瓦甑

主魇寐不寤[1]，覆人面疾打破之，觉。好魇及无梦，取火烧死者灰，著枕中、履中，即止[2]。(《证类》页120，《大观》卷4页43，《纲目》页579"烧尸场上土"条附方)

【校注】

[1] **魇寐不寤** 病名，出《肘后方》，患者为梦境所抑制，欲动不能，欲呼不出，有的挣扎良久

而惊叫，称为魇寐不寤。

[2] **好魇及无梦，取火烧死者灰，著枕中、履中，即止** 《纲目》录此文，作“烧尸场上土”条的附方。文中“及无梦”，《纲目》作“多梦”。

87 甘土[1]

无毒。主去油垢，水和涂之。洗腻服如灰，及主草叶[2]诸菌毒，热汤末和之。出安西[3]及东京[4]龙门，土底澄取之。(《证类》页120上20行，《大观》卷4页43，《纲目》页576)

【校注】

[1] **甘土** 类似高岭土，白色，细腻。

[2] **草叶** 《纲目》作“草药”。

[3] **安西** 今甘肃临潭东。

[4] **东京** 今河南洛阳。唐代以长安（今西安）为京都，洛阳在长安之东，故名东京。

88 二月上壬日取土[1]

泥屋四角，大[2]宜蚕也。(《证类》页120上22行，《大观》卷4页44，《纲目》页578)

【校注】

[1] **二月上壬日取土** 《纲目》作“二月上壬日土”。

[2] **大** 《纲目》无。

89 柱下土

无毒。主腹痛暴卒者，末[1]服方寸匕[2]。(《证类》页120下1行，《大观》卷4页44，《纲目》页579)

【校注】

[1] **末** 《纲目》作“水”。

[2] **方寸匕** 见“67户垠下土”注[2]。

90 胡燕窠内土[1]

无毒。主风瘙瘾疹[2]，末以水和傅之。又巢中草，主卒溺血，烧为灰，饮服。

又主恶刺疮[3]，及浸淫疮[4]绕身至心者死，亦用之。(《证类》页120下2行，《大观》卷4页44，《纲目》页580)

【校注】

[1] **胡燕窠内土** 《纲目》作“胡燕窠土”。

[2] **风瘙瘾疹** 见“38烧石”注[2]。

[3] **恶刺疮** 即狐尿刺，为接触螳螂等昆虫分泌物后引起的皮炎。初起皮肤干燥，现紫红斑点，肿胀焮痛；继则溃烂成疮，脓水淋漓。可用蒲公英根煎汤勤洗。

[4] **浸淫疮** 即急性湿疹。初起如粟米，剧痒，搔破流黄水，浸淫成片，甚者发热。用黄连、枯矾等分研细面敷之。

91 道中热尘土[1]

主夏中热暍死[2]，取土积死人心，其死非为遇热，亦可以蓼汁灌之。(《证类》页120下5行，《大观》卷4页44，《纲目》页578，《医心方》页572上6行)

【校注】

[1] **道中热尘土** 张绍棠本《纲目》对此条作“夏月暍死，以土积心，少冷即易，气通则苏。”又，《医心方》卷25引《拾遗》云：“灶中土及四交道中土合，末，以饮小儿，辟夜啼。”

[2] **中热暍死** 简称中暍，即中暑。症见突然闷倒，昏不知人，身热烦躁，气喘不语。或四肢抽搐，昏迷不醒，称中热暍死。

92 正月十五日灯盏

令人有子，夫妇共于富家局会所盗之，勿令人知之，安卧床下，当月有娠[1]。(《证类》页120，《大观》卷4页44，《医心方》页531)

【校注】

[1] **正月十五日灯盏……当月有娠** 《医心方》卷24引《拾遗》云：“正月十五日，灯盏令人有子，夫妻共于灯下盗取，置卧床下，勿令人知，当此月有娠。”

93 仰天皮[1]

无毒。主卒心痛，中恶[2]，取人膏和作丸服之一七丸。人膏者，人垢汗也。揩取仰天皮者，是中庭内停污水后干地皮也，取卷起者[3]，一名掬天皮。亦主人马反花疮[4]，和油涂之，佳[5]。(《证类》页 120 下 9 行，《大观》卷 4 页 44，《纲目》页 1088，《医心方》页 34 上 13 行，《本草和名》卷 20)

【校注】

[1] **仰天皮** 《纲目》并入“地衣草”条内。

[2] **中恶** 古人谓中邪恶鬼祟致者。《证治准绳·杂病》云：“中恶，犯不正之气，手足逆冷，肌肤粟起，或错言妄语，或错倒。”

[3] **仰天皮者……取卷起者** 《医心方》卷 1 页 34 引《拾遗》云：“仰天皮，是停污水干地皮卷起者”。

[4] **人马反花疮** 见“83 鬼屎”注 [2]。

[5] **主卒心痛……和油涂之，佳** 《纲目》注文献出典为“大明”。

94 蚁穴中出土[1]

取七枚如粒，和醋搽狐刺疮[2]。(《证类》页 120 下 13 行，《大观》卷 4 页 44，《纲目》页 581)

【校注】

[1] **蚁穴中出土** 《纲目》作“蚁垤土”。

[2] **蚁穴中出土……和醋搽狐刺疮** 狐刺疮，见“90 胡燕窠内土”注 [3]。本条后，《纲目》有“又死胎在腹，乃胞衣不下，炒三升，囊盛，搨心下，自出也。”《大观》《证类》俱无此文。

95 古砖

热烧之，主下部久患白痢脓泄下，以物裹上坐之。入秋，小腹多冷者，亦用此古砖，煮汁服之，主哕气[1]，又令患处熨之，三五度差。又主妇人带下五色俱，治之，取黄砖石，烧令微赤热，以面五味和作煎饼七个，安砖上，以黄瓜蒌傅面上，又以布两重，患冷病人坐上，令药气入腹如熏之，有虫出如蚕子，不过三五度差。[2] (《证类》页 120 下 14 行，《大观》卷 4 页 44，《纲目》页 586)

【校注】

[1] **哕气** 指呕哕呃气。

[2] **古砖……不过三五度差** 本条《纲目》援引时加化裁，文句略异。

96 富家中庭土[1]

七月丑日取之，泥灶，令人富，勿令人知。(《证类》页120下20行，《大观》卷4页44，《纲目》页578)

【校注】

[1] **富家中庭土** 《纲目》作“富家土”，并附录于“天子藉田三推犁下土”条之后。

97 百舌鸟窠中土[1]

末和酽醋[2]，傅蚯蚓及诸恶虫[3]咬疮。(《证类》页120下21行，《大观》卷4页44，《纲目》页580)

【校注】

[1] **百舌鸟窠中土** 百舌鸟经笼养训练，其舌能模仿人言的声音。《纲目》作“百舌”。

[2] **酽醋** 即浓醋。《纲目》作“醋”。

[3] **诸恶虫** 亦包含各种毒蛇。

98 猪槽上垢及土

主难产，取一合和面半升，乌豆二十颗煮取[1]汁服之。(《证类》页120，《大观》卷4页45，《纲目》页582)

【校注】

[1] **取** 《纲目》无“取”字。

99 故茅屋上尘[1]

无毒。主老嗽，取多年烟火者，拂取上尘，和石黄、款冬花[2]、妇人月经衣带为末，以水和涂于茅上，待干，内竹筒子中，烧一头，以口吸之入咽喉，数数咽之，无不差也。(《证类》页121，《大观》卷4页45，《纲目》页589)

【校注】

[1] **故茅屋上尘** 《纲目》将本条作为“梁上尘”条的附方收录。

[2] **石黄、款冬花** 石黄即雄黄，和款冬花共燃，其烟有镇咳功效。有毒，慎用。

100 诸土有毒[1]

怪曰羵羊[2]，掘土见之，不可触，已出上土部。土有气，触之，令人面黄色，上气身肿。掘土处慎之，多断地脉，古人所忌。地有仰穴，令人移也[3]。(《证类》页121上5行，《大观》卷4页45，《纲目》页578)

【校注】

[1] **诸土有毒** 本条《纲目》录在“黄土”条“气味”小标题内，对全文化裁为：“藏器曰：土气久触，令人面黄。掘土犯地脉，令人上气身肿。掘土犯神杀，令人生肿毒。”

[2] **羵羊** 《国语·鲁语》云：“土之怪曰羵羊”。注：羵羊，雌雄未成者。

[3] **地有仰穴，令人移也** 穴即洞，洞口都在地坎侧面开的，洞口向上面开的为仰穴。人遇仰穴要移开，否则会坠入穴中。

101 夫溺处土[1]

令有子。壬子日，妇人取少许，水和服之，是日就房，即有娠也。(《医心方》页531上13行)

【校注】

[1] **夫溺处土** 本条仅见984年日本丹波康赖《医心方》见引，中国古本草（《大观》《证类》《纲目》）未见援引。

102 厕中泥[1]

治小儿恶疮久不差，厕中泥傅之。(《医心方》卷25页583上4行)

【校注】

[1] **厕中泥** 本条仅见984年日本丹波康赖《医心方》援引，《大观》《证类》《纲目》诸古本草俱未见引。

103 不灰木[1]

要烧成灰，即[2]斫破，以牛乳煮了，便烧黄牛粪，烧之成灰。中和二年，于李宗处见传[3]。(《证类》页136，《大观》卷5页33，《纲目》页645)

【校注】

[1] **不灰木** 即石棉，主要含水化硅酸镁。

[2] **即** 《纲目》作“但”。

[3] **中和二年，于李宗处见传** 此为后人注，非陈藏器原文。

104 车脂[1]

味辛，无毒。主鬼气[2]，温酒烊令热服之。(《证类》页134，《大观》卷5页28，《纲目》页1496)

【校注】

[1] **车脂** 即车轴头处所涂的滑润油。《拾遗》首载此药，《开宝本草》录为正品。《开宝本草》云：“车脂主卒心痛、中恶气，以温酒调及热搅服之。又主妇人妬乳、乳痈，取脂熬令热涂之，亦和热酒服。”

[2] **鬼气** 由于历史条件限制，古人对某些原因不明的疾患，都视为鬼气。

105 炊汤[1]

经宿洗面，令人无颜色。洗体，令人成癣。未经宿者，洗面令人亦然。(《证类》页140，《大观》卷5页42)

【校注】

[1] **炊汤** 此条属禁忌之列，非治疗用的药品。

106 温汤[1]

主诸风筋骨挛缩，及皮顽痹，手足不遂，无眉发，疥癣诸疾在皮肤骨节者。入浴，浴干，当大虚惫，可随病与药，及饭食补养。自非有他病人，则无宜轻入。又云下有硫黄，即令水热。硫黄主诸疮病，水亦宜然。水有硫黄臭，故应愈诸风冷为上，当其热处，大可焊猪羊。(《证类》页138，《大观》卷5页38，《纲目》页561)

【校注】

[1] **温汤** 即温泉。温泉热而含硫。热能除风寒湿，硫能灭疥癣。由风寒所致筋骨挛缩、皮肌顽痹、手足不遂，及疥癣诸疾，通过温泉浴，重者可以缓解，轻者可以痊愈。汪颖《食物本草》云：“庐山有温泉，方士往往教患风疮者，饱食入池，久浴得汗出乃止，旬日自愈”。

107 热汤[1]

主忤死[2]，先以衣三重，藉忤死人腹上，乃取铜器若瓦器盛热汤著衣上，汤冷者去衣，大冷者换汤即愈。又霍乱手足转筋[3]，以铜器若瓦器盛热汤熨之；亦可令蹋器使脚底热彻，亦可以汤捋之，冷则易；用醋煮汤更良，煮蓼子及吴茱萸汁亦好。以锦絮及破毡角脚，以汤淋之，贵在热彻。凡初觉伤寒，三日内，但取热汤饮之，候吐则止，可饮一二升，随吐，汗出，差，重者亦减半。又冻疮不差者，热汤洗之效。(《证类》页131，《大观》卷5页20，《纲目》页564)

【校注】

[1] **热汤** 《拾遗》首载此药，《嘉祐本草》录为正品。按：热汤有温热效应，一切寒痛，以容器盛热汤熨痛处，皆能缓解。

[2] **忤死** 遭遇重大变故，突然昏倒如死，名忤死。

[3] **转筋** 即抽筋。出《灵枢·阴阳二十五人》。症见肢体筋脉牵制拘挛，如扭转急痛，甚则引起小腹肌痉挛。常见腿肚肌肉抽筋。

108 缫丝汤[1]

无毒。主蛔虫。热取一盏服之，此煮茧汁为其杀虫故也。(《证类》页131，《大观》卷5页20)

【校注】

[1] **缫丝汤** 《大观》《证类》并在“热汤”条中。

109 炟猪汤[1]

无毒。主产后血刺心痛欲死，取一盏温服之。(《证类》页131，《大观》卷5页20)

【校注】

[1] **炟猪汤** 杀猪时，猪皮上的毛及表层黑皮，须用沸水烫透，才能刮掉。这种烫猪的水名炟猪汤。又，本条，《大观》《证类》并在“热汤”条中。

110 生熟汤[1]

味咸，无毒。热盐投中，饮之，吐宿食毒恶物之气，胪胀[2]欲为霍乱[3]者，觉腹内不稳，即进一二升，令吐得尽便愈。亦主痰疟[4]，皆须吐出痰及宿食，调中消食。又人大醉，及食瓜果过度，以生熟汤浸身，汤皆为酒及瓜味。《博物志》云："浸至腰，食瓜可五十枚，至胫颈则无限。"（《证类》页139下16行，《大观》卷5页40，《纲目》页564）

【校注】

[1] **生熟汤**　《纲目》将所引本条文字，分列两处。自"生熟汤"到"调中消食"，在"主治"项下；自"又人大醉"到条末，在"发明"项下。

[2] **胪胀**　腹前胀。

[3] **霍乱**　病名，见"1铜盆"注[2]。

[4] **痰疟**　疟发时，寒热不已，头痛，胸痞，呕吐，甚者昏迷。

111　好井水及土石间新出泉水[1]

味甘，平，无毒。主霍乱[2]烦闷呕吐，腹空，转筋[3]。恐入腹及多服之，名曰洗肠。人皆惧此，尝试有效。不令腹空，空则更服，如遇力弱身冷，则恐脏胃悉寒，寒则不能支持，当以意消息。兼及当时横量，灸脊骨三五十壮，令暖气彻内，补胃气间，不然则危。又主消渴[4]，反胃，热痢，淋小便赤涩，兼洗漆疮，射痈肿令散。久服调中，下热气伤胃，利大小便，并多饮之，令至喉，少即消下。（《证类》页139，《大观》卷5页39，《纲目》页562）

【校注】

[1] **好井水及土石间新出泉水**　《纲目》引"拾遗"作"山岩泉水"。

[2] **霍乱**　见"1铜盆"注[2]。

[3] **转筋**　见"107热汤"注[3]。

[4] **消渴**　有多种含义。一指多饮、多食、多尿的病证（如尿崩症）；一指多饮、多尿、尿甜的病证（如糖尿病）；一指热病高烧大汗出，渴而能饮。

112　玉井水[1]

味甘，平，无毒。久服神仙，令人体润，毛发不白。出诸有玉处，山谷水泉皆有，犹润于草木，何况于人乎。夫人有发毛，如山之草木，故山有玉而草木润，身有玉而毛发黑。《异类》云："昆仑山有一石柱，柱上露盘，盘上有玉水溜下，土人得一合服之，与天地同年"。又太华山有玉水，人得服之长生[2]。玉既重宝，水又灵长，故能[3]延生之望。今人近山多寿者，岂非玉石之津乎，故引水为玉证。（《证类》页137，《大观》卷5页36，《纲目》页561）

【校注】

［1］**玉井水**　《纲目》将所引本条文字，分列两处，“久服神仙，令人体润，毛发不白”列在“主治”项下；余下文字，列在“集解”项下。

［2］**人得服之长生**　《纲目》引《拾遗》作“土人得服之，多长生。”

［3］**故能**　《纲目》作“故有”。

113　碧海水

味咸，小温，有小毒。煮浴去风瘙疥癣。饮一合，吐下宿食胪胀[1]。夜行海中，拨之有火星者，咸水色既碧，故云碧海。东方朔《十洲记》[2]云。（《证类》页137，《大观》卷5页36，《纲目》页562）

【校注】

［1］**胪胀**　腹前胀。

［2］**东方朔《十洲记》**　东方朔是汉代学者，他撰的笔记小说，名《海内十洲记》，简称《十洲记》，其中含有养生医药内容。

114　千里水及东流水[1]

味平，无毒。主病后虚弱，扬之万过[2]，煮药，禁神，验[3]。二水皆堪荡涤邪秽，煎煮汤药，禁咒鬼神，潢污行潦，尚可荐羞王公[4]，况其灵长者哉，盖取其洁诚也。《本经》云：东流水为云母所畏，炼云母用之，与诸水不同，即其效也。（《证类》页137，《大观》卷5页36，《纲目》页558）

【校注】

［1］**千里水及东流水**　《纲目》引《拾遗》作“流水”。

［2］**扬之万过**　《纲目》作“场之万遍”。

［3］**禁神，验**　《纲目》作“禁神最验”，即禁咒鬼神最验。

［4］**荐羞王公**　《纲目》作“荐之王公”。

115　醴泉[1]

味甘，平，无毒。主心腹痛，疰、忤、鬼气[2]，邪秽之属，并就泉空腹饮之。

时代升平，则醴泉涌出，读古史大有此水，亦以新汲者佳。止热消渴，及反胃腹痛，霍乱为上。(《证类》页138，《大观》卷五页38，《纲目》页561)

【校注】

[1] **醴泉**　《纲目》云："醴，薄酒也，泉味如之，故名。《东观记》云：光武中元元年（公元前149年），醴泉出京师（今西安），人饮之者，痼疾皆除。"

[2] **疰、忤、鬼气**　疰，指劳瘵，是一种有传染性且病程长的慢性病。忤，即中忤，多指小儿突然见到异物或听到怪声，惊吓啼哭，面色变异，或吐泻。鬼气，见"104 车脂"注[2]。

116　甘露蜜

味甘，平，无毒。主胸膈诸热，明目，止渴。生巴西[1]绝域中，如[2]饧也。(《证类》页137，《大观》卷5页38，《纲目》页556)

【校注】

[1] **巴西**　今四川绵阳。(见《中国历史地图集》第五册，页65~66)

[2] **如**　《纲目》作"状如"。

117　甘露水[1]

味甘美[2]，无毒。食之润五脏，长年不饥神仙。缘是感应天降祐兆人也。(《证类》页137，《大观》卷5页36，《纲目》页556)

【校注】

[1] **甘露水**　《纲目》作"甘露"。

[2] **味甘美**　《纲目》作"味甘，大寒"。

118　繁露水[1]

是秋露繁浓时也，作盘以收之，煎令稠，可食之，延年不饥[2]。五月五日取露草一百种，阴干，烧为灰，和井花水，重炼令白，酽醋为饼，腋下挟之，干即易，主腋气臭，当抽一身间疮出，即以小便洗之。《续齐谐记》云[3]：司农邓绍，八月朝入华山，见一童子，以五彩囊承取柏叶下露，露皆如珠，云[4]赤松先生取以明目。今人八月朝朝作露华明[5]像此也。汉武帝时，有吉云国有吉云草，食之不死。日照草木有露，著皆五色，东方朔得玄露、青黄二露，各盛五合，帝赐群臣，老者皆少，病者皆除。东方朔曰：日初出处，露皆如糖，可食。《汉武帝洞冥记》[6]所载。今时人煎露亦如糖，久服不饥。《吕氏春秋》[7]云：水之美者，有三危之露，为水即味重于水也。(《证类》页138，《大观》卷5页36，《纲目》页556)

【校注】

[1] **繁露水** 《纲目》作“露水”。

[2] **作盘……不饥** 《纲目》作“以盘收取，煎如饴，令人延年不饥。”

[3] **《续齐谐记》云** 《纲目》作“薛用弱续齐谐记云”。按：《续齐谐记》为梁·吴均撰。薛用弱唐人，著《集异记》。疑李时珍误记。

[4] **承取柏叶下露，露皆如珠，云** 《纲目》作“盛取柏叶下露珠，满囊，绍问之，答云”。

[5] **露华明** 《纲目》作“露华囊”。《续齐谐记》作“眼明袋”。

[6] **《汉武帝洞冥记》** 是志怪小说。一名《洞冥记》，为东汉·郭宪撰。

[7] **《吕氏春秋》** 为秦相吕不韦门客编撰，是杂家政论汇编。书分八览、六论、十二纪。后人因书中有“八览”，故又称《吕览》。

119 正月雨水[1]

夫妻各饮一杯，还房[2]，当获时有子，神效也。(《证类》页139下15行，《大观》卷5页40，《纲目》页555)

【校注】

[1] **正月雨水** 《纲目》在“雨水”条引“藏器”作“立春雨水”。

[2] **还房** 指夫妻同房。

120 梅雨水[1]

洗疮疥，灭瘢痕。入酱，令易熟，沾衣便腐[2]，浣垢如灰汁，有异他水。江淮以南，地气卑湿，五月上旬连下旬尤甚。月令土润溽暑[3]，是五月中气，过此节以后，皆须曝书[4]。汉崔实七夕曝书，阮咸焉能免俗，盖此谓也。梅沾衣，皆以梅叶汤洗之脱也，余并不脱。(《证类》页138上6行，《大观》卷5页37，《纲目》页555)

【校注】

[1] **梅雨水** 即梅雨季节时水。《纲目》并在“雨水”条中。

[2] **沾衣便腐** 《纲目》作：“梅雨沾衣便腐黑。”

[3] **溽暑** 指夏季多雨时，气候又热又湿又闷。

[4] **曝书** 《纲目》作“曝书画”。昔日藏书家，在雨季后，选晴天，将书搬到户外，在阳光下摊开曝晒。曝书能防霉、防虫蛀。

121 夏冰

味甘，大寒，无毒。主去热，烦热[1]，熨人乳石发热肿。暑夏盛热，食此[2]应与气候相反，便非宜人，或恐入腹[3]冷热相激，却致诸疾也。《食谱》云：凡夏用冰，正可隐映饮食令气冷，不可打碎食之。虽复当时暂快，久皆成疾。今冰井西陆朝觐出之，颁赐宫宰应悉。此《淮南子》[4]亦有作法。又以凝水石为之，皆非正冰也[5]。(《证类》页139，《大观》卷5页38，《纲目》页557)

【校注】

[1] **去热，烦热** 《纲目》作“去热烦”。

[2] **食此** 《纲目》作“食水”。

[3] **或恐入腹** 《纲目》作“诚恐入腹”。

[4] **《淮南子》** 该书由西汉淮南王刘安集门客编撰。亦称《淮南鸿烈》。

[5] **以凝水石为之，皆非正冰也** 《纲目》云：“今人冬月藏冰于窖，登之以盐，是也。《淮南万毕术》有凝水石作冰法，非真也。”《淮南万毕术》传为西汉刘安撰，讲用药用符、黄白变化之事，包含一些物理、化学知识。原书佚，唐、宋类书有援引。

122 秋露水[1]

味甘，平，无毒。在百草头者，愈百疾，止消渴，令人身轻不饥，肌肉悦泽。亦有化云母成粉[2]，朝露未晞时[3]拂取之[4]。柏叶上露，主明目。百花上露，令人好颜色。露即一般，所在有异，主疗不同。(《证类》页137，《大观》卷5页36，《纲目》页555)

【校注】

[1] **秋露水** 《纲目》作“百草头上秋露”，并在“露水”条中。

[2] **亦有化云母成粉** 《纲目》作“别有化云母作粉服法”。

[3] **朝露未晞时** 朝即早晨，晞即晒干，即早晨露水未晒干时。

[4] **拂取之** 《纲目》作“收取”。

123 冬霜[1]

寒，无毒。团食者[2]，主解酒热，伤寒鼻塞，酒后诸热面赤者。(《证类》页

138，《大观》卷 5 页 38，《纲目》页 556）

【校注】

[1] **冬霜** 《大观》《证类》在“腊雪”条引陈承《别说》云：“谨按，霜治暑月汗渍、腋下赤肿及疮，以和蚌粉傅之立差。瓦木上霜以鸡毛羽扫取，收瓷瓶中，时久不坏。”

[2] **团食者** 《纲目》作“食之”。

124 腊雪[1]

味甘，冷，无毒。解一切毒，治天行时气温疫[2]，小儿热痫狂啼，大人丹石发动[3]，酒后暴热黄疸，仍小温服之。藏淹一切果实良。春雪有虫，水亦便败，所以不堪收之。（《证类》页 131，《大观》卷 5 页 19，《纲目》页 557）

【校注】

[1] **腊雪** 即农历十二月下的雪。《拾遗》首载此药。其后《日华子》亦载之。《嘉祐本草》糅合两家文字为一体，收为正品。

[2] **天行时气温疫** 天行时气，指流行病。《三因方》：“一方之内，长幼患状，率皆相类，谓之天行。”温疫，是急性传染病的总称，常见的有两种类型，一是疠气疫毒，二是暑热疫毒。

[3] **丹石发动** 丹石，见“56 土地”注［2］。服丹石后出现发热烦躁等症，名丹石发动。

125 雹[1]

主酱味不正。当时取一二升内酱瓮中，即如本味[2]也。（《证类》页 138，《纲目》页 557）

【校注】

[1] **雹** 即冰雹。为积雨云受冷气流影响，水滴相聚合而成，颗粒大小不一。

[2] **即如本味** 《纲目》作“即还本味”。

126 六天气[1]

服之令人不饥长年，美颜色。人有急难阻绝之处用之，如龟、蛇服气不死。阳陵子明经言：春食朝露，日欲出时，向东气也；秋食飞泉，日没时，向西气也；冬食沆瀣，北方半夜气也；夏食正阳，南方日中气也。并天玄地黄之气，是为六气。亦言平明为朝露，日中为正阳，日入为飞泉，夜半为沆瀣，及天地玄黄为六气。皆令人不饥，延年无疾者。人有坠穴中，穴中有蛇，蛇每日作此气服之。其人既见蛇，如此依蛇时节，饥时便服。又即仿蛇日日如之，经久渐渐有验，即体轻健，似能轻举，启蛰之后，人与蛇一时跃出焉。(《证类》页138，《大观》卷5页37)

【校注】

[1] **六天气** 春、夏、秋、冬四季之气加天气、地气，为六气。春天日出时气为朝露，夏天日中之气为正阳，秋天日落时气为飞泉，冬天夜半之气为沆瀣，天气名天玄，地气名地黄。这都是道家练气功的术语。《云笈七签》卷56到卷62，专论“诸家气法”。

127 乳穴中水[1]

味甘，温，无毒。久服肥健人，能食，体润不老，与乳同功[2]。近乳穴处[3]，人取水作食[4]酿酒，则大有益也。其水浓者，秤重他水[5]，煎上有盐花，此真乳液也。所为穴中有鱼，出鱼部中。(《证类》页139，《大观》卷5页39，《纲目》页562)

【校注】

[1] **乳穴中水** 《纲目》作“乳穴水”。

[2] **与乳同功** 《纲目》作“与钟乳同功”。

[3] **处** 其后，《纲目》有“流出之泉也”。

[4] **人取水作食** 《纲目》作“人多取水作饮”。

[5] **其水浓者，秤重他水** 因乳穴中水溶有矿物，故比同体积的河水、雨水要重些。

128 水花[1]

平，无毒。主渴，远行山无水处[2]，和苦栝楼为丸，朝预[3]服二十丸，永无渴。亦入杀野兽药，和狼毒、皂荚、矾石为散，揩安兽食余肉中，当令不渴，渴恐饮水药解，名水沫。江海中间，久沫成乳石，故如石水沫，犹软者是也。(《证类》页139，《大观》卷5页39，《纲目》页658)

【校注】

[1] **水花** 《纲目》并在“浮石”条“发明”项下。

[2] **主渴，远行山无水处** 《纲目》作“主远行无水止渴”。

[3] **朝预** 《纲目》作“每旦”。

129 赤龙浴水[1]

小毒[2]。主瘕结气，诸瘕，恶虫入腹，及咬人生疮者。此泽间小泉，赤蛇[3]在中者，人或遇之，经雨取水服及入浴。蛇有大毒，故以为用也。(《证类》页139，《大观》卷5页39，《纲目》页563)

【校注】

[1] **赤龙浴水** 《拾遗》云："此泽间小泉，赤蛇在其中者的水。"

[2] **小毒** 《纲目》作"有小毒"。

[3] **赤蛇** 《纲目》作"有赤蛇"。

130 粮罂中水[1]

味辛，平，小毒。主鬼气中恶[2]、疰忤[3]，心腹痛，恶梦鬼神，进一合。多饮令人心闷。又云洗眼见鬼，未试。害蚘蛊，其清澄久远者佳。古冢云[4]，文蔗留余节，瓜毒溃尸[5]，言此二物不烂，余皆成水。北人呼粮罂为食罂也。(《证类》页139，《大观》卷5页39，《纲目》页563)

【校注】

[1] **粮罂中水** 罂是小口大腹的容器。《拾遗》云："乃古冢中食罂中水也。"

[2] **中恶** 见"93仰天皮"注[2]。

[3] **疰忤** 见"66铸钟黄土"注[2]。

[4] **古冢云** 《纲目》作"古文曰"。

[5] **文蔗留余节，瓜毒溃尸** 按：《文选》卷60谢惠连《祭古冢文》云："水中有甘蔗节及梅李核。瓜瓣皆浮出，不甚烂坏。"

131 甑气水[1]

主长毛发。以物于炊饮饭时承取，沐头，令发长密黑润[2]，不能多得。朝朝梳小儿头[3]，渐渐觉有益[4]。(《证类》页139，《大观》卷5页39，《纲目》页565)

【校注】

[1] **甑气水** 用甑蒸饭时滴下的水。

[2] **令发长密黑润** 《纲目》作"令发长黑润"。

[3] **朝朝梳小儿头** 《纲目》作“朝朝用梳摩小儿头”。

[4] **渐渐觉有益** 《纲目》作“久觉有益”。

132 屋漏水[1]

主洗犬咬疮。以水浇屋檐，承取用之。以水滴檐下，令土湿，取土以傅犬咬处疮上，中大有毒，误食必生恶疾。(《证类》页139，《大观》卷5页40，《纲目》页558)

【校注】

[1] **屋漏水** 《纲目》引本条简化为“洗犬咬疮，要以水浇屋檐，取滴土傅之，效。”

133 三家洗碗水

主恶疮久不差者，煎令沸，以盐投中[1]洗之，不过三五度立效。(《证类》页140，《大观》卷5页40，《纲目》页565)

【校注】

[1] **煎令沸，以盐投中** 《纲目》作“煎沸入盐”。

134 蟹膏投漆中化为水[1]

仙人用和药。《博物志》[2]亦载。又蚯蚓破之，去泥，以盐涂之化成水，大主天行诸热[3]，小儿热、痫、癫等疾。新注云：涂丹毒[4]，并傅漆疮[5]效。(《证类》页140，《大观》卷5页40)

【校注】

[1] **蟹膏投漆中化为水** 《淮南子》云：“蟹见漆而不干”。《物类相感志》云：“漆得蟹而成水”。

[2] **《博物志》** 见“29 石漆”注[2]。

[3] **天行诸热** 各种流行性热病。

[4] **丹毒** 见“22 淬铁水”注[2]。

[5] **漆疮** 对漆过敏者，接触漆的皮肤发红，焮热作痒，起小丘疹及水泡，抓破则糜烂流水，重者遍及全身，恶寒，发热，头痛。

135 猪槽中水[1]

无毒。主诸蛊毒[2]，服一杯，主蛇咬。可浸疮，皆有效验者矣。(《大观》卷5

页 40，《纲目》页 566，《证类》页 140）

【校注】

[1] **猪槽中水** 此条《纲目》作“主蛊毒，服一盏，又疗蛇咬疮，浸之效”。

[2] **蛊毒** 出《肘后方》《诸病源候论》。症状复杂，变化不一，可见于一些危急病证、恙虫病、血吸虫病、肝硬化、重症痢疾等。

136 市门众人溺坑中水[1]

无毒。主消渴[2]，重者取一小盏服之[3]，勿令病人知之[4]，三度差。（《证类》页 140，《大观》卷 5 页 41，《纲目》页 566）

【校注】

[1] **市门众人溺坑中水** 《纲目》作“市门溺坑水”。

[2] **主消渴** 《纲目》作“止消渴”。

[3] **重者取一小盏服之** 《纲目》简化为“重者服一小盏”。

[4] **勿令病人知之** 《纲目》省去“病人”2 字。

137 盐胆水[1]

味咸、苦，有大毒。主䘌蚀[2]、疥癣、瘘、虫咬，马牛为虫蚀，毒虫入肉生子毒，六畜饮一合，当时死，人亦如之，并盐初熟槽中沥下黑汁也。主疮，有血不可傅也[3]。（《证类》页 140，《大观》卷 5 页 41，《纲目》页 562）

【校注】

[1] **盐胆水** 即卤水。《拾遗》云：“盐初熟槽中沥黑汁也”。

[2] **䘌蚀** 即阴蚀，又名阴疮。症见外阴部溃烂，脓血淋漓，或痛或痒，或肿胀坠痛，多伴有赤白带，小便淋漓。宜清热利湿杀虫。

[3] **主疮，有血不可傅也** 《纲目》作“凡疮有血不可涂之”。

138 水气

有毒。能为风温，疼痹，水肿，面黄，腹大。初在皮肤脚手，入渐至六府，令人大小便涩，至五脏渐渐加重，忽攻心便死，急不旋踵，无宽延岁月。既是阴病，复宜以阴物生类，诸猪鱼螺鳖之属，春夏秋宜泻，冬宜补药，尤宜浸酒中服之，随阴阳所行者。昔马援南征，多载薏苡人。闵叔留寓，常食猪肝，盖以为湿疾也。江湖间，露气成瘴，两山夹水中气疟，一冷一热，相激成病癥。此三疾俱是湿为，能与人作寒热，消铄骨肉，南土尤甚。若欲医疗，须细分析，其大略皆瘴类也。人多一概医之，则不差。(《证类》页140,《大观》卷5页41)

139 冢井中水[1]

有毒，人中之者立死。欲入冢井者，当先试之。法以鸡毛投井中，毛直而下者无毒，毛回旋而舞，似不下者，有毒。以热醋数斗投井穴中，则可入矣。凡冢井及灶中，从夏至秋，毒气害人；从冬至春，则无毒气。凡秋露春水，著草水，亦能害人，冬夏则无。人素为物所伤，并有诸疮触犯毒露及毒水，觉疮顽不痒痛，当中风水所为，身必反张，似角弓。主之法，以盐豉和面作碗子，盖疮上，作大艾炷，灸一百壮，令抽恶水数升，举身觉痒，疮处知痛，差也。(《证类》页140,《大观》卷5页41,《纲目》页563)

【校注】

[1] **冢井中水** 本条《纲目》作“古冢中水，有毒。杀人。洗诸疮皆差。”

140 阴地流泉

二月、八月行途之间，勿饮之，令人夏发疟瘴[1]，又损脚令软。五月、六月勿饮泽中停水，食著鱼鳖精，令人鳖瘕病也。(《证类》页140,《大观》卷5页42)

【校注】

[1] **疟瘴** 出《肘后方》。因感受山岚瘴气而发的一种危重疟疾。热多寒少，壮热不退，甚至神昏，狂妄多言。

141 铜器盖食器上汗

滴食中[1]，令人发恶疮[2]内疽[3]，食性忌之也。(《证类》页140,《大观》卷5页42,《纲目》页608)

【校注】

[1] **铜器盖食器上汗，滴食中** 《纲目》作“铜器上汗有毒”。

[2] **恶疮** 见“20 铁锈”注 [2]。

[3] **疽** 出《灵枢·痈疽》。疮面深而恶者为疽，发于肌肉筋骨之内。

142 方诸水[1]

味甘，寒，无毒。主明目，定心，去小儿热烦，止渴。方诸，大蚌也，向月取之，得三二合水[2]，亦如朝露[3]。阳燧[4]向日，方诸向月。皆能致水火也。周礼明诸承水于月，谓之方诸。陈馔明水以为玄酒，酒水也。（《证类》页 139，《大观》卷 5 页 39，《纲目》页 556）

【校注】

[1] **方诸水** 即从大蚌中取的水。《纲目》称明水。

[2] **得三二合水** 《纲目》作“得水二三合”。一合为一升的十分之一。《汉书·律历志》：“十合为一升，十升为一斗”。

[3] **朝露** 即早晨的露。

[4] **阳燧** 即铜制凹面镜，持以向日，能形成焦聚，置易燃物于焦聚点处，能生火燃烧。

143 诸水有毒

水府龙宫，不可触犯。水中亦有赤脉，不可断之。井水沸，不可食之。已上并害人。东晋温峤，以物照水[1]，为神所怒。《楚辞》[2]云：鳞屋贝阙，言河伯所居。《国语》[3]云：季桓子穿井，获土缶。仲尼曰：水之怪罔两[4]，土之怪羵羊[5]，水有脉及沸，并见白泽图。（《证类》页 140，《大观》卷 5 页 42，《纲目》页 566）

【校注】

[1] **东晋温峤，以物照水** 《纲目》作“温峤燃犀照水”。传说燃犀角照水，使水中通明，则真相毕露。

[2] **《楚辞》** 为屈原、宋玉等人所作，刘向编为诗总集，是集“书楚语，作楚声，记楚地，名楚物”，与《诗经》并为中国古典诗歌两大源头。

[3] **《国语》** 是分别记载周、鲁、齐、晋、郑、楚、吴、越八国史事，尤详于晋国史事。

[4] **罔两** 《玉篇》云：“水神也。如三岁小儿，赤黑色。”

[5] **羵羊** 见“100 诸土有毒”注 [2]。

拾遗　草部　卷第三

144	白菊	145	苦薏	146	荷鼻
147	药王	148	兜木香	149	草犀根
150	薇	151	无风独摇草	152	零余子
153	百草花	154	红蓝花	155	红莲花、白莲花
156	旱藕	157	羊不吃草	158	萍蓬草根
159	石蕊	160	仙人草	161	会州白药
162	救穷草	163	草豉	164	陈思岌
165	千里及	166	孝文韭	167	倚待草
168	鸡侯菜	169	桃朱术	170	铁葛
171	伏鸡子根	172	陈家白药	173	龙珠
174	捶胡根	175	甜藤	176	孟娘菜
177	吉祥草	178	地衣草	179	郎耶草
180	地杨梅	181	茅膏菜	182	蟚菜
183	益奶草	184	蜀胡烂	185	鸡脚草
186	难火兰	187	蓼荞	188	石荠苧
189	蓝藤根	190	七仙草	191	甘家白药
192	天竺干姜	193	池德勒	194	人肝藤
195	越王馀筭	196	石莼	197	海根
198	寡妇荐	199	编荐索	200	自经死绳
201	刺蜜	202	骨路支	203	长松
204	合子草	205	兜纳香	206	耕香
207	瓶香	208	风延母	209	大瓠藤水
210	筋子根	211	土芋	212	优殿
213	土落草	214	獐菜	215	必似勒
216	胡面莽	217	海蕴	218	百丈青
219	斫合子	220	独自草	221	金钗股
222	博落回	223	毛建草及子	224	数低
225	仰盆	226	离鬲草	227	盧药
228	葛粉	229	蓬莪茂	230	京三棱
231	延胡索	232	天麻	233	青布
234	青黛	235	蓝靛	236	荜拨没

237 缩砂蜜
238 肉豆蔻
239 零陵香
240 艾纳香
241 甘松香
242 茅香
243 马藻
244 石帆
245 水松
246 船底苔
247 干苔
248 地笋
249 马兰
250 剪草
251 迷迭香
252 故鱼网
253 故缴脚布
254 江中采出芦
255 乌蓝草
256 虱建草
257 含生草
258 兔肝草
259 石芒
260 蚕蔺草
261 问荆
262 藒车香
263 朝生暮落花
264 冲洞根
265 井口边草
266 豚耳草
267 灯花
268 千金鐍草
269 断罐草
270 狼杷草
271 百草灰
272 产死妇人冢上草
273 孝子衫襟灰
274 灵床下鞋履
275 破草鞋
276 虻母草
277 故蓑衣结
278 故炊帚
279 天罗勒
280 毛蓼
281 蛇蔺草
282 地锦
283 扶芳藤
284 土鼓藤
285 万一藤
286 续随子
287 螺厣草
288 继母草
289 甲煎
290 金疮小草
291 鬼钗草
292 天南星
293 骨碎补
294 地松
295 质汗
296 败芒箔
297 山慈姑根
298 萱草根
299 莸草
300 合明草
301 谷精草
302 灯心草
303 燕蓐草
304 鸭跖草
305 五毒草
306 鼠曲草
307 鸡窠中草
308 鸡冠子
309 毛茛
310 阴命
311 毒菌
312 草禹馀粮
313 鼠蓑草
314 廉姜
315 草石蚕
316 漆姑草
317 麂目
318 黎豆
319 荠苎
320 石荠苎
321 诸草有毒

144 白菊[1]

味苦。染髭发令黑，和巨胜、茯苓蜜丸，主风眩[2]，变白，不老，益颜色。又灵宝方茯苓合为丸以成，炼松脂和，每服如鸡子一丸，令人好颜色，不老，主头眩。生平泽，花紫白，五月花。抱朴子刘生丹法，用白菊花汁和之[3]。(《证类》页145，《大观》卷6页11，《纲目》页845)

【校注】

[1] **白菊** 是菊花的一种。陶弘景认为，“菊有两种：一种茎紫气香而味甘；一种青茎而大作蒿艾气，味苦。又有白菊，茎叶都相似，唯花白，五月取。”菊花为菊科植物菊的头状花序。《本经》首载此药。《别录》云：“生雍州（陕西凤翔）川泽。”陶弘景云：“南阳（河南南阳）郦县（南阳西北）最多。”《本草图经》云：“以南阳菊潭（即郦县，隋朝改菊潭）者为佳，初春布地生细苗，夏茂，秋花，冬实。种类颇多。”《本草衍义》云：“菊有二十余种，惟单叶花小而黄者是，邓州（河南南阳）白菊单叶者亦入药。”现今所用的菊花，多是人工栽培的白菊花，其单叶花小而黄者反而未见用。

[2] **主风眩** 眩晕的一种。见《诸病源候论·风头眩候》。症见头晕眼花，呕逆，甚则厥逆，发作无常。白菊花长于平肝，由肝阳上亢所致头眩、头痛，配白芍、石决明、蔓荆子、白蒺藜等合用油肝虚所致头昏目眩，配枸杞、六味地黄丸合用。

[3] **用白菊花汁和之** 《纲目》作“用白菊汁、莲花汁、地血汁、樗汁，和丹蒸服也”。

145 苦薏[1]

味苦。破血，妇人腹内宿血[2]，食之又调中，止泄。花如菊，茎似马兰，生泽畔，似菊，菊甘而薏苦。语曰：苦如薏是也。(《证类》页145，《大观》卷6页11，《纲目》页847)

【校注】

[1] **苦薏** 即野菊花，为菊科植物野菊的头状花序。陶弘景云："菊中一种青茎而大作蒿艾气，味苦不堪食，名苦薏，非真，其华正相似，惟以甘、苦别之。"《纲目》云："苦薏，薏乃莲子心，此物味苦似之，故与之同名。"

[2] **破血，妇人腹内宿血** 《本草汇言》记载，"野菊破血疏肝，主妇人腹内宿血，解天行火毒疔肿"。

146 荷鼻[1]

味苦，平，无毒。主安胎[2]，去恶血，留好血，血痢，煮服之，即荷叶蒂也。又叶及房，主血胀腹痛，产后胎衣不下[3]，酒煮服之。又主食野菌毒，水煮服之。郑玄云：芙蕖之茎，曰荷。的中薏食之，令人霍乱。（《证类》页 461，《大观》卷 23 页 5，《纲目》页 1338）

【校注】

[1] **荷鼻** 即荷叶蒂，为睡莲科植物莲的叶蒂。

[2] **安胎** 唐氏经验方，治妊娠胎动，干荷蒂一枚，炙，研为末，糯米淘汁一钟，调服即安。

[3] **主血胀腹痛，产后胎衣不下** 《救急方》记载，治产后血不尽，疼闷心痛，荷叶熬令香为末，煎水，下方寸匕。胎衣不下亦治。

147 药王[1]

味甘，平，无毒。解一切毒，止鼻血，吐血，祛烦躁。苗茎青色，叶摘之有乳汁[2]，捣汁饮验[3]。（《证类》页 168，《大观》卷 6 页 88，《纲目》页 1096）

【校注】

[1] **药王** 《纲目》作"药王草"。

[2] **苗茎青色，叶摘之有乳汁** 《纲目》移此文在"味甘"之前。

[3] **捣汁饮验** 《纲目》省去此文。

148 兜木香[1]

烧去恶气，除病疫。汉武帝故事，西王母降，上烧兜木香末。兜木香，兜渠国所献，如大豆，涂宫门，香闻百里。关中大疾疫，死者相枕，烧此香，疫则止。内传云：死者皆起，此则灵香，非中国所致，摽其功用，为众草之首焉[2]。（《证类》

页 169，《大观》卷 6 页 88，《纲目》页 1381）

【校注】

[1] **兜木香** 本条《纲目》作为“返魂香”条的附录药。《博物志》云：“武帝时，西域月氏国，度弱水贡返魂香三枚，大如燕卵，黑如桑椹。值长安大疫，西使请烧一枚辟之，宫中病者闻之即起，香闻百里，数日不歇。疫未三日者，熏之皆活，乃返生神药也。”

[2] **烧去恶气……为众草之首焉** 《纲目》援引时，仅节录主要内容，原文省去很多。

149 草犀根[1]

味辛，平，无毒。主解诸药毒。岭南及睦、婺间[2]，如中毒草，此药及千金藤并解之。亦主蛊毒[3]、溪毒[4]、恶刺、虎、狼、虫虺[5]等毒，天行疟瘴[6]寒热，咳嗽痰壅，飞尸[7]、喉闭、疮肿、小儿寒热、丹毒、中恶、注忤[8]、痢血等，并煮汁服之，其功用如犀，故名草犀，解毒为最。生衢婺洪饶间[9]，苗高二三尺，独茎，根如细辛，研服更良。生水中者名水犀也。（《证类》页 169，《大观》卷 6 页 88，《纲目》页 791）

【校注】

[1] **草犀根** 《纲目》作“草犀”。《海药本草》记载：“按，《广州记》云：生岭南及海中，独茎，对叶而生，如灯台草，根若细辛。”

[2] **岭南及睦、婺间** 岭南，即今五岭之南，今广东、广西、越南北部地区。睦，即今浙江建德东北。婺，即今江西婺源。

[3] **蛊毒** 见“135 猪槽中水”注［2］。

[4] **溪毒** 《补辑肘后方》第 61 治卒中溪毒。葛洪云：“溪毒，一名中溪，似射工而无物。其诊法：初得之，恶寒，头微痛，目眶疼，心中烦懊，腰背骨节皆强，筋急，两膝疼，或热，但欲睡，旦醒暮剧，手足逆冷至肘膝。二三日则腹中生虫，食人下部，肛中有疮。不痛不痒，不令人觉，视之乃知耳。不即治，过六七日下部脓溃，中上食五脏，热甚烦，毒注下襟，八九日良医所不能治。”

[5] **虫虺** 即毒蛇。

[6] **疟瘴** 见“140 阴地流泉”注［1］。

[7] **飞尸** 出《肘后方》。《肘后方》云：“飞尸者，游走皮肤，洞穿脏腑，每发刺痛，变作无常也。”

[8] **注忤** 出《诸病源候论》卷 24。注，住也，言其病连滞停住，死又注易旁人。《释名·释疾病》云：“注病，一人死，一人复得，气相灌注也。”多指具有传染性且病程长的慢性病。忤，犯也。注忤，即犯了注病。

[9] **生衢婺洪饶间** 衢，今浙江衢县；婺，今江西婺源；洪，今江西南昌；饶，今江西鄱阳。

150 薇[1]

味甘，寒，无毒。久食不饥，调中，利大小肠。生水旁，叶似萍。《尔雅》曰：薇，垂也[2]。《三秦记》[3]曰：夷、齐食之[4]，三年颜色不异。武王诫之，不食而死。《广志》[5]曰：薇叶似萍，可食，利人也。(《证类》页169，《大观》卷6页89，《纲目》页1219)

【校注】

[1] **薇** 为豆科植物大巢菜。《说文解字》注云："薇，似藿，乃菜之微者也。"陆机《草木疏》云："薇，山菜，茎叶似小豆，蔓生，其味如小豆藿（叶），可生食。"

[2] **《尔雅》曰：薇，垂也** 孙炎注《尔雅》云："薇草，生水旁而枝叶垂于水，故名垂水也。"按：《尔雅》是我第一部训诂书。今本《尔雅》作"薇，垂水"，与孙炎注合。

[3] **《三秦记》** 古代地理书，所记山川都邑宫室，皆秦汉时地理故事。原书佚，今有清代王谟辑本。

[4] **夷、齐食之** 夷即伯夷，齐即叔齐，二人为商末孤竹君之子，夷为兄，齐为弟。

[5] **《广志》** 西晋·郭义恭撰。

151 无风独摇草[1]

带之，令夫妇相爱。生岭南[2]，头如弹子，尾若鸟尾，两片开合，见人自动，故曰独摇草。(《证类》页169，《大观》卷6页89，《纲目》页1096)

【校注】

[1] **无风独摇草** 此名亦是天麻、鬼臼、羌活、薇衔的异名。《海药本草》记载，"按，《广志》云：生岭南（今广东、广西、越南北部）。又云生大秦国（古罗马帝国）。主头面游风，遍身痒，煮汁淋蘸。《陶朱术》云：五月五日采，诸山野往往亦有之。"

[2] **岭南** 见"7 诸金有毒"注[2]。

152 零余子[1]

味甘，温，无毒。主补虚，强腰脚，益肾，食之不饥。晒干，功用强于薯蓣，此薯蓣子有数种，此则是其一也。一本云：大如鸡子，小者弹丸，在叶下生[2]。(《证类》页169，《大观》卷6页89，《纲目》页1224，《医心方》页34、页696)

【校注】

［1］**零余子**　为薯蓣科植物薯蓣叶腋间的珠芽。《医心方》卷1页34引《拾遗》云："零余子，此薯蓣子。"《纲目》云："此即山药藤上所结子也。长圆不一，皮黄肉白。煮熟去皮食之。胜于山药，美于芋子。霜后收之。坠落在地者，亦易生根。"

［2］**在叶下生**　《医心方》页696作"在叶上生，大者如卵"。

153　百草花

主百病，长生，神仙，亦煮花汁酿酒服之。《异类》云：凤刚者，渔阳[1]人也，常采百花，水渍，封泥埋之百日，煎为丸，卒死者，内口中即活。胡刚[2]服药，百余岁，入地肺山。《列仙传》[3]云：尧时赤松子服之，得仙。（《证类》页169，《大观》卷6页89，《纲目》页1092）

【校注】

［1］**渔阳**　今河北蓟县。

［2］**胡刚**　《纲目》作"刚"。

［3］**《列仙传》**　《汉书·艺文志·拾补》载汉·刘向撰《列仙传》2卷，言神仙之事。《汉书·艺文志·方技略》云："神仙者，所以保性命之真，而游求于其外者也。"

154　红蓝花[1]

味辛，温，无毒。主产后血运口噤[2]，腹内恶血不尽，绞痛[3]，胎死腹中[4]，并酒煮服。亦主蛊毒[5]下血，堪作燕脂。其苗生捣碎，傅游肿。其子吞数颗，主天行疮子不出。其燕脂主小儿聤耳[6]，滴耳中。生梁汉及西域[7]，一名黄蓝。《博物志》云：黄蓝，张骞所得，今仓魏地亦种之。（《证类》页226，《大观》卷9页25，《医心方》页34下2行，《纲目》页864）

【校注】

［1］**红蓝花**　即红花。为菊科植物红花的花。《拾遗》首载此药，其后《开宝本草》收为正品。《本草图经》云："冬布子于熟地，至春生苗，夏乃有花，下作球汇多刺，花蕊出球上，圃人承露采之，采已复出，至尽而罢。球中结实，白颗如小豆大。红花为活血通经之品，亦可消肿止痛。"

［2］**主产后血运口噤**　"唐本注"云："红花治口噤不语，血结、产后诸疾。"

［3］**腹内恶血不尽，绞痛**　《金匮要略》红蓝花酒，单用红蓝花加酒煎服，治妇人腹中血气刺痛。红花配当归、苏木、莪术、肉桂，治妇人血滞经闭腹痛。

［4］**胎死腹中**　《景岳全书》脱花煎，以红花、当归、川芎、牛膝、车前子、肉桂合用，治产

难、胎死腹中。又，红花配桃仁、三棱、莪术、乳香、没药，能消癥瘕痞块。

[5] **蛊毒** 见“135 猪槽中水”注 [2]。

[6] **聤耳** 即外耳道脓疡，流稀脓或黄水。用枯矾、燕脂为散吹之。吹前用药棉揩去脓水，少许吹之，防止堆积阻塞耳道。

[7] **生梁汉及西城** 梁，即今陕西城固以西地区。汉，即今陕西汉中。西域，中国西陲地区。

155 红莲花、白莲花[1]

味甘，平，无毒。久服令人好颜色，变白，却老。生西国，胡人将来至中国也。(《证类》页169,《大观》卷6页89,《纲目》页1343)

【校注】

[1] **红莲花、白莲花** 《纲目》作“红白莲花”，并云：“此不知即莲花否？而功用与莲同。”《日华子》云：“莲花，暖，无毒。镇心，轻身，益色驻颜。”

156 旱藕[1]

味甘，平，无毒。主长生不饥，黑毛发。生太行如藕[2]。(《证类》页169，《大观》卷6页89,《纲目》页756)

【校注】

[1] **旱藕** 《纲目》并入“王孙”条，并以“旱藕”为王孙的别名。又引唐玄宗时隐民姜抚上言：“终南山有旱藕，饵之延年，状类葛粉。帝取作汤饼赐大臣。右骁骑将军甘守城曰：‘旱藕者，牡蒙也，方家久不用，抚易名以神之尔。’”

[2] **生太行如藕** 《纲目》引“藏器”作“旱藕生太行山中，状如藕”。

157 羊不吃草[1]

味苦，辛，温，无毒。主一切风血补益，攻诸病，煮之，亦浸酒。生蜀川山谷，叶细长，在诸草中，羊不吃者是。(《证类》页169,《大观》卷6页90,《纲目》页990。)

【校注】

[1] **羊不吃草** 《纲目》作“羊不食草”，列在“羊踯躅”条附录之中。《纲目》引本条，在文句上前后重行编排。

158 萍蓬草根[1]

味甘，无毒。主补虚，益气力，久食不饥，厚肠胃。生南方池泽，大如荇[2]，花黄，未开前如算袋，根如藕，饥年当谷也。（《证类》页169，《大观》卷6页90，《纲目》页1070）

【校注】

[1] **萍蓬草根** 为睡莲科植物萍蓬草的根。《纲目》云：“《拾遗》萍蓬草，即今水粟，三月出水。茎大如指。叶似荇叶而大，径四五寸，初生如荷叶。六七月开黄花，结实状如角黍，长二寸许，内有细子一包，如罂粟。泽农采之，洗擦去皮，蒸曝，舂取米，作粥饭食之。其根大如栗，亦如鸡头子根，作藕香，味如栗子。”

[2] **大如荇** 《纲目》作“叶大如荇”。荇即凫葵。陆机《诗疏》云：“荇茎白，而叶紫赤色，正圆，径寸余，浮在水上。根在水底，大如钗股，上青下白。”

159 石蕊[1]

主长年不饥。生太行山[2]石上，如花蕊，为丸散服之。今时无复有。王隐《晋书》[3]曰：庾褒入林虑山，食木实、饵石蕊，得长年也。（《证类》页169，《大观》卷6页90，《纲目》页1088）

【校注】

[1] **石蕊** 为石蕊科植物石蕊。

[2] **太行山** 《朱子语录》云：“太行山一千里，河北诸州，皆旋其趾，山西潞州上党，在山脊最高处。”

[3] **王隐《晋书》** 王隐，东晋人，其父私撰西晋史事及功臣行状，未成而卒。隐继父业。太兴元年（318）与郭璞奉诏同撰《晋史》，后被免官归家，于成帝咸康六年（340）写成《晋书》。原书佚，清人有辑本。

160 仙人草[1]

主小儿酢疮，煮汤浴，亦捣傅之。酢疮，头小，大硬。小者，此疮或有不因药而自差者。当丹毒[2]入腹必危，可预饮冷药以防之，兼用此草洗疮。亦明目，去肤翳，挼汁滴目中。生阶庭间，高二三寸，叶细，有雁齿，似离鬲草，北地不生也。（《证类》页169，《大观》卷6页90，《纲目》页1083）

【校注】

［1］**仙人草** 《中药大辞典》订为唇形科植物凉粉草。

［2］**丹毒** 见“22 淬铁水”注［2］。

161 会州白药[1]

主金疮，生肤，止血，碎末傅疮上。药如白敛，出会州[2]也。(《证类》页 169，《大观》卷 6 页 90，《纲目》页 1038)

【校注】

［1］**会州白药** 《纲目》列本条在“白药子”条附录中。

［2］**会州** 今甘肃靖远。

162 救穷草[1]

食之可绝谷，长生。生地肺山大松树下，如竹。出新道书，地肺山高六千丈，其下有之，应可求也。(《证类》页 170，《大观》卷 6 页 90，《纲目》页 732)

【校注】

［1］**救穷草** 《纲目》作“救荒草”，并入“黄精”条中。在“黄精”条“释名”项下，列有“救穷草”，注出处为《别录》。但黄精异名为“救穷”，并不作“救穷草”。

163 草豉

味辛，平，无毒。主恶气，调中，益五脏，开胃，令人能食。生巴西诸国[1]，草似韭，豉出花中，人食之[2]。(《证类》页 170，《大观》卷 6 页 90，《纲目》页 1205)

【校注】

［1］**巴西诸国** 相传周以前居钟离山（今湖北长阳）一带，后延伸川东（今重庆一带），武王克殷封为巴子国。巴子国以西各古族所居地，各以国为名，泛称为巴西诸国。

［2］**人食之** 《纲目》作“彼人食之”。

164 陈思岌[1]

味辛，平，无毒。主解诸药毒热毒，丹毒[2]痈肿，天行壮热[3]，喉痹[4]，蛊毒[5]，除风血，补益。已上并煮服之，亦磨傅疮上，亦浸酒。出岭南，一名千金藤，一名石黄香。今江东又有千金藤，一名乌虎藤，与陈思岌所主颇有异同，终非一物也。陈思岌蔓生，如小豆，根及叶辛香也。（《证类》页170，《大观》卷6页90，《纲目》页1035）

【校注】

［1］**陈思岌** 《纲目》列在“千金藤”条附录中。

［2］**丹毒** 见“22淬铁水”注［2］。

［3］**天行壮热** 天行即流行，天行壮热指流行性热病。

［4］**喉痹** 为咽喉肿痛病证的统称。一般指咽喉肿痛较轻，并有轻度吞咽不顺或声音低哑、寒热等症。

［5］**蛊毒** 见“135猪槽中水”注［2］。

165 千里及[1]

味苦，平，小毒。主天下疫气，结黄，疟瘴[2]，蛊毒[3]。煮服之吐下，亦捣傅疮虫蛇犬等咬处。藤生，道旁篱落间有之，叶细厚。宣湖间有之[4]。（《证类》页170，《大观》卷6页91，《纲目》页1057）

【校注】

［1］**千里及** 为菊科千里光属植物千里光。《纲目》将本条与《本草图经》“千里光”并为一条。

［2］**疟瘴** 见“阴地流泉”注［1］。

［3］**蛊毒** 见“135猪槽中水”注［2］。

［4］**宣湖间有之** 宣即宣州（今安徽宣州），湖即湖州（今浙江湖州）。

166 孝文韭[1]

味辛，温，无毒。主腹内冷胀满，泄痢肠澼[2]，温中[3]补虚。生塞北[4]山谷，如韭，人多食之能行。云昔后魏[5]孝文帝所种，以是为名。又有山韭，亦如韭，生山间，主毛发。又有石蒜，生石间。又有泽蒜，根如小蒜，叶如韭，生平泽。并温补下气，又滑水源。又有诸葛亮韭，而长，彼人食之，是蜀魏时诸葛亮所种也。（《证类》页170，《大观》卷6页91，《纲目》页1174）

【校注】

[1] **孝文韭** 《纲目》列本条在“山韭”条附录中。南北朝时北魏孝文帝所种，故名孝文韭。

[2] **泄痢肠澼** 泄是多种腹泻的总称。《素问·风论》云：“食寒则泄”。痢即痢疾，大便次数多而量少，腹痛，里急后重，下黏液及脓血样大便。肠澼，出《内经·通评虚实论》，是痢疾的古称。指垢腻黏滑似涕似脓的液体，自肠排出澼澼有声，故名。又大便下血，亦称肠澼，见《古今医鉴》。

[3] **温中** 即温补脾胃。脾胃居人体正中，故名温中。

[4] **塞北** 泛指我国北边地区。诗文集里常和江南对称。唐·张彦远《历代名画记》云：“习熟塞北，不识江南山川。”

[5] **后魏** 即南北朝时北魏（386—534），都平城（今山西大同），传至孝文帝迁洛（河南洛阳东北10千米处）改姓元氏，又称元魏，凡十二主，共149年。

167　倚待草

味甘，温，无毒，主血气虚劳，腰膝疼弱风缓，羸瘦无颜色，绝伤无子[1]，妇人老血[2]，浸酒服之。逐病拯疾[3]，故名倚待。生桂州[4]如安山谷，叶圆，高二三尺，八月采取。（《证类》页170，《大观》卷6页91，《纲目》页1096）

【校注】

[1] **绝伤无子** 张本《纲目》作“绝阳无子”。

[2] **老血** 泛指瘀血。

[3] **逐病拯疾** 《纲目》作“逐病极速”。

[4] **桂州** 今广西桂林。

168　鸡侯菜[1]

味辛，温，无毒。久食温中益气。生岭南[2]。顾微《广州记》曰：鸡侯菜，似艾，二月生，宜鸡羹，故名之。（《证类》页170，《大观》卷6页91，《纲目》页1221）

【校注】

[1] **鸡侯菜** 《纲目》列本条在“醍醐菜”的附录中。

[2] **岭南** 见“7 诸金有毒”注［2］。

169　桃朱术[1]

取子带之，令妇人为夫所爱。生园中，细如芹，花紫，子作角，以镜向旁敲之，则子自发，五月五日收之也。（《证类》页170，《大观》卷6页91，《纲目》页863）

【校注】

[1] **桃朱术** 《纲目》列本条在“青葙”条的附录中。按：《证类本草》“青葙子”引萧炳云：“青葙子，又有一种花黄名陶朱术，苗相似。”又引《本草图经》云：“又有一种花黄，名陶朱术，苗亦相似，恐不堪用之。”

170 铁葛[1]

味甘，温，无毒。主一切风血气，羸弱，令人性健，久服治风缓[2]及偏风[3]。生山南峡中。叶似枸杞；根如葛，黑色也。（《证类》页170，《大观》卷6页91，《纲目》页1024）

【校注】

[1] **铁葛** 《纲目》列本条在“葛”条附录中。

[2] **久服治风缓** 原脱“治”，据《纲目》补。

[3] **偏风** 即偏枯，出《内经·刺节真邪篇》。一侧上下肢偏废不用，或兼疼痛，久则患肢肌肉枯瘦，神志无异常变化。初得用补阳还五汤可治。现代医学，用人工除去脑血栓，收效极快，必须早治才见效。

171 伏鸡子根

味苦，寒，无毒。主解百药毒，诸热烦闷，急黄，天行黄疸，疸疮，疟瘴[1]，中恶[2]，寒热头痛，马急黄及牛疫[3]，并水磨服，生者尤佳[4]。亦傅痈肿，与陈家白药同功。但霍乱诸冷不可服耳。生四明天台[5]，叶圆薄似钱，蔓延，根作鸟形者良，一名承露仙。（《证类》页170，《大观》卷6页91，《纲目》页1035）

【校注】

[1] **疟瘴** 见“140 阴地流泉”注［1］。

[2] **中恶** 见“93 仰天皮”注［2］。

[3] **马急黄及牛疫** 《纲目》作“马黄牛疫”。

[4] **生者尤佳** 《纲目》作“新者尤佳”。

[5] **生四明天台** 《纲目》作“生四明天台山”。四明山在浙江鄞县西南75千米处。天台山在浙江天台。

172 陈家白药[1]

味苦，寒，无毒。主解诸药毒，水研服之，入腹与毒相攻必吐，疑毒未止更服[2]。亦去心胸烦热，天行温瘴。出苍梧[3]，陈家解药用之，故有陈家之号。蔓及根，并似土瓜，紧小者良，冬春采取。一名吉利菜，人亦食之，与婆罗门白药及赤药功用并相似，叶如钱，根如防已，出明山。(《证类》页170，《大观》卷6页92，《纲目》页1038)

【校注】

[1] **陈家白药** 《纲目》列本条在“白药子”条的附录中，并引刘恂《岭表录异》云：“陈家白药善解毒，诸药皆不及之，救人甚多。封州（今广东封川）、康州（今广东德庆）有种之者，广府每岁充土贡。”

[2] **疑毒未止更服** 《纲目》作“未尽更服”。

[3] **苍梧** 今广西苍梧。

173 龙珠[1]

味苦，寒，无毒。子：主疔肿；叶：变白发，令人不睡。李邕方云：主诸热、毒石气发动[2]，调中，解烦。生道旁，子圆赤珠似龙葵，但子熟时赤耳。(《证类》页170，《大观》卷6页92，《纲目》页907)

【校注】

[1] **龙珠** 为茄科植物龙珠。《证类本草》“龙葵”条引《药性论》云：“其赤珠者名龙珠，服之变白令黑，耐老。”据此，龙珠是龙葵的一种，其主治亦相同。《唐本草》云：“龙葵味苦，寒，无毒。食之解劳少睡，其子疗疔肿。”《拾遗》云：“龙珠，味苦，寒，无毒。子主疔肿，令人不睡。”比较两家文字内容，基本相同。

[2] **毒石气发动** 古人将服食丹石（钟乳石、硫黄等制剂）后出现的发热反应，称为毒石气发动。

174 捶胡根

味甘，寒，无毒。主润五脏，止消渴，除烦，去热，明目，功用如麦门冬。生江南[1]川谷荫地，苗如萱草，根似天门冬，用之去心[2]。(《证类》页170，《大观》卷6页92，《纲目》页901)

【校注】

[1] **江南** 指长江以南地区。

[2] **用之去心** 《纲目》作“凡用抽去心”。

175　甜藤[1]

味甘，寒，无毒。去热烦，解毒，调中气，令人肥健。又主剥马血毒入肉、狂犬、牛马热黄，捣绞取汁，和米粉作糗饵[2]，食之甜美，止泄。捣叶汁，傅蛇咬疮。生江南山林下，蔓如葛，又有小叶尖长，气辛臭，捣傅小儿腹，除痞满[3]闪癖。(《证类》页171，《大观》卷6页92，《纲目》页1053)

【校注】

[1] **甜藤**　《纲目》列本条在"甘藤"条的附录中。

[2] **糗饵**　《事物纪原》引干宝注曰："糗饵，或屑而蒸之，以枣豆之味同食。"

[3] **痞满**　指胸脘痞闷胀满，但不痛。如果痞满而痛者，即为结胸（见《伤寒论》）。

176　孟娘菜[1]

味苦，小温，无毒。主妇人腹中血结，羸瘦；男子阴囊湿痒，强阳道。令人健行不睡，补虚，去痔瘘[2]、瘰疬[3]、瘿瘤[4]，作菜。生四明诸山[5]，冬夏常有，叶似升麻，方茎，山人取以为菜。一名孟母菜，一名厄菜。(《证类》页171，《大观》卷6页92，《纲目》页1222)

【校注】

[1] **孟娘菜**　《纲目》列在"醍醐菜"的附录中。

[2] **痔瘘**　即痔疮和肛瘘的合称。初生肛门不破者为痔；破溃而出脓血，黄水浸淫淋漓久不止者为瘘。

[3] **瘰疬**　见"6 水银粉"注［4］。

[4] **瘿瘤**　见"51 烟药"注［2］。

[5] **四明诸山**　在浙江嵊县东北。

177　吉祥草

味甘，温，无毒。主明目，强记，补心力。生西国[1]，胡人将来也。(《证类》页171，《大观》卷6页93，《纲目》页1095)

【校注】

[1] **生西国**　《纲目》引"藏器曰"作"生西域"。西域是指汉代甘肃敦煌以西地区，当时各民

族所居处，各以国为名。《汉书·西域传》曰："西域，汉元帝（公元前48—前33）置戊己校尉，屯田车师。"

178　地衣草[1]

味苦，平，无毒。主明目。崔知悌[2]方云：服之令人目明。地上衣如草，生湿处是[3]。（《证类》页171，《大观》卷6页93，《纲目》页1088）

【校注】

[1] **地衣草**　《证类》引《日华子》作"地衣"，阴湿地被日晒起苔藓是也。《纲目》将《日华子》"地衣"和《拾遗》"地衣草"并为一条。

[2] **崔知悌**　见"57 市门土"注[3]。

[3] **地上衣如草，生湿处是**　《纲目》引"藏器"作"即湿地上苔衣如草状者耳"。

179　郎耶草[1]

味苦，平，无毒。主赤白久痢，小儿大腹痞满[2]，丹毒、寒热。取根茎煮服之。生山泽间，高三四尺，叶作雁齿，如鬼针苗[3]。（《证类》页171，《大观》卷6页93，《纲目》页922）

【校注】

[1] **郎耶草**　《纲目》把本条并入"狼杷草"条中。并云："此即陈藏器本草郎耶草。闽人呼爷为郎罢，则狼杷当作郎罢。"

[2] **痞满**　见175"甜藤"注[3]。

[3] **如鬼针苗**　其后，《纲目》引"藏器"作"鬼针，即鬼钗也。其叶有丫，如钗脚状"。

180　地杨梅[1]

味辛，平，无毒。主赤白痢[2]，取茎子煎服。生江东温湿地，四五月有子似杨梅，苗如蓑草也[3]。（《证类》页171，《大观》卷6页93，《纲目》页937）

【校注】

[1] **地杨梅**　为灯芯草科植物地杨梅。

[2] **赤白痢**　《诸病源候论·赤白痢疾》曰："下痢赤白相杂，重者状如脓涕而血杂之，轻者白脓上有赤脉薄血，状如脂脑。"

[3] **苗如蓑草也** 《纲目》作"苗如莎草"。莎草，其根入药名香附，其苗可编席、雨衣（蓑衣），名蓑草。

181 茅膏菜[1]

味甘，平，无毒。主赤白久痢，煮服之。草高一尺，生茅中，叶有毛，如油腻粘人手，子作角，中有小子也[2]。(《证类》页171，《大观》卷6页93，《纲目》页1221)

【校注】

[1] **茅膏菜** 《纲目》列本条在"醍醐菜"条的附录中。

[2] **草高一尺……中有小子也** 《纲目》简化为"生茅中，高一尺，有毛如油腻，粘人手，子作角生"。

182 錾菜[1]

味辛，平，无毒。主破血，产后腹痛，煮汁服之，亦捣碎傅丁疮。生江南国荫地，似益母，方茎，对节，白花，花中甜汁，饮之如蜜[2]。(《证类》页171，《大观》卷6页93，《纲目》页859)

【校注】

[1] **錾菜** 《纲目》云："此即益母之白花者，乃《尔雅》所谓蓷是也。其紫花者，《尔雅》所谓蕡是也。蓷、蕡皆同一音，乃一物二种。"

[2] **汁饮之如蜜** 以上5字，成化本《政和本草》错简在"甘家白药"条文中。《纲目》编写以成化本《政和本草》为蓝本，其错简亦同："甘家白药味苦……根如半夏，其汁饮之如蜜。"按：甘家白药味苦，其汁饮之又如何能像蜜呢？

183 益奶草

味苦，平，无毒。主五野鸡病[1]，脱肛，止血，炙令香，浸酒服之。生永嘉[2]山谷，叶如泽兰，茎赤，高二三尺也。(《证类》页171，《大观》卷6页93，《纲目》页834)

【校注】

[1] **主五野鸡病** 《纲目》作"主五痔"。西汉为了避高后吕雉讳，称雉为野鸡，雉、痔音同，又称痔疾为野鸡病。五野鸡病即五痔。五痔指牝痔、血痔、脉痔、肠痔、牡痔。

[2] **永嘉** 唐代永嘉即今浙江温州。非今日的浙江永嘉。

184 蜀胡烂

味辛，平，无毒。主冷气，心腹胀满，补肾，除妇人血气，下痢，杀牙齿虫。生安南[1]，似褱香子[2]。(《证类》页171，《大观》卷6页93，《纲目》页1204)

【校注】

[1] **安南** 今广东罗定西南。

[2] **似褱香子** 其后，《纲目》有“可和食”3字。褱香子即小茴香。

185 鸡脚草

味苦，平，无毒。主赤白久痢成疳[1]。生泽畔，赤茎，对叶，如百合苗。(《证类》页171，《大观》卷6页93，《纲目》页1095)

【校注】

[1] **疳** 见“6 水银粉”注[3]。

186 难火兰[1]

味酸，温，无毒。主冷气风痹[2]，开胃下食，去腹胀，久服明目。生巴西[3]胡国，似菟丝子，长少许。(《证类》页171，《大观》卷6页93，《纲目》页1003)

【校注】

[1] **难火兰** 《纲目》列本条在“菟丝子”条的附录中。

[2] **冷气风痹** 由风寒而致肢节疼痛、麻木、屈伸不利的病证。

[3] **巴西** 见“116 甘露蜜”注[1]。

187 蓼荞[1]

味辛，温，无毒。主霍乱[2]，腹冷胀满，冷气攻击，腹内[3]不调，产后血攻，胸胁刺痛[4]，煮服之。亦食其苗如葱韭，亦捣傅蛇咬疮。生高原，如小蒜而长。产后作羹食之，良[5]。(《大观》卷6页93，《证类》页171，《纲目》页1180)

【校注】

[1] **蓼荞** 《纲目》列本条在“薤”条的附录中。

[2] **霍乱** 见“1 铜盆”注[2]。

[3] **腹内** 《纲目》引“藏器曰”作“腹满”。

[4] **胸胁刺痛** 《纲目》引“藏器曰”作“胸膈刺痛”。

[5] **亦捣傅蛇咬疮……产后作羹食之，良** 成化《政和》错简在“鳖菜”条之后。《纲目》编纂以成化《政和》为蓝本，所引“蓼荞”条亦无此文。

188 石荠苧[1]

味辛，温，无毒。主风冷气，并疮疥瘙[2]，野鸡漏下血[3]，煮汁服。生山石上，紫花，细叶，高一二尺，山人并用之。(《证类》页 171，《大观》卷 6 页 94，《纲目》页 843)

【校注】

[1] **石荠苧** 《纲目》列本条在“荠苧”条的附录中。

[2] **并疮疥瘙** 《纲目》作“疮疥瘙痒”。

[3] **野鸡漏下血** 《纲目》作“痔瘘下血”。按：野鸡漏即痔瘘。

189 蓝藤根[1]

味辛，温，无毒。上气冷嗽[2]，煮服之。生新罗国[3]，根如细辛。(《证类》页 171，《大观》卷 6 页 94，《纲目》页 1057)

【校注】

[1] **蓝藤根** 《纲目》作“蓝藤”。

[2] **上气冷嗽** 《纲目》作“主冷气咳嗽”。

[3] **新罗国** 今朝鲜。

190 七仙草

主杖疮[1]，捣枝叶傅之。生山足，叶尖细长。(《证类》页 171，《大观》卷 6 页 94，《纲目》页 1096)

【校注】

[1] **杖疮** 昔日犯人上刑法，用棍棒打，或用夹棍夹，皮肉被打伤或夹伤成疮，名杖疮。

191 甘家白药[1]

味苦，大寒，小有毒。主解诸药毒，与陈家白药功用相似。人吐毒物，疑不稳，水研服之，即当吐之，未尽又服。此二药性冷，与霍乱下痢相反。出龚州[2]已南甘家，亦因人为号。叶似车前，生阴处，根形如半夏[3]。岭南多毒物，亦多解物[4]，岂天资乎？（《证类》页171，《大观》卷6页94，《纲目》页1038）

【校注】

[1] **甘家白药** 《纲目》列本条在"白药子"条的附录中。

[2] **龚州** 今广西平南。

[3] **半夏** 其后，《纲目》引"藏器曰"有"其汁饮之如蜜"。按：此文原属"鳌菜"条之文，成化《政和》错简于此。《纲目》编纂以成化《政和》为蓝本，所以《纲目》亦衍此文。

[4] **亦多解物** 《纲目》作"亦多解毒物"。

192 天竺干姜[1]

味辛，温，无毒。主冷气寒中，宿食不消，腹胀下痢，腰背疼，痃癖[2]气块，恶血积聚[3]。生婆罗门国[4]，似姜小黄，一名胡干姜。（《证类》页172，《大观》卷6页94，《纲目》页1198）

【校注】

[1] **天竺干姜** 《纲目》列本条在"干姜"条的附录中。

[2] **痃癖** 痃是脐两旁有条状物扛起，大小不一，或痛或不痛。癖指积块隐匿于两胁肋之间。两者均伴有消瘦、食少、疲乏等全身症状。

[3] **积聚** 一般以积块明显，痛胀较甚，固定不移为积；积块隐现无常，攻窜作胀，痛无定处为聚。性质与癥瘕、痃癖相似。

[4] **婆罗门国** 指古印度。

193 池德勒

味辛，温，无毒。主破冷气，消食。生西国[1]，草根也，胡国人用之[2]。（《证类》页171，《大观》卷6页94，《纲目》页1204）

【校注】

[1] **西国** 见“43 特蓬杀”注 [2]。

[2] **胡国人用之** 《纲目》引《拾遗》作“胡人食之”。

194 人肝藤[1]

主解诸毒药肿，游风，脚手软痹[2]，并研服之，亦煮服之，亦傅病上[3]。生岭南，叶三椏[4]，花紫色，一名承露仙。又有伏鸡子，亦名承灵仙，叶圆，与此名同物异。(《证类》页 192，《大观》卷 7 页 56，《纲目》页 1035)

【校注】

[1] **人肝藤** 《纲目》列本条在“伏鸡子根”条的附录中。

[2] **游风，脚手软痹** 游风，即风邪使人致病，具有游走性、多变性。脚手软痹，即风寒湿侵袭脚手而致脚手疼痛、麻木、屈伸不利。

[3] **亦煮服之，亦傅病上** 《纲目》作“涂之”。

[4] **生岭南，叶三椏** 《纲目》作“生岭南山石间，引蔓而生，叶有三椏”。

195 越王馀筭[1]

味咸，平，无毒。主下水，破结气。生南海水中，如竹筭子，长尺许。《异苑》[2]曰：晋安有越王[3]馀筭，叶白者似骨，黑者似角，云是越王行海作筹[4]有余，弃水中而生。(《证类》页 192，《大观》卷 7 页 56，《纲目》页 1074)

【校注】

[1] **越王馀筭** “筭”，《说文》云：“长六寸，所以计历数者，从竹算，言常弄乃不误也。”《集韵》云：“筭或作算”。按：筭为计数的工具，算为计数的方法，二字音同意别。又，“越王馀筭”是海产动物，外形似植物，古人当作植物，列在草部。俗名海柳，生海底，体长四至六尺，中轴长，骨骼为角质，白色，外面所被之肉呈黑褐色，或呈红色。各水螅体群生于其下缘。其骨骼可作箸、杖等物。

[2] **《异苑》** 南北朝刘宋·刘敬叔撰。凡 10 卷，记述自先秦到刘宋时的怪异之事，尤以晋代为多，遣词简古，意态俱足，不类唐人小说之冗沓。

[3] **晋安有越王** 晋安在今福建闽侯县东北。古代闽越王无诸所都，故称晋安越王。

[4] **筹** 即筭筹。《汉志》云：“筭法用竹，径一分，长六寸，二百七十一枚而成六觚为一握，此谓筭筹。”

196 石莼[1]

味甘，平，无毒。下水，利小便。生南海中水石上。《南越志》[2]云：似紫菜，色青。《临海异物志》[3]曰：附石生也。（《证类》页192、519，《大观》卷7页56，《纲目》页1239）

【校注】

［1］**石莼** 为绿藻门石莼科石莼。藻体为由两层细胞构成的绿色膜状体，长达40厘米以上，固着在岩石上。我国沿海均产，晒干可供食用。

［2］**《南越志》** 南北朝刘宋·沈怀远撰。

［3］**《临海异物志》** 三国吴·沈莹撰。原书佚，清·王仁俊有辑本。

197 海根

味苦，小温，无毒。主霍乱[1]，中恶[2]，心腹痛，鬼气[3]注忤[4]，飞尸[5]，喉痹[6]，蛊毒[7]，痈疽、恶肿，赤白游疹[8]，蛇咬犬毒，酒及水磨服，傅之亦佳。生会稽海畔[9]山谷，茎赤，叶似马蓼，根似菝葜而小也，海人极用之[10]。（《证类》页192，《大观》卷7页56，《纲目》页932）

【校注】

［1］**霍乱** 见“1 铜盆”注［2］。

［2］**中恶** 见“93 仰天皮”注［2］。

［3］**鬼气** 见“104 车脂”注［2］。

［4］**注忤** 见“149 草犀根”注［8］。

［5］**飞尸** 见“149 草犀根”注［7］。

［6］**喉痹** 见“164 陈思岌”注［4］。

［7］**蛊毒** 见“135 猪槽中水”注［2］。

［8］**赤白游疹** 皮肤上发出的赤色或白色的疹子，形如粟米，抚之碍手，发无定处，称为赤白游疹。

［9］**会稽海畔** 会稽，今浙江绍兴。海畔，即海边。

［10］**海人极用之** 《纲目》作“胡人蒸而用之”。

198 寡妇荐[1]

主小儿吐痢霍乱[2]，取二七茎煮饮之。（《证类》页192，《大观》卷7页56，《纲目》

页 1495）

【校注】

[1] **寡妇荐** 本条《纲目》附在“蒲席”条下。《唐本草》注：“席下重厚者为荐。”

[2] **霍乱** 见“1 铜盆”注 [2]。

199 编荐索[1]

主霍乱转筋[2]，烧作黑灰，服三指撮，酒服佳。（《证类》页 276，《大观》卷 11 页 36，《纲目》页 1495）

【校注】

[1] **编荐索** 本条《大观》《证类》列在“败蒲席”条注文中，《纲目》列在“蒲席”条主治下。

[2] **霍乱转筋** 霍乱，见“1 铜盆”注 [2]。转筋，见“107 热汤”注 [3]。霍乱转筋，指吐泻太过，出现小腿肚挛搐。

200 自经死绳[1]

主卒发颠狂，烧为末，服三指撮。三年陈蒲，煮服之亦佳。（《证类》页 192，《大观》卷 7 页 56，《纲目》页 1490）

【校注】

[1] **自经死绳** 《纲目》云：“蕲水一富家子，游倡宅，惊走仆于刑人尸上，大骇发狂。明医庞安常取绞死囚绳烧灰，和药与服，遂愈。”

201 刺蜜

味甘，无毒。主骨热[1]，痰嗽[2]，痢暴下血，开胃止渴，除烦。生交河[3]沙中，草头有刺，上有毛，毛中生蜜，一名草蜜，胡人呼为给勃罗。（《证类》页 192，《大观》卷 7 页 56，《纲目》页 1338）

【校注】

[1] **骨热** 《纲目》作“骨蒸发热”。形容其发热自骨髓透出，故名。症见潮热，盗汗，喘息无力，心烦少寐，手心常热，小便黄赤。多属劳瘵之类。

［2］**痰嗽** 指因痰而致嗽。症见咳嗽多痰，痰色白，或如泡沫。

［3］**交河** 在今新疆吐鲁番西。

202 骨路支[1]

味辛，平，无毒。主上气[2]，浮肿[3]，水气呕逆[4]，妇人崩中余血，癥瘕[5]，杀三虫[6]。生昆仑国，苗似凌霄藤，根如青木香，安南亦有，一名飞藤。（《证类》页192，《大观》卷7页57，《纲目》页1058）

【校注】

［1］**骨路支** 本条张绍棠刻本《纲目》列在卷18的卷末，并注云："此条原附录紫葳之后，抄书遗落，附于此也。"

［2］**上气** 指肺气上逆，呼多吸少，气息急促。《灵枢·五邪》云："邪在肺，则……上气喘，汗出。"

［3］**浮肿** 指体内水湿停留，面目、四肢、胸腹甚至全身皮下有水，按之陷指印。

［4］**水气呕逆** 指体内水湿停留，脾不能制水，引起呕逆。

［5］**癥瘕** 见"59 桑灰"注［2］。

［6］**三虫** 出《诸病源候论》，为长虫病、赤虫病、蛲虫病的合称。

203 长松[1]

味甘，温，无毒。主风血冷气宿疾，温中，去风。草似松，叶上有脂，山人服之。生关内[2]山谷中。（《证类》页192，《大观》卷7页57，《纲目》页732）

【校注】

［1］**长松** 《纲目》云："长松生古松下，根色如荠苨，长三五寸，味甘微苦，类人参，清香可爱。"

［2］**关内** 指函谷关以内，陕西终南山以北。

204 合子草[1]

有小毒。子及叶，主蛊毒[2]，螫咬[3]，捣傅疮上。蔓生岸旁，叶尖，花白，子中有两片，如合子。（《证类》页192，《大观》卷7页57，《纲目》页1011）

【校注】

［1］**合子草** 本条《纲目》列在"榼藤子"条的附录中。

[2] **蛊毒** 见“135 猪槽中水”注 [2]。

[3] **螫咬** 《纲目》作“及蛇咬”。

205 兜纳香

味甘，温，无毒。去恶气，温中，除暴冷。《广志》云：生剽国[1]。《魏略》[2]曰：大秦国[3]出兜纳香。（《证类》页214，《大观》卷8页72，《纲目》页828，《医心方》页34）

【校注】

[1] **剽国** 古代缅甸骠人所建的国。

[2] **《魏略》** 三国魏·鱼豢撰，记曹魏史事，为西晋·陈寿撰《三国志》所据的重要史料之一。原书佚，清·王仁俊有辑本。

[3] **大秦国** 即古代东罗马。《后汉书·西域传》：“大秦，一名犁鞬，以在海西，亦云海西国。”

206 耕香[1]

味辛，温，无毒。主臭鬼气[2]，调中。生乌浒国[3]。《南方草木状》[4]曰：耕香茎生细叶。（《证类》页215，《大观》卷8页71，《纲目》页828）

【校注】

[1] **耕香** 本条《纲目》列在“排香草”条的附录中。

[2] **鬼气** 见“104 车脂”注 [2]。

[3] **乌浒国** 指汉代越南北部古代越人支族建立的国。

[4] **《南方草木状》** 晋·稽含（262—306）撰。记载岭南及域外土产草、木、果等植物80种，是我国最早的地方植物志。今本已非稽含原著。南宋有人杂取他书加以补缀，或谓传抄中误入南北朝刘宋·徐衷《南方草物状》的内容。

207 瓶香[1]

生南海[2]山谷，草之状也。味寒，无毒。主天行时气[3]，鬼魅邪精[4]等，宜烧之。又于水煮，善洗水肿浮气，与土姜、芥子等煎浴汤，治风痊[5]甚验也。（《证类》页258，《大观》卷10页45，《纲目》页828）

【校注】

［1］**瓶香** 本条《纲目》列在“排香草”条的附录中。

［2］**南海** 今广东番禺。

［3］**天行时气** 见“124 腊雪”注［2］。

［4］**鬼魅邪精** 古人由于历史条件，将某些原因不明的病证，认为是鬼魅邪精作怪。

［5］**风疟** 出《素问》。疟疾之一，其症先寒后热，寒少热多，头痛烦躁，兼见无汗恶风，或汗出恶风。

208 风延母[1]

味苦，寒，无毒。小儿发热发强[2]，惊痫[3]寒热，热淋[4]，解烦，利小便，明目，主蛇犬毒恶疮，痈肿，黄疸，并煮服之。细叶蔓生，缨绕草木。《南都赋》[5]云：“风衍蔓延于衡皋[6]”是也。（《证类》页215，《大观》卷8页10，《纲目》页1056）

【校注】

［1］**风延母** 本条《纲目》列在“落雁木”条的附录中。“母”，张本《纲目》作“莓”。

［2］**发热发强** 发热使筋脉不柔和，项背强急，甚者肢体强直不能屈伸。

［3］**惊痫** 指急惊风发作。《小儿卫生总微论》云：“小儿惊痫者，轻者身热面赤，睡眠不安，惊惕上窜，不发搐者，此名惊也。重者上视身强，手足拳，发搐者，此名痫也。”

［4］**热淋** 清·顾靖远《顾松园医镜》云：“淋者，欲尿而不能出，胀急痛甚；不欲尿而点滴淋沥。”通常指小便急迫、短、数、涩、痛。因热而淋者，名热淋。

［5］**《南都赋》** 张本《纲目》作《蜀都赋》。

［6］**衡皋** 张本《纲目》作“兰皋”。

209 大瓠藤水[1]

味甘，寒，无毒。主烦热，止渴，润五脏，利小便。藤如瓠，断之出水，生安南[2]。《太康地记》[3]曰：朱崖儋耳[4]无水处，种用此藤，取汁用之。（《证类》页215，《大观》卷8页71，《纲目》页1054）

【校注】

［1］**大瓠藤水** 《纲目》以“含水藤”为正名，以“大瓠藤”为释名。“瓠”，《毛诗·邶风》云：“瓠有苦叶”。陆佃注：“短颈大腹曰瓠”。

［2］**安南** 唐置，本曰交州，唐高宗调露初（679）改曰安南，今越南北部。

［3］**《太康地记》** 晋代作品，撰人不详，久佚。清·王谟辑。见《重订汉唐地理书抄》。

[4] **朱崖儋耳** 朱崖，今广东琼山。儋耳，今广东儋县。

210 筋子根[1]

味苦，温，无毒。主心腹痛，不问冷热远近，恶鬼气[2]注刺痛，霍乱[3]蛊毒[4]，暴下血，腹冷不调，酒饮磨服。生四明山[5]，苗高尺余，叶圆厚光润，冬不凋，根大如指，亦名根子。(《证类》页 215,《大观》卷 8 页 71,《纲目》页 1096)

【校注】

[1] **筋子根** 另有筋根，是旋花的别名，与本条非同一物也。

[2] **鬼气** 见“104 车脂”注 [3]。

[3] **霍乱** 见“1 铜盆”注 [2]。

[4] **蛊毒** 见“135 猪槽中水”注 [2]。

[5] **四明山** 在浙江鄞县西南 75 公里。《唐六典》云：“江南道名山曰四明山，凡 280 峰。”

211 土芋

味甘，寒，小毒。解诸药毒，生研水服，当吐出恶物尽便止。煮食之，甘美不饥，厚人肠胃，去热嗽。蔓如豆，根圆如卵，鹈鴂[1]食后弥吐，人不可食[2]。(《证类》页 215,《大观》卷 8 页 71,《纲目》页 1223)

【校注】

[1] **鹈鴂** 《临海异物志》云：“鹈鴂，一名杜鹃，至三月鸣，昼夜不停，夏末乃止。”

[2] **人不可食** 其后，《纲目》引“藏器曰”又有“土卵蔓生，如芋，人以灰汁煮食之”13 字。按：此 13 字原是陈藏器注赭魁之文，《纲目》移续于此。

212 优殿[1]

味辛，温。去恶气，温中[2]消食。生安南[3]，人种为茹[4]。《南方草木状》[5]曰：合浦[6]有优殿，人种之，以豆酱汁食，芳香好味。(《证类》页 215,《大观》卷 8 页 71,《纲目》页 1222)

【校注】

[1] **优殿** 本条《纲目》列在“醍醐菜”条的附录中。

[2] **温中** 见“166 孝文韭”注 [3]。

[3] **安南** 见209大瓠藤水注[2]。

[4] **人种为茹** "茹"即菜，见《集韵》。

[5] **《南方草木状》** 见"206耕香"注[4]。

[6] **合浦** 今广西合浦，即廉州。

213 土落草

味甘，温，无毒。主腹冷疼气痃癖[1]，作煎酒，亦捣绞汁温服。叶细长，生岭南[2]山谷，土人服之。(《证类》页215，《大观》卷8页71，《纲目》页1096)

【校注】

[1] **痃癖** 见"59桑灰"注[3]。

[2] **岭南** 见"7诸金有毒"注[2]。

214 狰(猪孝切)菜[1]

味辛，温，无毒。主冷气，腹内久寒，食饮不消，令人能食。《字林》[2]曰：狰,辛菜，南人食之，去冷气。(《证类》页215，《大观》卷8页71，《纲目》页1205)

【校注】

[1] **狰菜** 本条《纲目》并入"蕹菜"条中，并云："今考《唐韵》《玉篇》并无狰字，止有蕹字，云辛菜也。则狰乃蕹字之讹尔。"

[2] **《字林》** 字书。西晋·吕忱撰。吕为补《说文》缺漏，广收典籍，收12824字，按540个部首，编为《字林》7卷。书久佚。清·任大椿有《字林考逸》8卷。

215 必似勒

味辛，温，无毒。主冷气，胃闭不消食[1]，心腹胀满。生昆仑，似马蔺子。(《证类》页215，《大观》卷8页71，《纲目》页874)

【校注】

[1] **胃闭不消食** 张本《纲目》作"胸闭不消"。

216 胡面莽[1]

味甘，温。去痃癖[2]及冷气，止腹痛，煮之。生岭南[3]，叶如地黄。(《证类》

页 215，《大观》卷 8 页 71，《纲目》页 896）

【校注】

[1] **胡面莽** 本条《纲目》列在“地黄”条的附录中。

[2] **痃癖** 见“59 桑灰”注 [3]。

[3] **岭南** 见“7 诸金有毒”注 [2]。

217 海蕴[1]

味咸，寒，无毒。主瘿瘤[2]结气在喉间，下水。生大海中，细叶如马尾，似海藻而短也。（《证类》页 215，《大观》卷 8 页 72，《纲目》页 1073）

【校注】

[1] **海蕴** 《纲目》云：“蕴，乱丝也。其叶似之，故名。”

[2] **瘿瘤** 见“51 烟药”注 [2]。

218 百丈青

味苦，寒，平，无毒。主解诸毒物，天行瘴疟[1]疫毒，并煮服，亦生捣绞汁。生江南林泽，藤蔓紧硬，叶如薯蓣，对生。根服令人下痢[2]。（《证类》页 215，《大观》卷 8 页 72，《纲目》页 1057）

【校注】

[1] **瘴疟** 即疟瘴，见“140 阴地流泉”注 [1]。

[2] **根服令人下痢** 《纲目》作“其根令人下痢。”

219 斫合子[1]

无毒。主金疮[2]，生肤，止血，捣碎傅疮上。叶主目热赤，挼碎，滴目中。云昔汉高帝[3]战时，用此傅军士金疮，故云斫合子。篱落间有，藤蔓生，至秋霜，子如柳絮，一名薰桑，一名鸡肠。（《证类》页 215，《大观》卷 8 页 72，《纲目》页 1046）

【校注】

[1] **斫合子** 本条《纲目》并入“萝摩”条内，并云：“斫合子即萝摩子也。三月生苗，蔓延篱垣，极易繁衍。其根白软。其叶长而后大前尖。根与茎叶，断之皆有白乳如构汁。六七月开小长花，

如铃状，紫白色。结实长二三寸，其壳青软，中有白绒及浆，霜后枯裂则子飞。”但《拾遗》谓斫合子、萝摩二物仅相似耳。

[2] **金疮** 见“2 铜青”注 [2]。

[3] **汉高帝** 汉·刘邦（在位时间为公元前206—前195）。

220 独自草[1]

有大毒。煎傅箭镞[2]，人中之立死。生西南夷[3]中，独茎生。《续汉书》[4]曰：出西夜国，人中之辄死。今西夷僚中，犹用此药傅箭镞。解之法，在《拾遗》石部盐药条中。（《证类》页215，《大观》卷8页72，《纲目》页972）

【校注】

[1] **独自草** 本条《纲目》作“独白草”，并入“乌头”条内。

[2] **箭镞** 即箭头。

[3] **西南夷** 即西南边区少数民族。

[4] **《续汉书》** 西晋·司马彪撰。南北朝梁·刘昭注《后汉书》时，将《续汉书》中八志30卷并入该书中。

221 金钗股[1]

味辛，平，小毒。解诸药毒，人中毒者，煮汁服之。亦生研更烈，必大吐下，如无毒，亦吐，去热痰疟瘴[2]，天行蛊毒[3]，喉闭。生岭南[4]山谷，根如细辛，三四十茎，一名三十根钗子股，岭南人用之。（《证类》页215、258，《大观》卷8页72，《纲目》页791）

【校注】

[1] **金钗股** 《纲目》并入“钗子股”条内。并云：“按，《岭表录》云：‘广中多毒，彼人以草药金钗股治之，十救八九，其状如石斛也。’又，忍冬藤解毒，亦号金钗股，与此同名。”

[2] **疟瘴** 见“140 阴地流泉”注 [1]。

[3] **蛊毒** 见“135 猪槽中水”注 [2]。

[4] **岭南** 见“7 诸金有毒”注 [2]。

[附] 钗子股[1]

生岭南及南海诸山中，每茎三十根，状似细辛。味苦，平，无毒。主解毒痈疽神验，忠万州[2]者佳。草茎功力相似，以水煎服。缘岭南多毒，家家贮之。

【校注】

[1] **钗子股** 本条见《海药本草》“钗子股”条“谨按陈氏云”。

[2] **忠万州** 忠，今四川忠县。万，今四川万县。

222 博落回[1]

有大毒。主恶疮[2]，瘿根[3]，瘤赘[4]，息肉[5]，白癜风[6]，蛊毒[7]，精魅溪毒，以上疮瘘者和百丈青、鸡桑灰等为末，傅瘘疮[8]蛊毒精魅，当有别法。生江南山谷，茎叶如蓖麻，茎中空，吹作声，如博落回，折之有黄汁，药人立死，不可入口也。(《证类》页215，《大观》卷8页72，《纲目》页958)

【校注】

[1] **博落回** 本条《纲目》列在“蓖麻”条的附录中。

[2] **恶疮** 见“20 铁锈”注［2］。

[3] **瘿根** 即瘿瘤。见“51 烟药”注［2］。

[4] **瘤赘** 瘤是体表出现肿物，界限分明，肿痛而不红。赘物如拳如榴，有的破溃化脓，病程漫长。

[5] **息肉** 见“2 铜青”注［3］。

[6] **白癜风** 见“58 自然灰”注［2］。

[7] **蛊毒** 见“135 猪槽中水”注［2］。

[8] **瘘疮** 指疮疡久不愈，有瘘管形成，如鼠瘘、痔瘘、脓瘘。

223 毛建草及子[1]

味辛，温，有毒。主恶疮[2]痈肿疼痛未溃，煎捣叶傅之，不得入疮，令人肉烂。主疟，令病者取一握，微碎，缚臂上，男左女右，勿令近肉，便即成疮。子和姜捣破[3]，破冷气。田野间呼为猴蒜，生江东[4]泽畔，叶如芥而大，上有毛，花黄，子如蒺梨。又，有建，有毒。生水旁，叶似胡芹，未闻余功，大相似。(《证类》页216，《大观》卷8页72，《纲目》页996)

【校注】

[1] **毛建草及子** 本条《纲目》并入“毛茛”条内。

[2] **恶疮** 见“20 铁锈”注［2］。

[3] **子和姜捣破** 《纲目》作“和姜捣涂腹”。

[4] **江东** 见“23 铁熬”注［2］。

224 数低[1]

味甘，温，无毒。主冷风冷气，下宿食不消，胀满。生西蕃，北土亦无有[2]。似茴香[3]，胡人作羹食之。（《证类》页216，《大观》卷8页73，《纲目》页1204）

【校注】

[1] **数低** 本条《纲目》列在“莳萝”条的附录中。

[2] **生西蕃，北土亦无有** 《纲目》作“生西蕃、北土”。西蕃，指西陲边疆地区。北土，指中国北方。

[3] **似茴香** 《纲目》作“兼似蘹香”。

225 仰盆[1]

味辛，温，有小毒。主蛊[2]，飞尸[3]，喉闭[4]，水磨服少许，亦磨傅皮肤恶肿。生东阳[5]山谷，苗似承露仙，根圆如仰盆，子大如鸡卵。（《证类》页216，《大观》卷8页73，《纲目》页1035）

【校注】

[1] **仰盆** 本条《纲目》列在“伏鸡子根”条的附录中。

[2] **蛊** 即蛊毒。见“135 猪槽中水”注[2]。

[3] **飞尸** 见“149 草犀根”注[7]。

[4] **喉闭** 《纲目》作“喉痹”。见“164 陈思岌”注[4]。

[5] **东阳** 唐东阳有二：一在四川成都东南，一在浙江东阳。本条下文“苗似承露仙”，承露仙出浙江天台，天台与浙江东阳相邻。疑本条所言东阳，是浙江东阳。

226 离鬲草

味辛，寒，有小毒。主瘰疬[1]丹毒[2]，小儿无辜寒热[3]，大腹痞满[4]，痰饮[5]膈上热，生研绞汁服一合，当吐出胸膈间宿物。生人家阶庭湿处，高三二寸，苗叶似幂䍥[6]，去疟为上。江东[7]有之，北土无。（《证类》页216，《大观》卷8页73，《纲目》页1083）

【校注】

[1] **瘰疬** 见“6 水银粉”注[4]。

[2] **丹毒** 见“22淬铁水”注[2]。

[3] **小儿无辜寒热** 旧指小儿误穿污染衣服，引起头颈部有核如弹丸，肢体疮痈，便利脓血，寒热羸瘦。因起于无辜故名。

[4] **痞满** 见“175甜藤”注[3]。

[5] **痰饮** 指体内某一部位积留过多水液，其稠浊者为痰，清稀者为饮。

[6] **羃䍥** 原为披覆状，此指女萝草。南北朝时齐·王融《咏女萝》：“羃䍥女萝草，蔓衍旁松枝。”陆佃《埤雅》：“女萝是松上浮蔓。”

[7] **江东** 见“23铁爇”注[2]。

227 䗪药

味咸，温，无毒。主折伤内损血瘀[1]，生肤止痛，主产后血病，治五脏，除邪气，补虚损，乳及水煮服之，亦捣碎傅伤折处。生胡国，似干茅，黄赤色。(《证类》页216,《大观》卷8页73,《纲目》页1096)

【校注】

[1] **主折伤内损血瘀** 《外台秘要》云：“治堕马内损，取䗪药末一两，牛乳一盏，煎服。”

228 葛粉[1]

用裛[2]小儿热疮妙。(《证类》页197,《大观》卷8页9,《纲目》页1022)

【校注】

[1] **葛粉** 为豆科植物野葛或甘葛藤的根制成的粉。《拾遗》首载此药，《开宝本草》收为正品，《纲目》并入“葛根”条内。

[2] **裛** 音邑。意即包扎缠裹。

229 蓬莪茂[1]

一名蓬莪，黑色，二名蒁，三名波杀。味甘，有大毒[2]。(《证类》页232,《大观》卷9页41,《纲目》页820)

【校注】

[1] **蓬莪茂** 茂，音述。蓬莪茂为姜科植物莪术的根茎。《拾遗》首载此药，《开宝本草》收为正品，并云：“蓬莪茂，味苦、辛，温，无毒。主心腹痛、中恶、疰忤、鬼气、霍乱、冷气吐酸水，解毒，食饮不消，酒研服之。又疗妇人血气，丈夫奔豚。生西戎（中国西部少数民族居处）及广南

（今广东、广西）诸州。子似干椹，叶似蘘荷，茂在根下，并生。”

［2］**有大毒** 蓬莪茂与三棱都是作用较强的活血药，但用微量或短时间用，亦可起到活血作用。大量或久用可起到破血作用，且能导致出血不止或大出血。有出血史的患者，或月经过量、妊娠者，均忌用。对宫外孕、瘤肿、肝脾肿大患者应用时，要注意观察，防止出血不止。对脑动脉硬化者尤宜慎用，防止脑溢血的危险，对高血压者亦不宜用。

230 京三棱[1]

本经无传。三棱总有三四种，但取根，似乌梅，有须相连，蔓如綖[2]，作漆色，蜀人织为器，一名萶者，是也[3]。（《证类》页228，《大观》卷9页28，《纲目》页821）

【校注】

［1］**京三棱** 《纲目》作“荆三棱”，《本草图经》云：“三棱生荆楚，字当作荆，以著其地，作京非也。”本品为黑三棱科植物黑三棱。另有沙草科植物荆三棱的块茎，亦作三棱用，但质量较次。《拾遗》首载此药。《开宝本草》收为正品。

［2］**綖** 音延，冕前后垂覆物。

［3］**三棱总有……一名萶者，是也** 以上34字，《纲目》引“藏器曰”作“三棱总有三四种。京三棱，黄色体重，状如鲫鱼而小。又有黑三棱，状如乌梅而稍大，体轻有须，相连蔓延，作漆色，蜀人以强为器，一名琴者，是也。疗体并同。”按：此文原出《开宝本草》，《纲目》录以作“藏器”文。

231 延胡索[1]

止心痛，酒服[2]。（《证类》页231，《大观》卷9页35，《纲目》页779）

【校注】

［1］**延胡索** 为罂粟科植物延胡索的块茎。《拾遗》首载此药，《日华子》《海药本草》亦载之，《开宝本草》收为正品。

［2］**延胡索，止心痛，酒服** 《纲目》引“藏器曰”作“延胡索生于溪，从安东道来。根如半夏，色黄。”按：此文中“生于溪，从安东道来”，出自《海药本草》；“根如半夏色黄”，出自《开宝本草》。

232 天麻[1]

寒[2]。主热毒痈肿，捣茎叶傅之。亦取子作饮，去热气。生平泽，似马鞭

草，节节生紫花，花中有子，如青葙子[3]。（《证类》页223，《大观》卷9页15，《纲目》页740）

【校注】

[1] **天麻** 为兰科植物天麻的根茎。《药性论》首载此药，其后《拾遗》《日华子》亦载之，《开宝本草》收为正品，《纲目》并入“赤箭”条内。

[2] **寒** 《纲目》作“子性寒”。

[3] **生平泽……如青葙子** 《本草图经》云：“春生苗，初出若芍药，独抽一茎直上，高三二尺如箭竿状，青赤色，茎中空，依半以上贴茎，微有尖小叶，梢头生成穗，开花结子如豆粒大，其子至夏不落，却透虚入茎中，潜生土内。其根形如黄瓜，连生一二十枚，大者重有半斤，或五六两，其皮黄白色，肉名天麻。”《本草衍义》云：“天麻用根，须别药相佐使，然后见其功也。苗赤箭也。”

233 青布[1]

味咸，寒。主解诸物毒[2]，天行烦毒，小儿寒热，丹毒[3]，并水渍取汁饮。烧作黑灰，傅恶疮[4]经年不差者，及灸疮，止血，令不中风水。和蜡熏恶疮，入水不烂，熏嗽杀虫，熏虎狼咬疮[5]出水毒。又于器中烧令烟出，以器口熏人中风水恶露等疮，行下得恶汁，知痛痒，差。又入诸膏药，疗疔肿、狐刺[6]等恶疮。又浸汁和生姜煮服，止霍乱[7]。真者入用，假者不中。（《证类》页173，《大观》卷7页3，《纲目》页926）

【校注】

[1] **青布** 由蓝汁染成。《别录》云：“蓝实，其茎、叶可以染青。”《本草图经》云：“后汉赵岐作《蓝赋》，其序云：余就医偃师，道经陈留（今河南开封南陈留），此境人皆以种蓝染绀（青色）为业。蓝田（今陕西蓝田）弥望，黍稷不殖。”蓝的品很多，有十字花科松蓝及大青，马鞭草科大青，爵床科马蓝，蓼科植物蓼蓝等。《本草图经》云：“蓝有数种：有木蓝，出岭南，不入药；有菘蓝，可以为靛，亦名马蓝；有蓼蓝，但染碧，不堪作靛，即医所用者也。福州有一种马蓝，治妇人败血甚佳。江宁（今江苏江宁）有一种吴蓝，二三月内生如蒿状，叶青花白，性寒，去热解寒，止吐血。古方多用吴蓝。”

[2] **主解诸物毒** 《别录》云：“蓝，其叶汁杀百药毒，解狼毒、射罔毒。”陶弘景云：“人卒中毒，不能行，生蓝汁，乃浣緤布（青布）汁以解之，亦善。”《肘后方》治新被毒箭，捣蓝青绞汁饮并傅疮上；如无蓝，可渍青布绞汁饮之，亦以治疮中。又方：服药过剂烦闷及中毒烦闷，浣青绢取汁饮亦佳。

[3] **丹毒** 见“22 淬铁水”注［2］。

[4] **恶疮** 见“20 铁锈”注［2］。

[5] **熏虎狼咬疮** 《梅师方》治虎伤人疮，取青布紧卷作缠，烧一头，内（纳）竹筒中，射疮

口，令烟熏入疮中，佳。

［6］**狐刺** 见“94 蚁穴中出土”注［2］。

［7］**霍乱** 见“1 铜盆”注［2］。

234 青黛[1]

解毒，小儿丹热，和水服之。并鸡子白、大黄，傅疮痈蛇虺[2]等。(《证类》页173、229，《大观》卷7页3、卷9页33，《纲目》页928)

【校注】

［1］**青黛** 由菘蓝、马蓝、蓼蓝、槐蓝的茎叶加水泡至腐烂，捞去茎叶，加适量石灰乳，搅拌，至浸液由乌绿变为深红色时，捞起之浮沫晒干即为青黛。《药性论》首载此药，《拾遗》亦载之，《开宝本草》收为正品。

［2］**蛇虺** 《诗·斯干》云：“维虺维蛇。”孙炎疏曰：“江淮以南，谓虺为蝮，广三寸，头如拇指，有牙最毒。”

235 蓝靛[1]

苏云菘蓝造靛。按：靛多是槐蓝。蓼蓝作者，入药胜槐蓝。靛，寒，傅热疮，解诸毒。滓，傅小儿秃疮热肿，初作上沫，堪染。(《证类》页173，《大观》卷7页3，《纲目》页926)

【校注】

［1］**蓝靛** 制青黛液中下沉的青黑色沉淀物。《纲目》云：“南人掘地作坑，以蓝浸水一宿，入石灰搅至千下，澄去水，得青黑色物。亦可干收，用染青碧。其搅起浮沫，掠出阴干，谓之靛花，即青黛。”《开宝本草》“青黛”条云：“染瓮下染靛（蓝靛）亦堪傅热恶肿蛇虺螫毒。”《幼幼新书》卷28秃疮第二引陈藏器云：“秃疮，蓝靛滓傅。”

236 荜拨没[1]

味辛，温，无毒。主冷气呕逆[2]，心腹胀满，食不消，五劳[3]七伤[4]，阴汗[5]，寒疝核肿[6]，妇人内冷，无子[7]，治腰肾冷，除血气。生波斯国[8]，似柴胡黑硬，毕拨根也。(《证类》页228，《大观》卷9页31，《纲目》页814)

【校注】

[1] **荜拨没** 为胡椒科植物荜茇的根。《拾遗》首载此药。荜茇最早见于《唐本草》蒟酱的注文中，其后《拾遗》《海药本草》《日华子》皆有论述。《开宝本草》收为正品。《开宝本草》云："荜拨，其根名荜拨没（毕勃没），主五劳七伤，阴汗核肿。"

[2] **冷气呕逆** 寒邪犯胃，胃气上逆，致使饮食、痰涎从胃中上涌，自口吐出。

[3] **五劳** 《素问·宣明五气篇》以久视、久卧、久坐、久立、久行五种过劳致病为五劳；《诸病源候论》以志劳、思劳、心劳、忧劳、瘦劳五种过劳致病为五劳。此处当指后者。

[4] **七伤** 《诸病源候论·虚劳候》指大饱伤脾，大怒伤肝，强力举重伤肾，形寒、寒饮伤肺，忧愁思虑伤心，风雨寒暑伤形为七伤。又曰阴寒、阴萎、里急、精连（《普济方》作精漏遗）、精少及阴下湿、精清、小便苦数及临事不卒为七伤。此处当指前者。

[5] **阴汗** 一指阴部（外生殖器及其附近局部）多汗，一指阴衰阴盛所致的冷汗。此处当指前者。

[6] **寒疝核肿** 寒疝，因寒而致小肠气痛，多指腹内小肠下入阴囊的肠段。核肿，指睾丸或阴囊内肿块疼痛。

[7] **妇人内冷，无子** 指妇女子宫寒冷不孕。

[8] **波斯国** 即伊朗，位于亚州西南部伊朗高原。公元前6世纪称波斯，居鲁士大帝建立为波斯帝国。

237 缩砂蜜[1]

味酸，主上气咳嗽，奔豚[2]鬼疰[3]，惊痫[4]邪气，似白豆蔻子[5]。生西海[6]及西戎诸国[7]。又一种味辛、咸，平。得诃子、鳖甲、豆蔻、白芜荑等良。多从安东道来[8]。(《大观》卷9页39，《证类》页232，《纲目》页812)

【校注】

[1] **缩砂蜜** 即砂仁。为姜科植物缩砂的果实或阳春砂的果实。《药性论》首载此药，《拾遗》《日华子》亦载之，《开宝本草》收为正品。《药性论》云："缩砂蜜，主冷气腹痛，止休息气痢，劳损，消化水谷，温暖脾胃。治冷滑下痢，缩砂密、炮附子、末干姜、厚朴、陈橘皮等分为丸服。"

[2] **奔豚** 出《灵枢·邪气脏腑病形》。其症气从少腹上冲胸脘、咽喉，发则痛苦甚，或腹痛，或往来寒热。病延日久，兼见咳逆、骨痿、少气等症。

[3] **鬼疰** 即鬼注。见"19 锻镢下铁屑"注［3］。

[4] **惊痫** 见"208 风延母"注［3］。

[5] **似白豆蔻子** 砂仁与白豆蔻相似，作用亦同，均能化湿消痞，理气宽中。

[6] **西海** 古时指青海。

[7] **西戎诸国** 指古代新疆以西等地。

[8] **生西海……从安东道来** 以上30字，出《海药本草》引陈氏（陈藏器《拾遗》)。安东道，今朝鲜平壤地区。

238 肉豆蔻[1]

大舶来即有，中国无[2]。(《证类》页231，《大观》卷9页36，《纲目》页816)

【校注】

[1] **肉豆蔻** 为肉豆蔻科植物乔木肉豆蔻的种仁。《药性论》首载此药。《拾遗》《海药本草》《日华子》皆有著录。《开宝本草》收为正品。

[2] **肉豆蔻……中国无** 此条《纲目》作“肉豆蔻生胡国，胡名迦拘勒。大舶来即有，中国无之。其形圆小，皮紫紧薄，中肉辛辣”。在此文中，除“大舶来即有，中国无之”出陈藏器外，余下文系出《开宝本草》。

239 零陵香[1]

味甘，平，无毒。主恶气疰，心腹痛满，下气，令体香，和诸香作汤丸用之，得酒良。生零陵[2]山谷，叶如罗勒。《南越志》[3]名燕草，又名薰草，即香草也。《山海经》[4]云：薰草，麻叶方茎，气如蘼芜可以止疠[5]，即零陵香也。地名零陵，故以地为名。(《大观》卷9页38，又卷30页14，《证类》页232、545，《纲目》页829，《医心方》页34)

【校注】

[1] **零陵香** 《拾遗》首载此名。《海药本草》云：“陈氏（指陈藏器）云：地名零陵，故以地为名。”《嘉祐本草》注“薰草”条引陈藏器云：“薰即蕙根，此即是零陵香，一名燕草。”《嘉祐本草》又注零陵香，引陈藏器云：“薰草即蕙根，叶如麻，两两相对，此即是零陵香。”以上三处引《拾遗》文，皆见于《开宝本草》“零陵香”。疑《开宝》“零陵香”之文是糅合《拾遗》之文而成，目前无法甄别出《拾遗》的原文。

[2] **零陵** 今湖南零陵。

[3] **《南越志》** 见“196 石莼”注[2]。

[4] **《山海经》** 先秦古书，记载山川地志、宗教、巫术、神话、民俗及医药内容。作者不详。疑为战国时书，经秦汉人增删而成，原32篇，今传本18篇。

[5] **疠** 指疠气，为具有强烈传染性的致病邪气。或指疫疠，为某些烈性传染病，或指麻风病。《素问·风论》：“疠者，有荣气热胕，其气不清，故使其鼻柱坏而色败，皮肤疡溃。”联系本条有“主恶气疰，心腹痛满。”此处当指前者。

240 艾纳香[1]

主癣，辟蛀[2]。(《证类》页236，《大观》卷9页52，《纲目》页828)

【校注】

[1] **艾纳香** 为菊科植物艾纳香的叶及嫩枝。《拾遗》首载此药，《海药本草》亦载之。《开宝本草》收为正品，并云："艾纳香，味甘，温，无毒。去恶气，杀虫，主腹冷泄痢。《广志》曰：出西国，似细艾。又有松树皮绿衣，亦名艾纳，可以和合诸香，烧之能聚其烟青白不散，而与此不同。"

[2] **辟蛀** 《纲目》作"辟蛇"。

241 甘松香[1]

丛生，叶细，出凉州[2]。又主黑皮䵟䵳[3]，风疳，齿䘌[4]，野鸡痔[5]。得白芷、附子良。合诸香及裛衣妙也。(《大观》卷9页52，《证类》页236，《纲目》页807)

【校注】

[1] **甘松香** 为败酱科植物甘松香或宽叶甘松的根茎及根。《拾遗》首载此药，《海药本草》《日华子》亦有著录。《开宝本草》收为正品，并云："甘松香，味甘，温，无毒。主恶气，卒心腹痛满，兼用合诸香。丛生，叶细。《广志》云：甘松香出姑臧（甘肃武威）。"

[2] **凉州** 今甘肃武威。

[3] **主黑皮䵟䵳** 指面部黑暗斑。《妇人良方》治面䵟，甘松香、香附子各四两，黑牵牛半斤，为末，日用洗面。

[4] **风疳，齿䘌** 风疳，一名肝疳、筋疳。目涩痒，揉目，摇头，面青黄，多汗，下痢。齿䘌即齿䶗，指牙齿蛀空朽痛，龈肿腐臭，牙根宣露，疼痛时作时止。《圣济总录》治风疳虫牙蚀肉：甘松、腻粉各二钱半，芦荟半两，猪肾一对，切炙为末，夜漱口后贴之，有涎吐出。

[5] **野鸡痔** 见"183 益奶草"注［1］。

242 茅香[1]

味甘，平。生安南[2]，如茅根。白茅香[3]，味甘，平，无毒。主恶气[4]，令人身香美。煮服之，主腹内冷痛。生安南，如茅根，作浴用之。(《证类》页238，《大观》卷9页57，《纲目》页827)

【校注】

[1] **茅香** 为禾本科植物茅香。《拾遗》首载此药，《海药本草》亦有著录。《开宝本草》收为正品，并云："茅香花，味苦，温，无毒。主中恶，温胃，止呕吐，疗心腹冷痛。苗叶可煮作浴汤，辟邪气，令人身香。生剑南道（四川剑阁以南地区）诸州。其茎叶黑褐色。"

[2] **安南** 今越南。

[3] **白茅香** 《本草图经》云："茅香，花白者，名白茅香也。"《本草衍义》云："茅香，花

白，根如茅，但明洁而长，皆可作浴汤，同藁本尤佳。”《肘后方》治热淋，取白茅根四斤剉，水一斗五升，煮取五升，温饮，日三服。

[4] **恶气** 见“34 砺石”注 [4]。

243 马藻[1]

大寒，捣傅小儿赤白游疹[2]，火焱热疮[3]，捣绞汁服。去暴热，热痢，止渴。生水上，如马齿相连。(《证类》页 221，《大观》卷 9 页 10，《纲目》页 1072)

【校注】

[1] **马藻** 《开宝本草》注《本经》“海藻”引陈藏器《本草》云：“此物有马尾者，大而有叶者。《本经》及注海藻，功状不分。马尾藻生浅水，如短马尾，细黑色，用之当浸去咸。大叶藻生深海中及新罗（朝鲜），叶如水藻而大。《本经》云：主结气瘿瘤是也。”

[2] **赤白游疹** 见“197 海根”注 [8]。

[3] **火焱热疮** 指有实热火毒之疮，局部红、肿、热、痛，溃出脓稠，兼见发热、烦躁、口渴。多见于急性化脓性感染。

244 石帆[1]

高尺余，根如漆，上渐软，作交罗文，生海底。煮汁服，主妇人血结月闭[2]、石淋[3]。(《证类》页 221，《大观》卷 9 页 10，《纲目》页 1074)

【校注】

[1] **石帆** 为柳珊瑚科动物柳珊瑚的石灰质骨骼。陶弘景《本草经集注》首记此名，陈藏器《拾遗》、《日华子》亦载之。陶弘景云：“石帆，状如柏，疗石淋。”《日华子》云：“石帆，平，无毒。紫色。梗大者如箸，见风渐硬，色如漆，人多饰作珊瑚装。”

[2] **血结月闭** 妇女月经通常一月来潮一次，持续三至七天。由于瘀血所结，月经闭塞不通，称为血结月闭。

[3] **石淋** 见“26 石栏干”注 [2]。

245 水松[1]

叶如松丰茸。食之，主水肿。亦生海底。《吴都赋》[2]云：“石帆，水松。”是也。(《证类》页 221，《大观》卷 9 页 10，《纲目》页 1074)

【校注】

[1] **水松**　为松藻科植物刺松藻。《本草经集注》首载此名，《拾遗》亦著录之。陶弘景云："水松，状如松，疗溪毒。"《本草图经》云："《吴都赋》所谓草则石帆、水松。刘渊林注云：水松，药草，生水中。出南海（今广东番禺）、交趾（今越南北部）是也。"

[2] **《吴都赋》**　为西晋（265—316）齐国临淄（今山东淄博）左思撰。左思，字太冲，是西晋文学家。《晋书》本传谓其构思十年，撰成《三都赋》，当时豪贵之家，竞相传写，洛阳为之纸贵。《吴都赋》为其中之一。主要称颂三国时吴国都会的形势、物产、宫室等。

246　船底苔[1]

主五淋[2]，取一鸭卵大块，水煮服之。（《证类》页236，《大观》卷9页50，《纲目》页1088）

【校注】

[1] **船底苔**　《食疗本草》首载此药，《拾遗》《日华子》亦载之。《嘉祐本草》糅合诸家文字，收为正品。并云："船底苔，冷，无毒。治鼻洪、吐血、淋疾，以炙甘草并豉汁浓煎汤旋呷。又主五淋，取一团鸭子大煮服之。又水中细苔，主天行病心闷，捣绞汁服。"

[2] **五淋**　见"3 大钱"注[2]。

247　干苔[1]

味咸，寒，一云温。主痔[2]，杀虫，及霍乱[3]呕吐不止，煮汁服之。又心腹烦闷者，冷水研如泥，饮之，即止。又发诸疮疥，下一切丹石[4]，杀诸药毒，不可多食，令人痿黄[5]少血色，杀木蠹虫，内木孔中。但是海族之流，皆下丹石。（《证类》页239，《大观》卷9页59，《纲目》页1087）

【校注】

[1] **干苔**　为石莼科植物条浒苔。《食疗本草》首载此药，《拾遗》亦载之，《嘉祐本草》糅合两家文字为一体，收为正品，目前无法甄别出各家的文字。

[2] **痔**　泛指多种肛门部疾病。初生肛门不破者称痔；破溃而出脓血为痔疮。黄水浸淫淋漓久不止者称瘘。按：痔为直肠下端黏膜下和肛管皮肤下痔静脉扩大和曲张所形成的静脉团。因生长部位不同，分内痔、外痔、内外痔。

[3] **霍乱**　见"1 铜盆"注[2]。

[4] **丹石**　见"56 土地"注[2]。

[5] **痿黄**　指血虚面色发黄，但指甲、眼白不黄。与黄疸发黄不同。黄疸发黄，则手指甲、眼白亦发黄。

248 地笋[1]

温，无毒。利九窍，通血脉，排脓，治血，止鼻洪[2]吐血，产后心腹痛，一切血病。肥白人产妇可作蔬菜食，甚佳。即泽兰根也。(《证类》页240,《大观》卷9页60,《纲目》页833)

【校注】

[1] **地笋** 为唇形科植物地瓜儿苗的根。其茎叶名泽兰。《拾遗》首载此药，《日华子》亦载之。《嘉祐本草》糅合两家文字为一体，收为正品。目前无法甄别出各家的文字。

[2] **鼻洪** 鼻大出血。

249 马兰[1]

味辛，平，无毒，主破宿血[2]，养新血，合金疮[3]，断血痢蛊毒[4]，解酒疸[5]，止鼻衄吐血，及诸菌毒，生捣傅蛇咬。生泽旁如泽兰，气臭。《楚辞》[6]以恶草喻恶人，北人见其花，呼为紫菊，以其花似菊而紫也。又山兰生山侧，似刘寄奴，叶无桠，不对生，花心微黄赤，亦大破血，下俚人多用之。(《证类》页239,《大观》卷9页58,《纲目》页833)

【校注】

[1] **马兰** 为菊科植物马兰。《拾遗》首载此药，《日华子》亦载之。《嘉祐本草》糅合两家文字为一体，收为正品。目前无法甄别出各家的文字。

[2] **宿血** 见“34 砺石”注[2]。

[3] **金疮** 见“2 铜青”注[2]。

[4] **蛊毒** 见“135 猪槽中水”注[2]。

[5] **酒疸** 出《金匮要略·黄疸病脉证并治》。因饮酒过度，出现的黄疸，症见身目发黄，面发赤斑，心中懊侬热痛，鼻燥，腹满不欲食，时时欲吐。

[6] **《楚辞》** 见“143 诸水有毒”注[2]。

250 剪草[1]

味甚苦，平，无毒。主虫疮疥癣，浸酒服之。生山泽间，叶如茗而细，江东[2]用之。(《证类》页240,《大观》卷9页61,《纲目》页1041)

【校注】

[1] **剪草** 为防己科植物金钱吊乌龟的茎叶，其块根名白药子。《拾遗》首载，《日华子》亦载之，并云："剪草，凉，无毒。治恶疮疥癣风瘙。根名白药。"《嘉祐本草》将"剪草"从"白药"条中分出，单独立为一条，并注云："新分条见日华子"。

[2] **江东** 见"23 铁蒺"注［2］。

251 迷迭香[1]

味辛，温，无毒。主恶气[2]，令人衣香，烧之去鬼[3]。《魏略》[4]云：出大秦国[5]。《广志》[6]云：出西海[7]。（《证类》页240，《大观》卷9页61，《纲目》页828）

【校注】

[1] **迷迭香** 为唇形科植物迷迭香。《拾遗》首载此药，《海药本草》亦载之，并云："不治疾，烧之祛鬼气，合羌活为丸散，夜烧之，辟蚊蚋。"

[2] **恶气** 见"34 砺石"注［4］。

[3] **鬼** 《说文》曰："鬼，阴气贼害。"由于历史条件，古人将某些致病原因不明的疾病，皆以为是鬼作祟。

[4] **《魏略》** 见"205 兜纳香"注［2］。

[5] **大秦国** 见"205 兜纳香"注［3］。

[6] **《广志》** 见"150 薇"注［5］。

[7] **西海** 见"237 缩砂蜜"注［6］。

252 故鱼网[1]

主哽，以网覆哽者颈，差。如煮汁饮之，骨当下矣。（《证类》页240，《大观》卷9页61，《纲目》页1499）

【校注】

[1] **故鱼网** 《纲目》作"鱼网"。

253 故缴脚布[1]

无毒。主天行劳复[2]，马骏风黑汗，洗汁饮。带垢者佳。（《证类》页240，《大观》卷9页61，《纲目》页1488）

【校注】

[1] **故缴脚布** 《纲目》作“缴脚布”，并注云：“即裹脚布也，李斯书云：‘天下之士裹足不入秦’，是矣。”

[2] **劳复** 出《伤寒论》。指病初愈，身体尚未康复，即过早操劳，或七情所伤，饮食失宜，房事不节，致疾病复发。

254 江中采出芦[1]

芦令夫妇和同，用之有法。此江中出波芦也。(《证类》页240，《大观》卷9页61，《纲目》页882)

【校注】

[1] **江中采出芦** 为禾本科植物芦苇。本条《纲目》并入“芦”条内。《别录》云：“芦根，味甘，寒。主消渴客热，止小便利。”陶弘景云：“当掘取甘、辛者。其露出及浮水中者，并不堪用。”《唐本草》云：“此草根疗呕逆，不下食，胃中热。其花水煮汁服，主霍乱大善，用有验也。”

255 乌蓝草[1]

根汁解䲅鱼[2]肝及子毒。(《证类》页422，《大观》卷20页25)

【校注】

[1] **蓝草** 为与芦根同类物。《本草图经》云：“《尔雅》谓芦根为葭华。郭璞云：‘芦，苇也’。”还有一种“芃，似苇而小，中实，江东人呼为乌蓝（音丘）者。”《拾遗》“䲅鱼”条云：“肝及子有大毒……惟有橄榄木及鱼茗木解之，次用芦根、乌蓝草根汁解之。”

[2] **䲅鱼** 一名鲑鲐，即河豚，为鱼纲鲀科鱼类的俗称，有气囊，能吸气膨胀。其肝脏、生殖腺及血液含有毒素。经处理后，可食，肉鲜美。《拾遗》另有“䲅鱼”条。《开宝本草》《日华子》著录名河豚。

256 虱建草[1]

味苦，无毒。去虮虱，挼取汁沐头，尽死。人有误吞虱成病者，捣绞汁，服一小合，亦主诸虫疮。生山足湿地，茎叶似山丹，微赤，高一二尺。

又有水竹[2]，叶如竹叶而短小，生水中，亦云去虱，人取水竹叶生食。(《证类》页240，《大观》卷9页61，《纲目》页997)

【校注】

[1] **虱建草** 本条《纲目》收在“牛扁”条的附录中。

[2] **水竹** 鸭跖草科的竹叶菜，亦名水竹叶，是多年生草本，高约60厘米，茎圆，中实，多分枝，节上易生根，叶互生，似竹叶。花淡紫色，有清热利尿、解毒消肿之效，亦治蛇虫咬伤。与本条水竹去虱意合。

257 含生草[1]

主妇人难产，口中含之立产，亦咽其汁。叶如卷柏而大，生靺羯国[2]，其叶煮之，不热，无毒。(《证类》页240，《大观》卷9页61，《纲目》页1090)

【校注】

[1] **含生草** 本条《纲目》并在“卷柏”条的附录中。

[2] **靺羯国** 《北史·勿吉国传》云：“勿吉国，一曰靺羯，其部类凡七种。先居松花江以东，后迁长白山。其祖先为肃慎国，在高句丽（朝鲜）北。”

258 兔肝草

味甘，平，无毒。主金疮[1]，止血，生肉，解丹石[2]发热。初生细，软似兔肝，一名鸡肝，与蘩蒌同名[3]。(《证类》页240，《大观》卷9页61，《纲目》页1095)

【校注】

[1] **金疮** 见“2铜青”注[2]。

[2] **丹石** 见“56土地”注[2]。

[3] **与蘩蒌同名** 《纲目》引《拾遗》无此文。

259 石芒

味甘，平，无毒。主人畜为虎狼等伤，恐毒入肉者，取茎杂葛根，浓煮服之，亦取汁。生高山，如芒，节短，江西人呼为折草，六月、七月生穗如荻也。(《证类》页240，《大观》卷9页62)

260 蚕岗草[1]

味辛，平，无毒。主蚕及诸虫如蚕类咬人，恐毒入腹，煮汁服之，生捣傅疮。生湿地，如蓼大，茎赤，花白，东土亦有之。(《证类》页240，《大观》卷9页62，《纲

目》页932）

【校注】

[1] **蚕茵草** 张本《纲目》作“蚕茧草”。《嘉祐本草》“五毒草”云：“又别有蚕网草，如苎麻。”

261 问荆[1]

味苦，平，无毒。主结气瘤痛[2]，上气气急[3]，煮服之。生伊洛间洲渚[4]，苗似木贼，节节相接，亦名接续草。（《证类》页240，《大观》卷9页62，《纲目》页889）

【校注】

[1] **问荆** 本条《纲目》列在“木贼”条的附录中。

[2] **结气瘤痛** 由痰凝气滞结而为瘤，瘤体软而不坚，皮色如常，无寒无热，喜怒时多增大或缩小。治宜调气化痰散结。

[3] **上气气急** 指肺气上逆，呼吸急促，病人自感呼吸浅表，气体交换不足。

[4] **伊洛间洲渚** 河南西部伊河、洛河相合于偃师，合流后称伊洛河，再入黄河。两河中大小陆地称洲渚。《尔雅·释水》曰：“水中可居者曰洲，小洲曰渚。”

262 藒（音挈）车香[1]

味辛，温。主鬼气[2]，去臭，去鱼蛀蚛[3]。生彭城[4]，高数尺，白花。《尔雅》曰：藒车芞（音乞）舆。郭注[5]云：香草也。《广志》[6]云：黄叶白花也。一云：生徐州。微寒，无毒。主霍乱，辟恶气。裛（熏）衣甚好。（《证类》页259，《大观》卷10页45，《纲目》页828）

【校注】

[1] **藒车香** 《拾遗》首载此药，《海药本草》亦载之，并云：“按，《广志》云：生海南（广东沿海）山谷。”又“藒”，《纲目》作“藹”。

[2] **鬼气** 见“104 车脂”注［2］。

[3] **鱼蛀蚛** 蛀即蛀虫。凡物被蠹曰蛀。蚛，《辞海》：“虫啮；被虫咬残。”《齐民要术》云：“凡诸树木蛀者，煎藒车香冷淋之，善辟蛀蚛也。”鱼蛀蚛即衣鱼科昆虫衣鱼。

[4] **彭城** 今江苏徐州。

[5] **郭注** 指郭璞注《尔雅》。《纲目》作“郭璞云”。

[6] **《广志》** 见“150 薇”注［5］。

263 朝生暮落花[1]

主恶疮、疽、䘌、疥、痈、蚁瘘等[2]。并日干末，和生油涂之。生粪秽处，头如笔，紫色，朝生暮死，小儿呼为狗溺台，又名鬼笔菌。从地出者，皆主疮疥，牛粪上黑菌尤佳，更有烧作灰地，经秋雨生菌，重台，名仙人帽，大主血。（《证类》页 259，《大观》卷 9 页 45，《纲目》页 1246）

【校注】

[1] **朝生暮落花** 本条《纲目》以“鬼笔”为正名，并列在“土菌”条的附录中。又云：“此亦鬼盖之类而无伞者。红紫松虚，如花之状，故得花名。研末，傅下疳疮。”

[2] **主恶疮、疽、䘌、疥、痈、蚁瘘等** 恶疮，指疮发凶恶，久不全愈的疮。疽，发于肌肉筋骨间疮肿，疮面深而恶。䘌，疮口向周围浸润腐蚀。疥，即疥疮，生于皮表，瘙痒。痈，发于体外或体内，疮面浅而大，有红、肿、热、痛、化脓。蚁瘘，疮久不愈，形成瘘管，似蚁穴有孔道，如痔瘘。

264 冲洞根[1]

味苦，平，无毒。主热毒，蛇犬虫痈疮等毒，功用同陈家白药[2]。苗蔓不相似，岭南恩州[3]取根阴干。（《证类》页 259，《大观》卷 10 页 46，《纲目》页 1038）

【校注】

[1] **冲洞根** 《拾遗》首载此药。《海药本草》亦载之，并云：“按，《广州记》云：生岭南及海隅，苗蔓如土瓜根相似。味辛，温，无毒。主一切毒气及蛇伤，并取其根磨服之，应是着诸般毒，悉皆吐出。”

[2] **陈家白药** 见“172 陈家白药”条。

[3] **岭南恩州** 岭南，见“7 诸金有毒”注［2］。恩州，今广东恩平。

265 井口边草

主小儿夜啼，着母卧席下，勿令母知[1]。（《证类》页 259，《大观》卷 10 页 46，《医心方》页 572，《纲目》页 1092）

【校注】

[1] **井口边草……勿令母知** 《医心方》卷 25 引《拾遗》云：“井口边草，潜着母卧席下，勿令知，治小儿夜啼。”又，《纲目》引孙思邈曰：“五月五日取井口边倒生草，烧研水服，勿令知，即

恶酒不饮，或饮亦不醉。”《幼幼新书》卷7引陈藏器云：“小儿夜啼，井口边草，着卧席，勿令母知。”

266 豚耳草

主溪毒射工[1]，绞取汁服，滓傅疮止血。(《证类》页259，《大观》卷10页46)

【校注】

[1] **溪毒射工** 溪毒，见“149 草犀根”注[4]。射工，《肘后方》云：“射工毒虫，正黑，状如大蜚。因水势以射人。人中之，或如伤寒，或似中恶，或不能语，或身体苦强，或恶寒状热，四肢拘急，头痛，齿间出血。”又云：“豚耳绞取汁服，治射工毒中人。滓傅疮止血。”

267 灯花[1]

末，傅金疮[2]，止血，生肉，令疮黑。今烛花落有喜事，不尔得钱之兆也。(《证类》页259，《大观》卷10页46，《纲目》页572)

【校注】

[1] **灯花** 古人照明，多燃烛。烛芯烧时有灰烬结聚呈赤色如花，故名。

[2] **金疮** 见“2 铜青”注[2]。

268 千金鐝草[1]

主蛇蝎虫咬等毒，取草捣傅疮上，生肌，止痛。生江南[2]，高二三尺也。(《证类》页259，《大观》卷10页46，《纲目》页1096)

【校注】

[1] **千金鐝草** 校点本《纲目》作“千金鑷草”，张本《纲目》、《证类》作“千金鐝草”。

[2] **江南** 见“174 捶胡根”注[1]。

269 断罐草

主疔疮[1]，合白芽堇(耻六反，羊蹄菜[2]也)菜、青苔、半夏、地骨皮、蜂窝、小儿发、绯帛并等分，烧作灰，五月五日和诸药末，服一钱匕[3]，疔根出也[4]。(《证类》页259，《纲目》页1095)

【校注】

[1] **疔疮** 出《素问·生气通天论》。疮形小，根深，坚硬如疔状，故名。发病急，变化快，初起如粟，坚硬根深。继则焮红发热，肿势渐增，剧痛，待脓溃疔根出，则肿消痛止而愈。

[2] **羊蹄菜** 《纲目》作“羊蹄根”。

[3] **服一钱匕** 《纲目》作“服一钱”。

[4] **疔根出也** 《纲目》作“拔根出也”。

270 狼杷草[1]

秋穗子，并染皂，黑人鬓发[2]，令人不老。生山道旁。（《证类》页259，《大观》卷10页47，《纲目》页922）

【校注】

[1] **狼杷草** 《纲目》作“狼把草”。本条《纲目》并入《拾遗》“郎耶草”条，并云：“郎耶草生山泽间，高三四尺，叶作雁齿，如鬼针苗。”又曰：“狼把草，即陈藏器本草郎耶草。闽人呼爷为郎罢，则狼把当作郎罢。”

[2] **黑人鬓发** 《纲目》作“黑人发”。

271 百草灰[1]

主腋臭[2]及金疮[3]。五月五日采露取之一百种，阴干，烧作灰，以井华水为团，重烧令白[4]，以酽醋[5]和为饼，腋下挟之，干即易，当抽一身痛闷，疮出即止，以水小便洗之，不过三两度。又主金疮，止血，生肌[6]，取灰和石灰为团，烧令白，刮傅疮上。（《证类》页259，《大观》卷10页47，《纲目》页1092）

【校注】

[1] **百草灰** 《纲目》作“百草”。《千金方》治洞注下痢，以五月五日百草灰吹入下部。又治瘰疬已破，五月五日采一切杂草，煮汁洗之。《唐本草》注石灰：“今人用疗金疮止血大效。五月五日采蘩蒌、葛叶、鹿活草、槲叶、芍药、地黄叶、苍耳叶、青蒿叶合石灰捣为团如鸡卵，曝干，末，以疗疮、生肌，大神验。”

[2] **腋臭** 即狐臭。出《肘后方》。腋下汗液有特殊臭味，其他如乳晕、脐部、外阴、肛周部位亦可发生。

[3] **金疮** 见“2 铜青”注［2］。

[4] **重烧令白** 《纲目》作“煅研”。

[5] **酽醋** 即浓醋。

[6] **生肌** 《纲目》作“亦傅犬咬”。

272 产死妇人冢上草

主小儿醋疮，取之勿回顾，作浴汤洗之，不过三度，佳[1]。(《证类》页259,《大观》卷10页47,《纲目》页1092)

【校注】

[1] **佳** 《纲目》作“瘥”。病愈为瘥。

273 孝子衫襟灰[1]

傅面皯[2]。(《证类》页259,《大观》卷10页48,《纲目》页1487)

【校注】

[1] **孝子衫襟灰** 《纲目》作“孝子衫”。孝子衫即丧服。丧服胸前为襟，并以长六寸、宽四寸麻布缀之，将麻布襟烧为灰，名孝子衫襟灰。

[2] **面皯** 见“241甘松香”注[3]。

274 灵床下鞋履[1]

主脚气[2]。(《证类》页260,《大观》卷10页48,《纲目》页1490)

【校注】

[1] **灵床下鞋履** 《纲目》作“灵床下鞋”。

[2] **脚气** 见《诸病源候论》，初脚腿麻木、酸痛、软弱，或挛急，或肿胀，或痿枯，或胫红肿发热，进而呕吐、心悸、胸闷、喘，严重时神志恍惚。

275 破草鞋[1]

和人乱发，烧作灰，醋和，傅小儿热毒游肿[2]。(《证类》页274,《大观》卷11页30,《纲目》页1489)

【校注】

[1] **破草鞋** 《纲目》以“草鞋”为正名。

[2] **游肿** 见“69瓷瓯里白灰”注[2]。《救急方》治行路足肿，草鞋浸尿内半日，以砖1块

烧极烫，置鞋于上，将足踏之，令热气入皮里即消。

276 虻母草

叶卷如实，中有血虫，羽化为虻，便能咬人。生塞北[1]，草叶如葵，以叶合和桂，杵为末，傅人马，山行无复虻来。(《证类》页260，《大观》卷10页48)

【校注】

[1] **塞北** 见“166 孝文韭”注[4]。

277 故蓑衣结[1]

烧为灰，和油傅蠼螋溺疮，佳。(《证类》页260，《大观》卷10页48，《纲目》页1488)

【校注】

[1] **故蓑衣结** 《纲目》作“故蓑衣”。用蓑草或棕制成的防雨外衣，农民在雨中劳动时常穿戴之。

278 故炊帚

主人面生白驳[1]，以月蚀[2]夜，和诸药，烧成灰，和苦酒[3]合为泥。傅之。(《证类》页260，《大观》卷10页48，《纲目》页1499)

【校注】

[1] **白驳** 即白癜风，见“58 自然灰”注[2]。

[2] **月蚀** 即地球位于月球和太阳之间，三者几乎成一直线，月亮进入地球的影子而失去光亮的现象。

[3] **苦酒** 即醋。

279 天罗勒[1]

主溪毒[2]，挼碎傅之疮上。天罗勒，生江南平地。(《证类》页260，《大观》卷10页48，《纲目》页1237)

【校注】

[1] **天罗勒** 《纲目》列在"丝瓜"条的附录中。

[2] **溪毒** 见"149 草犀根"注[4]。

280 毛蓼

主痈肿[1]、疽瘘[2]、瘰疬[3]，杵碎内疮中，引脓血，生肌。亦作汤洗疮，兼濯足治脚气。生山足，似乌蓼[4]，叶上有毛，冬根不死也。(《证类》页260，《大观》卷10页48，《纲目》页931)

【校注】

[1] **痈肿** 见"263 朝生暮落花"注[2]。

[2] **疽瘘** 见"263 朝生暮落花"注[2]。

[3] **瘰疬** 见"6 水银粉"注[4]。

[4] **乌蓼** 《纲目》作"马蓼"。药名无乌蓼，疑是形近讹误。

281 蛇茵草[1]

主蛇虺[2]及毒虫等螫，取根叶，捣傅咬处，当下黄水。生平地，叶似苦杖而小，节赤，高一二尺，种之辟蛇。又有一种草，茎圆似苎，亦傅蛇毒。(《证类》页260，《大观》卷10页48，《纲目》页932)

【校注】

[1] **蛇茵草** 原作蛇芮草，据《百一方》药名改。《嘉祐本草》"五毒草"一名蛇网。并云："根主痈疽，恶疮毒肿，赤白游疹，虫、蚕、蛇、犬咬，并醋摩傅疮上。亦捣茎叶傅之，恐毒入腹，亦煮服之。生江东平地，花、叶如荞麦，根紧硬似狗脊。一名五蕺，一名蛇网。"从生境、主治功用看，本条蛇茵草和五毒草疑同一物也。

[2] **蛇虺** 见"234 青黛"注[2]。

282 地锦[1]

味甘，温，无毒，主破老血[2]，产后血结，妇人瘦损不能饮食，腹中有块，淋沥不尽[3]，赤白带下[4]，天行[5]心闷，并煎服之，亦浸酒。生淮南[6]林下，叶如鸭掌，藤蔓著地，节处有根，亦缘树石，冬月不死，山人产后用之，一名地噤。苏敬[7]注曰：络石、石血亦此类也。(《证类》页177，《大观》卷7页11，《纲目》页1051)

【校注】

[1] **地锦** 《嘉祐本草》另有地锦草，并云："络石注有地锦，是藤蔓之类，虽与此名同，而其类全别。"《纲目》将本条列在卷18"木莲"条的附录中，另在卷20列有"地锦"专条。

[2] **老血** 见"167 倚待草"注[2]。

[3] **淋沥不尽** 指欲尿而不能出，不欲尿而点滴淋沥。多见于小便急迫、短、数、涩、痛的病证。

[4] **带下** 妇女从阴道流出白色或赤色黏液，绵绵如带。

[5] **天行** 见"124 腊雪"注[2]。

[6] **淮南** 今安徽寿县。

[7] **苏敬** 是唐高宗时人，为《新修本草》编纂主要负责人。到宋代因避赵匡胤祖父赵敬讳，改为苏恭。

283 扶芳藤[1]

味苦，小温，无毒。主一切血，一切气，一切冷，去百病。久服延年，变白，不老。山人取枫树上者，为附枫藤，亦如桑上寄生。大主风血，一名滂藤。隋朝稠禅师作青饮，进炀帝以止渴。生吴郡[2]，采之忌冢墓间者，取茎叶细剉煎为煎，性冷，以酒浸服。藤苗小时如络石[3]、薜荔，夤缘树木，三五十年渐大，枝叶繁茂，叶圆，长二三寸，厚若石韦，生子似莲房，中有细子，一年一熟，子亦入用。房破血，一名木莲[4]，打破有白汁，停久如漆，采取无时也。（《证类》页177，《大观》卷7页11，《纲目》页1051）

【校注】

[1] **扶芳藤** 为卫矛科植物扶芳藤。

[2] **吴郡** 今江苏苏州。

[3] **络石** 见后"744 络石"条。

[4] **木莲** 从本条全文来看，木莲似指扶芳藤果实。但现代所讲的木莲为桑科榕属植物薜荔。《本草图经》云："木莲如络石，更大，其实若莲房，能壮阳。"而扶芳藤为卫矛科植物。

284 土鼓藤[1]

味苦，子味甘，温，无毒。主风血羸老，腹内诸冷血闭，强腰脚，变白，煮服，浸酒服。生林薄间，作蔓绕草木，叶头尖，子熟如珠，碧色，正圆。小儿取藤于地，打作鼓声。李邕名为常春藤[2]。（《证类》页177，《大观》卷7页11，《纲目》页1051）

【校注】

[1] **土鼓藤** 为五加科植物常春藤。《纲目》以“常春藤”为正名，以“土鼓藤”为异名。《外科精要》云：“凡一切痈疽肿毒初起，取茎叶一握，研汁和酒温服，利下恶物。”

[2] **常春藤** 《日华子》云：“常春藤一名龙鳞薜荔”。《本草图经》云：“薜荔茎叶粗大如藤状，近入用其茎叶治背痈，干末服之，下利即愈。”陈承《背痈方》云：“一老人年七十余，患发背，取薜荔叶烂研，绞汁和蜜饮数升，以其滓傅疮上，后以他药傅遂愈。乃知《图经》所载不妄。”

285 万一藤

主蛇咬，杵筛[1]，以水和如泥，傅痈上，藤蔓如小豆。生岭南[2]，亦名万吉。(《证类》页260，《大观》卷10页48，《纲目》页1057)

【校注】

[1] **杵筛** 《纲目》作“杵末”。

[2] **岭南** 见“7 诸金有毒”注［2］。

286 续随子[1]

味辛，温，有毒。主妇人血结月闭[2]，癥瘕[3]、痃癖[4]、瘀血、蛊毒[5]、鬼疰[6]，心腹痛，冷气胀满，利大小肠[7]，除痰饮积聚，下恶滞物[8]。茎中白汁，剥人面皮，去䵟黵[9]。生蜀郡及处处有之。苗如大戟，一名拒冬，一名千金子。(《本草和名》卷20，《证类》页275)

【校注】

[1] **续随子** 为大戟科植物续随子。《拾遗》首载此药，《蜀本草》《日华子》亦载之，《开宝本草》收为正品。《本草图经》云：“今南中（四川南部及云南、贵州）多有，北土差少。苗如大戟，初生一茎，茎端生叶，叶中复出数茎相续，花亦类大戟，自叶中抽干而生，实青有壳。”

[2] **血结月闭** 见“244 石帆”注［2］。

[3] **癥瘕** 见“59 桑灰”注［2］。

[4] **痃癖** 见“59 桑灰”注［3］。

[5] **蛊毒** 见“135 猪槽中水”注［2］。

[6] **鬼疰** 即鬼注。见“19 锻锧下铁屑”注［3］。

[7] **利大小肠** 《本草图经》云：“续随子下水最速，然有毒损人，不可过多。”《斗门方》治水气，用联步（续随子）一两，去壳，研，以纸裹，用物压出油，重研末，分作七服。每治一人，只可一服。或配大黄为末，丸服，治水肿胀满。

[8] **除痰饮积聚，下恶滞物** 《蜀本草》云：“积聚痰饮，不下食，呕逆。续随子研碎，酒服

之，不过三颗，当下恶物。”

[9] **茎中白汁，剥人面皮，去皯䵟** 《崔元亮海上方》：“千金子茎中白汁，剥人面，去皯䵟甚效。”又云：“治蛇咬、肿毒闷欲死，用重台六分，续随子七颗去皮，二物捣筛为散，酒服方寸匕。兼以唾和少许傅咬处。”

287 螺厣草[1]

主痈肿[2]，风疹[3]，脚气肿[4]，捣傅之，亦煮汤洗肿处。藤生石上，似螺厣[5]，微有赤色，背有少毛。(《证类》页260，《大观》卷10页48，《纲目》页1081)

【校注】

[1] **螺厣草** 为水龙骨科植物伏石蕨。

[2] **痈肿** 见“263 朝生暮落花”注[2]。

[3] **风疹** 为一种较轻的出疹性传染病。多见于五岁以下的婴幼儿，流行于冬春季节。疹点细小淡红，出没较快，退后无落屑及疹痕。

[4] **脚气肿** 即脚气。见“274 灵床下鞋履”注[2]。

[5] **藤生石上，似螺厣** 《纲目》作“蔓生石上，叶状似螺厣。”

288 继母草

主恶疮[1]，杵傅之。生塞北[2]川原，有紫碧花，花有角，角上有刺，蒿之类也。亦名继母藉。(《证类》页260，《大观》卷10页48)

【校注】

[1] **恶疮** 见“20 铁锈”注[2]。

[2] **塞北** 见“166 孝文韭”注[4]。

289 甲煎

味辛，平，无毒。主甲疽疮[1]，及杂疮难差者。虫、蜂、蛇、蝎所螫疼，小儿头疮[2]，吻疮[3]，耳后月蚀疮[4]，并傅之。合诸药及美果花，烧成灰，和蜡成口脂，所主与甲煎略同。三年者治虫杂疮及口旁馋疮[5]、甲疽等疮。(《证类》页260、455，《大观》卷10页48、卷22页33，《纲目》页1650)

【校注】

[1] **甲疽疮** 指甲旁由外伤导致的焮肿破烂，时渗黄水，胬肉高突，疼痛，触之更甚。

[2] **小儿头疮** 儿科疾病，患处潮红，搔痒起疹，破流脓汁，反复发作。

[3] **吻疮** 指口唇生疮。

[4] **月蚀疮** 见“84 寡妇床头尘土”注［1］。

[5] **㖞疮** 即口角生疮。

290 金疮小草[1]

味甘，平，无毒。主金疮[2]，止血，长肌，断鼻中衄血，取叶挼碎傅之；又预和石灰杵为丸，日干，临时刮傅；亦煮服断血瘀及卒下血。生江南落田野间下湿地，高一二寸许，如荠叶短，春夏间有浅紫花，长一粳米也。(《证类》页 260，《大观》卷 10 页 49)

【校注】

[1] **金疮小草** 本条《纲目》列在“地锦”条的附录中。

[2] **金疮** 见“2 铜青”注［2］。

291 鬼钗草[1]

味苦，平，无毒。主蛇及蜘蛛咬，杵碎傅之，亦杵绞汁服。生池畔，叶有丫，方茎，子作钗脚，着人衣如针，北人呼为鬼针[2]。(《证类》页 260，《大观》卷 10 页 49，《纲目》页 938)

【校注】

[1] **鬼钗草** 本条《纲目》以“鬼针草”为正名。《千金方》治割甲伤肉不愈，将鬼针草苗、鼠粘子捣汁，和腊猪脂涂。

[2] **北人呼为鬼针** 《纲目》云：“北人谓之鬼针，南人谓之鬼钗。”

292 天南星[1]

主金疮[2]，伤折，瘀血，取根碎傅伤处。生安东[3]山谷，叶如荷，独茎，用根最良。(《证类》页 266，《大观》卷 11 页 11，《纲目》页 977)

【校注】

[1] **天南星** 为天南星科植物天南星。《拾遗》首载此药，《日华子》亦载之，《开宝本草》收为正品，《纲目》并入“虎掌”条中。《本草图经》云：“二月生，苗似荷梗，茎高一尺以来，叶如蒟蒻，两枝相抱。五月开花似蛇头，黄色，七月结子作穗，似石榴子红色，根似芋而圆。天南星如本草所说，即虎掌也，小者名由跋。”

[2] **金疮** 见“2 铜青”注[2]。

[3] **安东** 今辽宁辽阳、沈阳一带。

293 骨碎补[1]

似石韦而一根，余叶生于木。岭南、虔、吉[2]亦有。本名猴姜，开元皇帝以其主伤折，补骨碎，故作此名耳。(《证类》页274，《大观》卷11页33，《纲目》页1076)

【校注】

[1] **骨碎补** 为水龙骨科植物槲蕨或中华槲蕨的根茎。《药性论》首载此药，《拾遗》《日华子》亦载之，《开宝本草》收为正品。《本草图经》云：“骨碎补生江南。今淮（苏北、皖北）、浙（浙江）、陕西、夔（今四川奉节）、路（今山西长治）州郡亦有之。根生大木或石上，多在背阴处，引根成条，上有黄毛及短叶附之。又有大叶成枝，面青绿有黄点，背青色有赤紫色，春生叶，至冬干黄，无花实。本名猢狲姜，唐明皇以其主折伤有奇效，故作此名。”

[2] **岭南、虔、吉** 岭南，见“7 诸金有毒”注[2]。虔，今江西赣县。吉，今江西吉安。

294 地松[1]

味咸。主金疮[2]，止血，解恶虫蛇螫毒。挼以傅之。生人家及路旁阴处，所在有之，高二三寸，叶似菘叶而小，似天门冬苗，出江南。(《证类》页278，《大观》卷11页42，《纲目》页878)

【校注】

[1] **地松** 本条《纲目》并入“天名精”条内。《唐本草》注天名精，首载此名，并云：“天名精，南人名为地松。”《拾遗》亦载之。《开宝本草》收为正品。《嘉祐本草》注云：“寻天名精所主功状，与地松正同。陈藏器‘解纷’亦以天名精为地松，则‘地松’条不当重出。虽陈藏器‘拾遗’别立‘地菘’条，此乃藏器自成一书，务多条目尔。‘解纷’‘拾遗’亦自差互，后人不当仍其谬而重有新附也（指《开宝本草》新附地松）。今补注（指《嘉祐本草》）立例无所刊削，且存而注之。”

[2] **金疮** 见“2 铜青”注[2]。

295 质汗[1]

味甘，温，无毒。主金疮[2]伤折瘀血内损[3]，补筋肉，消恶血，下血气，妇人产后诸血结[4]，腹痛内冷，不下食，并酒消服之，亦傅病处。出西番[5]，如凝血，番人煎甘草、松泪、柽乳、地黄并热血成之。番人试药，取儿断一足，以药内口中，以足踏之，当时能走者至良。（《证类》页285，《大观》卷11页59，《纲目》页1374）

【校注】

［1］**质汗**　《拾遗》首载此药，《开宝本草》收为正品。

［2］**金疮**　见“2 铜青”注［2］。

［3］**伤折瘀血内损**　指跌仆损伤。

［4］**妇人产后诸血结**　《圣济总录》治妇女血结，心腹攻痛，用质汗、姜黄、大黄（炒）各半两，为末，每服一钱，温水下。

［5］**西番**　古时称青海南境及西藏一带少数民族居处为西番。

296 败芒箔[1]

无毒。主产妇血满腹胀痛，血渴[2]，恶露不尽[3]，月闭[4]，止好血，下恶血，去鬼气疰[5]痛癥结，酒煮服之；亦烧为末，酒下，弥久著烟者佳。今东人作箔多草为之。《尔雅》云：芒似茅，可以为索[6]。（《证类》页285，《大观》卷11页59，《纲目》页785）

【校注】

［1］**败芒箔**　箔是竹帘。败芒箔指由芒编的帘子而陈旧者。按：芒是禾本科植物芒。《纲目》云：“芒，今俗谓之笆茅，可以为篱笆故也。”

［2］**血渴**　指失血后血虚津少口渴。以产后为多见，详见《证治要诀·吐血》。

［3］**恶露不尽**　产后胞宫内遗留的余血和浊液为恶露，一般产后二至三周内应排尽，过时仍淋漓不断，或排出很少，为恶露不尽。如恶露色紫暗有块，伴有小腹痛，即为瘀血所致。

［4］**月闭**　即经闭，女子十八周岁以上，仍不见月经来潮，或来过月经，但又连续闭止三个月以上，除妊娠、哺乳期停经外，均称经闭。

［5］**鬼气疰**　同鬼疰。见“19 锻镬下铁屑”注［3］。

［6］**《尔雅》云：芒似茅，可以为索**　《纲目》在芒“集解”下引“藏器曰”作“《尔雅》：莣，杜荣。郭璞注云：草似茅，皮可为绳索履屩（草鞋）也。今东人多以为箔。”

297 山慈姑[1]根

有小毒。主痈肿疮瘘、瘰疬结核[2]等，醋磨傅之。亦剥人面皮，除皯䵳。生山中湿地，一名金灯花，叶似车前，根如慈姑。零陵间又有团慈姑，根似小蒜。所主与此略同。(《证类》页283,《大观》卷11页56,《纲目》页781)

【校注】

[1] **山慈姑** 为百合科植物丽江山慈姑的鳞茎。《拾遗》首载此药，《日华子》亦载之，《嘉祐本草》糅合两家文字为一体，收为正品。

[2] **主痈肿疮瘘、瘰疬结核** 山慈姑清热解毒，消痈疮肿毒，疗疔肿恶疮，散瘰疬结核。王璆《百一选方》紫金锭，以山慈姑、千金子、红芽大戟、朱砂、雄黄、麝香为锭，通治痈肿发背、疔肿恶疮癌瘤，亦称万病解毒丸。

298 萱草根[1]

凉，无毒。治沙淋[2]，下水气[3]，主酒疸[4]黄色通身者，取根捣绞汁服，亦取嫩苗煮食之。又主小便赤涩[5]，身体烦热。一名鹿葱，花名宜男。《风土记》[6]云：怀妊妇人佩其花，生男也。(《证类》页286,《大观》卷11页61,《纲目》页901)

【校注】

[1] **萱草根** 为百合科植物萱草的根。《拾遗》首载此药，《日华子》亦载之。《嘉祐本草》糅合两家文字为一体，收为正品。《本草图经》曰："萱草，俗谓之鹿葱。处处田野有之。味甘，无毒。主安五脏，利心志，令人好，欢乐无忧，轻身明目。五月采花，八月采根。今人多采其嫩苗及花跗作菹，云利胸膈甚佳。"

[2] **沙淋** 即石淋。见"26 石栏干"注[2]。

[3] **下水气** 即利水。《圣惠方》治通身水肿，鹿葱（萱草）根、叶，晒干为末，每取二钱，入席下尘半钱，食前米饮服。

[4] **酒疸** 见"249 马兰"注[5]。

[5] **主小便赤涩** 《纲目》引明·王英《杏林摘要》曰："小便不通，萱草根煎水频饮。"

[6] **《风土记》** 西晋义兴（今江苏宜兴）周处撰。

299 莸草[1]

味甘，大寒，无毒。主湿痹[2]，消水气[3]，合赤小豆煮食之，勿与盐。主脚气[4]顽痹虚肿，小腹急，小便赤涩，捣叶傅毒肿；又绞取汁服之，主消渴[5]。生水田中，似结缕，叶长，马食之。《尔雅》云：莸，蔓于。注云：生水中，江东人呼为茜证。俗云：莸，水草也。(《证类》页285，《大观》卷11页59，《纲目》页934)

【校注】

[1] **莸草** 《纲目》作“犹”，并［校正］云：“并入有名未用别录马唐”。《拾遗》首载此药，《嘉祐本草》收为正品。《本草衍义》云：“莸草，《尔雅》曰：莤，蔓于。《左传》亦曰：一薰一莸，十年尚犹有臭者，是此草。”

[2] **湿痹** 见《金匮要略》。其症肢体重着，肌肤顽麻，或肢节疼痛，痛处固定，阴雨则发。

[3] **消水气** 即利水。

[4] **脚气** 见“274 灵床下鞋履”注［2］。

[5] **消渴** 见“111 好井水及土石间新出泉水”注［4］。按：莸草大寒，主小便赤涩，则此处似指以热病高烧大汗出，渴而能饮为主要表现的消渴。

300　合明草[1]

味甘，寒，无毒。主暴热淋[2]，小便赤涩，小儿瘈病[3]，明目、下水，止血痢，捣绞汁服。生下湿地，叶如四出花，向夜即叶合。(《证类》页286，《大观》卷11页61，《纲目》页931)

【校注】

[1] **合明草** 《拾遗》首载此药，《嘉祐本草》收为正品，《纲目》列在“决明”条的附录中。

[2] **热淋** 见“208 风延母”注［4］。

[3] **瘈病** 出《素问·玉机真脏论》。筋脉拘挛或拘急而缩为瘈。如果筋脉缓纵而伸，则为疭。瘈与疭交替出现，抽动不已，称瘈疭。

301　谷精草[1]

味甘，平。亦入马药用之[2]。白花细叶。(《证类》页282，《大观》卷11页52，《纲目》页936)

【校注】

[1] **谷精草** 为谷精草科植物谷精草。《拾遗》首载此药，《日华子》亦载之，《开宝本草》收为正品。《本草图经》云：“谷精草，春生于谷田中，叶、干俱青，根、花并白色，二月三日内采花用。一名戴星，以其叶细、花白而小圆似星，故以名尔。又有一种茎梗差长有节，根微赤，出秦（今陕西）、陇（今甘肃）间。古方稀用，今口齿药多使之。”

[2] **亦入马药用之** 《开宝本草》云："谷精草饲马，主虫颡、毛焦等病。"《日华子》云："谷精草喂饲马肥"。

302 灯心草[1]

味甘，寒，无毒。根及苗，主五淋[2]，生煮服之。生江南泽地，丛生，茎圆细而长直。人将为席，败席煮服，更良。(《证类》页284，《大观》卷11页58，《医心方》页34，《纲目》页890)

【校注】

[1] **灯心草** 类灯心草科植物灯心草的草心。《拾遗》(见《医心方》卷1引)首载此药，《开宝本草》收为正品。

[2] **主五淋** 五淋，见"3大钱"注[2]。按：灯心草能清热利尿，故能治各种淋。《丹溪心法》治热病小便淋涩不利，以灯心草、甘草精、滑石、栀子合用。

303 燕蓐草[1]

无毒。主眠中遗溺不觉，烧令黑，研，水进方寸匕。亦主哕气[2]。此燕窠中草也。(《证类》页283，《大观》卷11页55，《纲目》页1092)

【校注】

[1] **燕蓐草** 《拾遗》首载此药，《日华子》亦载之，《嘉祐本草》糅合两家文字为一体，收为正品。

[2] **亦主哕气** 《纲目》作"亦止哕啘"。

304 鸭跖草[1]

味苦，大寒，无毒。主寒热瘴疟[2]，痰饮[3]疔肿[4]，肉癥涩滞[5]，小儿丹毒[6]，发热狂痫[7]，大腹痞满，身面气肿[8]，热痢[9]，蛇犬咬，痈疽等毒。和赤小豆煮食，下水气湿痹，利小便。生江东、淮南平地，叶如竹，高一二尺，花深碧，有角如鸟嘴。北人呼为鸡舌草，亦名鼻斫草。吴人呼为跖，跖斫声相近也。一名碧竹子，花好为色。(《证类》页283，《大观》卷11页55，《纲目》页902)

【校注】

[1] **鸭跖草** 为鸭跖草科植物鸭跖草。《拾遗》首载此药，《日华子》亦载之，《嘉祐本草》糅合

两家文字为一体，收为正品。《纲目》云："三四月生苗，紫茎竹叶，嫩时可食。四五月开花，如蛾，两叶如翅碧色。结角尖曲如鸟喙，实在角中，大如小豆。豆中有细子，灰黑而皱如蚕屎。花汁作画色，青碧如黛。"

[2] **瘴疟** 即疟瘴，见"140 阴地流泉"注[1]。

[3] **痰饮** 痰饮，见"226 离鬲草"注[5]。鸭跖草能利水，故能排除体内过量水液，消各种水饮。

[4] **疔肿** 见"269 断罐草"注[1]。鸭跖草善解毒，鲜品捣烂外敷疔疮痈肿。配蒲公英、紫花地丁、丹皮、赤芍煎服，其效更佳。

[5] **涩滞** 指热淋小便涩滞，以大量鸭跖草，合通草、车前草、淡竹叶、猪苓煎服之。《集简方》治小便不通，以鸭跖草、车前草各一两，捣汁入蜜少许服。

[6] **小儿丹毒** 见"22 淬铁水"注[2]。

[7] **发热狂痫** 鸭跖草能清热，热退则狂痫止。

[8] **气肿** 《丹溪心法》云："水肿而见气郁为主者。"其症皮厚色苍，四肢瘦削而腹胁膨满作胀，或发浮肿，其肿按之皮觉厚，随按随起。

[9] **热痢** 钱大用《活幼全书》治下痢赤白，以蓝姑草（鸭跖草）煎汤日服之。

305 五毒草[1]

味酸，平，无毒。根，主痈疽[2]恶疮[3]毒肿，赤白游疹[4]，虫蚕蛇犬咬，并醋磨傅疮上，亦捣茎叶傅之；恐毒入腹，亦煮服之。生江东[5]平地。花叶如荞麦，根紧硬似狗脊。一名五蕺，一名蛇网[6]。又别有蚕网草[7]，如苎麻，与蕺同名也[8]。（《证类》页284，《大观》卷11页59，《纲目》页1047）

【校注】

[1] **五毒草** 《拾遗》首载此药，《嘉祐本草》收为正品，《纲目》并入"赤地利"条内。

[2] **痈疽** 见"263 朝生暮落花"注[2]。

[3] **恶疮** 见"20 铁锈"注[2]。

[4] **赤白游疹** 见"197 海根"注[8]

[5] **江东** 见"23 铁蒸"注[2]。

[6] **蛇网** 见"281 蛇茵草"注[1]。

[7] **蚕网草** 见"260 蚕茵草"注[1]。

[8] **与蕺同名也** 《纲目》作"名同物异"。

306 鼠曲草[1]

味甘，平，无毒。调中益气，止泄除痰，压时气，去热嗽。杂米粉作糗[2]，食之甜美。生平岗熟地，高尺余，叶有白毛，黄花。《荆楚岁时记》[3]云：三月三日取鼠曲汁，蜜和为粉，谓之龙舌粠（音盼，屑米饼也），以压时气。山南人呼为香茅，取花杂榉皮染褐，至破犹鲜。江西人呼为鼠耳草。（《证类》页285，《大观》卷11页58，《纲目》页911）

【校注】

[1] **鼠曲草** 《拾遗》首载此药，《日华子》亦载之，《嘉祐本草》糅合两家文字为一体，收为正品。《纲目》将本条和有名未用的“鼠耳”，及东垣《药类法象》“佛耳草”，合并为一条。

[2] **糗** 干饭，《广韵》：“糗，干饭屑也。”亦作寒粥。《国语楚语》：“糗一筐”。

[3] **《荆楚岁时记》** 见“25 大石镇宅”注［2］。

307 鸡窠中草[1]

主小儿白秃疮，和白头翁花烧灰，腊月猪脂傅之，疮先以酸泔洗，然后涂之。又主小儿夜啼，安席下，勿令母知。（《证类》页286，《大观》卷11页61，《纲目》页1092）

【校注】

[1] **鸡窠中草** 《纲目》作“鸡窠草”。《拾遗》首载此药，《日华子》亦载之，《嘉祐本草》糅合两家文字为一体，收为正品。

308 鸡冠子[1]

凉，无毒。止肠风泻血[2]，赤白痢[3]，妇人崩中带下[4]，入药妙用。（《证类》页286，《大观》卷11页61，《纲目》页864）

【校注】

[1] **鸡冠子** 为苋科植物鸡冠花。《拾遗》首载此药，《日华子》亦载之，《嘉祐本草》糅合两家文字为一体。《纲目》云：“三月生苗，入夏高者五六尺，短者才数寸。其叶青柔，颇似白苋菜而窄，梢有赤脉，其茎赤色。六七月梢间开花，有红、白、黄三色。其穗扁卷而平，如雄鸡之冠。花大有围一二尺者，层层卷出。子在穗中，黑细光滑。花最耐久，霜后始蔫。”

[2] **肠风泻血** 《圣济总录》治便血，将鸡冠花、椿根白皮等分，为末，炼蜜丸梧子大。每服三十丸，黄芪汤下，日二服。

[3] **赤白痢** 《集简方》治赤白下痢，鸡冠花以酒煎服。赤用红，白用白。

[4] **妇人崩中带下** 孙氏《集效方》治妇人经水不止，红鸡冠花晒干为末，每服二钱，空心酒

调下。忌鱼腥猪肉。又方：治妇人带下，鸡冠花晒干为末，每旦空心酒服三钱。赤带用红，白带用白。

309 毛茛[1]

钩吻注陶云[2]：钩吻或是毛茛。苏云[3]：毛茛，是有毛石龙芮也。《百一方》[4]云：菜中有水茛，叶圆而光，有毒，生水旁，蟹多食之。苏云：又注，似水茛，无毛，其毛茛似龙芮而有毒也。（《证类》页286，《大观》卷11页62，《纲目》页996）

【校注】

[1] **毛茛** 为毛茛科植物毛茛。本条《纲目》与“毛建草”条合并为一条。

[2] **钩吻注陶云** 指陶弘景作《本草经集注》对“钩吻”条作的注。

[3] **苏云** 指苏敬编《唐本草》对“钩吻”条作的注。

[4] **《百一方》** 陶弘景将晋·葛洪《肘后方》修订，易名为《百一方》。

310 阴命[1]

钩吻注陶云：有一物名阴命，赤色，著木悬其子。生海中，有毒。又云：海姜，生海中，赤色，状如龙芮，亦大毒，应是此也。今无的识之者。（《证类》页286，《大观》卷11页62，《纲目》页996）

【校注】

[1] **阴命** 本条《纲目》作“海姜阴命”，并列在“毛茛”的附录中。《博物志》引《本草经》曰：“药物有大毒，不可入口、鼻、耳、目者，入即杀人……三曰阴命，赤色，著木悬其子，生海中。”《本草经集注》“钩吻”条，陶弘景注：“又有一物名阴命，赤色，著木悬其子，生山海中，最有大毒，入口能立杀人。”

311 毒菌[1]

地浆注陶云：山中多有毒菌，地浆解之[2]。地生者为菌，木生者为檽。江东人呼为蕈。《尔雅》云：中馗[3]，菌。注云：地蕈子[4]也。或云地鸡，亦云獐头。夜中光者有毒；煮不熟者有毒；煮讫，照人无影者，有毒；有恶虫鸟，从下过者有毒；欲烂无虫者有毒。冬春无毒，及秋夏有毒者，为蛇过也。（《证类》页286，《大观》卷11页62，《纲目》页1245，《医心方》页710）

【校注】

[1] **毒菌** 本条《纲目》并入“朝生暮落花”条，以“土菌”为正名。《医心方》作“木菌”，并云：“木菌，采归色变者有毒，夜中有光者有毒，煮不熟者有毒，盖仰者有毒。又，冬春无毒，秋夏有毒，为蛇过也。冬生白软者无毒。久食利肠胃。”

[2] **地浆解之** 《纲目》作“中其毒者，地浆及粪汁解之。”

[3] **中馗** 《纲目》云：“中馗，神名，此菌钉上若伞，其状如中馗之帽，故以名之。”

[4] **地蕈子** 郭璞注《尔雅》云：“地蕈似钉盖，江东名为土菌，可啖。凡菌从地中出者，皆主疮疥，牛粪上黑菌尤佳。”

312 草禹馀粮[1]

注陶公云[2]：南人又呼平泽中一藤如菝葜为余粮。言禹采此当粮，根如盏连缀，半在土上，皮如茯苓，肉赤，味涩。人取以当谷，不饥，调中，止泄，健行不睡。云昔禹会诸侯，弃粮于地，化为此草，故名余粮。今多生海畔山谷。（《证类》页287，《大观》卷11页62，《纲目》页1032）

【校注】

[1] **草禹馀粮** 本条《纲目》并入“土茯苓”条内。

[2] **注陶公云** 《本草经集注》“禹馀粮”条陶弘景注云：“南人又呼平泽中有一种藤，叶如菝葜，根作块有节，似菝葜而色赤，根形似薯蓣，谓为禹馀粮。”

313 鼠蓑草

莎草注陶云：别有鼠蓑草，治体异此[1]。有名无用条有蓑草，味苦，寒。主温疟[2]寒热酸斯，利气。生淮南[3]山谷，即此也。（《证类》页278，《大观》卷11页62）

【校注】

[1] **别有鼠蓑草，治体异此** 此文末的“此”，即指莎草。其意为鼠蓑草治体与莎草不同。莎草可作雨衣，其状如丧服蓑衣（丧服胸心处缀一麻布长六寸、宽四寸，名蓑衣），因此雨衣亦名蓑衣，制蓑衣的莎草，并称蓑草。而鼠蓑草之名亦由此而来。

[2] **温疟** 《素问·疟论》云：“此先伤于风，而后伤于寒，故先热而后寒也，亦以时作，名曰温疟。”

[3] **淮南** 见“282地锦”注[6]。

314 廉姜[1]

杜若注：苏云苗似廉姜[2]。按：廉姜热，主胃中冷，吐水，不下食。似姜，生岭南[3]，剑南[4]人多食之。(《证类》页 287，《大观》卷 11 页 63，《纲目》页 808)

【校注】

[1] **廉姜** 为姜科植物华良姜的根茎。《本草经集注》“豆蔻”条陶注云“廉姜温中下气”。

[2] **苏云苗似廉姜** 原作“陶云苗似廉”，据《唐本草》“杜若”条注改。按：《唐本草》“杜若”条陶注，仅言“叶似姜而有文理”，并无“苗似廉”之语。只有《唐本草》注有“杜若，苗似廉姜。”

[3] **岭南** 见“7 诸金有毒”注［2］。

[4] **剑南** 四川剑阁以南成都附近地区。唐贞观初置剑南道，包括四川、云南及贵州西部。

315 草石蚕[1]

虫石蚕注陶云：今俗用草根，黑色。按：草石蚕，生高山石上，根如箸，上有毛，节如蚕，叶似卷柏，山人取浸酒，除风破血，主溪毒[2]，煮食之。本经从虫部出，复有虫石蚕，已出拾遗。(《证类》页 287，《大观》卷 11 页 63，《纲目》页 1226)

【校注】

[1] **草石蚕** 《本草经集注》“石蚕”条，陶弘景注云：“今俗用草根黑色多角，节亦似蚕，恐未是实。”《本草图经》云：“草根之似蚕者，亦名石蚕，出福州（今福建福州）及信州（今江西上饶）山石上，四时常有。其苗青亦有节。三月采根焙干，主走注风，散血止痛。其节亦堪单用，捣筛取末，酒温服。”

[2] **溪毒** 见“149 草犀根”注［4］。

316 漆姑草[1]

杉木注陶云：叶细细，多生石间。按：漆姑草，如鼠迹大，生阶墀间阴处，气辛烈。主漆疮[2]，挼碎傅之，热更易。亦主溪毒[3]疮。苏云：此蜀羊泉。羊泉是大草，非细者，乃同名耳。(《证类》页 287，《大观》卷 11 页 63，《纲目》页 909)

【校注】

[1] **漆姑草** 陶弘景在《本草经集注》“杉木”条作注时，首记“漆姑”之名，谓“漆姑，叶

细细，多生石边，亦疗漆疮。”又，《唐本草》“蜀羊泉”条苏敬注云：“此草（指蜀羊泉）俗名漆姑，叶似菊，花紫色，子类枸杞子，根如远志，无心有糁。苗主小儿惊，兼疗漆疮，生毛发。所在平泽皆有之。”陈藏器指出苏注不对：“羊泉是大草，非细者，乃同名耳。”

[2] **漆疮** 出《诸病源候论》。指对漆过敏，接触漆的皮肤突然红肿，焮热作痒，起小丘疹及水疱，抓破则糜烂流水；重者遍及全身，兼寒、热、头痛。

[3] **溪毒** 见“149 草犀根”注[4]。

317 麂目[1]

豆蔻注陶云：麂目小冷。按：麂目云：出岭南[2]，如麂目，食之发冷痰[3]，余别无功。（《证类》页287，《大观》卷11页63，《纲目》页1312）

【校注】

[1] **麂目** 《拾遗》云：“麂目出岭南，如麂目，故名。”按：麂是鹿科动物小型鹿类，肩高40～60厘米，仅雄性有角。

[2] **岭南** 见“7 诸金有毒”注[2]。

[3] **冷痰** 出《诸病源候论》卷20。症见痰色白而清稀，舌苔白润，脉滞弦，兼见形寒肢冷。

318 黎豆[1]

蚺蛇注陶云：蛇胆如黎豆。生江南，蔓如葛，子如皂荚子，作狸首文，故名黎豆。《尔雅》云：虑，涉子[2]。人炒食之，一名虎涉，别无功。（《证类》页287，《大观》卷11页63，《纲目》页1145）

【校注】

[1] **黎豆** 为豆科植物头花黎豆。《纲目》云：“黎亦黑色也。此豆荚老则黑色，有毛露筋，如虎、狸指爪。其子亦有点，如虎狸之斑，煮之汁黑，故有诸名。”

[2] **《尔雅》云：虑，涉子** 《纲目》引“藏器曰”作“《尔雅》云：诸虑，一名虎涉。又注藥根云：苗如豆。《尔雅》：摄，虎藥。郭璞注云：江东呼藥为藤，似葛而粗大。缠蔓林树，荚有毛刺，一名豆搜，今虎也，千岁藥是矣。”

319 荠苧[1]

叶上有毛，稍长，气臭。除蚁瘘[2]，挼碎傅之。亦主冷气泄痢[3]。可为生菜，除胃间酸水。（《证类》页514，《大观》卷28页13，《纲目》页842）

【校注】

［1］**荠苧**　为唇形科植物荠苧。《唐本草》注云："水苏，江左（长江下游苏南、皖南地区）名为荠苧。"《本草图经》云："陈藏器谓荠苧自是一物，非水苏，水苏叶有雁齿。荠苧叶上有毛，稍长，气臭。主冷气泄痢，可为生菜，除胃间酸水，亦可捣傅蚁瘘。"《纲目》云："《日华子》释水苏云，一名臭苏，一名白苏，正此草也，误作水苏尔。其形似水苏而臭，似白苏而青，故有二名。"又云："荠苧处处平地有之。叶似野苏而稍长，有毛，气臭。山人茹之，味不甚佳。"

［2］**蚁瘘**　即痔瘘。见"176 孟娘菜"注［2］。

［3］**泄痢**　见"166 孝文韭"注［2］。

320　石荠苧[1]

石上生者，紫花，细叶，高一二尺。味辛，温，无毒。主风血冷气并疮疥，痔漏下血[2]，并煮汁服。山中人多用之。（《证类》页514，《大观》卷28页13，《纲目》页842）

【校注】

［1］**石荠苧**　为唇形科石荠苧属植物石荠苧。茎方，叶对生。

［2］**主风血冷气并疮疥，痔漏下血**　石荠苧能疏风理血、利湿止痒。外用治跌打损伤，出血，痔漏下血。捣烂外敷或煎水洗治湿疹、脚癣、痱子、疮疥瘙痒，煮汁服治咽喉肿痛、肠炎、痢疾。

321　诸草有毒

瓜两蒂两鼻害人。瓜瓠正苦有毒。檐溜滴著菜有毒。堇黄花害人[1]。芹赤叶害人。菰首蜜食下痢[2]。生葱不得杂白犬肉食之，令人九窍流血。食戎葵[3]并鸟肉，令人面无颜色。食葵[4]发狂犬咬。食葫葱、青鱼，令人腹生虫。薤不和牛肉食，成瘕瘕[5]痼疾[6]。妇人妊娠，食干姜，令胎肉消。生葱和鸡子食变嗽。蓼蓳[7]食、生食，令气夺之，令阴痿[8]。九月食霜下瓜，血必冬发。三月不得食陈菹[9]，夏热病发恶疮。瓠，牛践苗子即苦。（《证类》页287，《大观》卷11页63）

【校注】

［1］**堇黄花害人**　《唐本草》注云："堇菜野生，叶似蕺，花紫色。"《纲目》云："堇，旱芹也，其性滑利。一种黄花者，有毒杀人，即毛芹也，见草部毛茛。"又云："毛茛即今毛堇也，下湿处即多。春生苗，高者尺余，一枝三叶，叶有三尖及细缺，与石龙芮茎叶一样，但有细毛为别。四五月开小黄花，五出，甚光艳。结实状如欲绽青桑椹。"《拾遗》云："毛茛似龙芮而有毒也。"

[2] **菰首蜜食下痢** 《食疗本草》云："菰首性滑，发冷气，令人下焦寒，伤阳道。禁蜜食，发痼疾。"

[3] **戎葵** 《尔雅》云："菺，戎葵也。"郭璞注云："今蜀葵也。叶似葵，花如木槿花。戎蜀其所自来，因以名之。"

[4] **葵** 为锦葵科植物冬葵。《本草图经》云："葵处处有之。苗叶作菜茹，更甘美。葵有蜀葵、锦葵、黄葵、终葵、菟葵，皆有功用。"

[5] **癥瘕** 见"59 桑灰"注 [2]。

[6] **痼疾** 出《金匮要略》。指久延不愈，比较顽固的疾病。

[7] **齑** 细切腌菜。《周礼》郑注云："凡醯浆所和细切为齑"。

[8] **阴痿** 出《内经·邪气脏腑病形》，即阳痿。指男子未到性功能衰退时期，却出现阴茎不举，或举而不坚、不久的病证。常伴有梦遗滑精，腰酸肢冷，脉沉细等。

[9] **菹** 酸菜。

拾遗　木部　卷第四

322 丁香　323 枳壳　324 荆沥
325 冬青　326 枸骨　327 乾陀木皮
328 含水藤中水　329 皋芦叶　330 奴会子
331 蜜香　332 赤柽木　333 阿勒勃
334 鼠藤　335 浮烂罗勒　336 橄榄木
337 鱼茗木　338 灵寿木根皮　339 𫄫木
340 斑珠藤　341 阿月浑子　342 不凋木
343 曼游藤　344 龙手藤　345 放杖木
346 石松　347 牛奶藤　348 震烧木
349 木麻　350 帝休　351 河边木
352 檀桓　353 木蜜　354 朗榆皮
355 那耆悉　356 黄屑　357 仙人杖
358 通脱木　359 必栗香　360 椆木
361 研药　362 黄龙眼　363 箭杆及镞
364 元慈勒　365 都咸子及皮叶　366 凿孔中木
367 栎木皮　368 省藤　369 松杨木皮
370 杨栌耳　371 故甑蔽　372 梫木
373 象豆　374 地主　375 腐木
376 石刺木根皮　377 柟木枝叶　378 息王藤
379 角落木皮　380 鸩鸟浆　381 紫珠
382 牛领藤　383 枕材　384 鬼膊藤
385 木戟　386 奴柘　387 温藤
388 鬼齿　389 铁槌柄　390 古榇板
391 慈母　392 饭箩　393 白马骨
394 紫衣　395 梳篦　396 倒挂藤
397 故木砧　398 古厕木　399 桃掘
400 梭头　401 救月杖　402 地龙藤
403 火槽头　404 郁金香　405 紫藤
406 山枣树　407 墨　408 相思子
409 椰子　410 益智子　411 桄榔子
412 櫰木　413 莎木面　414 无患子

415 胡颓子
416 木半夏
417 梂子根
418 蒳子
419 五倍子
420 盐麸子
421 柞木皮
422 黄栌
423 棕榈子
424 棁子
425 木槿
426 柘木
427 扶移木皮
428 南藤
429 感藤
430 甘露藤
431 千金藤
432 桦木皮
433 婆罗得
434 栟榈木皮
435 楸木皮
436 没离梨
437 柯树皮
438 败扇
439 楤根
440 橉木灰
441 梛桐皮
442 竹肉
443 桃竹笋
444 罂子桐子
445 马疡木根皮
446 木细辛
447 百家箸
448 桪木皮叶
449 刀鞘
450 芙树
451 丹桎木皮
452 结杀
453 杓
454 车家鸡栖木
455 橝
456 石荆
457 木黎芦
458 瓜芦
459 鬼皂荚
460 诸木有毒
461 木菌

322 丁香[1]

京下老医或有谓鸡舌香与丁香同种，花实丛生，其中心最大者为鸡舌香，击破有解理如鸡舌，此乃是母丁香，疗口臭最良，治气亦效。其母丁香主变白，以生姜汁研，拔去白须，涂孔中，即异常黑也。（《证类》页307，《大观》卷12页42，《纲目》页1363）

【校注】

[1] **丁香** 为桃金娘科植物丁香。本条文自“京下老医”至“治气亦效”，辑自《本草图经》“沉香”条引陈藏器《拾遗》。自“其母丁香主变白”到文末，辑自《开宝本草》注引陈藏器本草。沈存中《笔谈》云：“予集《灵苑方》，论鸡舌香以为丁香母，盖出陈氏《拾遗》。”《开宝本草》注云：“按：广州送丁香图，树高丈余，叶似栎叶，花圆细黄色，凌冬不凋。医家所用惟用根子如钉，长三四分，紫色，中有粗大如山茱萸者，俗呼为母丁香。”

323 枳壳[1]

根皮主野鸡病[2]，末服方寸匕。《本经》采实用，九月十月不如七月八月，既厚且辛。《书》[3]曰：江南为橘，江北为枳[4]。今江南俱有枳橘，江北有枳无橘，此自别种，非干变易也。（《证类》页323，《大观》卷13页20，《纲目》页1435）

【校注】

[1] **枳壳** 为芸香科植物酸橙及枳橘已成熟的果壳。《本草图经》云：“枳壳生商州（今河南商县）川谷。今京西（今河南开封以西）江湖州郡皆有，以商州为佳。如橘而小，高亦五七尺，叶如橙多刺。春生白花，至秋成实。旧说，七八月采为枳实，九十月采为枳壳。皮厚而小者为枳实，完大者

为枳壳，皆以翻肚如盆口唇状、陈久者为胜。”

［2］**主野鸡病** 见“183 益奶草”注［1］。

［3］**《书》** 是《尚书》的简称，为我国最早的历史文献汇编。全书分虞书、夏书、商书、周书四部分。《汉志》谓原有百篇，孔子曾为之作序。秦火后损失。汉初秦博士伏生传29篇，用隶书写成，称“今文尚书”。汉武帝时鲁恭王坏孔子宅，得先秦古文抄写的《尚书》45篇，其中29篇与今文《尚书》同，余16篇，因无师传，至魏晋间亡佚。

［4］**江北为枳** 其后，《纲目》引陈藏器有“《周礼》亦云‘橘逾淮而北为枳’。”枳的果实，在幼嫩时性速而猛烈，为枳实，能破积导滞，通利大便，升提胃肠子宫下垂。果实长老，壳薄而虚，为枳壳，作用缓和，能理气宽中，消积除胀。

324 荆沥[1]

荆木取茎截，于火上烧，以物承取沥饮之，去心闷烦热，头风旋目眩，心头漾漾欲吐，卒失音，小儿心热惊痫[2]，止消渴，除痰唾，令人不睡。(《证类》页302，《大观》卷12页31，《纲目》页1456)

【校注】

［1］**荆沥** 为马鞭草科植物牡荆的茎汁。《本草图经》云：“今眉州（今四川眉山）、蜀州（今四川崇庆）及近京（今河南开封）亦有之。此即作杖者。枝茎坚劲作科，不为蔓生，故称牡。叶如蓖麻，更疏瘦，花红作穗，实细而黄如麻子大，或云即小荆也。牡荆汁冷，主治心风第一。”

［2］**惊痫** 见“208 风延母”注［3］。

325 冬青[1]

其叶堪染绯[2]，子浸酒去风血补益。木肌白有文，作象齿笏[3]。冬月青翠，故名冬青，江东人呼为冻生。李邕又云：出五台山[4]，叶似椿，子赤如郁李，微酸，性热，与此亦小有异同，当是两种冬青。(《证类》页306，《大观》卷12页38，《纲目》页1447)

【校注】

［1］**冬青** 为冬青科植物冬青。《唐本草》注“女贞”时，首提此名。陈藏器《拾遗》《日华子》皆收载之。《纲目》从“女贞”条分出，单独立为一条，并云：“冬青亦女贞之别种也。叶微团而子赤者为冻青，叶长而子黑者为女贞。”

［2］**绯** 绛色。《酉阳杂俎》云：“血可染绯。”

［3］**笏** 音忽。《释名》云：“君有教命及所启白，则书其上，备忽忘也。古者自天子至士，皆执笏。”《礼记·玉藻》云：“笏，度二尺有六，博二寸，杀六分。”后世仅品官执笏，四品以上用象

牙，五品以下用木。

［4］**五台山** 山西五台山。

326 枸骨[1]

按：枸骨树如杜仲[2]，皮堪浸酒，补腰脚令健，枝叶烧灰淋取汁，涂白癜风[3]，亦可作稠煎傅之。木肌白似骨，故云枸骨[4]。《诗义疏》[5]云：木杞其树似栗[6]，一名枸骨，理白滑。其子为木虻子，可合药。木虻在叶中，卷叶如子，羽化为虻，非木子。（《证类》页306，《大观》卷12页38，《纲目》页1447）

【校注】

［1］**枸骨** 为冬青科植物枸骨。本条原附“女贞”条中，今分出。《唐本草》注云：“女贞叶似枸骨”。《本草图经》云：“枸骨木多生江浙间，木体白似骨，故以名。南人取以旋作合器甚佳。

［2］**杜仲** 为杜仲科植物杜仲。陶弘景云：“状如厚朴，折之多白丝者佳。”《蜀本草·图经》云：“杜仲生深山大谷。树高数丈，叶似辛夷。”

［3］**白癜风** 见“58自然灰”注［2］。

［4］**木肌白似骨，故云枸骨** 《纲目》云：“枸骨树如女贞，肌理甚白。叶长二三寸，青翠厚硬，有五刺角，四时不凋。五月开细白花。结实如女贞及菝葜子，九月熟时，绯红色，皮薄味甘，核有四瓣。人采木皮煎膏，以粘鸟雀，谓之粘黐。”枸骨木可制木胶。

［5］**《诗义疏》** 即《毛诗正义疏》，汉·毛亨传，东汉·郑玄笺，唐·陆德明音义，唐·孔颖达疏。

［6］**木杞其树似栗** 《诗·小雅》云：“南山有杞。”《诗释文》引《诗义疏》作“杞，其树如樗，一名枸骨。”与陈藏器所引《诗义疏》不同。樗为苦木科植物臭椿，其树与栗树相似。

327 乾陀木皮[1]

味平，无毒。主破宿血[2]，妇人血闭[3]，腹内血块，酒煎服之。生安南[4]，皮厚堪染赭，叶如樱桃。（《证类》页311，《大观》卷12页52，《纲目》页1482）

【校注】

［1］**乾陀木皮** 本条《纲目》糅合《拾遗》《海药本草》两家文字为一体，注出处为“珣曰”。《海药本草》云：“按，《西域记》（唐·玄奘撰）云：生西国（指西域印度）。彼人用染僧褐（和尚穿的麻布鞋）故名。乾陀，褐色（黄黑色）。树大皮厚。味平，温。主癥瘕气块，温腹暖胃，止呕逆，并良。”

［2］**宿血** 见“34砺石”注［2］。

［3］**血闭** 指月经闭。见“296败芒箔”注［4］。

[4] **安南** 见“209 大瓠藤水”注[2]。

328 含水藤中水[1]

味甘，平，无毒。主止渴，润五脏。山行无水处，断之得水可饮，清美，去湿痹[2]烦热。生岭南[3]，叶似狗蹄，煮汁服之，主天行时气[4]。捣叶傅中水烂疮，皮皲[5]。刘欣期《交州记》亦载之也。(《证类》页311，《大观》卷12页52，《纲目》页1054)

【校注】

[1] **含水藤中水** 本条《纲目》作“含水藤”，注出处为《海药》。其实《拾遗》首载此药。《拾遗》是唐代书，《海药》是五代时书。又，本条与“209 大瓠藤水”似是同一物，但分列草部、木部。《海药本草》云：“含水藤中水，谨按，《交州记》(东晋·刘欣期撰)云：生岭南及诸海山谷。状若葛，叶似枸杞。多在路旁，行人乏水处便吃此藤，故以为名。主烦渴，心躁(心中烦躁不安)、天行疫气(流行性传染病源)、瘴疠(多指恶性疟疾)、丹石发动(服五石散所发生的反应)亦宜服之。”

[2] **湿痹** 见“299 菝草”注[2]。

[3] **岭南** 见“7 诸金有毒”注[2]。

[4] **天行时气** 见“124 腊雪”注[2]。

[5] **皮皲** 即皮肤发皴，因受冻或受风吹久而干裂。

329 皋芦叶[1]

味苦，平。作饮，止渴，除痰，不睡，利水，明目。出南海诸山，叶似茗而大，南人取作当茗，极重之。《广州记》曰：新平县[2]出皋芦。皋芦，茗之别名也，叶大而涩。又《南越志》[3]曰：龙川[4]县出皋芦[5]，叶似茗，味苦涩，土人为饮，南海谓之过罗，或曰物罗，皆夷语也。(《证类》页311，《大观》卷12页52，《太平御览》卷867页5，《纲目》页1329)

【校注】

[1] **皋芦叶** 为山茶科植物皋芦。《海药本草》云：“谨按，《广州记》云：出新平县，状若茶树阔大。无毒。主烦渴热闷，下痰，通小肠淋，止头痛。彼人用代茶，故人重之，如蜀地茶也。”《本草经集注》“苦菜”条陶弘景注云：“南方有瓜芦木，亦似茗，苦涩，取其叶作屑煮饮汁，即通夜不睡，煮盐人惟资此饮。”本条，《太平御览》引《拾遗》作“皋芦茗作饮止渴，除痰，不睡，利水道，明目。生南海诸山中，南人极重之。”

[2] **新平县** 今广西马坪。

[3] **南越志** 见“196 石莼”注 [2]。

[4] **龙川** 今广东龙川。

[5] **皋芦** 其后,《纲目》引“藏器曰”有“一名瓜芦”。

330 奴会子[1] (见《海药》引《拾遗》)

生西国诸戎[2]。大小如苦药子[3]。味辛,平,无毒。主治小儿无辜疳冷[4],虚渴,脱肛[5],骨立瘦损[6],脾胃不磨[7]。刘五娘方用为煎,治孩子瘦损也。(《证类》页 311,《大观》卷 12 页 52,《纲目》页 1097)

【校注】

[1] **奴会子** 本条《纲目》列在“解毒子”条的附录中。

[2] **西国诸戎** “戎”,是古代中国西边少数兄弟民族的称呼。《礼记·王制》云:“西方曰戎。”西国诸戎指中国西境各兄弟民族居住的地方。

[3] **苦药子** 即解毒子。《本草图经》云:“地不容,生戎州(今四川宜宾)。能解蛊毒,辟瘴气,治咽喉闭塞,乡人呼为解毒子。”

[4] **小儿无辜疳冷** 见《外台秘要》。旧指小儿误穿污染衣服,虫入皮毛引起,头颈部有核如弹丸,按之移动,称为无辜疳冷。多见于颈淋巴结核,或颈淋巴腺炎。

[5] **脱肛** 出《诸病源候论》。指大肠头突出肛门,气虚下陷或久泻者多患。

[6] **骨立瘦损** 指久病骨瘦如柴,多见于慢性消耗性疾病。

[7] **脾胃不磨** 指脾胃不能消化水谷。

331 蜜香[1]

味辛,温,无毒。主臭[2],除鬼气[3]。生交州[4],大树节如沉香。《异物志》[5]云:蜜香,虫名。又云树生千岁[6],斫仆之,四五岁乃往看,已腐败,惟中节坚贞是也,树如椿。按:《法华经》[7]注云:木蜜香,蜜也,树形似槐而香,伐之五六年,乃取其香。(《证类》页 311,《大观》卷 12 页 52,《纲目》页 1363)

【校注】

[1] **蜜香** 《海药本草》云:“按,《内典》(佛经)云:状若槐树。”《异物志》云:“其叶如椿。”《交州记》云:“树似沉香无异,主辟恶,去邪鬼尸疰心气。生南海诸山中。种之五六年便有香也。”

[2] **主臭** 辟除恶臭气。

[3] **除鬼气** 鬼气,见“104 车脂”注 [1]。蜜香能辟除之,称为除鬼气。

[4] **交州** 今越南河内。

[5] **《异物志》** 东汉·杨浮撰。

[6] **树生千岁** 魏王《花木志》云："木蜜（蜜香）号千岁树，根本甚大，伐之四五岁，取不腐者为香。"据此，"树生千岁"应作"树号千岁"。

[7] **《法华经》** 是佛教经典著作之一。

332 赤柽木[1]

无毒。主剥驴马血入肉毒。取以火炙用熨之，亦可煮汁浸之。其水中脂，一名柽乳，入合质汗用之。生河西[2]沙地，皮赤色，叶细。(《证类》页358，《大观》卷14页46，《纲目》页1413，《医心方》页34)

【校注】

[1] **赤柽木** 为柽柳科植物柽柳。《嘉祐本草》云："《尔雅》云：柽，河柳。郭璞注：今河旁赤茎小杨。陆机疏：生水旁，皮正赤如绛，一名雨师，枝叶似松。"《本草衍义》云："赤柽木，又谓之三春柳，以其一年三秀。花肉红色成细穗，河西戎人取滑枝为鞭，京师亦甚多。"《尔雅翼》云："天之将雨，柽先知之。得雨垂垂如丝，故名雨丝。"

[2] **河西** 黄河流经山西、陕西间，呈南北向，在黄河西侧的广大地区称河西，包括今陕西、甘肃、宁夏等地。

333 阿勒勃[1]

味苦，大寒，无毒。主心膈间热风，心黄[2]，骨蒸[3]，寒热，杀三虫[4]。生佛逝国[5]，似皂荚圆长，味甜好吃，一名婆罗门[6]皂荚也。(《证类》页312，《大观》卷12页53，《纲目》页1311，《医心方》卷1页34，《本草和名》卷20)

【校注】

[1] **阿勒勃** 《海药本草》云："按，《异域记》云：主热病及下痰，杀虫，通经络。子，疗小儿疳气。凡用先炙令黄用。"《酉阳杂俎》云："波斯皂荚，彼人呼为忽野檐，拂林人呼为阿梨去伐。树长三四丈，围四五尺。叶似构橡而短小，经寒不凋。不花而实，荚长二尺，中有隔，隔内各有一子，大如指头，赤色，至坚硬，中黑如墨。味甘如饴，可食，亦入药也。"

[2] **心黄** 《诸病源候论·黄病诸候》谓黄疸有二十八候，有汗黄，无心黄。汗为心之液，疑汗黄即心黄。

[3] **骨蒸** 见《诸病源候论·虚劳病诸候》。谓其热自骨髓透发而出。症见潮热，盗汗，喘息无力，心烦心寐，手心常热，小便黄赤。

[4] **三虫** 见"202骨路支"注[6]。

[5] **佛逝国** 《纲目》引"藏器曰"作"拂林国"，指古代东罗马帝国。

[6] **婆罗门** 指古印度。《医心方》卷1页34引《拾遗》云："阿勒勃，一名婆罗门皂荚。"

334 鼠藤[1]

味甘，温，无毒。主丈夫五劳七伤[2]，腰脚痛冷，阴痿[3]，小便数白[4]，益阳道[5]，除风气，补衰老，好颜色。取根及茎细剉，浓煮服之讫，取微汗；亦浸酒，如药酒法。性极温，服讫稍令人闷，无苦。生南海[6]海畔山谷，作藤绕树，茎叶滑净似枸杞，花白，有节，心虚，苗头有毛。南人皆识其藤，有鼠咬痕者良，但须嚼咽其汁，验也。(《证类》页312，《大观》卷12页53，《纲目》页1054)

【校注】

[1] **鼠藤** 本条《纲目》列在"含水藤"条的附录中。《海药本草》云："谨按，《广州记》云：生南海山谷，藤蔓而生。鼠爱食此，故曰鼠藤。咬处，人即用入药。彼人食之，如吃甘蔗。味甘美，主腰脚风冷，大补水脏，好颜色，长筋骨，并剉浓煎服之；亦取汁浸酒更妙。"

[2] **五劳七伤** 见"236 荜拨没"注[3][4]。

[3] **阴痿** 见"321 诸草有毒"注[8]。

[4] **小便数白** 小便次数多，颜色清白。

[5] **益阳道** 见"35 磁石毛"注[2]。

[6] **南海** 唐代的南海，即广州地区。(见《中国历史地图集》第5册)

335 浮烂罗勒[1]

味酸，平，无毒。主一切风气，开胃，补心，除冷痹[2]，和调脏腑。生康国[3]，似厚朴也。(《证类》页312，《大观》卷12页53，《纲目》页1386)

【校注】

[1] **浮烂罗勒** 本条《纲目》列在"厚朴"条的附录中。

[2] **冷痹** 即寒痹。出《灵枢·寿夭刚柔篇》。其症四肢关节痛，痛势较剧，遇寒冷更甚，得热痛缓，兼见手足拘挛。

[3] **康国** 疑为《汉书·西域传》中康居国，在今新疆以西。

336 橄榄木[1]

解鯸鱼肝及子毒[2]。(《证类》页422，《大观》卷20页25)

【校注】

[1] **橄榄木** 为橄榄科植物橄榄的木。《开宝本草》云："橄榄味酸，甘，温，无毒。主消酒，疗鯸鲐毒人。误食此鱼肝迷闷者，可煮汁服之必解。其木作楫，拨著鱼皆浮出，故知物有相畏如此也。"

[2] **解鯢鱼肝及子毒** 孟诜云："橄棪（即橄榄），主鯢鱼毒，汁服之。中此鱼肝子毒人，立死，惟此木能解。"按：鯢鱼即河豚，又名鯸鲐。是鲀科鱼类的俗称，有气囊，能吸气膨胀。其肝脏、生殖腺、血液含有毒素，经处理后可食，肉鲜美。

337 鱼茗木

解鯢鱼肝及子毒[1]。（《证类》页422，《大观》卷20页25）

【校注】

[1] **解鯢鱼肝及子毒** 见"336橄榄木"注[2]。

338 灵寿木根皮[1]

味苦，平。止水，作杖令人延年益寿。生剑南山谷，圆长皮紫。《汉书》[2]：孔光年老，赐灵杖。颜注曰：木似竹，有节，长不过八九尺，围可三四寸，自然有合杖之制，不须削理也。（《证类》页312，《大观》卷23页53，《纲目》页1466）

【校注】

[1] **灵寿木根皮** 《纲目》作"灵寿木"。《诗·大雅·皇矣》云："其柽其椐。"《尔雅》云："椐，樻"。郭注："肿节可以为杖"。陆玑诗疏："椐，樻。节中肿，似扶老，即今灵寿是也。"《广韵》云："椐，灵寿木名。"

[2] **汉书** 东汉·班固撰，并由其妹班昭补作八表，马续补作天文志。为我国第一部纪传体断代史。《汉书·孔光传》云："光称疾辞位，太后诏赐灵寿杖。"孟康注："扶老，杖也。"

339 缑木[1]

味甘，温，无毒。主风血羸瘦，补腰脚，益阳道[2]。宜浸酒。生林汉山谷[3]。木文侧，故曰缑木[4]。（《证类》页312，《大观》卷12页53，《纲目》页1420）

【校注】

[1] **缑木** 为杜鹃花科植物南烛的变种。

[2] **益阳道** 见“35 磁石毛”注 [2]。

[3] **生林汉山谷** 《纲目》引“藏器曰”作“生林泽山谷”。

[4] **木文侧，故曰綟木** 因木的文理斜侧不正，故曰綟木。

340 斑珠藤

味甘，温，无毒。主风血羸瘦，妇人诸疾，浸酒服之。生山谷中，不凋，子如珠而斑，冬月取之[1]。（《证类》页312，《大观》卷12页54，《纲目》页1057）

【校注】

[1] **冬月取之** 原脱“月”，据《纲目》引“藏器曰”补。

341 阿月浑子[1]

味辛，温，涩，无毒。主诸痢，去冷气，令人肥健。生西国诸番[2]，云与胡榛子同树，一岁榛子，二岁浑子也。（《证类》页312，《大观》卷12页54，《纲目》页1294）

【校注】

[1] **阿月浑子** 本条《纲目》并入《海药》“无名木皮”条。又，本品为漆树科植物无名木的果实。《海药本草》云：“谨按，徐表《南州记》云：生广南山谷。大温，无毒。主阴肾痿弱，囊下湿痒，并宜煎取其汁小浴，极妙也。其实号无名子，波斯家呼为阿月浑，状如榛子。味辛，无毒。主腰冷，阴肾虚弱。房中术使用者众。得木香、山茱萸良也。”

[2] **西国诸番** 自汉代起，从甘肃玉门关以西、巴尔喀什湖以东以南，称为西域地区，生活在这里各兄弟民族，各自组成国家，称为西国。与先秦东周列国义同。又，中国古时称边疆为番，在中国西境有多种兄弟民族居住，当时统称之为西国诸番。

342 不凋木

味苦，温，无毒。主调中，补衰，治腰脚，去风气，却老变白。生太白山[1]岩谷，树高二三尺，叶似槐，茎赤有毛如棠梨。（《证类》页312，《大观》卷12页54，《纲目》页1464）

【校注】

[1] **太白山** 在吉林的西南，横跨辽宁的东南。

343 曼游藤

味甘，温，无毒。久服长生延年，去久嗽。出犍为[1]、牙门[2]山谷，如寄生著大树，春华，色紫，叶如柳。张司空云：蜀人谓之沉蓠藤，亦云治癣。(《证类》页312,《大观》卷12页54,《纲目》页1057)

【校注】

[1] **犍为** 今四川犍为。

[2] **牙门** 四川峨眉县西南，有三山突起，为大峨、中峨、小峨之秀峰，《博物志》名牙门。

344 龙手藤

味甘，温，无毒。主偏风口㖞，手足瘫缓，补虚益阳，去冷气风痹。斟酌多少，以醇酒浸，近火令温，空心服之，取汗。出安荔浦[1]山石上，向阳者叶如龙手，因以为名，采之无时也。(《证类》页312,《大观》卷12页54,《纲目》页1057)

【校注】

[1] **荔浦** 今广西荔浦县西。

345 放杖木

味甘，温，无毒。主一切风血，理腰脚，轻身，变白[1]不老，浸酒服之。生温括睦婺[2]山中，树如木天蓼，老人服之，一月放杖，故以为名也。(《证类》页313,《大观》卷12页54,《纲目》页1465)

【校注】

[1] **变白** 变白发为黑发。

[2] **温括睦婺** 温，今浙江温州。括，今浙江丽水。睦，今浙江建德。婺，今浙江金华。

346 石松[1]

味苦，辛，温，无毒。主人久患风痹[2]，脚膝疼冷，皮肤不仁，气力衰弱，久服好颜色[3]，变白不老，浸酒良。生天合山[4]石上，如松，高一二尺也。(《证类》页313,《大观》卷12页54,《纲目》页1091)

【校注】

[1] **石松** 为石松科植物石松。与此相类者有玉柏。《别录》曰："玉柏生石上，如松，高五六寸，紫花，用茎叶。"

[2] **风痹** 见"186 难火兰"注 [2]。

[3] **久服好颜色** 《纲目》引"藏器曰"作"久服去风血风瘙好颜色。"

[4] **天台山** 浙江天台山。

347 牛奶藤

味甘，温，无毒。主荒年，食之令人不饥[1]。取藤中粉[2]，食之如葛根，令人发落[3]。牛好食之。生深山，大如树。(《证类》页313，《大观》卷12页55，《纲目》页1057)

【校注】

[1] **主荒年，食之令人不饥** 《纲目》作"主救荒，令人不饥"。

[2] **取藤中粉** 《纲目》作"其中有粉"。

[3] **食之如葛根，令人发落** 《纲目》作"其根食之，令人发落"。

348 震烧木[1]

主火惊失心[2]，煮服之。又取挂门户间，大厌火灾，此霹雳[3]木也。(《证类》页313，《大观》卷12页55，《纲目》页1481)

【校注】

[1] **震烧木** 雷电所烧之木。

[2] **火惊失心** 因火烧惊吓丧失神志。

[3] **霹雳** 响声极大的炸雷，是雨云和地面之间强烈电击产生的巨大雷声。

349 木麻

味甘，无毒。主老血[1]，妇人月闭[2]，风气羸瘦[3]，癥瘕[4]。久服令人有子。生江南山谷林泽，叶似胡麻相对，山人取以用酿酒也。(《证类》页313，《大观》卷12页55，《纲目》页1466)

【校注】

[1] **老血** 见“167 倚待草”注[2]。

[2] **月闭** 见“296 败芒箔”注[4]。

[3] **风气羸瘦** 风气，《素问·风论》云：“风者百病之长也，至其变化，乃为他病，无常方，然致有风气也。”羸瘦，虚弱而消瘦。

[4] **癥瘕** 见“59 桑灰”注[2]。

350 帝休

主不愁，带之愁自消矣。生少室、嵩高山[1]。《山海经》[2]曰：少室山，有木，名帝休，其枝五衢[3]，黄花、黑实，服之不愁。今嵩山应有此木，人未识固可求之。亦如萱草之忘忧也。(《证类》页313，《大观》卷12页55，《纲目》页1482)

【校注】

[1] **少室、嵩高山** 两山皆在河南登封。

[2] **《山海经》** 见“239 零陵香”注[4]。

[3] **其枝五衢** 衢，《说文》曰：“四达谓之衢。”此处指分出岔枝。其枝分出五个岔枝。

351 河边木

令饮酒不醉[1]。五月五日，取七寸投酒中二遍，饮之，必能饮也。(《证类》页313，《大观》卷12页55，《纲目》页1481)

【校注】

[1] **令饮酒不醉** 《纲目》引“藏器曰”作“令人饮酒不醉”。

352 檀桓[1]

味苦，寒，无毒。主长生，神仙，去万病。末为散，饮服方寸匕，尽一枝有验。此百岁檗之根，如天门冬，长三四尺，别在一旁，以小根缀之，一名檀桓芝。《灵宝方》亦云[2]。(《证类》页313，《大观》卷12页55，《纲目》页1385)

【校注】

[1] **檀桓** 本条《纲目》并《本经》“檗木”中“檀桓”的主治文。《本经》“檗木”条云：“根，一名檀桓。”陶弘景注“檗木”云：“其根于道家入木芝品，今人不知取服之。”《本草图经》

云："檗木，黄檗也。根如松下茯苓作结块，名檀桓。"《纲目》云："《本经》但言黄檗名檀桓，陈藏器所说乃檗旁所生檀桓芝也，与陶弘景所说同。"

[2] **《灵宝方》亦云** 《纲目》作"出《灵宝方》"。

353 木蜜[1]

味甘，平，无毒。止渴，除烦，润五脏，利大小便，去膈上热，功用如蜜。树生南方，枝叶俱可啖，亦煎食如饴，今人呼白石木蜜；子名枳椇，味甜。《本经》[2]云木蜜，非此中汁如蜜也。崔豹《古今注》[3]云：木蜜生南方，合体甜软，可啖，味如蜜，老枝煎取，倍甜，止渴也。(《证类》页313，《大观》卷12页55，《纲目》页1313)

【校注】

[1] **木蜜** 为鼠李科植物枳椇的木，其果实名枳椇。《纲目》将本条并入"枳椇"条内。

[2] **《本经》** 此处《本经》是指《唐本草》。《唐本草》云："枳椇一名木蜜。"枳椇是《唐本草》新增药，《神农本草经》无枳椇、木蜜等名称。

[3] **崔豹《古今注》** 崔豹，西晋人，字正熊。晋惠帝时官至太傅。著有《论语集义》《古今杂注》。前者佚，后者简称《古今注》，书分舆服、都邑、音乐、鸟兽、鱼虫、草木、杂注、问答释义八类。唐宋类书多有节引。

354 朗榆皮[1]

味甘，寒，无毒。主下热淋，利水道，令人睡[2]。生山中，如榆皮，有滑汁，秋生荚如北榆[3]。陶公只见榆作注，为南土无榆也。(《证类》页313，《大观》卷12页55，《纲目》页1418)

【校注】

[1] **朗榆皮** 为榆科植物榔榆的皮，一名小叶榆，叶革质，椭圆。秋季开花结实。

[2] **令人睡** 嵇康《养生论》云："榆令人瞑。"

[3] **秋生荚如北榆** 《纲目》引"藏器曰"作"秋生荚，如大榆"。又云："大榆二月生荚，朗榆八月生荚，可分别。"

355 那耆悉

味苦，寒，无毒。主结热热黄[1]，大小便涩赤，丹毒[2]，诸热，明目，取汁

洗目，主赤烂热障[3]。生西南诸国。一名龙花也。（《证类》页313，《大观》卷12页56，《纲目》页1482）

【校注】

[1] **热黄** 是阳黄的一种，身黄、目黄、尿黄，兼见身热、烦渴，或躁扰不宁，或小便热痛赤涩，或大便闭结。

[2] **丹毒** 见“22 淬铁水”注[2]。

[3] **赤烂热障** 赤烂，指眼缘赤烂。眼睑边缘红赤溃烂，痒痛并作，有的睫毛脱落，甚至睑缘变形。热障，因郁热而生障翳，或生膜、胬肉等。自觉痛痒羞明，沙涩不适。

356 黄屑

味苦，寒，无毒。主心腹痛，霍乱[1]，破血[2]，酒煎服之。主酒疸[3]，目黄，及野鸡病[4]，热痢下血，水煮服之。从西南来者，并作屑，染黄用之，树如檀。（《证类》页313，《大观》卷12页56，《纲目》页1482）

【校注】

[1] **霍乱** 见“1 铜盆”注[2]。

[2] **破血** 见“26 石栏干”注[3]。

[3] **酒疸** 见“249 马兰”注[5]。

[4] **野鸡病** 即痔疾。见“183 益奶草”注[1]。

357 仙人杖[1]

味咸，平（一云冷），无毒。主哕气呕逆，辟痁[2]，小儿吐乳，大人吐食，并水煮服。小儿惊痫[3]及夜啼，安身伴睡，良。又主痔病，烧为末，服方寸匕，此是笋；欲成竹时立死者，色黑如漆，五六月收之，苦桂竹多生此。（《证类》页330，《大观》卷13页39，《纲目》页1480）

又别一种仙人杖，味甘，小温，无毒。久服长生，坚筋骨，令人不老，作茹食之，去痰癖[4]，除风冷。生剑南[5]平泽。叶似苦苣，丛生。陈子昂《观玉篇序》云：夏四月次于张掖[6]，河洲草木无他异者，皆仙人杖，往往丛生。予家世代服食者，昔尝饵之。及此行也，息意兹味，成人有荐嘉蔬者，此物存焉，岂非将欲扶吾寿也。（《证类》页330，《大观》卷13页39）

【校注】

[1] **仙人杖** 《拾遗》首载此药，《日华子》亦载之，《嘉祐本草》糅合两家文字为一体，收为正品。《本草图经》云："又按，枸杞一名仙人杖。而陈藏器《拾遗》别有两种仙人杖。一种是枯死竹竿之色黑者，一种是菜类，并此为三物而同一名也。"

[2] **痁** 《说文解字》段注："有热无寒之疟为痁。"《正字通》云："多日之疟为痁。"

[3] **惊痫** 见"208 风延母"注[3]。

[4] **痰癖** 见《诸病源候论·癖病诸候》。痰饮久停于胁肋间，出现胁肋疼痛，或肋下如弦绷急，时有水声，遇寒作痛，或痰多呕酸嘈杂。

[5] **剑南** 见"314 廉姜"注[4]。

[6] **张掖** 今甘肃张掖。

358 通脱木[1]

无毒。花上粉，主诸虫疮，野鸡病[2]，取粉内疮中。生山侧，叶似蓖麻，心中有瓤，轻白可爱，女工取以饰物。《尔雅》云：离南，活脱也。一本云：药草生江南，主虫病。今俗亦名通草。(《证类》页201，《大观》卷8页21，《纲目》页1043)

【校注】

[1] **通脱木** 为五加科植物通脱木。而《神农本草经》"通草"是马兜铃科植物木通马兜铃。《本草图经》云："通草，今人谓之木通。而俗间所谓通草，乃通脱木也。此木生山侧，叶如蓖麻，心空，中有瓤，轻白可爱，女工取以饰物。生江南，高丈许，大叶似荷而肥，茎中有瓤正白者是也。"

[2] **野鸡病** 即痔疾，见"183 益奶草"注[1]。

359 必栗香[1]

味辛，温，无毒。主鬼气[2]，煮服之。并烧为香，杀虫鱼。叶捣碎，置上流，鱼悉暴鳃，一名化木香[3]，詹香也。叶如椿，生高山，堪为书轴，白鱼不损书也。(《证类》页334，《大观》卷13页49，《纲目》页1369)

【校注】

[1] **必栗香** 《海药本草》云："主鬼疰心气，断一切恶气。叶落水中，鱼当暴死。"

[2] **主鬼气** 《纲目》引"藏器曰"作"鬼疰心气，断一切恶气"。按：此文原出《海药本草》，非陈藏器文。

[3] **化木香** 《纲目》作"花木香"。

360　榈木[1]

味辛，温，无毒。主破血[2]血块，冷嗽，并煮汁及热服。主安南[3]及南海[4]，人作床几，似紫檀而色赤。为枕令人头痛，为热故也。（《证类》页334，《大观》卷13页49，《纲目》页1420）

【校注】

[1] **榈木**　为豆科植物花榈木。《海药本草》云："按，《广志》云：生安南及南海山谷。胡人用为床坐，性坚好，主产后恶露冲心，癥瘕结气，赤白漏下，并剉煎服之。"

[2] **破血**　见"26 石栏干"注［3］。

[3] **安南**　见"209 大瓠藤水"注［2］。

[4] **南海**　见"331 鼠藤"注［6］。

361　研药[1]

味苦，温，无毒。主霍乱[2]下痢，中恶[3]腹内不调者服之。出南海[4]诸州，根如乌药，圆小树生也。（《证类》页334，《大观》卷13页49，《纲目》页1368）

【校注】

[1] **研药**　本条《纲目》列在"乌药"条的附录中，《海药本草》云："研药，叶如椒，主赤白痢，蛊毒，中恶，并剉煎服之。"《纲目》糅合《拾遗》《海药本草》两家文字为一体，注出处为"珣曰"（即《海药本草》）。

[2] **霍乱**　见"1 铜盆"注［2］。

[3] **中恶**　见"93 仰天皮"注［2］。

[4] **南海**　见"334 鼠藤"注［6］。

362　黄龙眼[1]

味苦，温，无毒。主解金药银药毒。以水研取半合，空心少少服，经二十许日差。出岭南[2]，状如龙眼，黄色也。（《证类》页334，《大观》卷13页50）

【校注】

[1] **黄龙眼**　《海药本草》云："功力胜解毒子也。"

[2] **岭南**　见"7 诸金有毒"注［2］。

363 箭杆及镞[1]

主妇人产后腹中痒，安所卧席下，勿令妇人知。(《证类》页335，《大观》卷13页50，《纲目》页1493)

【校注】

[1] **箭杆及镞** 《纲目》作“箭笴及镞”。按：箭笴即箭干。刘熙《释名》云：“矢谓之镝，本曰足，末曰栝，体曰干，旁曰羽。”镞即箭头。《外台秘要》治妇人难产，用箭干三寸，弓弦三寸，烧末，酒服。

364 元慈勒[1]

味甘，无毒。主心病流血[2]，合金疮[3]，去腹内恶血[4]，血痢下血，妇人带下[5]，明目，去障翳[6]，风泪胬肉[7]。生波斯国[8]，似龙脑香。(《证类》页335，《大观》卷13页50，《纲目》页1378)

【校注】

[1] **元慈勒** 本条《纲目》列在“龙脑香”条的附录中。《海药本草》云：“慈勒，树中脂也。味甘，平，消翳，破血，止痢，腹中恶血，今少有。”

[2] **心病流血** 中医的心，除指神志、心脏、血液外，亦指胃，胃居人体中心，有时亦以胃为心，习俗所谓心痛，多数是指胃痛。此外所言心病流血，实即胃病出血。

[3] **金疮** 即“2 铜青”注[2]。

[4] **恶血** 即瘀血变成的有害物。

[5] **带下** 见“282 地锦”注[4]。

[6] **障翳** 目珠生翳膜遮蔽眼睛，称为障翳。

[7] **风泪胬肉** 风泪，即迎风流泪。胬肉，眼睑或结膜上增生细小如弓臂的肉芽。

[8] **波斯国** 见“236 荜拨没”注[8]。

365 都咸子及皮叶[1]

味甘，平，无毒。主渴，润肺，去烦，除痰，火干作饮服之。生南方，树如李，徐表《南州记》云：都咸树，子大如指，取子及皮作饮，极香美。(《证类》页335，《大观》卷13页50，《纲目》页1312)

【校注】

[1] **都咸子及皮叶** 为漆树科植物的果实及皮、叶。《海药本草》云：“按，徐表《南州记》云：

生广南山谷。味甘，平，无毒。主烦躁心闷，痰鬲，伤寒清涕，咳逆上气，宜煎服。子食之香，大小如半夏。”《纲目》云：“按，嵇含《南方草木状》云：都咸树出日南（在越南清化省）。三月生花，仍连着实，木如指，长三寸，七八月熟，其色正黑。”

366 凿孔中木[1]

主难产，取入铁裹者[2]，烧末，酒服，下产也。(《证类》页335，《大观》卷13页50，《纲目》页1493)

【校注】

[1] **凿孔中木** 《纲目》作“凿柄木”。

[2] **取入铁裹者** 《纲目》作“取入铁孔中木”。又云：“女科有千椎草散，用凿柄承斧处打卷者，烧灰，淋汁饮。此亦取下往之义耳。”

367 栎木皮[1]

味苦，平，无毒。根皮主恶疮中风，犯毒露者，取煎汁洗疮[2]，当令脓血尽止，亦治痢[3]。南北揔有作柴[4]，亦云枥音同也。(《证类》页335，《大观》卷13页50，《纲目》页1294)

【校注】

[1] **栎木皮** 本条《纲目》并入“橡实”条内。《本草图经》云：“栎木高二三丈，三四月开黄花，八九月结实，其实为皂斗。”《尔雅》云：“栎，其实梂。”释曰：“栎似樗之木，梂盛实之房也。”

[2] **根皮主恶疮中风，犯毒露者，取煎汁洗疮** 《纲目》作“根皮主治恶疮，因风犯露致肿者，煎汁日洗。”

[3] **亦治痢** 《日华子》云：“栎树皮，平，无毒。治水痢，消瘰疬，除恶疮。”

[4] **南北揔有作柴** “揔”义同“皆”。南方北方皆有栎木当作柴烧。

368 省藤[1]

味苦，平，无毒。主蚘虫[2]，煮汁服之。又主齿痛，打碎口中含之。又取和米煮粥饲狗，去病[3]。生南地深山，皮赤如指，堪缚物，片片自解也。(《证类》页335，《大观》卷13页50，《纲目》页1056)

【校注】

[1] **省藤** 一名红藤。洪迈《夷坚志》云："赵子山苦寸白虫（绦虫）病，一日寓居邵武（今福建邵武）天王寺，夜半醉归，口甚渴，见庑间瓮水，连酌饮之，迨晓，虫出盈席，宿疾遂愈。视所饮水，乃寺仆织草履浸红藤根水。"

[2] **蚘虫** 出《金匮》，《内经》称"蛟蛕"，《诸病源候论》称"长虫"，俗称蛔虫。蛔虫病患儿多形体羸瘦，精神不安，面色㿠白，或黄白相间，或有虫斑，腹痛时作时止，呕吐清水，嗜食异物，夜间磨牙齿。

[3] **㾦** 即㾦疮。出《肘后方》。发于手足对称处，初为粟粒样，疮点瘙痒，散在或簇集分布，久则融合成片。抓破，浸淫出黄水为湿㾦疮，不出黄水为燥㾦疮。如反复发作，皮损粗糙肥厚，剧痒，经久不愈，称久㾦疮。

369 松杨木皮[1]

味苦，平，无毒。主水痢，不问冷热，取皮浓煎令黑，服一升。生江南林落间，大树，叶如梨，江西人呼为凉木[2]。松杨县[3]以此树为名也。（《证类》页335，《大观》卷12页50，《纲目》页1416）

【校注】

[1] **松杨木皮** 本条《纲目》并入《唐本草》"椋子木"条。《唐本草》云："椋子木，味甘，咸，平，无毒。主折伤，破恶血，养好血，安胎，止痛生肉。"又注云："椋子木，叶似柿，两叶相当，子细圆如牛李子，生青熟黑，其木坚重，煮汁赤色。"

[2] **凉木** 《尔雅》云："椋，来。"郭注云："椋材中车辋（车轮外周为辋）。"

[3] **松杨县** 今浙江遂昌东境。

370 杨栌耳[1]

平，无毒。主老血结块[2]，破血[3]，止血，煮服之。杨栌木上耳也，出南山。（《证类》页335，《大观》卷13页50，《纲目》页1242）

【校注】

[1] **杨栌耳** 为寄生于杨栌木上的木耳。《唐本草》云："杨栌木味苦，寒，有毒。主疽瘘恶疮，水煮叶汁洗疮，立差。生篱垣间，一名空疏，所在皆有。"

[2] **老血结块** 即瘀血。

[3] **破血** 见"26 石栏干"注［3］。

371 故甑蔽[1]

无毒。主石淋[2]，烧灰末服三指撮[3]，用水下之。又主盗汗[4]。书云止咸味[5]。（《证类》页335，《大观》卷13页51，《纲目》页1497）

【校注】

[1] **故甑蔽** 本条《纲目》并入《唐本草》“甑”条内。

[2] **石淋** 见“26 石栏干”注［2］。

[3] **三指撮** 见“62 灶突后黑土”注［2］。

[4] **盗汗** 出《金匮要略》。又称寝汗。指入睡后出汗，醒后即止。

[5] **书云止咸味** 《雷公炮炙论·序》云：“弊箅淡卤”。注云：“常使旧甑中箅，能淡盐味。”

372 梫木[1]

味苦，平，无毒。破产后血，煮服之。叶捣碎封蛇咬，亦洗疮癣[2]。树如石榴，叶细，高丈余，四月开花白如雪。生江东林筤间。（《证类》页335，《大观》卷13页51，《纲目》页1449）

【校注】

[1] **梫木** 梫，是桂的异名，《尔雅》疏：“梫，一名木桂。”郭璞注云：“今南人呼桂厚皮者为木桂。桂枝叶似枇杷而大，白华。”《本草图经》云：“其木高三四丈，多生深山。”本条梫木叶细，高丈余，当非桂的一类植物。

[2] **疮癣** 见250剪草注［2］。

373 象豆[1]

味甘，平，无毒。主五野鸡病[2]，蛊毒[3]，飞尸[4]，喉痹[5]，取子中仁，碎为粉，微熬，水服一二匕。亦和大豆澡面，去䵟[6]。生岭南山林，作藤著树，如通草藤，三年一熟，角如弓袋，子若鸡卵，皮紫色，剖中仁用之。一名榼子，一名合子。主野鸡病为上。（《证类》页335，《大观》卷13页51，《纲目》页1011）

【校注】

[1] **象豆** 即榼藤子。《日华子》《开宝本草》云：“榼藤子，味涩，甘，平，无毒。主蛊毒、五痔、喉痹，及小儿脱肛，血痢，并烧灰服。泻血宜服一枚，以刀刳内瓤，熬，研为散，空腹热酒调二

钱，不过三服必效。又宜入澡豆，善除皯䵳。其壳用贮丹药，经载不坏。按：《广州记》云：生广南山林间，树如通草藤也，三年方始熟，紫黑色，一名象豆。”

[2] **五野鸡病** 见“183 益奶草”注［1］。

[3] **蛊毒** 见“135 猪槽中水”注［2］。

[4] **飞尸** 见“149 草犀根”注［7］。

[5] **喉痹** 见“164 陈思岌”注［4］。

[6] **和大豆澡面，去皯** 象豆和大豆用以洗面，能去面上皯䵳。皯䵳见241 甘松香注［3］。

374 地主[1]

平，无毒。主鬼气心痛[2]，酒煮服一合。此土中古木腐烂者也。（《证类》页335，《大观》卷13页51，《纲目》页1481）

【校注】

[1] **地主** 本条《纲目》并入《别录》有名无用类“城东腐木”条内。

[2] **心痛** 出《内经》，为脘部和心前区疼痛的统称。脘部疼痛，多指胃脘痛。心前区疼痛，多指真心痛（见《灵枢·厥病》），包括现代所称的心绞痛。

375 腐木[1]

主蜈蚣咬，末和醋傅之，亦渍取汁傅咬处，良。（《证类》页335，《大观》卷13页51，《纲目》页1481）

【校注】

[1] **腐木** 本条《纲目》并入《别录》有名无用类“城东腐木”条内。

376 石刺木根皮

味苦，平，无毒。主破血[1]，因产血不尽结瘕者[2]，煮汁服。此木上寄生，破血神验，不可得[3]。生南方林筤间，江西人呼为靳刺，亦种为篱院，树似棘而大，枝上有逆钩也。（《证类》页335，《大观》卷13页51，《纲目》页1476）

【校注】

[1] **破血** 见“26 石栏干”注［3］。

[2] **因产血不尽结瘕者** 《纲目》作“产后余血结瘕”。

[3] **破血神验，不可得** 《纲目》作“神验不可言”。

377 枬木枝叶[1]

味苦，温，无毒。主霍乱[2]，煎汁服之。木高大，叶如桑，出南方山中。郭注《尔雅》云：枬（汝占切）[3]，大木，叶如桑也。（《证类》页335，《大观》卷13页51，《纲目》页1367）

【校注】

[1] **枬木枝叶** 木条《纲目》并入《别录》“楠材”条内。

[2] **霍乱** 见“1铜盆”注[2]。

[3] **枬（汝占切）** 枬，音南，即“楠”的异体字。楠木是常绿乔木，木材坚固，是贵重的建筑材料。可做船只、器物等。

378 息王藤

味苦，温，无毒。主产后腹痛，血露不尽[1]，浓煮汁服之。生岭南[2]山谷，冬月不凋。（《证类》页335，《大观》卷13页51，《纲目》页1057）

【校注】

[1] **血露不尽** 即恶露不尽，出《诸病源候论》，或因产后气虚，恶露色淡，质清稀，量多，兼见面色苍白，懒言，小腹空坠。或因余血未尽，恶露量少，淋漓涩滞不爽，色紫暗有块，伴有小腹痛。或因血热，恶露量多，色红，黏臭，面色潮红，脉细数。

[2] **岭南** 见“7诸金有毒”注[2]。

379 角落木皮

味苦，温，无毒。主赤白痢[1]，皮煮汁服之。生江西山谷，似茱萸[2]，独茎也。（《证类》页335，《大观》卷13页51，《纲目》页1482）

【校注】

[1] **赤白痢** 见“180地杨梅”注[2]。

[2] **茱萸** 茱萸分山茱萸、吴茱萸，此处仅言茱萸，难辨山、吴之异。古医方中所讲茱萸，多指吴茱萸。

380 鸩鸟浆

味甘，温，无毒。主风血羸老[1]，山人浸酒用，解诸毒，故曰鸩鸟浆。生江

南林木下，高一二尺，叶阴[2]紫色，冬不凋，有赤子如珠。(《证类》页336，《大观》卷13页52，《纲目》页1096)

【校注】

[1] **风血羸老** 泛指风病、血病、羸弱消瘦、衰老。

[2] **叶阴** 即叶的背面。

381 紫珠[1]

味苦，寒，无毒。解诸毒物，痈疽[2]，喉痹[3]，飞尸[4]，蛊毒[5]，毒肿，下瘘[6]，蛇虺、虫螫、狂犬毒[7]，并煮汁服。亦煮汁洗疮肿，除血长肤。一名紫荆，树似黄荆，叶小无丫，非田氏之荆也。至秋子熟正紫，圆如小珠，生江东林泽间。(《证类》页336、354，《大观》卷13页52，《纲目》页1459)

【校注】

[1] **紫珠** 本条文中说："一名紫荆，树似黄荆，叶小无丫"，《纲目》将《拾遗》"紫珠"并入"紫荆"条内。《日华子》云："紫荆木通小肠，皮梗同用，花功用亦同。"《开宝本草》云："紫荆木，味苦，平，无毒。主破宿血，下五淋，浓煮服之。今人多于庭院间种者，花艳可爱。"《本草衍义》云："紫荆木，春开紫花，甚细碎，共作朵生，出无常处，或生于木身之上，或附根上枝下直出花，花罢叶出，光紧微圆，园圃间多植之。"

[2] **痈疽** 见"263 朝生暮落花"注[2]。

[3] **喉痹** 见"164 陈思岌"注[4]。

[4] **飞尸** 见"149 草犀根"注[7]。

[5] **蛊毒** 见"135 猪槽中水"注[2]。

[6] **下瘘** 即痔瘘。见"176 孟娘菜"注[2]。

[7] **蛇虺、虫螫、狂犬毒** 蛇虺，见"234 青黛"注[2]。虫螫，即虫蜇，会释放毒素。狂犬，即疯狗，人被咬，即发狂犬病。

382 牛领藤

味甘，温，无毒。主腹内冷，腰膝疼弱，小便白数[1]，阳道乏[2]。煮汁浸酒服之。生岭南[3]高山，形褊[4]如牛领，取之阴干也。(《证类》页336，《大观》卷13页52，《纲目》页1057)

【校注】

[1] **小便白数** 小便清白而次数多，一般寒证多见之。

[2] **阳道乏** 指肾阳衰，性功能缺乏。

[3] **岭南** 见“7 诸金有毒”注［2］。

[4] **形褊** 褊，《说文》云：“衣小也。”小之称为褊，形褊即形小。

383 枕材[1]

味辛，小温，无毒。主咳嗽、痰饮[2]，积聚[3]，胀满，鬼气[4]，注忤[5]，煮汁服之。亦可作浴汤，浸脚气[6]及小儿疮疥[7]。生南海[8]山谷，作舸舡[9]，次于樟木。无药处用之也。（《证类》页 336，《大观》卷 13 页 52，《纲目》页 1368）

【校注】

[1] **枕材** 本条《纲目》并入《别录》“钓樟”条内。又云：“相如赋云：梗、楠、豫、章。颜师古注云：豫即枕木，章即樟木。二木生至七年，乃可分别。观此，则豫（枕木）即《别录》所谓钓樟者也。”按《纲目》所云，枕材即钓樟。但《嘉祐本草》注“钓樟”，引《拾遗》“樟材”释，则《嘉祐本草》认为樟材是钓樟。而《纲目》将《拾遗》“樟材”从“钓樟”条下拨出另立为“樟”条。是以《纲目》《嘉祐本草》两家对《拾遗》枕材、樟材持论互有出入。

[2] **痰饮** 见“226 离鬲草”注［5］。

[3] **积聚** 见“192 天竺干姜”注［3］。

[4] **鬼气** 见“104 车脂”注［1］。

[5] **注忤** 见“149 草犀根”注［8］。

[6] **脚气** 见“274 灵床下鞋履”注［2］。

[7] **疮疥** 即疥疮。《诸病源候论》已辨出其病原体为疥虫，其好发于手指缝、肘窝、腋下、小腹、腹股沟，呈针头大小丘疹，痒甚，体表常有抓痕和结痂。以抓后有无滋水为别，又有干疥、湿疥之分。

[8] **南海** 见“334 鼠藤”注［6］

[9] **舸舡** 舸即舟。《说文》云：“货狄刳木为舟，剡木为楫，以济不通。”舡即船。

384 鬼膊藤

味苦，温，无毒。主痈肿[1]，捣茎叶傅之。浸酒去风血。生江南林涧中，叶如梨，子如柤子[2]，山人亦名鬼薄者也。（《证类》页 336，《大观》卷 13 页 52，《纲目》页 1057）

【校注】

[1] **痈肿** 出《内经》。疮面浅而大者为痈。因发病部位不同，分为内痈、外痈。临证均有肿胀、焮热、红肿疼痛及成脓等症。

[2] **柤子** 柤即樝。《广韵》云："樝，似梨而酸。"《纲目》"樝子"条云："樝子乃木瓜之酢涩者，小于木瓜，色微黄，蒂、核皆粗，核中之子小圆也。"有人把樝当作山楂，实乃误解。

385 木戟[1]

味辛，温，无毒。主痃癖[2]气在脏腑。生山中，叶如栀子也。(《证类》页336，《大观》卷13页52，《纲目》页1439)

【校注】

[1] **木戟** 本条《纲目》列在"栀子"条的附录中。

[2] **痃癖** 见"59 桑灰"注[3]。

386 奴柘[1]

味苦，小温，无毒。主老血瘕[2]，男子痃癖[3]闷痞[4]，取刺和三棱草、马鞭草作煎如稠糖。病在心，食后服；在脐，空心服，当下恶物。生江南山野，似柘，节有刺，冬不凋。(《证类》页336，《大观》卷13页52，《纲目》页1443)

【校注】

[1] **奴柘** 为桑科植物小柘树。

[2] **老血瘕** 即瘀血块。

[3] **痃癖** 见"59 桑灰"注[3]。

[4] **闷痞** 指胸脘痞满胀闷，多因伤寒热病误用攻下药所致。

387 温藤

味甘，温，无毒。主风血积冷[1]，浸酒服之[2]。生江南山谷，不凋，著树生也。(《证类》页336，《大观》卷13页52，《纲目》页1057)

【校注】

[1] **风血积冷** 由风、血、积冷所致之症，如风寒湿及瘀所致痹痛。

[2] **浸酒服之** 《纲目》作"煮汁服"。

388 鬼齿

无毒。主中恶[1]注忤[2]，心腹痛。此腐竹根先入地者[3]，煮服之。亦名鬼针[4]。为其贼恶，隐其名尔。(《证类》页336，《大观》卷13页53，《纲目》页1480，《医心方》卷1页34，《本草和名》卷20)

【校注】

[1] **中恶** 见“93仰天皮”注[2]。

[2] **注忤** 见“149草犀根”注[8]。

[3] **腐竹根先入地者** 《医心方》引《拾遗》云：“鬼齿，一名鬼针，此腐竹根入地者。”

[4] **鬼针** 本书草部291鬼钗草，其异名亦称鬼针，与本条为同名异物。

389 铁槌柄

无毒。主鬼打[1]及强鬼排[2]突击人致恶者[3]。和桃奴、鬼箭等，丸服之。(《证类》页336，《大观》卷13页53，《纲目》页1493)

【校注】

[1] **鬼打** 见“19锻镢下铁屑”注[2]。

[2] **鬼排** 《肘后方》治卒得鬼击方云：“鬼击之病，得之无渐，卒着人，如以刀矛刺状，胸胁腹内绞急切痛，不可抑按，或即吐血，或鼻中出血，或下血，一名鬼排。”

[3] **人致恶者** 《纲目》作“人中恶者”。中恶，见“93仰天皮”注[2]。

390 古榇板[1]

无毒。主鬼气[2]，注忤[3]，中恶[4]，心腹痛，背急气喘，恶梦悸，常为鬼神所祟挠者，水及酒和东引桃枝煎服，当得吐下。古冢中棺木也，弥古者佳，杉材最良，千岁者通神，作琴底。《尔雅》注云：杉生江南，作棺埋之不腐。(《证类》页336，《大观》卷13页53，《纲目》页1481)

【校注】

[1] **古榇板** 榇，《说文》云：“棺也”。过去人死不火葬，把死人装入棺材里埋入土中。年久，棺材腐烂，其未腐棺板名古榇板。

[2] **鬼气** 见“104车脂”注[2]。

[3] **注忤** 见“149 草犀根”注［8］。

[4] **中恶** 见“93 仰天皮”注［2］。

391 慈母[1]

无毒。取枝叶炙黄香作饭，下气止渴，令人不睡。主小儿痰痞[2]。生山林间，叶如樱桃而小，树高丈余，山人并识之。(《证类》页336，《大观》卷13页53，《纲目》页1482)

【校注】

[1] **慈母** 《纲目》作“慈母枝叶”。

[2] **痰痞** 指痰气凝结所致痞证。症见胸中或胃脘痞塞满闷，胁肋痛，呕逆，心下有冷感，或发热，四肢麻木。

392 饭箩

烧作灰，无毒。主时行病后食劳[1]，取方寸匕服。南方人谓筐也。又篮耳烧作灰，末，傅狗咬疮。篮竹器也[2]。(《证类》页336，《大观》卷13页53，《纲目》页1498)

【校注】

[1] **主时行病后食劳** 《纲目》作“主治时行病后食，劳复”。两家引文含义不完全相同。《纲目》在句末增个“复”字，使文义改变。按：“时行病后食劳”，指患流行性病后，脾胃虚弱，为饮食损伤所致病证。《纲目》化裁为“时行病后食”，其义难解。

[2] **又篮耳……竹器也** 以上15字，《纲目》拔出另立一条，用“竹篮”为正名。

393 白马骨

无毒。主恶疮[1]。和黄连、细辛、白调、牛膝、鸡桑皮、黄荆等烧为末，淋汁取，治瘰疬[2]恶疮，蚀息肉[3]、白癜风[4]。以物揩破涂之。又单取茎叶煮汁服之，止水痢[5]。生江东[6]，似石榴而短小，对节。(《证类》页336，《大观》卷13页53，《纲目》页1482)

【校注】

[1] **恶疮** 见“20 铁锈”注［2］。

[2] **瘰疬** 见“6 水银粉”注 [4]。

[3] **息肉** 见“2 铜青”注 [3]。

[4] **白癜风** 见“58 自然灰”注 [2]。

[5] **水痢** 痢疾初起，便泄如水之状。其后逐渐出现便脓血，里急后重。其后若无便脓血，单纯便泄如水者则称为水泻。

[6] **江东** 见“23 铁爇”注 [2]。

394 紫衣[1]

味苦，无毒。主黄疸暴热，目黄沉重，下水癊[2]，亦止热痢[3]，煮服之。作灰淋取汁，沐头长发。此古木锦花也。石瓦皆有之。堪染褐，下水。《广济方》云：长发也。(《证类》页 336，《大观》卷 13 页 53，《纲目》页 1089)

【校注】

[1] **紫衣** 本条《纲目》列在“昨叶荷草”条附录中。

[2] **下水癊** 指下水湿癊黄。癊黄，症见身面、目、涕、唾俱黄，汗出染衣，尿色如豉汁。

[3] **热痢** 出《金匮要略》，指痢疾属热者。症见痢下赤白，伴有身热腹痛，里急后重，尿热赤，口渴，舌苔黄腻。

395 梳篦[1]

无毒。主虱病，煮汁服。虱病是活虱入腹为病，如癥瘕[2]者。又梳篦垢，主小儿恶气，霍乱[3]，水和饮之。(《证类》页 337，《大观》卷 13 页 53，《纲目》页 1494)

【校注】

[1] **梳篦** 刘熙《释名》云：“梳，其齿疏通也。篦，其齿细密相比也。”

[2] **癥瘕** 见“59 桑灰”注 [2]。《千金方》治啮虱成癥，用败梳、败篦各一枚，各破作两分。以一分烧研，以一分用水五升，煮取一升，调服，即下出。

[3] **霍乱** 见“1 铜盆”注 [2]。《千金方》治霍乱转筋入腹痛。用败木梳一枚烧灰，酒服。

396 倒挂藤[1]

味苦，无毒。主一切老血[2]，及产后诸疾结痛，血上欲死[3]，煮汁服。生深山，如悬钩有逆刺，倒挂于树，叶尖而长也。(《证类》页 337，《大观》卷 13 页 53，《纲目》页 1045)

【校注】

[1] **倒挂藤** 本条《纲目》列在“钓藤”条的附录中。

[2] **老血** 见“167 倚待草”注［2］。

[3] **血上欲死** 此指产后恶露不下，内有停瘀，上攻心胸，以致突发头晕，昏厥，不省人事。

397 故木砧[1]

一名百味，无毒。主人病后食劳复[2]，取发当时来参病人行止脚下土如钱许，男病左，女病右，和砧上垢，及鼠头一枚，无即以鼠屎三七，煮服之，神效。又卒心腹痛，取砧上垢，著人鞋履底悉穿。又枷几上屑，烧，傅吻上馋疮[3]。（《证类》页337，《大观》卷13页54，《纲目》页1497）

【校注】

[1] **故木砧** 砧即砧板，是垫在底下用以切肉、切菜，或捶东西，或砸东西用的。故木砧即用旧了的木砧。

[2] **主人病后食劳复** 指病后脾胃虚弱，因饮食所伤，使病复发。劳复，见“253 故缴脚布”注［2］。

[3] **吻上馋疮** 吻即口唇，馋疮，即口角生疮。此处指口唇口角皆有疮。

398 古厕木[1]

主鬼魅[2]传尸[3]、温疫[4]、罔两神等[5]。取木以太岁所在日时，当户烧熏之。又熏杖疮，冷风不入，以木于疮上熏之。厕筹[6]主难产及霍乱身冷，转筋[7]。于床下烧取热气彻上，亦主中恶鬼气[8]。此物虽微[9]，其功可录。（《证类》页337，《大观》卷13页54，《纲目》页1481）

【校注】

[1] **古厕木** 即粪坑上安置的木，供登厕用，其木年久者为古厕木。

[2] **鬼魅** 指怪物。《左传·左宣三年传》云：“螭魅罔两”。螭魅是传说中的山神。张衡《西京赋》云：“螭魅罔两，莫能逢旃。”

[3] **传尸** 出《外台秘要》卷13。亦名劳瘵、尸注、转注。指病程缓慢，互相传染的病。症见恶寒，潮热，咳嗽，咯血，自汗，盗汗，食少，消瘦，舌红，脉细数。可见于结核等病。

[4] **温疫** 出《素问·本病论》，指流行的急性传染病。《温疫论》云：“瘟疫初起，憎寒壮热，旋即但热不寒，头痛身疼，舌苔白如积粉，舌质红绛，脉数。”《疫疹一得》云：“温疫为病，壮热烦躁，头痛如劈，腹痛泄泻或见衄血、发斑、神志昏迷，舌绛苔焦。”

[5] **罔两神等** 罔两，《玉篇》云："罔两，水神也。如三岁小儿，赤黑色。"《淮南子·览冥训》云："浮游，不知所求；罔两，不知所注（流注）。"罔两神等，即传说中的水神作祟，使人致病。

[6] **厕筹** 即昔日粪坑、尿坑中的竹、木。

[7] **转筋** 见"107 热汤"注［3］。

[8] **中恶鬼气** 见"93 仰天皮"注［2］、鬼气，见"104 车脂"注［2］。

[9] **此物虽微** 指厕筹微贱。

399 桃掘[1]

无毒。主卒心腹痛，鬼疰[2]，破血[3]，恶气胀满[4]，煮服之。三载者良。桃性去恶，掘更辟邪，桃符[5]与桃掘同功也。(《证类》页337，《大观》卷13页54，《纲目》页1256)

【校注】

[1] **桃掘** 《纲目》作"桃橛"，列入"桃"条下，并注云："橛音掘，即杙也。人多钉于地上，以镇家宅，三载者良。"杙，即小木桩。《周礼·牛人》注："樴谓之杙，可以系牛。"杙本作弋，《说文》云："弋，橛也。"

[2] **鬼疰** 即鬼注。见"19 锻铁下铁屑"注［3］。

[3] **破血** 见"26 石栏干"注［3］。

[4] **恶气胀满** 《纲目》作"辟邪恶气胀满。"

[5] **桃符** 《东京赋》注云："上古有神荼与郁垒兄弟二人，桃树下阅百鬼，无道理者，缚以苇索而饲虎。今人作桃符板云：左神荼，右郁垒以此。"《典术》云："桃者五木之精，今之作桃符着门上，以压伏邪气。"《荆楚岁时记》云："正月一日，绘二神贴户左右，左神荼，右郁垒，俗谓之门神。"

400 梭头[1]

主失音不语，吃病者[2]，刺手心令痛，即语，男左女右。(《证类》页337，《大观》卷13页54，《纲目》页1794)

【校注】

[1] **梭头** 梭是织具，当织布机上纱的经线上下交叉运动时，梭具载纬纱往返运行于经线间，使纱织成布。梭具两端较尖，其尖处为梭头。

[2] **吃病者** 即口吃，说话时，出声连连顿促，不能成语。

401 救月杖[1]

主月蚀疮[2]及月割耳[3]，烧为灰，油和傅之。杖，即月蚀时，救月击物木也。人亦取月桂[4]子，碎，傅耳后月蚀疮。今江东诸处，每至四五月后晦，多于衢路间得之，大如狸豆，破之辛香。古老相传，是月中下也。山桂犹堪为药，况月桂乎？正应不的识其功耳。今江东处处有，不知北地何意独无，为当非月路耶，月感之矣。余杭[5]灵隐寺[6]僧云：种得一株，近代诗人多所论述。《汉武洞冥记》云：有远飞鸡，朝往夕还，常衔桂实归于南土，所以北方无，南方月路所以有也。（《证类》页337，《大观》卷13页54，《纲目》页1793）

【校注】

[1] **救月杖** 即月蚀时，用杖击物。古人以为此可救月，使月不被蚀掉。

[2] **月蚀疮** 见“84寡妇床头尘土”注[1]。

[3] **月割耳** 是月蚀疮范围较小者，专指耳后折缝间皮肤潮红，湿烂作痒，搔破则出血水淋漓，甚者耳后间折缝裂开，状如刀割，称为月割耳。

[4] **月桂** 即樟科植物月桂。《纲目》将“月桂”从“救月杖”条中拨出，单独另立为条，注出《拾遗》，并释云：“吴刚伐月桂之说，起于隋唐小说。月桂落子之说，起于武后（公元684—704）之时。《唐书》云：垂拱四年（688）三月，有月桂子降于台州（今浙江临海）。”

[5] **余杭** 唐代余杭在杭州西南，今称旧余杭。现代的余杭县在杭州东北沪杭线上。

[6] **灵隐寺** 在浙江灵隐山，晋僧慧理建。山门额曰“绝胜觉场”。传为葛洪所书。内有四塔，皆吴越王建。明初毁，后重建。清康熙间，赐名云林寺。

402 地龙藤

味苦，无毒。主风血羸老[1]，腹内及腰脚诸冷，食不作肌肤[2]，浸酒服之。生天目山[3]，蟠屈如龙，故号地龙藤。其绕树木生似龙，所生与此颇同，小有异耳，吴中[4]亦有也。（《证类》页337，《大观》卷13页54）

【校注】

[1] **风血羸老** 指风病、血病、羸瘦虚弱，衰老。

[2] **食不作肌肤** 《纲目》作“食不调，不作肌肤”。即吃了不长肉。

[3] **天目山** 在浙江省西北部，其中西天目山海拔达1507米。

[4] **吴中** 江苏吴县，古称吴中。

403 火槽头[1]

主蝎螫，横井上立愈。上立炭，主金疮[2]，刮取傅疮上，止血，生肉。带之辟邪恶鬼[3]。带火纳水底，取得水银着出。（《证类》页337，《大观》卷13页55，《纲目》页1492）

【校注】

[1] **火槽头** 《纲目》作“拨火杖”。

[2] **金疮** 见“2 铜青”注 [2]。

[3] **恶鬼** 因历史条件限制，古人对一些病因不明的疾病认为是鬼作祟引起。其作祟最凶者，称为恶鬼。

404 郁金香[1]

味苦，平，无毒。主一切臭，除心腹间恶气[2]鬼疰[3]，入诸香药用之。生大秦国[4]，花如红蓝花，即是香也。《说文》[5]：郁香，芳草也。十二叶为贯，捋以煮之，用为鬯[6]，为百草之英，合而酿酒，以降神也。(《证类》页 331，《大观》卷 13 页 41，《纲目》页 827)

【校注】

[1] **郁金香** 本条《开宝本草》收为正品，列在木部。《嘉祐本草》沿袭《开宝》旧例，亦列入木部。但《拾遗》文中有“百草之英”的话。掌禹锡说：“以此言之，则草也，不当附于木部。”《纲目》将本品列入草部。今郁金香为百合科植物郁金香，非姜科植物郁金。前者芳香，后者不香。《证类本草》“郁金”条，引《说文》“郁，芳草……”及《周礼》郁人凡祭祀之祼，用“郁鬯”等来释郁金，可疑。

[2] **恶气** 见“34 砺石”注 [4]

[3] **鬼疰** 见“19 锻镬下铁屑”注 [3]。

[4] **大秦国** 见“205 兜纳香”注 [3]。

[5] **《说文》** 即《说文解字》，是中国第一部分析字形、探求文字本义的汉字字典。正文 14 卷，叙目 1 卷。东汉·许慎撰。书成于永元十二年（100），建光元年（121）许慎病中，其子许冲献书于安帝。本书以小篆为字头，加以注释。原本经后人篡改，已不可见。今通行本是宋·徐铉等校定之大徐本。其书文字十分简奥，难读难懂。可参考清代注解本，如段玉裁《说文解字注》、桂馥《说文解字义证》、王筠《说文句读》、朱骏声《说文通训定声》等。

[6] **鬯** 音畅。《说文》云：“以黑黍酿郁草，芬芳攸服，以降神也。”段玉裁注：“鬯，酿秬（黑黍）为酒，芬芳条畅。”

405 紫藤[1]

味甘，微温，有小毒。作煎如糖，下水良。花挼碎，拭酒醋白腐坏[2]。子作角，其中仁熬令香，着酒中，令不败酒，败者用之亦正。四月生紫花可爱，人亦种之，江东呼为招豆藤，皮着树，从心重重有皮。主水癊病[3]。京都人[4]亦种之，

以饰庭池。(《证类》页332,《大观》卷13页43,《纲目》页1056)

【校注】

[1] **紫藤** 为豆科植物紫藤。

[2] **酒醋白腐坏** 唐代以谷物和曲制酒醋,当时无蒸馏法,仅取其汁液。汁液中杂质多,易污染微生物而发白腐坏。

[3] **水瘾病** 即水瘾。见“394 紫衣”注[2]。

[4] **京都人** 唐代都陕西长安。此处京都人即指长安人。

406 山枣树[1]

如棘,子如生枣,里有核如骨,其肉酸滑,好食,山人以当果。(《证类》页298,《大观》卷12页22,《纲目》页1440)

【校注】

[1] **山枣树** 文献上所讲酸枣仁树,分乔木、灌木两种。陈藏器引嵩阳子曰:“余家于滑台(今河南滑县),今酸枣县(今河南延津)即滑之属邑,其地名酸枣焉。其树高数丈,径围一二尺,木理极细,坚而且重,其树皮亦细,文似蛇鳞。其枣圆小而味酸,其核微圆,其仁稍长,色赤如丹。此医所重。”以上所云,当是乔木。陈藏器又云:“山枣树如棘,子如生枣……”。按:棘是灌木,以上所云,山枣树当是灌木。《本草图经》重述陈氏乔木、灌木之文,并云:“今市之货酸枣仁皆棘实耳。”《本草衍义》认为酸枣仁树只有一种,因生长环境不同所致,并云:“小则为棘,大则为酸枣。棘生崖堑难长,生平地易长。久不樵(砍)则成干,人方呼为酸枣。其实一本。此物三尺便开花结子。陕西临潼山野所出亦好。后有‘白棘’条,是酸枣未长大时枝上刺,及至长成,其刺亦少。”现代研究认为《本经》酸枣仁、白棘,《别录》棘刺花都是鼠李科植物酸枣。《别录》云:“酸枣主烦心不得眠”。陶弘景云:“今出东山间,云即是山枣树,子似武昌枣,而味极酸,东人啖之以醒睡,与此疗不得眠正反矣。”《五代史·后唐刊石药验》云:“酸枣仁,睡多生使,不得眠炒熟。”

407 墨[1]

温。(《证类》页328,《大观》卷13页31,《纲目》页586)

【校注】

[1] **墨** 《本草衍义》云:“墨,松之烟也。世有以粟草灰伪为者,不可用,须松烟墨方可入药。然惟远烟为佳。又鄜(今陕西富县)、延(今陕西延安)界内有石油,燃之烟甚浓,可为墨,黑光如漆,不可入药。”《开宝本草》云:“墨,味辛,无毒。止血,生肌肤,合金疮。主产后血晕、崩中,卒下血,醋磨服之。亦主眯目,物芒入目,磨点瞳子上。又止血痢及小客忤,捣筛和水,温服

之。好墨入药，粗者不堪。”

408 相思子[1]

平，有，小毒。通九窍[2]，治心腹气，令人香，止热闷，头痛风痰[3]，杀腹脏及皮肤内一切虫。又主蛊毒[4]，取二七枚末服，当吐出。生岭南[5]，树高丈余，子赤黑间者佳[6]。(《证类》页321,《大观》卷13页16,《纲目》页1426)

【校注】

[1] **相思子** 为豆科植物相思子。本条主治文，《纲目》里对相思子药名注出典为《纲目》。但唐代《拾遗》对本品早有记载。

[2] **九窍** 头部面部七窍，两耳、两目、两鼻孔、一口，加前、后阴，合为九窍。

[3] **头痛风痰** 指痰在肝经，头痛眩晕头风，胸胁满闷，便溺秘涩，时有躁怒，痰青多泡沫，面青脉弦。

[4] **蛊毒** 见“135 猪槽中水”注［2］。

[5] **岭南** 见“7 诸金有毒”注［2］。

[6] **子赤黑间者佳** 《纲目》云：“相思子生岭南，树高丈余，白色，其叶似槐，其花似皂荚，其荚似扁豆。其子大如小豆，半截红色，半截黑色，彼人以嵌首饰。”又云：“按，《古今诗话》云：相思子圆而红。故老言：昔有人殁于边，其妻思之，哭于树下而卒，因以名之。”

409 椰子[1]

理水。《广志》[2]曰：汁有余清如水，美如蜜，可食之。(《证类》页353,《大观》卷14页35,《纲目》页1308)

【校注】

[1] **椰子** 为棕榈科植物椰子。《海药本草》云：“按，《交州记》云：生南海，状如海棕，实名椰子，大如碗，外有粗皮，内有浆似酒，饮之不醉。主消渴、吐血、水肿，去风热，云南者亦好。”《开宝本草》云：“椰子皮，味苦，平，无毒。止血，疗鼻衄，吐逆，霍乱，煮汁服之。壳中肉，益气去风。浆服之，主消渴，涂头益发令黑。生安南。”《本草图经》云：“木似桄榔，无枝条，高数丈。叶在木末如束蒲。实大如瓠，垂于枝间如挂物。实外有粗皮如棕包。次有壳，圆而且坚。里有肤至白如猪肪，厚半寸许，味亦似胡桃。肤里有浆四五合如乳，饮之冷而氛醺。人多取壳为器。”

[2] **《广志》** 见“150 薇”注［5］。

410 益智子[1]

止呕哕。《广志》云：叶似蘘荷，长丈余，其根上有小枝，高八九寸，无叶萼，子丛生，大如枣，中瓣黑，皮白，核小者名益智，含之摄涎秽[2]。出交趾。（《证类》页353，《大观》卷14页33，《纲目》页813）

【校注】

[1] **益智子** 为姜科植物益智。本条《纲目》引“藏器曰”的文字，糅合了《本草图经》、顾微《广州记》两家的文字，实非陈藏器之文。

[2] **含之摄涎秽** 益智子能开胃摄涎唾。配陈皮、半夏、茯苓、白术合用，虚加党参、甘草。此方加干姜，可治胃寒腹痛吐泻。

411 桄榔子[1]

《华阳国志》[2]云：郡少谷，取桄榔面，以牛酪食之。《临海志》曰：桄榔木[3]，作芟锄，利如铁，中湿更利，惟中蕉根破之，物之相伏如此。其中有似米粉，中作饼饵，食之得饱。（《证类》页348，《大观》卷14页24，《纲目》页1309）

【校注】

[1] **桄榔子** 为棕榈科植物桄榔。《海药本草》云：“按，《岭表录》云：生广南山谷，树身、皮、叶与蕃枣、槟榔等小异，然叶下有发，如粗马尾，广人用织巾子。木皮内有面，食之极有补益虚羸乏损、腰脚无力。久服轻身辟谷。”《开宝本草》云：“桄榔子，味苦，平，无毒。主宿血。其木似栟榈坚硬，斫其内有面。大者至数斛，食之不饥。其皮堪作绠（汲井水用的绳索）。生岭南山谷。”《本草图经》云：“桄榔叶下须，尤宜咸水浸渍，即粗胀而韧，故人以此缚舶。木性如竹，紫黑色有文理。又，其木刚，作芟锄利如铁，中湿更利，惟中蕉根致败耳。”

[2] **《华阳国志》** 东晋·常璩撰。书成于东晋永和十年（354）。记梁、益、宁三州（四川、陕西汉中、云南一部分）地理历史。起远古，到东晋永和三年（347）。全书12卷，前4卷记地理，后8卷记历史。今存有四部丛刊丛书本。

[3] **《临海志》曰：桄榔木** 《纲目》作“按，《临海异物志》云：姑榔木（指桄榔木）生牂牁山谷。外皮有毛如棕榈而散生”。

412 檏木[1]

皮中亦有白粉，如白米，干捣之，水淋屑者，可作面饼。《吴都赋》[2]云：文欀桢橿是也。

【校注】

[1] **檏木** 《拾遗》原并在“桄榔子”条中，今拨出单立为一条。《纲目》将“檏木”作“莎

木面”的异名。

[2] **《吴都赋》** 见“245 水松”注 [2]。

413 莎木面[1]

温，补。久服不饥长生。生岭南[2]山谷。大者四五围，面数斛，土人取次为饼。《蜀志》曰：莎木高大，生山肤岭、南中。《八郡志》曰：莎木皮出面，大者百斛，色黄，鸠人部落食之。《广志》[3]曰：树多枝，叶如鸟翼。其面色白。树收面不过一斛，捣筛如面，则不磨屑为饭。(《证类》页 348，《大观》卷 14 页 24，《纲目》页 1310)

【校注】

[1] **莎木面** 《拾遗》原并在“桄榔子”条中，今拨出单立为一条。《纲目》亦独立为条，并注出典为《海药》。按：《海药》仅讲桄榔子，未言及莎木面。

[2] **岭南** 见“7 诸金有毒”注 [2]。

[3] **《广志》** 见“150 薇”注 [5]。

414 无患子[1]

有小毒，主浣垢[2]，去面皯[3]，喉闭[4]，飞尸[5]，研内喉中立开。子中仁，烧令香，辟邪恶气[6]。子黑如漆珠子。深山大树，一名噤娄，一名桓。桓，患字声讹也[7]。《博物志》[8]云：桓叶似柳，子核坚正黑，可作香缨用，辟恶气，浣垢。《古今注》[9]云：程雅问栌木曰：无患何也？答曰：昔有神巫，曰瑶眊，能符，劾百鬼，得鬼则以此木为棒，棒杀之。世人相以为器，用厌鬼，故曰无患也。《纂文》云：无患名噤娄，实好去垢，今僧家贯之为念珠，红底为也[10]。(《证类》页 350，《大观》卷 14 页 29，《纲目》页 1408)

【校注】

[1] **无患子** 为无患子科植物无患树。

[2] **浣垢** 洗濯衣垢污物。

[3] **面皯** 即面䵟黵。多因肾亏血虚所致。《集简方》洗面去䵟，将无患子肉皮捣烂，入白面和，丸大丸，每日用洗面，去垢及黵甚良。

[4] **喉闭** 即喉痹。见“164 陈思岌”注 [4]。

[5] **飞尸** 见“149 草犀根”注 [7]。

[6] **恶气** 见“34 砺石”注 [4]。

[7] **桓，患字声讹也** 桓即患。《山海经》云："秩周之山，其木多桓。"郭璞注云："叶似柳，皮黄不错。子似楝，着酒中饮之，辟恶气，浣衣去垢。核坚正黑。"按郭璞所注，桓即无患子。

[8] **《博物志》** 见"29 石漆"注 [2]。

[9] **《古今注》** 亦名《古今杂注》《古今杂记》，西晋·崔豹撰。崔豹，字正熊，燕人（今北京市），惠帝时官至太傅。本书分舆服、都邑、音乐、鸟兽、虫鱼、草木、杂注、问答释义八类。

[10] **红底为也** 无患子核坚正黑，《开宝本草》云："子如漆珠"。《本草衍义》云："无患子，今释子（指和尚）取以为念珠，出佛经，惟紫红色小者佳。"即从黑的无患子中，选择紫红的为念珠。

415 胡颓子[1]

熟赤酢涩，小儿食之当果子，止水痢。生平林间，树高丈余，叶阴白，冬不凋，冬花春熟，最早诸果。茎及叶煮汁饲狗，主瘑[2]。（《证类》页 326，《大观》卷 13 页 29，《纲目》页 1444）

【校注】

[1] **胡颓子** 为胡颓子科植物胡颓子。《雷公炮炙论·序》云："凡使勿用雀儿苏，真似山茱萸，只是核八棱。"《纲目》云："雀儿苏，即胡颓子也。其树高六七尺，其枝柔软如蔓。其叶微似棠梨，长狭而尖，面青背白，俱有细点如星，老则星起如麸，经冬不凋。春前生花朵如丁香，蒂极细，倒垂，正月乃敷白花，结实小长，俨如山茱萸，上亦有细星斑点，生青熟红，立夏前采食，酸涩。核亦如山茱萸，但有八棱。"

[2] **瘑** 即瘑疮。见"368 省藤"注 [3]。

416 木半夏[1]

与胡颓子大相似，冬凋春实，夏熟，无别功。根，平，无毒。根皮煎汤，洗恶疮疥[2]，并犬马瘑疮。（《证类》页 326，《大观》卷 13 页 29，《纲目》页 1444）

【校注】

[1] **木半夏** 《纲目》云："木半夏，树、叶、花、实及星斑气味，并与卢都（南人呼胡颓子名卢都）同；但枝强硬，叶微团而有尖，其实圆如樱桃而不长为异。立夏后始熟。其核亦八棱，大抵是一类二种也。"

[2] **恶疮疥** 即恶疮、疮疥。恶疮，见"20 铁锈"注 [2]。疮疥，见"383 枕材"注 [7]。

417 梂子根[1]

浓煮浸痔有验；烧末服，亦主痔病[2]，又，《尔雅》云：栎实，梂也，其子房，生为梂。又，赤爪木[3]一名羊梂，一名鼠查梂，此乃名同耳。梂似小柤而赤，人食之。生高原。（《证类》页318，《大观》卷13页8，《纲目》页1322）

【校注】

［1］**梂子根** 本条《嘉祐本草》引《拾遗》作为“吴茱萸”的注释文。

［2］**痔病** 见“247 干苔”注［2］。

［3］**赤爪木** 见“843 赤爪木”条。

418 蒳子[1]

小槟榔也，生收，火干，中无仁者，功劣于槟榔[2]。顾微《广州记》云：山槟榔，形小而软细。蒳子，土人呼为槟榔孙。（《证类》页319，《大观》卷13页11，《纲目》页1305）

【校注】

［1］**蒳子** 《本草经集注》云：“槟榔有三四种，出交州（今越南河内），形小而味甘。广州（今广东广州）以南者，形大而味涩，核亦大者名猪槟榔，作药皆用之。又有小者，南人名蒳子，俗人呼为槟榔孙。”《本草图经》云：“有小而味甘者名山槟榔。有大而味涩、核亦大者名猪槟榔。最小者名蒳子。”《纲目》引《竺法真罗山疏》云：“山槟榔一名蒳子，生日南（今越南清化），树似栟榈而小，与槟榔同状。一丛十余干，一干十余房，一房数百子。子长寸余，五月采之，味近苦甘。”

［2］**中无仁者，功劣于槟榔** 从这句话看，蒳子主治功用与槟榔同。《别录》云：“槟榔主消谷，逐水，除痰澼，杀三虫、伏尸，疗寸白。”

419 五倍子[1]

治肠虚泄痢[2]，熟汤服。（《证类》页333，《大观》卷13页47，《纲目》页1511页）

【校注】

［1］**五倍子** 《本草图经》云：“今以蜀中（四川）者为胜，生肤木叶上，七月结实，无花，其木青黄色，其实青，至熟而黄，大者如拳，内多虫，九月采曝干。”《纲目》云：“虽知生于肤木之上，不知其乃虫所造也。此木生丛林处，五六月有小虫如蚁，食其汁，老则遗种，结小球于叶间。初起甚小，渐渐长坚，其大如拳，或小如菱，形状圆长不等。初时青绿，久则细黄，缀于枝叶，宛若结成。其壳坚脆，其中空虚，有细虫如蠛蠓。山人霜降前采取，蒸杀货之。否则虫必穿坏，而壳薄且腐矣。皮工造为白药煎（五倍子同茶叶酿成）以染皂。”《开宝本草》云：“五倍子味苦、酸，平，无毒。疗齿宣疳䘌，肺脏风毒流溢皮肤，作风湿癣疮瘙痒浓水，五痔下血不止，小儿面鼻疳疮。”

［2］**治肠虚泄痢** 五倍子性收敛，能涩肠止泻，涩精缩尿，固崩止血，敛汗止汗，敛肺止咳，敛

皮肤湿烂，收水，亦可收敛子宫下垂、脱肛。

420 盐麸子[1]

主头风白屑[2]，效。蜀人谓之酸桶，《博物志》[3]云：酸桶七月出穗，蜀人谓之主音穗，上有盐著，可为羹，亦谓之酢桶矣。吴人谓之为盐也[4]。（《证类》页355，《大观》卷14页38页，《纲目》页1325）

【校注】

［1］**盐麸子** 为漆树科植物盐肤木。《开宝本草》云："盐麸子味酸，微寒，无毒。除痰饮瘴疟，喉中热结喉痹，止渴，解酒毒、黄疸、飞尸、蛊毒、天行寒热、痰嗽，变白生毛发。取子干捣为末食之。岭南人将以防瘴。"又云："树白皮主破血，止血，蛊毒，血痢。杀蛔虫，并煎服之。"又云："根白皮主酒疸，捣碎，米泔浸一宿，平旦空腹温服一二升。叶如椿，生吴、蜀山谷。子秋熟为穗，粒如小豆，上有盐似雪，食之酸咸，止渴，一名叛奴盐。"

［2］**头风白屑** 即白屑风。头皮有弥漫而均匀的糠秕干燥白屑，搔抓时脱落，落而又生，自觉痒甚，日久头发易落。即干性及脂溢性皮炎。

［3］**《博物志》** 见"29 石漆"注［2］。

［4］**盐麸子……吴人谓之为盐也** 《纲目》引"藏器曰"："吴人谓之盐麸，戎人谓之木盐"，《证类》《大观》无此文。又，《纲目》引《开宝本草》文，注出典为"藏器曰"。

421 柞木皮[1]

味苦，平，无毒。治黄疸病[2]，皮烧末，服方寸匕。生南方，叶细，今之作梳者是。（《证类》页359，《大观》卷14页48，《纲目》页1463）

【校注】

［1］**柞木皮** 为大风子科植物柞木的树皮。《纲目》云："此木高者丈余。叶小而有细齿，光滑而韧。其木及叶丫皆有针刺，冬不凋。五月开碎白花，不结子。其木心理皆色白，质坚韧，可为凿柄。俗名凿子木。"

［2］**黄疸病** 出《内经·平人气象论》。亦称黄瘅。症见身黄、目黄、小便黄。

422 黄栌

味苦，寒，无毒。除烦热，解酒疸[1]，目黄，煮服之。亦洗汤火漆疮[2]及赤眼[3]。堪染黄。生商洛[4]山谷，叶圆，木黄。川界甚有之[5]。（《证类》页359，《大观》卷14页48，《纲目》页1386）

【校注】

[1] **酒疸** 见“249 马兰”注[5]。

[2] **漆疮** 见“316 漆姑草”注[2]。

[3] **亦洗汤火漆疮及赤眼** 《纲目》注此文出典为“时珍”。按《大观》《证类》所注，此文出典当是“陈藏器”。

[4] **商洛** 今陕西丹凤商洛镇。

[5] **川界甚有之** 《纲目》作“四川界甚有之”。

423 棕榈子[1]

平，无毒。涩肠，止泻痢[2]肠风[3]，崩中[4]带下[5]，及养血。皮，平，无毒。止鼻洪[6]吐血，破癥[7]，治崩中带下，肠风赤白痢。入药烧灰用，不可绝过[8]。(《证类》页359，《大观》卷14页49，《纲目》页1421)

【校注】

[1] **棕榈子** 为棕榈科植物棕榈的果实。《本草图经》云：“棕榈亦曰栟榈，出岭南及西川，江南亦有。木高一二丈，无枝条。叶大而圆，岐生木端，有皮相重被于四旁，每皮一匝为一节，二旬一采，转复生上。六七月生黄白花，八九月结实，作房如鱼子，黑色。九月十月采其木皮用。”《本草衍义》云：“棕榈每岁剐取棕皮，不尔束死。”

[2] **泻痢** 为泄泻与痢疾的通称。为夏秋季常见的急性肠道疾患。

[3] **肠风** 指痔出血，或其他原因所致大便下血。

[4] **崩中** 妇女不在经期，忽然阴道大量出血，为崩。若是持续淋漓不断地出血，称为漏。来势急，血量多为崩；来势缓，淋漓不断为漏。

[5] **带下** 见“282 地锦”注[4]。

[6] **鼻洪** 见“248 地笋”注[2]。

[7] **癥** 见“59 桑灰”注[2]。

[8] **入药烧灰用，不可绝过** 棕榈性收涩，止各种出血，如吐血、衄血、尿血、大便下血、崩漏，以陈者为佳。一般炒成炭用。单用有效。配血馀炭、莲蓬炭、藕节、旱莲草等合用，其效更佳。如因血热、气虚所致出血，仍应作适当的配伍。血热出血，应与丹皮、白茅根、大小蓟、侧柏叶合用。气虚下部出血，应与补气升提药合用。对崩中漏下，与黄芪、苎麻根、荆芥穗炭、煅牡蛎、乌贼骨等合用，其疗效更佳。

424 榄子[1]

味辛辣如椒。主游蛊[2]飞尸[3]著喉口者。刺破，以子揩之，令血出，当下涎沫。煮汁服之，去暴冷腹痛，食不消，杀腥物。木高大，茎有刺。(《证类》页359，《大观》卷14页48，《纲目》页1325)

【校注】

[1] **桅子** 本条《纲目》并入"食茱萸"条内。《本草图经》云："桅子出闽中（今福建）、江东（今江苏、安徽南部），其木似樗，茎间有刺。子辛辣如椒。主游蛊、飞尸及腹冷。南人腌藏以作果品，或以寄远。《吴越春秋》云：'越以甘蜜丸桅报吴增封之礼'，然则揽之相赠尚矣。"《纲目》认为桅子即食茱萸。

[2] **游蛊** 见"197 海根"注[7]。

[3] **飞尸** 见"149 草犀根"注[7]。

425　木槿[1]

平，无毒。止肠风泻血[2]，又主痢后热渴。作饮服之，令人得睡。入药妙用。取汁，度丝使易络。花，凉，无毒。治肠风泻血，并赤白痢[3]，炒用。作汤代茶吃，治风。(《证类》页359，《大观》卷14页49，《纲目》页1460)

【校注】

[1] **木槿** 为锦葵科植物木槿。《拾遗》首载此药，其后《日华子》亦收之，《嘉祐本草》糅合两家文字为一体，录为正品。目前无法一一甄别两家文字的出处。《纲目》注本条的正名出典为"日华"，对条文注出典为"藏器"。《本草衍义》云："木槿如小葵，花淡红色，五叶成一花，朝开暮敛。花与枝两用。湖南、北人家多种植为篱障。"

[2] **肠风泻血** 肠风泻血，多因痔疮引起。《直指方》治痔疮肿痛，以木槿根煎汤，先熏后洗。

[3] **治肠风泻血，并赤白痢** 《济急方》治下痢，将红木槿花去蒂，阴干为末。先煎面饼二个，蘸末食之。

426　柘木[1]

味甘，温，无毒。主补虚损。取白皮及东行根白皮，煮汁酿酒，主风虚耳聋[2]，劳损虚羸瘦，腰肾冷，梦与人交接泄精者，取汁服之。无刺者良。木主妇人崩中[3]血结[4]及主疟疾[5]，兼堪染黄。(《证类》页359，《大观》卷14页48，《纲目》页1433)

【校注】

[1] **柘木** 为桑科植物柘树。《拾遗》首载此药，《日华子》亦著录之，《嘉祐本草》糅合两家文

字为一体，收为正名，目前无法甄别出各家的文字。《本草衍义》云："柘木里有文，可旋为器。叶饲蚕曰柘蚕。叶梗然，不及桑叶。"

[2] **主风虚耳聋** 《本草衍义》云："柘木东行根及皮煮汁酿酒，治风虚耳聋有验。"《圣惠方》治耳鸣耳聋，用柘根二十斤，菖蒲五斗，水一石（担），煮取汁五斗。铁二十斤锻赤，以水五斗浸取清。合水一石五斗，用米二石，曲二斗，酿酒成，用真磁石三斤为末，浸酒中三宿，日夜饮之，取小醉而眠。

[3] **崩中** 见"423 棕榈子"注[4]。

[4] **血结** 即瘀血。

[5] **疟疾** 《内经·疟论》称为疟、痎疟。《金匮要略》称疟病。指以间歇性寒战、高烧、出汗为特征的疾病。古人观察到本病多发于夏秋季节及山林多蚊地带。

427 扶移木皮[1]

味苦，平，有小毒。去风血脚气[2]疼痹[3]，踠损[4]瘀血，痛不可忍，取白皮火炙，酒浸服之。和五木皮[5]煮作汤，捋[6]脚气疼肿，杀瘃（陡玉切）虫风瘙[7]。烧作灰，置酒中，令味正，经时不败。生江南山谷，树大十数围，无风叶动，华反而后合。《诗》[8]云：棠棣之华，偏其反而。郑注[9]云：棠棣，移也，亦名移杨。崔豹云：移杨圆叶弱蒂，微风大摇。（《证类》页357，《大观》卷14页42，《纲目》页1416）

【校注】

[1] **扶移木皮** 扶移，亦名移杨、棠棣（唐棣）。扶移木皮为蔷薇科植物唐棣树木皮。《拾遗》首载此药，《嘉祐本草》收为正品。

[2] **脚气** 见"274 灵床下鞋履"注[2]。

[3] **疼痹** 见"335 浮烂罗勒"注[2]。

[4] **踠损** 即足部跌折伤损。

[5] **五木皮** 即桑、槐、柳、桃、楮五木的树皮。

[6] **捋** 用手顺着抹过去。此处即用煮汤浸捋脚气疼脚。

[7] **瘃虫风瘙** 瘃，音逐。《说文》云："中寒，肿核也。"一般释为冻疮。冻疮初肿时作痒，古人以为虫所致，故称瘃虫。风瘙即风痒。

[8] **《诗》** 即《诗经》，是我国第一部诗歌总集。原311篇，实存305篇。它是西周初期至春秋中期中原地区诗歌的汇集。编写成书约在公元前6世纪。1977年安徽阜阳双古堆汉墓发现《诗经》残简170余枚，是现存最早的《诗经》古本。

[9] **郑注** 即郑玄（127—200）注。郑玄是东汉经学家，字康成，北海高密（今山东高密）人。因党锢事被禁，遂杜门著述。以古文经说为主，兼采今文之长，遍注群经，为汉代注经学之集大成者，世称"郑学"。学者称郑众为"先郑"，称郑玄为"后郑"。郑玄著录有80多种，凡百万余言。

428 南藤[1]

味辛烈，亦磨服之，变白不老[2]。出蓝田[3]，八月采，日干用。(《证类》页355，《大观》卷14页38，《纲目》页1055)

【校注】

[1] **南藤** 《拾遗》首载此药。《开宝本草》收为正品，并云："南藤味辛，温，无毒。主风血，补衰老，起阳，强腰脚，除痹，变白，逐冷气，排风邪。亦煮汁服，亦浸酒。冬月用之。生依南树，故号南藤。茎如马鞭有节，紫褐色。一名丁公藤。生南山山谷。"又注云："《南史》解叔谦，雁门人，母有疾，夜于庭中稽颡祈告，闻空中云：得丁公藤治，即差。访医及本草皆无。至宜都（今湖北宜都）山中，见一翁伐木，云是丁公藤疗风。乃拜泣求得之及渍酒法。母疾遂愈。"

[2] **变白不老** 变白发为黑发，使人不易衰老。

[3] **蓝田** 今陕西蓝田。

429 感藤[1]

味甘，平，无毒。调中益气，主五脏，通血气，解诸热，止渴，除烦闷，治肾钓气如木防己[2]。生江南山谷，如鸡卵大，斫藤断，吹气出一头。其汁甘美如蜜。叶生研傅蛇虫咬疮。一名甘藤，甘感声近，又名甜藤也。(《证类》页358，《大观》卷14页45，《纲目》页1053)

【校注】

[1] **感藤** 《纲目》以"甘藤"为正名，以"感藤"为异名。《拾遗》首载此药，《日华子》亦收之，《嘉祐本草》糅合两家文字为一体，录为正品。

[2] **治肾钓气如木防己** 肾钓气，似是疝的一种。《素问·长刺节论》云："病在少腹，腹痛不得大小便，病名曰疝。"疑此病为腹部的剧烈疼痛，兼有二便不通。而木防己能治神经性疼痛，正与本文义合。

430 甘露藤[1]

味甘，温，无毒。主风血气诸病。久服调中，温补，令人肥健，好颜色，止消渴，润五脏，除腹内诸冷。生岭南[2]，藤蔓如箸[3]，一名肥藤，人服之得肥也。(《证类》页358，《大观》卷14页47，《纲目》页1053)

【校注】

[1] **甘露藤** 本条《纲目》收在“甘藤”条的附录中。《拾遗》首载此药，其后《日华子》亦著录之，《嘉祐本草》糅合两家文字为一体，收为正品。

[2] **岭南** 见“7 诸金有毒”注［2］。

[3] **箸** 即吃饭用的筷子。

431 千金藤[1]

有数种，南北名模不同，大略主疢相似，或是皆近于藤，主一切毒气，霍乱[2]、中恶[3]、天行虚劳、瘴疟[4]、痰嗽不利、肿疽大毒[5]、药石发、癫[6]、杂疹悉主之。生北地者，根大如指，色似漆；生南土者，黄赤如细辛。舒庐[7]间有一种藤，似木蓼；又有乌虎藤，绕树冬青，亦名千金藤。又江西山林间，有草，生叶，头有瘿子，似鹤膝，叶如柳，亦名千金藤；似荷叶，只钱许大，亦呼为千金藤，一名古藤，主痢及小儿大腹。千金者，以贵为名，岂俱一物，亦状异而功名同。南北所用，若取的称，未知孰是。其中有草，今并入木部，草部亦重载也。（《证类》页 349，《大观》卷 14 页 27，《纲目》页 1035）

【校注】

[1] **千金藤** 此药同名异物很多。本条所述有 3 种，开头是木本千金藤，其次是乌虎藤，再次是草本千金藤。本书 164 陈思岌，也称千金藤，又名石黄香。《海药本草》云：“千金藤，陈氏（指藏器）云，呼为石黄香。”《开宝本草》云：“千金藤主一切血毒诸气，霍乱、中恶、天行虚劳、疟瘴、痰嗽不利、痈肿、蛇犬毒、药石发、癫痫悉主之。生北地者，根大如指，色黑似漆；生南土者，黄赤如细辛。”将《开宝本草》“千金藤”与本条相比，基本相同，说明《开宝》文出自《拾遗》。

[2] **霍乱** 见“1 铜盆”注［2］。

[3] **中恶** 见“93 仰天皮”注［2］。

[4] **瘴疟** 即疟瘴。见“140 阴地流泉”注［1］。

[5] **肿疽大毒** 见“263 朝生暮落花”注［2］。

[6] **药石发、癫** 药石发即丹石发动，见“124 腊雪”注［3］。癫，指精神失常一类疾病。症见精神抑郁，表情淡漠，或喃喃自语，或哭笑无常，幻想幻觉，不知秽洁，不思饮食。

[7] **舒庐** 今安徽舒城、庐江。

432 桦木皮[1]

晋中书令王珉，伤寒身验方中作樋字，浓煮汁，冷饮，主伤寒时行热毒疮，特良，今之豌豆疮[2]也。（《证类》页 356，《大观》卷 14 页 41，《纲目》页 1420）

【校注】

[1] **桦木皮** 为桦木科植物白桦的树皮。《拾遗》首载此药，《开宝本草》收为正品，并云："桦木皮味苦，平，无毒。主诸黄疸，浓煮汁饮之，良。堪为烛者。木似山桃。取脂烧辟鬼。"《开宝本草》文末句"脂烧辟鬼"，《纲目》抽出单列，注出典为"藏器曰"。

[2] **豌豆疮** 即天花。是传染性极强、病势险恶的传染病。病程分发热、见点、起胀、灌浆、收靥、结痂六个阶段。痂落后，遗留窝点，使面部呈现麻子。新中国成立后因预防及时，此病已消灭。50岁以下的人中已见不到面有麻子了。

433 婆罗得[1]

味辛，温，无毒。主冷气块，温中，补腰肾，破痃癖[2]。可染髭发[3]，令黑。树如柳，子如蓖麻。生西国。（《证类》页358，《大观》卷14页47，《纲目》页1411）

【校注】

[1] **婆罗得** 《拾遗》首载此药，《海药本草》亦著录之，《开宝本草》收为正品。但《证类》卷14页"358婆罗得"条后又有甘露藤，"甘露藤"条末有小字注云："以上二种新补见陈藏器、日华子"。注云"以上二种"，当指婆罗得、甘露藤。但"婆罗得"条末注明"今附"，表示系《开宝本草》新增。"甘露藤"条末注"以上二种新补"，新补为《嘉祐本草》所增。如此则婆罗得难以确定是《开宝本草》新增，还是《嘉祐本草》新增。姑存疑待考。

[2] **痃癖** 见"59桑灰"注[3]。

[3] **髭发** 髭，即嘴上边的毛。发，即头上毛。

434 栟榈木皮[1]

味苦、涩，平，无毒。烧作灰，主破血[2]，止血。初生子黄白色，作房如鱼子，有小毒。破血，但戟人喉[3]，未可轻服。皮作绳，入土千岁不烂。若有人开冢得之，索已生根。此木类岭南有虎散、桄榔、冬叶、蒲葵、椰子、槟榔、多罗等，皆相似，各有所用。栟榈一名棕榈，即今川中棕榈。（《证类》页360，《大观》卷14页52，《纲目》页1421，《医心方》页34）

【校注】

[1] **栟榈木皮** 即棕榈木皮，与前"423棕榈子"为同一植物的不同药用部位，均属棕榈科植物棕榈。又，"360桐木"条，是豆科植物花榈木，与棕榈不属同科植物。

[2] **破血** 见"26石栏干"注[3]。

[3] **戟人喉** 刺激人的咽喉。

435 楸木皮[1]

味苦，小寒，无毒。主吐逆，杀三虫[2]，及皮肤虫[3]。煎膏，粘傅恶疮[4]、疽瘘痈肿疳[5]、野鸡病[6]，除脓血，生肌肤，长筋骨。叶捣傅疮肿[7]，亦煮汤洗脓血。冬取干叶，汤揉用之。范汪方诸肿痈溃及内有刺不出者，取楸叶十重贴之。生山谷间，亦植园林以为材用，与梓树本同末异，若柏叶之有松身。苏敬以二木为一，误也，其分析在解纷条中矣。（《证类》页360，《大观》卷14页52，《纲目》页1393）

【校注】

[1] **楸木皮** 为紫葳科植物楸木的树皮。《海药本草》云："楸木皮，微温，主消食，涩肠，下气及上气咳嗽，并宜入面药。"

[2] **三虫** 见"202 骨路支"注[6]。

[3] **皮肤虫** 指癣、疥虫。

[4] **恶疮** 见"20 铁锈"注[2]。

[5] **疽瘘痈肿疳** 疽瘘，见"263 朝生暮落花"注[2]。痈肿，见"384 鬼膊藤"注[1]。疳，见"6 水银粉"注[3]。

[6] **野鸡病** 见"183 益奶草"注[4]。

[7] **叶捣傅疮肿** 《外台秘要》疗痈肿烦困，用生楸叶十重贴之，布帛裹，缓急得所，日三易，止痛消肿，蚀脓血良，无比胜于众药。冬以先收干者，临时盐汤沃润用之。又主患痈破下脓。又方：疗口吻疮，楸枝皮白，湿贴上，数易。《圣惠方》治头极痒生疮，用楸叶捣绞汁涂之。又方：治灸疮多时不差，痒痛出黄水。用楸叶或根皮捣罗为末，傅疮上即差。

436 没离梨[1]

味辛，平，无毒。主上气，下食。生西南诸国，似毗梨勒，上有毛少许也。（《证类》页361，《大观》卷14页52，《纲目》页1303）

【校注】

[1] **没离梨** 《海药本草》云："微温。主消食，涩肠，下气及上气咳嗽，并宜入面药。"

437 柯树皮[1]

味辛，平，有小毒。主大腹水病。取白皮作令可丸，如梧桐子大，平旦三丸，须臾又一丸。一名木奴，南人用作大舡者也。（《证类》页361，《大观》卷14页53，《纲目》页1422）

【校注】

[1] **柯树皮** 《海药本草》云："按，《广志》云：生广南山谷。《临海志》云：是木奴树。主浮气。采皮以水煮，去滓，复炼，候凝结丸得为度。每朝空心饮下三丸，浮气水肿并从小便出。故波斯家用为舡舫也。"按现今研究，柯树皮为壳斗科植物柯树的韧皮。

438 败扇[1]

主蚊子。新造屋柱下四隅埋之，蚊永不入。烧为末和粉，粉身上，主汗，弥败者佳。(《证类》页361，《大观》卷14页53，《纲目》页1495)

【校注】

[1] **败扇** 《纲目》作"蒲扇"，并云："古以羽为扇，后人以竹及纸为之，东人多以蒲（蒲草编制）为之，岭南以蒲葵为之。蒲扇烧灰存性，酒服一钱，止盗汗，及妇人血崩，月水不断。"盖败扇与陈棕榈相似，性收敛，烧炭为末，能敛汗止血。

439 楤（去壬切）根[1]

一作揔，味辛，平，小毒。主水癊[2]。取根白皮煮汁服之，一盏当下水。如病已困，取根捣碎，坐其取气，水自下。又能烂人牙齿，齿有虫者，取片子许大，内孔中，当自烂落。生以南山谷，高丈许，直上，无枝。茎上有刺，山人折取头茹食之。亦治冷气，一名吻头。(《证类》页361，《大观》卷14页53，《纲目》页1466)

【校注】

[1] **楤根** 《纲目》作"楤木"，并云："树顶丛生叶，山人采食，谓之鹊不踏，以其多刺而无枝故也。"

[2] **水癊** 见"394紫衣"注[2]。

440 橉（良刃切）木灰[1]

味甘，温，小毒。主卒心腹癥瘕[2]，坚满痃癖[3]，烧为白灰，淋取汁，以酿酒，酒熟，渐渐从半合温服，增至一二盏即愈。此灰入染家用。生江南深山大树，树有数种，取叶厚大白花者入药。自余用染灰，一名橝（音潭）灰，本经汗，于病者床下灰之，勿令病人知也。(《证类》页361，《大观》卷14页53，《纲目》页1421)

【校注】

［1］**橉木灰** 《肘后方》治卒暴癥，腹中有物坚如石，痛如刺，取橉木烧为灰，淋取汁八升，以酿一斛米，酒成服之，从半合始，不知，稍稍增至一二升，不尽一剂皆愈。此灰入染绛。用叶中酿酒也。

［2］**癥瘕** 见“59 桑灰”注［2］。

［3］**痃癖** 见“59 桑灰”注［3］。

441 楸(而郢切) 桐皮[1]

味甘，温，无毒。主烂丝。叶，捣封蛇、虫、蜘蛛咬。皮为末服之，亦主蚕咬毒入肉者[2]。鸡犬食欲死，煮汁灌之，丝烂即差。树似青桐，叶有桠，生山谷。人取皮，以沤丝也。(《证类》页361，《大观》卷14页53，《纲目》页1395)

【校注】

［1］**楸桐皮** 本条《纲目》收在“罂子桐”条的附录中。

［2］**主蚕咬毒入肉者** 《纲目》作“治蚕咬毒气入腹，末服之。”

442 竹肉[1]

味咸，温，有大毒。主杀三虫[2]毒邪气，破老血[3]。灰汁煮三度，炼讫，然后依常菜茹食之。炼不熟者，戟人喉出血，手爪尽脱。生苦竹枝上，如鸡子，似肉脔，应别有功，人未尽识之。一名竹实也。(《证类》页361，《大观》卷14页53，《纲目》页1246)

【校注】

［1］**竹肉** 本条《纲目》并入《食疗本草》“竹蓐”中。又，下条（443 桃竹笋）云：“张鼎《食疗》云：慈竹，夏月逢雨滴汁著地生蓐，似鹿角，色白，取洗之，和姜、酱食之，主一切赤白痢，极验。”

［2］**三虫** 见“202 骨路支”［6］。

［3］**老血** 见“167 倚待草”注［2］。

443 桃竹笋[1]

味苦，有小毒。主六畜疮中蛆[2]，捣碎内之，蛆尽出。亦如皂李叶，能杀蛆虫。南人调之黄笋，灰汁煮可食，不尔戟人喉。其竹丛生，丑类非一。张鼎《食疗》[3]云：慈竹，夏月逢雨滴汁著地生蓐[4]，似鹿角，色白，取洗之，和姜、酱食之，主一切赤白痢[5]，极验。(《证类》页361，《大观》卷14页54，《纲目》页1227)

【校注】

[1] **桃竹笋** 《纲目》将本条并入竹笋内，并云："桃枝竹出川、广中。皮滑而广，犀纹瘦骨，四寸有节，可以为席。"

[2] **蛆** 苍蝇的幼虫。

[3] **张鼎《食疗》** 《食疗本草》为唐代张鼎将孟诜（约公元621—713）《补养方》增订而成。据记载原书有条目138条，张鼎增89条，计227条。原书佚。本世纪初敦煌出土《食疗本草》残卷。今人有辑复本行世。此书长于食疗和养生。孟诜尝说："若能保身养性者，常须善言莫离口，良药莫离手。"孟诜能坚持用药，所以能享年92岁。

[4] **蓐** 《说文》云："陈草复生也。"枯草再生为蓐。

[5] **赤白痢** 见"180 地杨梅"注［2］。

444　罂子桐子[1]

有大毒。压为油，毒鼠主死，摩疥癣虫疮毒肿[2]。一名虎子，桐似梧桐，生山中。(《证类》页361，《大观》卷14页54，《纲目》页1395)

【校注】

[1] **罂子桐子** 大戟科植物油桐的果实。《本草衍义》云："荏桐，早春先开淡红花，状如鼓子，花成筒子，子成作桐油。"《本草图经》云："南人作油者乃冈桐也。此桐亦有子，颇大于梧子。"《日华子》云："桐油，冷，微毒，傅恶疮疥及宣水肿，涂鼠咬处，能辟鼠。"

[2] **摩疥癣虫疮毒肿** 《医林正宗》治痈肿初起，用桐油点灯，入竹筒内熏之，得出黄水即消。

445　马疡木根皮

有小毒。主恶疮[1]疥癣有虫者，为末，和油涂之。出江南山谷，树如枥也。(《证类》页361，《大观》卷14页54，《纲目》页1482)

【校注】

[1] **恶疮** 见"20 铁锈"注［2］。

446　木细辛[1]

味苦，温，有毒。主腹内结积[2]癥瘕[3]，大便不利，推陈去恶，破冷气。未可轻服，令人利下至困[4]。生终南山[5]，冬月不凋，苗如大戟，根似细辛。（《证类》页 361，《大观》卷 14 页 54，《纲目》页 787）

【校注】

[1] **木细辛** 本条《纲目》收在“杜衡”条的附录中。

[2] **结积** 即积聚，见“192 天竺干姜”注[3]。

[3] **癥瘕** 见“59 桑灰”注[2]。

[4] **至困** 指相当窘困，很危险。

[5] **终南山** 在陕西长安以南，是秦岭山脉的一个山峰。类似这样的山峰还有南五台、首阳山、太白山等，这些都是秦岭的山脉。

447 百家箸[1]

主狂狗[2]咬，乞取煎汁饮之。又烧箸头为灰，傅吻上燕口疮[3]。（《证类》页 362，《大观》卷 14 页 54，《纲目》页 1497）

【校注】

[1] **百家箸** 本条《纲目》作“筯”。筯，即吃饭用的筷子。

[2] **狂狗** 即疯狗，能传染狂犬病的狗。人被狂犬咬后，经一定潜伏期即发病，最初乏力、头痛、呕吐、不欲食、喉部有紧缩感；一二日后即狂躁、恐惧、吞咽和呼吸困难及恐水、恐锣声；数日后出现全身瘫痪、瞳孔散大等危象。

[3] **燕口疮** 刘衡如校点《纲目》作“咽口疮”，金陵版《纲目》作“燕口疮”。此疮生于口腔内唇、颊、上腭等处黏膜，有的出现淡乳白色小溃疡，同小燕子口吻相似，故称燕口疮。

448 梣木皮叶[1]

煮洗蛇咬，亦可作屑傅之。梣，大木也[2]，出江南也。（《证类》页 362，《大观》卷 14 页 54，《纲目》页 1402）

【校注】

[1] **梣木皮叶** 本条《纲目》并入“秦皮”条中。《本草图经》云：“秦皮有白点而不粗错，俗称为白梣木。取皮渍水便碧色，书纸看之青色。”

[2] **梣，大木也** 《纲目》以《拾遗》“梣木”为秦皮的异名。但古书所讲的秦为小木。《广雅》云：“木丛生曰秦”。现代所用的秦皮是木犀科植物白蜡树，或大叶白蜡树。该树是乔木，高达 15 米以上，亦堪称为大木。如果梣木是秦皮，则梣木当有秦皮主治功用。秦皮能治目赤肿痛，湿热下痢，赤白带下。《伤寒论》治热痢下重，秦皮、白头翁、黄连、黄柏合用；治赤白带下，秦皮、椿根

白皮、黄柏、蛇床子合用。

449 刀鞘

无毒。主鬼打卒得[1]，取二三寸烧末服，水下之[2]。此是长刀鞘也，腰刀弥佳[3]。(《证类》页362,《大观》卷14页54,《纲目》页1493)

【校注】

[1] **鬼打卒得** 鬼打，见“19 锻锧下铁屑”注[2]。卒得，即突然得病。

[2] **水下之** 《纲目》作“水服”。

[3] **此是长刀鞘也，腰刀弥佳** 《纲目》化裁为“腰刀者弥佳”。

450 芺（音天）树

有大毒。主风痹[1]，偏枯[2]，筋骨挛缩[3]，瘫缓[4]，皮肤不仁[5]，疼冷等。取枝叶捣碎，大甑中蒸令热，铺著床上，展卧其中，冷更易，骨节间风尽出，当得大汗。补药及羹粥食之，慎风冷劳复[6]。生江南深山，叶长厚，冬月不凋，山人揔识也。(《证类》页362,《大观》卷14页54,《纲目》页1482)

【校注】

[1] **风痹** 同冷气风痹，见“186 难火兰”注[2]。

[2] **偏枯** 一名偏风（半身不遂）。见“170 铁葛”注[3]。

[3] **筋骨挛缩** 指肢体牵引不适，或自觉紧缩感，以至影响活动。多见于四肢、两胁及少腹。亦称拘挛，见《素问·缪刺论》；或称拘急，见《素问·六元正纪大论》。

[4] **瘫缓** 指四肢缓弱，必须扶持方能运动，重者四肢痿废，不能运动。

[5] **皮肤不仁** 皮肤不痛不痒，按之不知，掐之不觉。多由气血两虚，经脉失养，或气血凝滞，或寒湿痰瘀等所致。

[6] **劳复** 见“253 故缴脚布”注[2]。

451 丹桎木皮[1]

主疬疡风[2]，取一握，去上黑，打碎，煎如糖，涂风上[3]。桎木似杉木，生江南深山。(《证类》页362,《大观》卷14页55,《纲目》页1354)

【校注】

[1] **丹桎木皮** 本条《纲目》收在“杉”条的附录中。

[2] **疬疡风** 指风寒湿流注关节，导致关节肿痛，痛势剧烈，屈伸不利，昼轻夜重，甚则关节红肿热痛。

[3] **涂风上** 《纲目》作“日日涂之”。

452 结杀[1]

味香。主头风[2]，去白屑[3]，生发，入膏药用之。生西国[4]。树花，胡人将香油傅头也。(《证类》页362，《大观》卷14页55，《纲目》页1376)

【校注】

[1] **结杀** 本条《纲目》收在“詹糖香”条的附录中，并化裁为“结杀，生西国，树之花也，极香。同胡桃仁入膏，和香油涂头，去头风白屑，生发。”化裁后，文义和本条小异。

[2] **头风** 见《千金要方》。指头部感受风邪之症的总称。包括头痛、眩晕、口眼歪斜、头痒多屑等多种症候。后世将头痛久不愈，时发时止，亦称头风。

[3] **白屑** 即白屑风。见“420 盐麸子”注[2]。

[4] **西国** 见“43 特蓬杀”注[2]。

453 杓[1]

打人身上结筋，二下，筋散矣。(《证类》页362，《大观》卷14页55，《纲目》页1497)

【校注】

[1] **杓** 本条《纲目》化裁为“杓，人身上结筋，打之三下，自散。”

454 车家鸡栖木

无毒。主失音不语。杂方云：作灰，服一升立效也。(《证类》页362，《大观》卷14页55)

455 檀[1]

秦皮注苏云[2]：“檀似秦皮。”按：檀树，取其皮和榆皮食之，可断谷[3]。《尔雅》云：檀，苦茶。其叶堪为饮，树体细，堪作斧柯[4]。至夏有不生者，忽然叶开，当有大水，农人候之，以测水旱，号为水檀。又有一种，叶如檀，高五六尺，生高原，花四月开，色正紫，亦名檀，根如葛，极主疮疥，杀虫，有小毒也。《尔雅》无“檀，苦荼”，唯言：槚，苦荼[5]。郭注：树小似栀子，冬生，叶可煮作羹。今早采者为茶，晚采者为茗，一名荈，蜀人呼名之苦荼，前面已有茗、苦荼，又引《尔雅》，疑此误矣。（《证类》页362，《大观》卷14页55）

【校注】

[1] **檀** 《本草图经》“沉香”条云：“檀木生江淮（苏北、皖北）及河朔（黄河以北地区）山中，其木作斧柯者，亦檀香类，但不香耳。至夏有不生者，忽然叶开，当有大水，农人候之，以测水旱，号为水檀。又有一种，叶亦相类，高五六尺，生高原地，四月开花正紫，亦名檀。根如葛，极主疮疥，杀虫，有小毒也。”

[2] **秦皮注苏云** 指《唐本草》苏敬对“秦皮”条的注文。

[3] **断谷** 古代养生家，不食五谷，以期长寿，称为断谷。

[4] **斧柯** 即斧柄。《考工记》注云：“伐木之柯，柄长三尺。”

[5] **槚，苦荼** 《尔雅·释木》云：“槚，苦荼。”郭璞注：“树小似栀子，冬生，叶可煮作羹饮。今呼早采者为荼，晚取者为茗，一名荈，蜀人名之苦荼。生山南、汉中（今陕西汉中）山谷。”

456 石荆

栾荆注苏云：“用当栾荆，非也。”按：石荆似荆而小，生水旁，作灰汁沐头生发[1]。《广济方》云：一名水荆，主长发是也。（《证类》页362，《大观》卷14页55，《纲目》页1459）

【校注】

[1] **作灰汁沐头生发** 《纲目》化裁为“烧灰淋汁浴头，生发令长。”

457 木黎芦

漏芦注：“陶云[1]：漏芦一名鹿骊。”生山南，南人用苗，北人用根，功在《本经》。木黎芦有毒，非漏芦，树生如茱萸，树高三尺[2]，有毒。杀虫，山人治疮疥[3]用之。（《证类》页362，《大观》卷14页55，《纲目》页962）

【校注】

[1] **陶云** 指《本草经集注》陶弘景对“漏芦”条的注文。

[2] **三尺**　《纲目》作“二三尺。”

[3] **瘡疥**　《纲目》作“疥癬”。瘡疥，见“383 枕材”注 [7]。

458　瓜芦[1]

苦菜注：“陶云[2]：又有瓜芦，木似茗，取叶煎饮，通夜不寐。”按：此木一名皋芦，而叶大似茗，味苦、涩，南人煮为饮，止渴，明目，除烦，不睡，消痰，利水，当茗用之。《广州记》曰：新平县[3]出皋芦，叶大而涩。《南越志》[4]云：龙川[5]县有皋芦，叶似茗，土人[6]谓之过罗。(《证类》页 362，《大观》卷 14 页 55，《纲目》页 1329)

【校注】

[1] **瓜芦**　《纲目》以“皋芦”为正名，以“瓜芦”为异名。

[2] **陶云**　即“苦菜”条陶弘景注云，所云之文为：“又南方有瓜芦，木亦似茗，苦涩。取其叶作屑，煮饮汁，即通夜不睡。煮盐人惟资此饮。而交广最所重。客来先设，乃加香芼辈（香芼指香草）。”

[3] **新平县**　唐代新平县在今陕西彬县。本条引《广州记》中的新平县，当在广东，不会在陕西。《中国历史地图集》第 5 册 25 页有新兴、平兴两地名。《广州记》中所讲新平县，或是新兴、平兴两县的简称，新兴在今广东新兴。

[4] **《南越志》**　见“196 石蕊”注 [2]。

[5] **龙川**　今广东惠州。

[6] **土人**　指当地人。

459　鬼皂荚[1]

作浴汤，去风瘡疥癬[2]。挼叶去衣垢，沐头长发。生江南泽畔，如皂荚，高一二尺。(《证类》页 341，《大观》卷 14 页 6，《纲目》页 1404)

【校注】

[1] **鬼皂荚**　《嘉祐本草》在“皂荚”条下引《拾遗》“鬼皂荚”作为释文，其意以为鬼皂荚即皂荚的一种。《纲目》认为鬼皂荚乃另一物，非皂荚同一物，故将“鬼皂荚”作为“皂荚”条附录药。从形态上看，二者非同一物。《拾遗》亦云：“鬼皂荚，如皂荚，高一二尺。”

[2] **去风瘡疥癬**　鬼皂荚能去风瘡疥癬，皂荚也有此作用。皂荚捣碎外敷，可消肿止痒，去风疬疥癬。《药性论》云：“将皂荚煎成膏，涂帛，贴一切肿毒，兼能止痛。”

460　诸木有毒

合口椒有毒[1]，椒白色有毒。木耳[2]，恶蛇虫从下过有毒，生枫木上者令人笑不止[3]，采归色变者有毒，夜中现光有毒，欲烂不生虫者有毒，生捣冬瓜蔓主之也。(《证类》页362,《大观》卷14页56)

【校注】

[1] **合口椒有毒**　单言椒，是指秦椒、蜀椒。《本草衍义》云："秦椒出秦地，故名秦椒。大率椒株皆相似。秦椒叶大，粒亦大，而纹低。不若蜀椒皱纹高为异也。"《范子计然》云："蜀椒出武都（今甘肃武都），赤色者善。秦椒出天水（今甘肃天水）、陇西（今甘肃陇西），细者善。"秦椒、蜀椒，《本草经》分为两种。其原植物都是芸香科植物花椒的果皮。文献上对秦椒、蜀椒闭口者皆不用。

[2] **木耳**　未言明何木所生，是个通名，《本经》称五木耳。桑树所生称桑耳。陶弘景云："此云五木耳，而不显四者是何木。按：老桑树生桑耳有黄者、赤、白者，多雨时亦生软湿者。人采以作葅。"《唐本草》注云："楮耳人常食，槐耳用疗痔，榆、柳、桑耳，此为五耳。软者并堪啖。"《纲目》云："木耳各木皆生，其良毒亦必随木性，不可不审。"现代研究，木耳为木耳科植物木耳的子实体。

[3] **生枫木上者令人笑不止**　《本草经集注》"地浆"条陶注云："枫树菌食之令人笑不止，惟饮土浆皆差，余药不能救矣。"按：陶注生枫木上的是菌，不是木耳。菌的种类亦多，有的有毒，有的无毒。汪颖《食物本草》云："香蕈生深山烂枫木上。小于菌而薄，黄黑色，味甚香美，最为佳品。"

461　木菌

采归色变者有毒，夜中有光者有毒，煮不熟者有毒，盖仰者有毒。又冬春无毒，秋夏有毒，为蛇过也。冬生白软者无毒。久食利肠胃。(《医心方》页710引《拾遗》)

拾遗　兽禽部　卷第五

462	天灵盖	463	经衣	464	怀妊妇人爪甲
465	人口中涎及唾	466	人血	467	人肉
468	人胞	469	胞衣水	470	妇人裈裆
471	人胆	472	男子阴毛	473	死人枕及席
474	夫衣带	475	衣中故绵絮	476	新生小儿脐中屎
477	象肉	478	蔡苴机屎	479	诸朽骨
480	乌毯	481	海獭	482	土拨鼠
483	犊子脐屎	484	灵猫阴	485	麑肉
486	闒闒	487	水马	488	腽肭脐
489	麂	490	诸血	491	果然肉
492	狨兽	493	狼筋	494	诸肉有毒
495	啄木鸟	496	伯劳	497	鹝
498	鹦	499	阳乌	500	凤凰台
501	鸀鳿鸟	502	巧妇鸟	503	鹑
504	英鸡	505	鸂鶒	506	鱼狗
507	鸵鸟屎	508	䴔䴖	509	蒿雀
510	鹖鸡	511	山菌子	512	百舌鸟
513	黄褐侯	514	鷩雉	515	乌目
516	䴙䴘膏	517	布谷脚脑骨	518	蚊母鸟
519	杜鹃	520	鸮目	521	鸲鵒
522	姑获	523	鬼车	524	诸鸟有毒

462　天灵盖[1]

弥腐烂者入用，有一片如三指阔，此骨是天生，天赐盖。押一身之骨，未合即未有，只有囟门。取得后，用煻灰火罨一夜，待腥秽气出尽，却用童儿溺于瓷锅中煮一伏时[2]满，漉出，于屋下，掘一坑，可深一尺，置天灵盖于中，一伏时，其药魂归神妙，阳人使阴，阴人使阳。(《证类》页366，《大观》卷15页5，《纲目》页1827)

【校注】

[1] **天灵盖**　本草收载此药始于《拾遗》，其后《日华子》亦载之，《开宝本草》收为正品，并云："天灵盖味咸，平，无毒。主传尸、尸疰、鬼气伏连，久瘴劳疟，寒热无时者。此死人顶骨十字解者。烧令黑，细研，白饮和服。亦合诸药为散用之。方家婉其名尔。"《日华子》云："天灵盖治肺痿乏力羸瘦，骨蒸及盗汗等。入药酥炙用。"

[2] **一伏时**　从第一日某时起，持续到次日同时间止，为一伏时，相当24小时。

463　经衣[1]

主惊疮血涌出，取衣热炙熨之。又烧末，傅虎狼伤疮。烧末酒服方寸匕，日三，主箭镞入腹。(《证类》页365，《大观》卷15页4，《纲目》页1823)

【校注】

[1] **经衣**　《纲目》作"月经衣"，并附在"妇人月水"之下。

464　怀妊妇人爪甲[1]

取细末，置目中，去翳障[2] (《证类》页365，《大观》卷15页5，《纲目》页1815)

【校注】

[1] **怀妊妇人爪甲** 本条，《纲目》并在“爪甲”主治中。

[2] **翳障** 即障翳。见“364 元慈勒”注[6]。

465 人口中涎及唾[1]

取平明[2]未语者，涂癖疥良。(《证类》页365，《大观》卷15页5，《纲目》页1825)

【校注】

[1] **人口中涎及唾** 《纲目》并入“口津唾”条的主治中，注出典为“时珍”。

[2] **平明** 《纲目》作“五更”，词异义同。

466 人血[1]

主羸病[2]，人皮肉干枯，身上麸片起。又狂犬[3]咬，寒热欲发者，并刺热血饮之。(《证类》页366，《大观》卷15页6，《纲目》页1824)

【校注】

[1] **人血** 《纲目》云：“人血入土，年久为磷。”又火部云：“野外之鬼磷，其火色青，其状如炬，或聚或散，俗呼鬼火，或云诸血之磷光也。”

[2] **羸病** 指慢性消耗性疾病，人消瘦虚弱。

[3] **狂犬** 一名猘犬，即疯狗，能传染狂犬病。见“85 床四脚下土”注[2]。

467 人肉

治瘵疾[1]。(《证类》页366，《大观》卷15页6，《纲目》页1830)

【校注】

[1] **瘵疾** 即劳瘵。《济生方》云：“夫劳瘵一证，为人之大患。凡患此病者，传变不一，积年染疰，甚至灭门。”其症恶寒，潮热，咳嗽，咯血，食少，消瘦，乏力，自汗，盗汗，舌红，脉细数。病程缓慢而互相传染。宋·钱易《南部新书·辛集》云：“开元二十七年，明州（今浙江宁波市南横溪）人陈藏器撰《拾遗》云：‘人肉治羸疾。’自是闾阎（里巷的门，借指平民）相效割股，于今尚之。”今人用刮下的胚胎制成药，据云亦治羸疾。

468 人胞[1]

主血气羸瘦[2]，妇人劳损，面皯皮黑，腹内诸病渐瘦悴者，以五味和之，如䭃䬪(音甲，饼也）法与食之，勿令妇知。(《证类》页366，《大观》卷15页6，《纲目》页1828)

【校注】

[1] **人胞** 一名胞衣，又称紫河车，为健康产妇的胎盘。《纲目》云："人胞，近因丹溪言其功，遂为时用。括苍吴球始创大造丸，尤为世行。谓久服耳聪目明，须发乌黑，延年益寿。其方：用紫河车一具，焙干研末，败龟板二两晒研，黄檗、杜仲各一两半，牛膝一两二钱，生地二两半，天冬、麦冬、人参各一两二钱为末，米糊丸如小豆。每服八十丸。女用去龟板，加当归二两。"

[2] **主血气羸瘦** 朱丹溪谓紫河车治虚劳，当以骨蒸药（指治肺劳潮热药）佐之。气虚加补气药，血虚加补血药。以侧柏叶、乌药叶俱酒洒，九蒸九曝，同之（即同紫河车）为丸，大能补益，名补肾丸。

469 胞衣水[1]

妇人胞衣变成水，味辛，无毒。主小儿丹毒[2]，诸热毒，发寒热不歇，狂言妄语，头上无辜发立，虚痞等。此人产后时，衣埋地下，七八年化为水，清澄如真水。南方人以甘草、升麻和诸药物盛埋之。三五年后拨去，取为药。主天行热病[3]，立效。(《证类》页366，《大观》卷15页6，《纲目》页1830)

【校注】

[1] **胞衣水** 《纲目》援引陈藏器为："胞衣水，此乃衣埋地下，七八年化为水，澄澈如冰。南方人以甘草、升麻和诸药，瓶盛埋之，三五年后掘出，取为药也。"

[2] **丹毒** 见"22 淬铁水"注[2]。

[3] **天行热病** 见"164 陈思岌"注[3]。

470 妇人裈裆[1]

主阴易病[2]，当阴上割取，烧末，服方寸匕。童女裈益佳。若女患阴易，即须男子裈也。阴易病者，人患时行，病起后合阴阳，便即相著，甚于本病。其候小便赤涩，寒热甚者是。服此便通利。不尔灸阴二七壮。又妇人裈，主胞衣不出，覆井口立下，取本妇人者，即佳。(《证类》页366，《大观》卷15页6，《纲目》页1486)

【校注】

[1] **裈裆** 亦名裤裆，即裤子贴近生殖器处（当隐处者）为裈裆。

[2] **阴易病** 《诸病源候论》认为男人与患伤寒而未完全康复的妇人房事后得病，名阴易。其症见身体沉重，少气无力，下腹拘急，甚至牵引阴部，热气上冲胸，头重眼花等。《伤寒论》治阴阳易有烧裈散。取中裈近隐处烧灰，水服方寸匕，日三服，小便即利，阴头微肿则愈。

471 人胆

主鬼气[1]，尸疰[2]，伏连。（《证类》页366，《大观》卷15页6，《纲目》页1830）

【校注】

[1] **鬼气** 见“104 车脂”注[2]。

[2] **尸疰** 即传尸。见“398 古厕木”注[3]。《纲目》云：“北虏战场中，多取人胆汁傅金疮，云极效。但不可再用他药。若先用他药，即不可用。”

472 男子阴毛[1]

主蛇咬，口含二十条，咽其汁，蛇毒不入腹内。（《证类》页366，《大观》卷15页6，《纲目》页1827）

【校注】

[1] **男子阴毛** 《纲目》引《拾遗》作“阴毛”。《纲目》以“阴毛”为正品，其意指男、妇双方阴毛。男阴毛主蛇咬，妇阴毛主五淋及阴易病。《普济方》云：“病后交接，卵肿或缩入腹，绞痛欲死，取妇人阴毛烧灰饮服。”

473 死人枕及席

患疣[1]拭之二七遍令烂，去疣。尝有妪人患滞冷[2]，积年不差，徐嗣伯为诊曰：此尸疰也，当以死人枕煮服之，乃愈。于是往古冢中取枕，枕已一边腐缺，妪服之，即差。张景年十五岁，患腹胀面黄，众药不能治，以问徐嗣伯，嗣伯曰：此石蚘耳，极难疗，当取死人枕煮服之，得大蚘虫，头坚如石者五六升，病即差。沈僧翼患眼痛，又多见鬼物，嗣伯曰：邪气入肝，可觅死人枕煮服之，竟，可埋枕于故处，如其言，又愈。王晏问曰：三病不同，皆用死人枕而俱差，何也？答曰：尸疰者，鬼气也，伏而未起，故令人沉滞，得死人枕治之，魂气飞越，不复附体，故尸疰自差。石蚘者医疗既癖，蚘虫转坚，世间药不能遣，所以须鬼物驰之，然后乃散，故令煮死人枕服。夫邪气入肝，故使眼痛而见罔两[3]，须邪物以钩之，故用死人枕之，气因不去之，故令埋于冢间也。(《证类》页366，《大观》卷15页6)

【校注】

[1] **疣** 出《灵枢·经脉》。《外科启玄》名千日疮，俗称瘊子。好发于手背、指背、头皮。小如粟米，大如黄豆，突出皮肤，色灰白或污黄，蓬松枯槁。挤压亦疼痛，擦破易出血。本条用死人枕及席拭疣二七遍，与《五十二病方》用祝由法治疣同。

[2] **滞冷** 即滞下。《千金要方·脾病》谓排便有脓血黏冻，滞涩难下，故名。《济生方》云："今之所谓痢疾，古所谓滞下是也。"滞冷积年不差，多为虚寒性痢疾。

[3] **罔两** 《玉篇》："罔两，水神也。如三岁小儿，赤黑色。"

474 夫衣带[1]

主难产，临时取五寸，烧为末，酒下。裈带[2]最佳。(《证类》页367，《大观》卷15页7，《纲目》页1487)

【校注】

[1] **夫衣带** 《纲目》作"衣带"。

[2] **裈带** 即裤带。《千金方》治妊娠下痢，用衣带三寸，烧研，水服。此方亦治金疮血出不止。

475 衣中故绵絮[1]

主卒下血，及惊疮[2]出血不止，取一握煮汁温服之。新绵一两，烧为黑末，酒下，主五野鸡病[3]。(《证类》页367，《大观》卷15页7，《纲目》页1486)

【校注】

[1] **衣中故绵絮** 《纲目》作"绵"，并云："古之绵絮，乃茧丝缠延，不可纺织者。今之绵絮，则多木棉也。入药仍用丝绵。"按：丝绵是动物蛋白，烧炭与血余性质同，有止血之功，木棉（棉花）为植物纤维，烧炭与一般木炭性质同，并无止血之功。

[2] **惊疮** 《纲目》作"金疮"。出《金匮要略》，刘涓子《鬼遗方》名金创。指由金属器刃损伤肢体所致的创伤。重者伤筋，血出不止。

[3] **五野鸡病** 见"183 益奶草"注[1]。

476 新生小儿脐中屎[1]

主恶疮[2]，食息肉[3]，除面印字[4]尽。候初生取胎中屎也。初生脐[5]，主疟[6]，烧为灰，饮下之。(《证类》页367，《大观》卷15页7，《纲目》页1816、1830)

【校注】

[1] **新生小儿脐中屎** 《纲目》作“小儿胎屎”，并云：“治小儿鬼舐头，烧灰，和腊猪脂涂之。”

[2] **恶疮** 见“20铁锈”注[2]。

[3] **食息肉** 息肉，见“2铜青”注[3]，食息肉即除去息肉。

[4] **面印字** 古代在犯罪人面皮上印字，作为犯人的标记。

[5] **初生脐** 《纲目》引《拾遗》作“初生脐带”。《保幼大全》云：“预解胎毒，初生小儿十三日，以本身剪下脐带烧灰，以乳汁调服，可免痘患。或入朱砂少许。”

[6] **疟** 见“426柘木”注[5]。

477 象肉[1]

味咸，酸，不堪啖[2]。胆主目疾[3]，和乳滴目中。《序》云：象胆挥粘[4]。(《证类》页371，《大观》卷16页8，《纲目》页1765)

【校注】

[1] **象肉** 《纲目》作“象”，并在集解下“引颂曰”(苏颂)的文中，有“陈藏器”云：“象具十二生肖肉，各有分段，惟鼻是其本肉，炙食，糟食更美。又胆不附肝，随月在诸肉间。”《大观》《证类》“象”条引《图经》曰有此文，仅作“或曰”，并不作“陈藏器云”。

[2] **不堪啖** 《开宝本草》云：“象肉淡，不堪啖，多食令人体重，主秃疮，作灰和油涂之。”

[3] **胆主目疾** 《日华子》云：“象胆明目及治疳”。《开宝本草》云：“胆主目疾，和乳滴目中。”

[4] **《序》云：象胆挥粘** 《雷公炮炙论·序》云：“象胆挥粘，乃知药有情异。”所云“挥粘”，即指除去黏着物。《纲目》云：“象胆明目，能去尘膜也，与熊胆同功。”

478 蔡苴机屎[1]

主蛇虺[2]毒。两头麋[3]屎也，出永昌郡[4]。取屎以傅疮。《博物志》[5]云：蔡余义兽，似鹿，两头。其胎中屎，四时取之，未知今有此物否？蔡苴机，余义也。范晔《后汉书》[6]云：云阳[7]县有神鹿，两头，能食毒草。《华阳国志》[8]曰：此鹿出云阳南郡熊舍山，即此余义也。(《证类》页374，《大观》卷16页14，《纲

目》页1783）

【校注】

[1] **蔡苴机屎** 《纲目》引《拾遗》作“茶首机”，并云：“音蔡茂机，番言也，出《博物志》。旧本讹作茶苴机，又作余义，亦茶首之讹也。”又，本条，《纲目》以双头鹿为正名。

[2] **蛇虺** 见“234 青黛”注[2]。

[3] **两头麋** 《纲目》作“双头鹿”。

[4] **永昌郡** 今云南西部保山一带。

[5] **《博物志》** 见“29 石漆”注[2]。

[6] **范晔《后汉书》** 范晔是南北朝刘宋顺阳（河南淅川）人（398—445），34岁出任宣城（安徽宣州）太守，47岁以谋反罪入狱被杀。少好学，博涉经史。曾参考东汉官修史书《东观汉记》，并删取谢承、华娇、袁崧诸家《后汉书》，著《后汉书》。从此各家纪传体东汉史书遂渐湮没。

[7] **云阳** 今陕西泾阳的北边。

[8] **《华阳国志》** 见“411 桄榔子”注[2]。

479 诸朽骨[1]

主骨蒸[2]，多取净洗，刮却土气，于釜中煮之，取桃、柳枝各五斗，煮枯，棘针三斗，煮减半，去滓，以酢浆水和之，煮三五沸，将出，令患者散发正坐，以汤从顶淋之，唯热为佳。若心闷，可进少冷饭，当大汗，去恶气。汗干可粉身，食豉粥，羸者少与。又东墙腐骨，醋磨，涂痕得灭，及除疬疡风[3]、疮癣[4]、白烂[5]。东墙，墙之东，最向阳也。（《证类》页376，《大观》卷16页14，《纲目》页1756）

【校注】

[1] **诸朽骨** 此外《纲目》有“人骨”条，并注出《拾遗》，其“主治”文为：“主治骨病，接骨，臁疮，并取焚弃者。”注出“藏器”。（见《纲目》页1824）

[2] **骨蒸** 见“333 阿勒勃”注[3]。

[3] **疬疡风** 见“451 丹桎木皮”注[2]。

[4] **疮癣** 同疥癣，见“445 马疡木根皮”注[2]。

[5] **白烂** 疑是指小儿口腔黏膜及舌面生鹅口疮，其皮损呈灰白或乳白色薄膜状斑片，似白色糜烂。

480 乌毯[1]

无毒。主火烧生疮，令不著风水，止血，除贼风。烧为灰，酒下二钱匕，主产后血下不止[2]。久卧吸人脂血，令人无颜色，上气[3]。（《证类》页374，《大观》卷16

页 14，《纲目》页 1757）

【校注】

[1] **乌毯** 《纲目》作“毡”，并云：“毡属甚多，出西北方，皆畜毛所作，其白、其黑者，本色也，其青、乌、赤者，染色也。入药不甚相远。”

[2] **烧为灰，酒下二钱匕，主产后血下不止** 乌毯为畜毛所作，烧为灰，即成血馀炭。血馀炭能止血消瘀，止各种出血。研细末调膏，敷外伤出血或溃疡不敛。《金匮》以血馀炭配滑石、白鱼等分为散，治小便不利。

[3] **上气** 见“202 骨路支”注［2］。

481 海獭[1]

味咸，无毒。主人食鱼中毒，鱼骨伤人，痛不可忍，及鲠不下者，取皮煮汁服之。海人亦食其肉。似獭，大如犬，脚下有皮，如人胼拇，毛着水不濡。海中鱼獭、海牛、海马、海驴等，皮毛在陆地皆候风潮，犹能毛起。《博物志》有此说也。（《证类》页 374，《大观》卷 16 页 14，《纲目》页 1798）

【校注】

[1] **海獭** 陶弘景云：“獭有两种，有猿獭，形大，头如马，身似蝙蝠。”《博物志》云：“海猿，头如马，自腰以下似蝙蝠，其毛似獭，大者五六十斤，亦可烹食。”《纲目》云：“海獭亦獭也，大猿小獭。”据此，则《别录》獭当指小獭。獭是水栖兽，又称水獭。《广雅》称水狗。海獭、水獭同是獭类，其主亦同。《别录》云：“獭却鱼鲠。”本条海獭亦云治鲠不下者。

482 土拨鼠[1]

味甘，平，无毒。主野鸡瘘疮[2]。肥美，煮食之宜人。生西蕃[3]山泽，穴土为窠，形如獭，夷人掘取食之。《魏略》[4]曰：大秦国[5]出辟毒鼠，近似此也。（《证类》页 374，《大观》卷 16 页 14，《纲目》页 1803）

【校注】

[1] **土拨鼠** 本条的正名，《纲目》注出典为《拾遗》。

[2] **主野鸡瘘疮** 见“183 益奶草”注［1］。

[3] **西蕃** 见“224 数低”注［2］。

[4] **《魏略》** 见“205 兜纳香”注［2］。

[5] **大秦国** 见“205 兜纳香”注［3］。

483 犊子脐屎[1]

主卒九窍[2]中出血，烧末服之方寸匕，新生未食草者，预取之，黄犊为上。(《证类》页387，《大观》卷17页26，《纲目》页1741)

【校注】

[1] **犊子脐屎** 《纲目》作“黄犊子脐屎”，并在“牛”条中。

[2] **九窍** 见“408相思子”注[2]。

484 灵猫阴[1]

味辛，温，无毒。主中恶[2]鬼气[3]，飞尸[4]蛊毒[5]，心腹卒痛，狂邪鬼神，如麝用之，功似麝。生南海[6]山谷，如狸，自为牝牡，亦云灵狸。《异物志》[7]云：灵狸一体，自为阴阳，刳其水道连囊，以酒洒，阴干，其气如麝，若杂真香，罕有别者，用之亦如麝焉。(《证类》页387，《大观》卷17页26，《纲目》页1786)

【校注】

[1] **灵猫阴** 为灵猫科动物大灵猫的香囊。囊中分泌物称灵猫香。《本草图经》云：“南方一种香狸，人以作脍生，若北地狐生法，其气甚香，微有麝气。”

[2] **中恶** 见“93仰天皮”注[2]。

[3] **鬼气** 见“104车脂”注[2]。

[4] **飞尸** 见“149草犀根”注[8]。

[5] **蛊毒** 见“135猪槽中水”注[2]。

[6] **南海** 见“334鼠藤”注[6]。

[7] **《异物志》** 东汉·杨浮撰。

485 震肉

无毒。主小儿夜惊，大人因惊失心[1]。亦作脯[2]与食之。此畜为天雷所霹雳[3]者是。(《证类》页387，《大观》卷17页26)

【校注】

[1] **失心** 丧失神志。因惊失心，指惊吓呆了。

[2] **脯** 肉以盐腌使干为脯，又肉蒸熟亦称脯。此处当指后者。

[3] **霹雳** 《尔雅·释天》注："雷之急击者为霹雳。"

486 狒狒[1]

亦作狒（扶沸切），无毒。饮其血，令人见鬼也。亦堪染绯[2]，发可为头髲，出西南夷，如猴。宋孝建中[3]，僚子以西波尸地，高城郡，安西县[4]，主簿[5]韦文礼，进雌、雄二头。宋帝曰：吾闻狒狒，能负千钧，若既力如此，何能致之？彼土人丁銮进曰：狒狒见人喜笑，则上唇掩其目，人以钉钉其唇著额，任其奔驰，候死而取之。发极长，可为头髲[6]，血堪染靴，其毛一似猕猴，人面，红赤色，作人言马（或作鸟字）声，善知生死。饮其血，使人见鬼。帝闻而欣然，命工图之。亦出《山海经》[7]。《尔雅》云：狒狒如人被发，迅走食人，亦曰枭羊，彼俗亦谓之山都[8]。郭景纯[9]有赞，文繁不载。脯带脂者，薄割火上，炙热于人肉，傅癣上，虫当入脯中，候其少顷，揭却，须臾，更三五度，差。（《证类》页387，《大观》卷17页26，《纲目》页1808）

【校注】

[1] **狒狒** 《纲目》作"狒狒"，并引《方舆志》云："狒狒，西蜀（川西）及处州（浙江丽水一带）山中有之，呼为人熊。闽中沙县（福建沙县）幼山亦有，长丈余，逢人则笑，呼为山大人，或曰野人及山魈（传说中的山怪）。"

[2] **绯** 绛色。《酉阳杂俎》云："血可染绛"。

[3] **宋孝建中** 南北朝刘宋孝武帝刘骏年号。

[4] **安西县** 新疆库车，古称安西。本条言刘宋事，刘宋在江南，当时南北对峙，与新疆无联系，文中安西当非新疆的库车。

[5] **主簿** 是主管文书的官。《文献通考》云："古者官府皆有主簿一官，上至三公及御史府，下至九寺五监，以至郡县多置之。所积者簿书，盖曹掾之流耳。"

[6] **头髲** 《说文》云："髲，益发也。"段玉裁注："言人发少，聚他人发益之。"《释名·释首饰》："髲，被也。发少者，得以被助其发也。"头髲，相当今日之假发。

[7] **《山海经》** 见"239 零陵香"注[4]。

[8] **山都** 任昉《述异记》云："南康（今江西南康）有神曰山都。形如人，长二尺余，黑色，赤目黄发。深山树中作窠，状如鸟卵，高三尺余，内甚光彩，体质轻虚，以鸟毛为褥，二枚相连，上雄下雌。能变化隐形，罕睹其状。"

[9] **郭景纯** 即郭璞（276—324），东晋（317—342）训诂学家，字景纯，河东闻喜（今山西闻喜）人。原为王敦记室参军，后被王敦所杀。对《尔雅》《方言》《山海经》《楚辞》《三苍》《穆天子传》《上林赋》《子虚赋》等俱作过注释，以晋代语言解释古语，为研究汉、晋语言流变的重要资料。

487　水马[1]

陶云有水马，生海中，主产。按：水马，妇人临产带之，不尔临时烧末饮服，亦可手持之。出南海[2]，形如马，长五六寸，虾类也。《南州异物志》[3]云[4]：妇人难产，割裂而出者，手握此虫，如羊之产也。生物中羊产最易。（《证类》页393，《大观》卷18页11，《纲目》页1689、1619）

【校注】

[1] **水马**　《本草经集注》鼺鼠，陶弘景注云："又有水马，生海中，是鱼虾类，状如马形，亦主易产。"《本草衍义》云："鼺鼠注中引水马，首如马，身如虾，背伛偻，身有竹节纹，长二三寸，今谓之海马。"按现代研究，海龙科多种动物皆称海马，如刺海马、小海马、线纹海马、三斑海马等。

[2] **南海**　见"334 鼠藤"注［6］。

[3] **《南州异物志》**　见"45 琉璃"注［2］。

[4] **云**　其后，《纲目》引"藏器曰"有"大小如守宫，其色黄褐"。《证类》无此文。

488　膃肭脐[1]

如烂骨，从西蕃来，骨肭兽似狐而大，长尾，脐似麝香，黄赤色，生突厥国。胡人呼为阿慈勃他你。（《证类》页394，《大观》卷18页12，《纲目》页1798）

【校注】

[1] **膃肭脐**　为海狗科动物海狗的雄性外生殖器，亦称海狗肾。又，海豹科动物海豹外肾亦入药。《药性论》云："膃肭脐是新罗国海内狗外肾也，连而取之。"《海药本草》云："按，《临海志》云：出东海水中，状如鹿形，头似狗，长尾，每遇日出，即浮在水面，昆仑家以弓矢而采之，取其外肾，阴干百日。"据此，海狗出在中国东边海里。但《拾遗》说膃肭脐从西蕃来，生突厥。西蕃、突厥都在中国西北部，与《药性论》《海药本草》说出于海里全不相同。《拾遗》又说骨肭兽似狐而大，长尾，此与海里所出海狗亦不相同。《开宝本草》云："膃肭脐，骨肭兽似狐而大，长尾，生西戎。"此亦承袭《拾遗》之说。《本草衍义》云："膃肭脐今出登（今山东蓬莱）、莱（今山东掖县）州，《药性论》以谓是海内狗外肾。所以似狐长尾之说，盖今人多不识。"

489　麂[1]

味辛，主野鸡病[2]。炸熟，以姜酢进食之，大有效。又云多食能动人痼疾[3]。头骨为灰，饮下之，主飞尸[4]。生东南。（《证类》页394，《大观》卷18页13，《纲目》页1783）

【校注】

[1] **麂** 为鹿科动物小麂。《本草图经》云："麂出东南山谷，今山林处皆有，而均（今湖北均县）、房（今湖北房县）、湘（湘水）、汉（汉水）间尤多，实獐类也。《尔雅》：麿（与几同），大麇，旄毛，狗足。释曰：麇亦獐也。旄毛，猱长毛也。大獐毛长狗足为麿。又有一种类麿而更大名麖。"《本草衍义》云："麂，獐之属，又小于獐，但口两边有长牙，好斗，则用其牙。其皮多牙伤痕。"

[2] **野鸡病** 见"183 益奶草"注［1］。

[3] **痼疾** 出《金匮要略》。指久延不愈，比较顽固难治的疾病。

[4] **飞尸** 见"149 草犀根"注［7］。

490 诸血

味甘，平。主补人身血不足，或因患血枯[1]，皮上肤起，面无颜色者，皆不足也，并生饮之。又解诸药毒、菌毒，止渴，除丹毒[2]，去烦热。食筋，令人多力。(《证类》页395，《大观》卷18页14，《纲目》页1656)

【校注】

[1] **血枯** 血分枯槁，面色不泽，头晕目花，蹲下突然起立两眼发黑，上楼时心跳气促，四肢清冷，脉虚或细数。

[2] **丹毒** 见"22 淬铁水"注［2］。

491 果然肉[1]

味咸，无毒。主疟瘴[2]，寒热，煮食之[3]，亦坐其皮为褥。似猴，人面，毛如苍鸭，肋边堪作褥[4]。《南州异物志》[5]云：交州[6]有果然兽，其名自呼如猿，白质黑文，尾长过其头，鼻孔向天，雨以尾塞鼻孔，毛温而细。《尔雅》：蜼，仰鼻而长尾。郭注[7]与此相似也。(《证类》页395，《大观》卷18页14，《纲目》页1807)

【校注】

[1] **果然肉** 《纲目》云："果然出西南诸山中，居树上，状如猿，白面黑颊，多髯而毛彩斑斓。尾长于身，其末有歧，雨则以歧塞鼻，喜群居。"罗愿《尔雅翼》云："人捕其一，则举群啼而相赴，虽杀之不去也。大者为然，为禺；小者为狖（音又），为蜼。"钟毓《果然赋》云："似猴像猿，黑颊青身。"

[2] **疟瘴** 见"140 阴地流泉"注［1］。

[3] **煮食之** 《纲目》引陈藏器文作"同五味煮臛食之"。

［4］**毛如苍鸭，肋边堪作褥**　《纲目》引陈藏器文作“如苍鸭胁边斑毛之状，集之为裘褥，甚温暖。”

［5］**《南州异物志》**　见“45 琉璃”注［2］。

［6］**交州**　今越南河内。

［7］**郭注**　即东晋·郭璞注《尔雅》。其注云：“蜼似猕猴而大，黄黑色，尾长数尺。”据研究，蜼是一种长尾猿。比蜼更小者名蒙贵，紫黑色，出交趾（越南的北部）。

492　狨兽[1]

无毒。主五野鸡病[2]，取其脂傅疮，亦食其血肉，亦坐其皮，积久，野鸡病皆差也。似猴而大，毛长黄赤色。生山南山谷中，人将其皮作鞍褥。(《证类》页 396，《大观》卷 18 页 14，《纲目》页 1807)

【校注】

［1］**狨兽**　《纲目》作“狨”。杨亿《谈苑》云：“狨出川峡深山中，其状大小类猿，轻捷善缘木，尾长作金色，俗名金线狨。”据研究，狨为猴科动物金丝猴。体长约 70 厘米，尾长约与体长相等或长些，无颊囊。毛质柔软如绒，故名狨。为我国一类保护动物，极珍贵。

［2］**五野鸡病**　见“183 益奶草”注［1］。

493　狼筋[1]

如织络袋子，似筋胶所作，大小如鸭卵，人有犯盗者，熏之当脚挛缩，因之获贼也。或云是狼胜[2]下筋，又云虫所作，未知孰是？狼大如狗，苍色，鸣声诸孔皆涕[3]。(《证类》页 396，《大观》卷 18 页 15，《纲目》页 1793)

【校注】

［1］**狼筋**　本条《纲目》列在“狼”条内。狼筋是何物，陈藏器也未明确指出，仅云：“未知孰是”。《纲目》引李石《续博物志》云：“唐时有狼巾，一作狼筋，状如大蜗，两头光，带黄色。有段祐失金帛，集奴婢于庭焚之，一婢脸眴，乃窃器者。此即陈氏所谓狼筋也。”

［2］**胜**　《本经》“丹雄鸡”条有“胜胵里黄皮”。胜胵即胃脘。

［3］**涕**　《纲目》引陈藏器文作“沸”。

494　诸肉有毒[1]

兽歧尾杀人。鹿豹文杀人。羊心有孔杀人。马蹄夜目五月以后食之杀人。犬悬蹄肉有毒杀人，不可食。米瓮中肉杀人，漏沾脯杀人，肉中有星如米杀人。羊脯三月以后有虫如马尾有毒杀人。脯曝不燥，火烧不动，入腹不消，久置黍米瓮中，令人气闭。白马鞍下肉，食之损人五脏。马及鹿膳白[2]不可食。乳酪及大酢和食，令人为血痢。驴马兔肉，妊娠不可食。乳酪煎鱼鲙瓜和食，立患霍乱[3]。猪、牛肉和食，令人患寸白虫。诸肉煮熟不敛水，食之成瘕[4]。食兔肉食干姜，令人霍乱。市得野中脯，多有射罔毒[5]。食诸肉过度，还饮肉汁，即消，食脑立消。（《证类》页396，《大观》卷18页15，《纲目》页1758）

【校注】

[1] **诸肉有毒**　《纲目》卷50末亦载有“诸肉有毒”标题，注出典为《拾遗》。标题下所列诸般肉品共57种，除少数几种与《证类》所引陈藏器文相同外，有50余种均不相同。

[2] **膳白**　《广雅·释器》：“膳，肉也。”《周礼·膳夫》：“掌王之食饮膳馐。”膳指牲肉。膳白即肉变白。

[3] **霍乱**　见“1 铜盆”注［2］。

[4] **瘕**　见“59 桑灰”注［2］。

[5] **射罔毒**　《日华子》云：“土附子（即生草乌）生去皮捣，滤汁，旋添，晒干，取膏，名为射罔，以作毒箭。”陶弘景云：“乌头，捣榨取汁，日煎为射罔。猎人以傅箭，射禽兽，十步即倒，中人亦死。”猎人射得野兽，制成脯市售，多有射罔毒。

495　啄木鸟[1]

平，无毒。主痔瘘[2]及牙齿疳䘌蚛牙[3]，烧为末，内牙齿孔中，不过三数。此鸟有大有小，有褐有斑，褐者为雌，斑者是雄，穿木食蠹[4]。《尔雅》云：䴕，啄木。《荆楚岁时记》[5]云：野人以五月五日得啄木，货之，主齿痛。《古今异传》云：本雷公采药吏化为此鸟。《淮南子》云：啄木愈龋，信哉。又有青黑者，黑者头上有红毛，生山中，土人呼为山啄木，大如鹊。（《证类》页405，《大观》卷19页17，《纲目》页1697）

【校注】

[1] **啄木鸟**　为啄木鸟科绿啄木鸟。《本草和名》卷21、《医心方》卷1俱引陈藏器《拾遗》云：“啄木头，一名啄木鸟。”说明《拾遗》载有啄木鸟。其后《嘉祐本草》收为正品。

[2] **痔瘘**　见”176 孟娘菜“注［2］。姚大夫方：治瘘有头出脓水不止，以啄木一只，烧灰，酒下二钱匕。

[3] **牙齿疳䘌蚛牙**　见“241 甘松香”注［4］。蚛牙即蛀牙。《深师方》治蛀牙有孔，疼处以啄木鸟舌尖绵裹，于痛处咬之。此法不可取。为了牙痛，牺牲一只鸟，得不偿失。啄木鸟是林业益鸟，应当加以保护。至于蛀牙有孔疼，可取细辛或花椒皮揉成小团，塞有孔痛处，咬住，很快即不痛。当

痛止，用温开水漱去。

[4] **蠹** 《说文》云："蠹，木中虫。"段注云："在木中食木者，今俗谓之蛀。"

[5] **《荆楚岁时记》** 见"25 大石镇宅"注[2]。

496 伯劳[1]

平，有毒。毛主小儿继病。继病，母有娠乳儿，儿有病如疟痢，他日亦相继腹大，或差或发，他人相近亦能相继。北人未识。此病怀妊者，取毛带之，又取其蹋枝鞭小儿，令速语。郑礼注云：鵙，博劳也。(《证类》页405，《大观》卷19页17，《医心方》页34，《纲目》页1695)

【校注】

[1] **伯劳** 为伯劳科伯劳属各种鸟的通称，冬居平原，夏栖山野。食虫益鸟。《拾遗》引郑礼注云："鵙，博劳也。"《诗·七月》："七月鸣鵙"。阮元校勘记云：唐五经鵙作鶪。五经文字云：鶪，伯劳也，与《说文》合。《易通卦验》云："博劳好单栖"。《医心方》卷1引《拾遗》云："伯劳一名鵙"。说明《拾遗》收载有伯劳。其后《嘉祐本草》录为正品。

497 鹬[1]

蛸注苏云：如蚌鹬[2]。按：鹬如鹑觜长，色苍，在泥涂间作鹬鹬声，人取食之如鹑，无别余功。苏恭[3]云：如蚌鹬之相持也。新注云：取用补虚甚暖。村民云：田鸡所化，亦鹌鹑同类也。(《证类》页406，《大观》卷19页19，《纲目》页1683)

【校注】

[1] **鹬** 为鹬科动物多数种类的通称，有时专指各种鹬。体型大小因种别差异很大。喙都细长而直，足亦长，适于涉行浅水、泽地。

[2] **蛸注苏云：如蚌鹬** 《唐本草》"蛸皮"条下注文，有苏敬云："蛸恶鹊声，故反腹（肚腹向上）令啄，欲掩取之，犹蚌、鹬尔。"义同蚌、鹬相争，渔翁得利。

[3] **苏恭** 即《唐本草》编修者苏敬。宋代刻书，避宋太祖赵匡胤祖父赵敬讳，改为苏恭。

498 鷃

蝉注陶云：雀鷃蜩范[1]。按:鷃是小鸟，如鹑[2]之类，一名鴽，郑注《礼记》以鷃为鴽[3]。又云：鴽，鴾母也。《庄子》[4]云：斥鷃，人食之，无别功用也。(《证类》页406，《大观》卷19页19，《纲目》页1682)

【校注】

[1] **蝉注陶云：雀鷃蜩范** 《本草经集注》“蚱蝉”注文，陶弘景云：“《礼》有雀鷃蜩范。范有冠，蝉有緌。”

[2] **鹑** 为雉科动物鹌鹑。体长近20厘米，为鸡形目中最小的种类。周身羽毛都有白色羽干文，系鹌鹑显著特点。

[3] **郑注《礼记》以鷃为鴽** 东汉经学家郑玄（127—200）注《礼记》：“雉、兔、鹑、鷃，以鷃为鴽。”《尔雅》云：“鴽，鴾母”。《月令》引《素问》云：“鴽，鹑也。”

[4] **《庄子》** 见“64 土消”注[5]。

499 阳乌

鹳注陶云：阳乌是鹳[1]。按：二物殊不似，阳乌身黑，项长白，殊小。鹳嘴主恶虫咬作疮者，烧为末，酒下。亦名阳鸦，出建州[2]。（《证类》页406，《大观》卷19页19，《纲目》页1656）

【校注】

[1] **鹳注陶云：阳乌是鹳** 《本草经集注》“鹳骨”条陶弘景注云：“鹳有两种，似鹄而巢树者为白鹳，黑色曲颈者为乌鹳。”

[2] **建州** 今福建建瓯。

500 凤凰台[1]

味辛，平，无毒。主劳损，积血[2]，利血脉，安神。《异志》云：惊邪，癫痫，鸡痫[3]，发热狂走，水磨服之。此凤凰脚下物，如白石也。凤虽灵鸟，时或来仪，候其栖止处，掘土二三尺取之。壮如圆石，白似卵。然凤凰非梧桐不栖，非竹实不食[4]。不知栖息那复近地，得台入土，正是物有自然之理，不可识者。今有凤处，未必有竹，有竹处，未必有凤，恐是诸国麟凤州[5]有之。如汉时所贡续弦胶，即煎凤髓所造[6]。有亦曷足怪乎？今鸡亦有白台[7]，如卵硬，中有白无黄，云是牡鸡所生，名为父公台。《本经》鸡白橐，橐字似台，后人写之误耳。书记云：诸天国食凤卵，如此土人食鸡卵也。（《证类》页406，《大观》卷19页19，《纲目》页1678、1701）

【校注】

[1] **凤凰台** 《纲目》作“凤凰”，注出《拾遗》。罗愿《尔雅翼》云：“南恩州（今广东阳江）

北甘山，壁立千仞，猿、狖（音又，即前491果然的别名）不能至。凤凰巢其上，惟食虫鱼。遇大风雨飘堕其雏，小者犹如鹤，而足差短。”

［2］**积血**　即瘀血。

［3］**癫痫，鸡痫**　癫痫即痫病，发作时，突然昏倒，口吐涎沫，两目上视，牙关紧急，四肢抽搐，或口中发出类似猪羊叫声。如鸡叫声者称鸡痫。醒后除感觉疲劳外，一如常人。《内经》大奇论称之为胎病，说明《内经》早已指出病因中的遗传因素。

［4］**然凤凰非梧桐不栖，非竹实不食**　《韩诗外传》云：“凤，其翼若干，其声若箫。不啄生虫，不折生草。不群居，不侣行。非梧桐不栖，非竹实不食，非醴泉不饮。”

［5］**麟凤州**　从词义上看，似是麒麟凤凰所出处。今陕西神木，古称麟州。

［6］**汉时所贡续弦胶，即煎凤髓所造**　《雷公炮炙论·序》有“断弦折剑，遇鸾血而如初”。其下注云：“以鸾血炼作胶，粘折处，铁物永不断。”《洞冥记》也认为续弦胶是鸾血所作。按：鸾与凤，《说文》释为神鸟。谓鸾似凤多青。《初学记》引《毛诗草虫经》云：“雄曰凤，雌曰凰，其鸰为鸾。”疑鸾与凤或是孔雀一类的鸟。

［7］**白台**　陈藏器谓《本经》“鸡白橐”即鸡白台。橐为台之误。关于《本经》鸡白橐，陶弘景即云：“不知是何物？”汪机认为似是雌鸡之肥脂，如橐之肥白。但是鸡的脂肪是黄色，非白色。汪机所释亦可疑。《拾遗》说鸡白台如卵硬，中有白无黄，云是牡（雄）鸡所生。联系《本经》鸡白橐肥脂，疑鸡白台或是鸡的脂肪瘤。

501　鸀玉（音蜀玉）鸟

主溪毒[1]、沙虱[2]、水弩、射工、蜮、短狐[3]、虾须[4]等病。将鸟来病人边，则能唼[5]人身，讫，以物承之，当有沙石出也。其沙即是含沙射人，沙是此虫之箭也。亦可烧屎及毛作灰服之。亦可笼以近人，令鸟气相吸。山中水毒处，即生此鸟，当为食毒虫所致。以前数病，大略相似，俱是山水间虫，含沙射影。亦有无水处患者，防之。发，夜卧常以手摩身体，觉辣痛处，熟视，当有赤点如针头，急捻之，以芋叶入肉刮，却视有细沙石，以蒜封疮头上，不尔少即寒热，疮渐深也。其虾须疮，桂岭独多，著者十活一二。惟有早觉者，当用芋草及大芋、甘蔗等叶，屈角入肉钩之，深尽根，蒜封可差。须臾即根入至骨，其根拔出如虾须，疮号虾须疮。有如疔肿，最恶者，著人幽隐处，自余六病，或如疟及天行初著寒热。亦有疮出者，亦有无疮者，要当出得沙石，迟缓易疗[6]，不比虾须。鸀玉鸟如鸭而大，眼赤，觜斑，好生山溪中。（《证类页406，《大观》卷19页19，《纲目》页1663）

【校注】

［1］**溪毒**　见“149草犀根”注［4］。

［2］**沙虱**　《补辑肘后方》第63治卒中沙虱毒：“山水间多有沙虱，其虫甚细不可见。人入水

浴及汲水澡浴，此虫在水中著人。及阴雨日行草中，即著人，便钻入皮里。初得之，皮上正赤如小豆、黍米、粟粒，以手摩赤上，痛如刺，过三日后，令人百节强疼痛寒，赤上发疮。此虫渐入至骨，则杀人。”

[3] **水弩、射工、蜮、短狐** 《补辑肘后方》第62治卒中射工水弩毒：“江南有此射工毒虫，一名短狐，一名蜮。常在山间水中，人行及入水中，此虫口中有横骨，状如角弩，即以气射人影则病。初得时，或如伤寒，或似中恶，或口不能语，或身体苦强，或恶寒壮热，四肢拘急，头痛，旦可暮剧，困者三日则齿间出血，不治即死……居溪旁湿地，大雨时，或逐行潦，流入家而射人。”

[4] **虾须** 即虾子头部的触角，如芒须。

[5] **喽** 喽，原义为咬。此处指吸着。

[6] **迟缓易疗** 指发病迟缓，易治。

502 巧妇鸟[1]

主妇人巧，吞其卵。小于雀，在林薮间为窠，窠如小囊袋，亦取其窠烧，女人多以熏手令巧。《尔雅》云：桃虫，鷦。注云：桃雀也，俗呼为巧妇鸟也。（《证类》页407，《大观》卷19页20，《纲目》页1686）

【校注】

[1] **巧妇鸟** 郭璞注《尔雅》：“桃虫，鷦。桃雀也。俗呼为巧妇。”《诗正义》引舍人曰：“桃虫名鷦”。陆机疏云：“今鷦鹩是，微小于黄雀。”《纲目》云：“鷦鹩生蒿木间，居藩篱之上，状似黄雀而小，灰色有斑，声如吹嘘，喙如利锥。取茅苇毛毳而窠，大如鸡卵，系之以麻发，至为精密，悬于树上。”鷦鹩是鷦鹩科动物鷦鹩，形小，性易驯，异名很多，如桃虫、巧妇等。

503 鹑[1]

共猪肉食之，令人生小黑子。（《医心方》页700，《证类》页405，《大观》卷19页17，《纲目》页1682）

【校注】

[1] **鹑** 为雉科动物鹌鹑。本条出自《医心方》引《拾遗》，说明《拾遗》载有鹑。《嘉祐本草》收为正品，并云：“鹑补五脏，益中续气，实筋骨，耐寒温，消结热。小豆和生姜煮食之，止泄痢。酥煎偏令人下焦肥。与猪肉同食之，令人生小黑子。又不可和菌子食之，令人发痔。四月以前未堪食，是虾蟆化为也。”从《嘉祐本草》“鹑”条文中含有本条资料来看，《嘉祐本草》“鹑”条资料亦是出于《拾遗》。《嘉祐本草》“鹑”条末有“是虾蟆化为”。《本草衍义》否定之，并云：“鹑有雌雄，从卵生，何言化也。尝于四野屡得其卵。初生谓之罗鹑，至初秋谓之早秋，中秋以后谓之白唐。一物四名，当悉书之。小儿患疳及下痢五色，旦旦食之，有效。”

504　英鸡

味甘，温，无毒。主益阳道[1]，补虚损，令人肥健悦泽，能食，不患冷[2]，常有实气，而不发也。出泽州[3]有石英处，常食碎石食，体热，无毛，飞翔不远。人食之，取其英之功也。如雉，尾短，腹下毛赤，肠中常有碎石英。凡鸟食之，石入肠，必致销烂，终不出。今人以末石英饲鸡，取其卵而食，则不如英鸡。(《证类》页407，《大观》卷19页20，《纲目》页1682)

【校注】

[1] **益阳道**　见“35 磁石毛”注[2]。按：养生者应远房帏，强阳道之物不宜多食久食。

[2] **不患冷**　患冷多因阳气虚，手足不温。食英鸡不患冷，说明英鸡有助阳功能。一个人长期不食动植物蛋白，或食的过少，都易患冷，手足不温，夏天不能吹电风扇，冬天穿衣比别人多些。

[3] **泽州**　今山西晋城。

505　鸂鶒[1]

味甘，平，无毒。治惊邪，食之主短狐[2]，可养亦辟之。今短狐处多有。鸂鶒五色，尾有毛如船柁，小于鸭。《临海异物志》[3]曰“鸂鶒，水鸟，食短狐，在山泽中，无复毒气也。”又《杜台卿淮赋》[4]云：“鸂鶒寻邪而逐害[5]”是也。(《证类》页403、39，《大观》卷19页13，《纲目》页1663)

【校注】

[1] **鸂鶒**　《纲目》引《异物志》一名鸂鸭。其形大于鸳鸯，而色多紫，亦好并游，左雄右雌，群伍不乱，谓之紫鸳鸯。

[2] **短狐**　见“501 鶡鴠鸟”注[3]。

[3] **《临海异物志》**　见“196 石莼”注[3]。

[4] **《杜台卿淮赋》**　杜台卿，即《玉烛宝典》作者。见《纲目》347页“引据古今医家书目”。

[5] **鸂鶒寻邪而逐害**　言此鸟专食短狐，为溪中敕逐害物者，故名鸂鶒。

506　鱼狗[1]

味咸，平，无毒。主鲠及鱼骨入肉，不可出，痛甚者，烧令黑为末，顿服之，煮取汁饮亦佳。今之翠鸟也，有大小，小者名鱼狗，大者名翠，取其尾为饰，亦有斑白者，俱能水上取鱼，故曰鱼狗。《尔雅》云：竭，天狗。注曰：小鸟青似翠，食鱼，江东呼为鱼狗。穴土为窠。（《证类》页407，《大观》卷19页20，《纲目》页1665）

【校注】

[1] **鱼狗** 为翠鸟科动物翠鸟。《尔雅》云："竭，天狗。"郭璞注："小鸟也，青似翠，食鱼，江东呼为水狗。"罗愿《尔雅翼》云："今谓之翠碧鸟，又谓之鱼狗。或曰小者为鱼狗，大者名翠奴。"郝懿行《尔雅义疏》云："按，今报者青翠色，大如燕，而喙极长，尾绝短，喙、足皆赤色。"又，同科动物白胸翡翠，同鱼狗极相似，张辑注《上林赋》云："翡翠大小亦如雀，雄赤曰翡，雌青曰翠。"刘逵注《吴都赋》云："翡翠巢于树颠生子，夷人稍徙下其巢，子大未飞便取之。出交趾（今越南河内）、郁林郡（今广西的西部，治桂平）。"

507 鸵鸟屎[1]

无毒。主人中铁刀入肉，食之立消。鸟如驼[2]，生西夷，好食铁。永徽中[3]，吐火罗献鸟，高七尺如驼，鼓翅行，能食铁也[4]。（《证类》页407，《大观》卷19页20，《纲目》页1702）

【校注】

[1] **鸵鸟屎** 是鸵科动物鸵鸟的屎。鸵鸟是现代存世的最大的鸟。雄鸟高约2.75米，雌鸟稍小，两翼退化，不能飞，足具两趾和肉垫，强而善走。尾羽蓬松下垂。产于非洲和阿拉伯沙漠地带。《纲目》作"驼鸟"，其释名称为"食火鸡"。今日的"食火鸡"为鸵科动物鹤鸵，体形似鸵鸟而较小，高约1.8米，翼退化，足长善走。栖息密林中，畏日光，早晚出外觅食。产于澳大利亚、新几内亚岛的热带密林地区。

[2] **鸟如驼** 即如骆驼。骆驼头小，颈长，体躯大，腿细长，两趾，蹠有厚皮，适于沙地行走。而鸵鸟足亦是两趾，有肉垫，强劲善走，二者极相似。故云鸟如驼。

[3] **永徽中** 永徽是唐高宗李治的头一个年号，时间为公元650—655年。

[4] **高七尺如驼，鼓翅行，能食铁也** 《纲目》引陈藏器文化裁为："高七尺如橐驼，鼓翅而行，日三百里，食铜铁也。"

508 鸡鹊[1]

水鸟，人家养之，厌火灾。似鸭，绿衣，驯，扰不去。出南方池泽。《尔雅》云：鳽（音坚），鸡鹊，畜之厌火灾。《博物志》[2]云：鸡鹊巢于高树，生子穴中，衔其母翅飞下。（《证类》页407，《大观》卷19页21，《纲目》页1663）

【校注】

[1] **䴔䴖** 《尔雅》云："鳽，䴔䴖。"郭璞注："似凫（野鸭为凫，家鸭为鹜），脚高，毛冠（其顶有红毛如冠）。江东人家养之，以厌火灾。"《白孔六帖》引《禽经》云："交目，其名鳽。"又云："睛交而孕。"交目、睛交，指两鸟用眼睛相交而受孕。司马相如《上林赋》有："交精旋目"。交精指䴔䴖，旋目指旋目水鸟，此鸟目旁毛长而旋得名。

[2] **《博物志》** 见"29 石漆"注［2］。又，《艺文类聚》引《异物志》云："䴔䴖巢于高树，生子在窟中，未能飞，皆衔母翼飞也。"此文与本条《博物志》云下的文字全同。《博物志》为西晋·张华（232—300）撰，《异物志》为东汉·杨孚撰。疑本条中《博物志》为《异物志》之误。

509 蒿雀

味甘，温，无毒。食之益阳道[1]，取其脑，涂冻疮，手足不皲[2]。似雀，青黑，在蒿间，塞外[3]弥多。食之美于诸雀。塞北突厥雀[4]，如雀，身赤，从北来，当有贼下，边人候之。食其肉，极热，益人也[5]。（《证类》页407，《大观》卷19页21，《纲目》页1686）

【校注】

[1] **益阳道** 见"35 磁石毛"注［2］。

[2] **皲** 见"328 含水藤中水"注［5］。

[3] **塞外** 指中国北方，见"276 虵母草"注［1］。

[4] **塞北突厥雀** 《纲目》作"突厥雀"。并从本条中析出，另立为一条。《尔雅》云："鵽鸠，寇雉。"《一切经音义》引《尔雅》注云："今鵽大如鸽，亦言如鹑，似雌雉，鼠脚无后指，岐尾。出北方沙漠也。肉美，俗名突厥雀，生蒿莱之间。"

[5] **食其肉，极热，益人也** 《纲目》引藏器文，化裁为"补虚暖中"。

510 鹖鸡

味甘，无毒。食肉，令人勇健。出上党[1]。《魏武帝赋》云：鹖鸡猛气，其斗终无负，期于必死。今人以鹖（曷、渴二音）为冠[2]，像此也。（《证类》页407，《大观》卷19页21，《纲目》页1680）

【校注】

[1] **上党** 今山西长治。

[2] **以鹖为冠** 《纲目》云："鹖状类雉而大，黄黑色，首有毛角如冠。性爱其群，有被侵者，直往赴斗，虽死犹不置。故古者虎贲戴鹖冠。"

511　山菌子[1]

味甘，平，无毒。主野鸡病[2]，杀虫，煮炙食之。生江东山林间，如小鸡，无尾。(《证类》页407，《大观》卷19页21，《纲目》页1681)

【校注】

[1] **山菌子**　即竹鸡的异名。《纲目》以"竹鸡"为正名，以山菌子为别名，并云："竹鸡出江南、川、广，居竹林，形体小于鹧鸪，褐色多斑，赤文。性好啼，见其同类必斗。"《北梦琐言》云："一公夜暴亡，有梁新闻之，乃诊之曰：食毒。仆曰：常好食竹鸡，多食半夏苗，必是半夏毒。命以生姜捩（扭转）汁，折齿而灌之，活。"

[2] **野鸡病**　见"183 益奶草"注［1］。

512　百舌鸟[1]

主虫咬，炙食之。亦主小儿久不语。又取其窠及粪，涂虫咬处。今之莺，一名反舌也[2]。(《证类》页40，《大观》卷19页21，《纲目》页1696，《医心方》页34，《本草和名》卷20)

【校注】

[1] **百舌鸟**　《纲目》作"百舌"，并云："《易通卦验》云：'能反复其舌如百鸟之音'，故名。其鸟居树孔窟穴中。状如鸲鹆而小，身略长，灰黑色，微有斑点，喙亦尖黑，行则头俯，好食蚯蚓。立春后鸣声不已，夏至后则无声，十月（指农历）后则藏蛰。极畏寒，人或畜之，冬月即死。"

[2] **今之莺，一名反舌也**　《纲目》引藏器文作"肖百舌，今之莺也。"《医心方》卷1页34引《拾遗》云："百舌鸟，一名莺。"李时珍评曰："陈氏（指陈藏器）谓百舌即莺，亦非矣。音虽相似，而毛色不同。"

513　黄褐侯[1]

味甘，平，无毒。主蚁瘘[2]、恶疮[3]。五味淹炙食之，极美。如鸠，作绿褐色，声如小儿吹竽。(《证类》页407、403，《大观》卷19页13、21，《纲目》页1694)

【校注】

[1] **黄褐侯**　本条《嘉祐本草》并入"斑鵻（音锥）"条中。并云："斑鵻，味甘，平，无毒。主明目。多食其肉，益气助阴阳。一名斑鸠。《范方（范汪方）》斑鵻丸（治目疾），是处有之。春分则化为黄褐侯，秋分则化为斑鵻。又有青鵻，平，无毒。安五脏，助气虚损，排脓治血并一切疮疖痈

瘘。又名黄褐侯鸟。”在此文中有“春分则化为黄褐侯，秋分则化为斑鹪”，《本草衍义》评云：“斑鹪，斑鸠也。尝养之数年，并不见春秋分化。”

[2] **蚁瘘** 《名医别录》雉肉可除蚁瘘。瘘即疮破久不收口，成管，流脓水，以瘰疬破溃、肛周脓肿成瘘最多，其他部位亦可发生。蚁瘘指瘘道如蚁穴，细而深。

[3] **恶疮** 见“20 铁锈”注 [2]。

514 鷩雉[1]

主火灾。《天竺法真登罗山疏》云：《山海经》[2]曰：鷩雉，养之禳火灾，如雉五色。(《证类》页 407，《大观》卷 19 页 21，《纲目》页 1680)

【校注】

[1] **鷩雉** 郭璞注《尔雅》云：“鷩雉，似山鸡而小冠，背毛黄，腹下赤，顶绿色鲜明。”《说文》释雉有十四种，鷩雉为其中之一。又云：“鷩，赤雉也。”《山海经》云：“西山经小华之山，鸟多赤雉。”郭璞注：即鷩雉也。又注《子虚赋》：“鷩雉之憋恶者，山鸡是也。”

[2] **《山海经》** 见“239 零陵香”注 [4]。

515 乌目

无毒，生吞之令人见诸魅[1]。或以目睛研注目中，夜见鬼也；肉及卵食之，令人昏忘；毛把之亦然，未必昏，为其臭羶。(《证类》页 407，《大观》卷 19 页 21)

【校注】

[1] **魅** 《左传·左宣三年传》云：“螭魅罔两。”螭为山神，魅为怪物，罔两为水神，如三岁小儿，赤黑色。(见《玉篇》) 又，《国语》云：“木石之怪，夔、罔两。”

516 䴙(扶历反)䴘[1](天黎反) 膏

主耳聋，滴耳中。又主刀剑令不锈，以膏涂之。水鸟也，如鸠鸭，脚连尾，不能陆行，常在水中，人至即沉，或击之便起。《尔雅》注云：膏主堪莹剑。《续英华诗》[2]云：马衔苜蓿叶，剑莹䴙䴘膏是也。(《证类》页 408，《大观》卷 19 页 22，《纲目》页 1662)

【校注】

[1] **䴙䴘** 《尔雅》云：“䴙，须蠃。”郭璞注：“䴘，䴙䴘，似凫（野鸭）而小。膏中莹刀。”

扬雄《方言》云："野凫，其小而好没水中者，南楚之外谓之䴙䴘。"

[2] **《续英华诗》** 历代史书经籍志或艺文志，均未见记载。有人疑为《文苑英华》，其实不然，《文苑英华》为赵宋时太宗大臣李昉等奉敕编纂南朝梁末至唐代的诗文集，而《续英华诗》为陈藏器所引。陈藏器为唐代人，唐代人怎么能见到宋代人编辑的书呢？

517 布谷脚脑骨[1]

令人夫妻相爱，五月五日收带之各一，男左女右。云置水中自能相随。又，江东呼为郭公，北人云：拨谷一名获谷，似鹞长尾。《尔雅》云：鳲鸠。注云：今之布谷也，牝牡飞鸣，以翼相拂。《礼记》[2]云：鸣鸠拂其羽[3]。郑注云：飞且翼相击。（《证类》页408，《大观》卷19页22，《纲目》页1694）

【校注】

[1] **布谷脚脑骨** 本条《纲目》以"鳲鸠"为正名，以"布谷"为别名。《山海经·西山经》云："南山鸟多尸鸠"。郭璞注："尸鸠，布谷类也。"《诗·曹风》云："鳲鸠在桑。"陆机疏："鳲鸠，鴶鵴。今梁、宋之间，谓布谷为鴶鵴。"《禽经》云："鳲鸠、戴胜，布谷也，亦曰获谷，春耕候也。"其鸟鸣声似"割麦插禾"。

[2] **《礼记》** 是先秦礼学家在传习《仪礼》时，对经文的解释、说明和补充。东汉中期形成85篇和49篇两种本，前者为戴德所编，称《大戴礼记》，后者为戴圣（戴德之侄）所编，称《小戴礼记》。内容庞杂，有《仪礼》的解释，有礼节、日常生活细则、孔子言论的记载及儒家论文。东汉郑玄对《小戴礼记》作了注解。被列为明代五经之一。

[3] **鸣鸠拂其羽** 《礼记·月令》云："季春之月，鸣鸠拂其羽。"《诗》云："宛彼鸣鸠，翰飞戾天。"《太平御览》卷921"鸠"条引《毛诗义疏》云："鸣鸠大如鸠而带黄色，啼鸣相呼，而不相集。不能为巢，多居树穴及空鹊巢中。"

518 蚊母鸟[1]

翅主作扇[2]，蚊即去矣。鸟大如鸡，黑色。生南方池泽茹藘[3]中。其声如人呕吐，每口中吐出蚊一二升。《尔雅》云：鷏，蚊母。注云：常说常吐蚊，蚊虽是恶水中虫羽化所生，然亦有蚊母吐之。犹如塞北[4]有虻母草，岭南有蚊母草，江东有蚊母鸟，此三物异类而同功也。（《证类》页408，《大观》卷19页22，《纲目》页1665）

【校注】

[1] **蚊母鸟** 《尔雅》云："鷏，蚊母。"郭璞注："似乌鸔而大，黄白杂文，鸣如鸽。今江东呼

为蚊母。俗说此鸟常吐蚊，因以名云。”

[2] **翅主作扇** 《岭表录异》云：“蚊母鸟，形如青鹢，嘴大而长，于池塘捕鱼食。每叫一声，则有蚊蚋飞出其口，俗云采其翎为扇，可辟蚊子。”

[3] **茹藘** 《诗·郑风》云：“茹藘在阪。”《毛传》云：“茹藘，茅蒐也。”《说文》云：“茜，茅蒐也。”则茹藘即是茜。郭璞注《尔雅》云：“茹藘今之蒨也，可以染绛。”茜根一名蒨，可以染绛。

[4] **塞北** 见“166 孝文韭”注 [4]。

519 杜鹃[1]

初鸣先闻者，主离别。学其声，令人吐血。于厕溷[2]上闻者不祥。厌之法，当为狗声以应之，俗作此说。按：《荆楚岁时记》[3]亦云：有此言，乃复古今相会。鸟小似鷂，鸣呼不已，《蜀王本记》[4]云：杜宇为望帝，淫其臣鳖灵妻，乃亡去，蜀人谓之望帝。《异苑》[5]云：杜鹃先鸣者，则人不敢学其声，有人山行见一群，聊学之，呕血便殒。《楚辞》[6]云：鶗鴂鸣而草木不芳，人云口出血声始止，故有呕血之事也。（《证类》页 408，《大观》卷 19 页 22，《纲目》页 1700）

【校注】

[1] **杜鹃** 《太平御览》引《临海异物志》云：“鷤䳏一名杜鹃。春三月鸣，昼夜不止，至当陆（商陆）子熟，鸣乃止耳。”《广雅》云：“鷤䳏，子规也。”子规一名子巂。郭璞注《尔雅》云：“巂周，子巂鸟，出蜀中。”《御览》引《蜀王本纪》云：“蜀王望帝，淫其相妻惭，亡去为子巂鸟，故蜀人闻子巂鸣皆起曰是望帝也。”杜鹃状如鷂，为杜鹃科各种类的通称，树栖攀禽，体形、羽色多样，具对趾型足（二、三趾向前，一四趾向后），部分种类不自营巢。杜鹃从暮春即鸣，夜啼达旦，至夏尤甚，日夜不停，其声哀切。昔日人死，他人借杜鹃鸣声以寄托哀思：“蝴蝶梦中家万里，杜鹃枝上月三更。”

[2] **厕溷** 指厕所浑浊污秽。

[3] **《荆楚岁时记》** 见“25 大石镇宅”注 [2]。

[4] **《蜀王本记》** 汉·扬雄撰。

[5] **《异苑》** 见“195 越王馀筭”注。[2]

[6] **《楚辞》** 见“143 诸水有毒”注 [2]。

520 鸮目[1]

无毒。吞之，令人夜中见物；又，食其肉，主鼠瘘[2]。古人重其炙，固当肥美。《内则》[3]云：鹊鸮眸其，一名枭，一名鸺，吴人呼魑魂，恶声鸟也。贾谊云：鵩似鸮，其实一物，入室主人当去。此鸟盛午不见物，夜则飞行，常入人家捕鼠。

《周礼[4]·哲蔟氏》掌覆天鸟之巢。注云：恶鸣之鸟，若鸮鸺也。（《证类》页408，《大观》卷19页23，《纲目》页1705，《医心方》页34）

【校注】

［1］鸮目　鸮即猫头鹰。为鸱鸮科各种类的通称。喙和爪都弯曲呈钩状，锐利，嘴基具蜡膜。两眼不似他鸟生头部两侧，而位于正前方；眼的周围羽毛呈放射状，形成面盘。眼大而圆，头上有像耳的毛角，构成猫头状。昼伏夜出，捕食鼠、兔、小鸟及大型昆虫，是农林益鸟。其种类有角鸮、雕鸮、鸺鹠、短耳鸮等。古书所载名称很复杂，因时代和地区不同，其名称各异。《一切经音义》引舍人曰：“狂，一名茅鸱，喜食鼠，大目也。”《御览》卷923引孙炎曰：“大目鸺鹠也。”《尔雅》名鸱鸮。鸱鸮在古代亦指鹪鹩。鹪鹩即前面502巧妇鸟。

［2］鼠瘘　即瘰疬。见“6水银粉”注［4］。

［3］《内则》　是《礼记》中第12篇，郑玄注：“以其记男女居室事父母舅姑之法。”孔颖达疏：“以闺门之内轨仪可则，故曰内则。”

［4］《周礼》　汉初名《周官》，东汉刘歆改称《周礼》，记述先秦政治制度。约作于周朝东迁至东周惠王之时。书分天、地、春、夏、秋、冬六官为6篇。今冬官亡佚，以《考工记》补之。讲西周各种政治制度，极为纤悉具体。

521　钩鵅[1]

入城城空，入宅宅空，怪鸟也。常在一处，则无若闻，其声如笑者，宜速去之。鸟似鸱，有角，夜飞昼伏。《尔雅》云：鵅，鵋鶀。注云：江东人呼谓之钩鵅（音钩革）。北土有训胡[2]，二物相似，抑亦有其类，训胡声呼其名。两目如猫儿，大于鸲鹆，乃云作笑声，当有人死。又有鸺鹠[3]，亦是其类，微小而黄，夜能入人家，拾人手爪，知人吉凶。张司空[4]云。鸺鹠夜鸣，人剪爪弃露地，鸟拾之，知吉凶，鸣则有殃。《五行书》云：除手爪，埋之户内，恐此鸟得之也。《尔雅》云：鵅，鵋鶀，人获之者，于嗉中犹有爪甲。《庄子》云：鸱鸮夜撮蚤[5]，察毫厘，昼则瞋目不见丘山，言殊性也。（《证类》页408，《大观》卷19页23，《纲目》页1704）

【校注】

［1］钩鵅　《一切经音义》云：“怪鸱，一名狂鸟，一名鸺鹠，南阳名钩鵅，一名忌欺。昼伏夜行，鸣为怪也。”《纲目》以鸱鸺为正名。

［2］训胡　《一切经音义》作“训狐”，并云：“鸺鹠，关西（今陕西一带）名训候，山东名训狐。”

［3］鸺鹠　《纲目》云：“鸺鹠，大如鸲鹆，毛色如鹞，头、目亦如猫。鸣声连转，如云休留休留，故名曰鸺鹠。”

[4] **张司空** 即著《博物志》的张华。见“29 石漆”注[2]。

[5] **鸱鸮夜撮蚤** 何承天《纂文》云：“鸱鸮白日不见人，夜能拾蚤虱。俗讹蚤为人爪，妄矣。”

522 姑获[1]

能收入魂魄。今人一云乳母鸟，言产妇死，变化作之，能取人之子以为己子，胸前有两乳。《玄中记》[2]云：姑获，一名天帝少女，一名隐飞，一名夜行游女，好取人小儿养之。有小子之家，则血点其衣以为志。今时人小儿衣不欲夜露者为此也。时人亦名鬼鸟。《荆楚岁时记》[3]云：姑获，一名钩星，衣毛为鸟，脱毛为女。《左传》[4]云：鸟鸣于亳。杜注云：嘻嘻（音希）是也。《周礼[5]·庭氏》，以救日之弓、救月之矢射之，即此鸟也。（《证类》页408，《大观》卷19页23，《纲目》页1076，《医心方》卷1页34）

【校注】

[1] **姑获** 《纲目》作“姑获鸟”。《医心方》卷1页34引《拾遗》云：“姑获，一名乳母鸟，一名钩鸟。”

[2] **《玄中记》** 是古代志怪小说。作者及成书年代不详。清代马国翰有辑本。不云何代，仅云郭氏撰。《中国丛书综录》将《玄中记》列在晋代。

[3] **《荆楚岁时记》** 见“25 大石镇宅”注[2]。

[4] **《左传》** 是《左氏春秋》简称。相传为春秋时鲁国太史左丘明所撰。记鲁隐公元年至鲁悼公四年间史事。为我国最早的一部完整的编年史。

[5] **《周礼》** 见“520 鸮目”注[4]。

523 鬼车[1]

晦暝[2]则飞鸣，能入人室，收人魂气，一名鬼鸟。此鸟昔有十首，一首为犬所噬，今犹余九首，其一常下血，滴人家则凶。夜闻其飞鸣，则捩狗耳，犹言其畏狗也。亦名九头鸟。《荆楚岁时记》[3]云：姑获夜鸣，闻则捩耳，乃非姑获也，鬼车鸟耳。二鸟相似，故有此同。《白泽图》[4]云：苍鹏[5]，昔孔子与子夏所见，故歌之，其图九首。（《证类》页409，《大观》卷19页24）

【校注】

[1] **鬼车** 《纲目》作“鬼车鸟”，并云：“鬼车状如鸺鹠（猫头鹰的一种）。大者翼广丈许，昼盲夜瞭，见火光辄堕。”刘恂《岭表录异》云：“鬼车出秦中，岭外尤多。春夏之交，稍遇阴晦，则飞鸣而过，声如刀车鸣，爱入人家，铄人魂气。血滴之家，必有凶咎。”

[2] **晦暝**　月尽为晦，幽暗为暝，晦暝指夜晚黑暗时。

[3] **《荆楚岁时记》**　见“25 大石镇宅”注 [2]。

[4] **《白泽图》**　传说黄帝巡狩东至海，登桓山，于海滨得白泽神兽，能言，达于万物之情。帝令以图写之，以示天下。后因此以为章服图案。《隋书·经籍志》《旧唐书·经籍志》均著录有《白泽图》。

[5] **苍鹒**　《诗·豳风·七月》云：“有鸣仓庚。”《毛传》云：“仓庚，离黄也。”《方言》云：“自关而东谓之仓庚，自关而西谓之鹂黄，或谓之黄鸟。”按：仓鹒为黄鹂科鸟的通称。我国最常见的是黑枕黄鹂。

524　诸鸟有毒[1]

凡鸟自死目不闭者勿食。鸭目白者杀人。鸟三足四距杀人。鸟六指不可食。鸟死足不伸不可食。白鸟玄首，玄鸟白首，不可食。卵有八字不可食。妇人妊娠食雀脑，令子雀目。凡鸟飞投人，其口中必有物，拔毛放之吉也。(《证类》页409，《大观》卷19页23，《纲目》页1704)

【校注】

[1] **诸鸟有毒**　本条全文《纲目》引《拾遗》化裁为：“凡鸟自死目不闭、自死足不伸、白鸟玄首、玄鸟白首、三足、四距、六指四异、异形异色并不可食，食之杀人。”

拾遗　虫鱼部　卷第六

525 瑇瑁[1]

寒，无毒。主解岭南百药毒，俚人刺其血饮，以解诸药毒。大如扇，似龟甲，中有文。生岭南海畔山水间。（《证类》页415，《大观》卷20页10，《纲目》页1628）

【校注】

[1] **瑇瑁** 即玳瑁，为海龟科动物玳瑁。《本草图经》云："瑇瑁出广南，盖龟类，惟腹背甲背有红点斑文，其大者如盘，入药须生者。昔唐嗣薛王镇南海，海人献生瑇瑁，王令揭取上甲二小片，系于左臂，欲以辟毒。瑇瑁被楚复养于池，其揭处复生，并无伤矣。"

526 鰌鱼[1]

短小，常在泥中。主狗及牛瘦，取一二枚以竹筒从口生灌入，立肥也。（《证类》页431，《大观》卷21页13，《纲目》页1610）

【校注】

[1] **鰌鱼** 即泥鳅，为鳅科动物泥鳅。《尔雅》云："鳛，鰌。"郭璞注："今泥鳅。"陶弘景云："鰌似鳗鲡鱼而短也。"《字林》云："鰌似鳝短小也。"按：泥鳅锐头无鳞，身青灰微黄，皮表有涎滑难握，好动善扰，潜于泥中。

527 鲟鱼[1]

味甘，平，无毒。主益气，补虚，令人肥健。生江中，背如龙，长一二丈。鼻上肉作脯，名鹿头，一名鹿肉，补虚下气。子如小豆，食之肥美，杀腹内小虫。（《证类》页420，《大观》卷20页22，《纲目》页1611）

【校注】

[1] **鲟鱼** 为鲟科动物中华鲟、长江鲟、东北鲟。体延长，呈亚圆筒形，长达三米余。青黄色，腹白色，吻尖突。口小，口前有须两对。体被五纵行骨板。

528 鲢鳀[1]（上逐下题）

鱼白，主竹木入肉，经久不出者，取白傅疮上，四边肉烂，即出刺。一名鳔（毗眇切）。(《证类》页420，《大观》卷20页22，《纲目》页1621)

【校注】

[1] **鲢鳀** 《纲目》作"鳑鲏"，引《拾遗》云："鳑鲏即鱼白，一名鳔。"鱼白即鱼腹内白脬，其中空如泡。可以熬胶名鳔胶，粘物甚固。

529 文鳐（余招反）鱼[1]

无毒。妇人临月带之，令易产。亦可临时烧为黑末，酒下一钱匕。出南海，大者长尺许，有翅与尾齐。一名飞鱼，群飞水上，海人候之，当有大风。《吴都赋》[2]云：文鳐夜飞而触网[3]是也。(《证类》页420，《大观》卷20页22，《纲目》页1618)

【校注】

[1] **文鳐鱼** 为飞鱼科具有滑翔能力的鱼类之一。体延长，稍侧扁，长约45厘米，吻短，口小，眼大。胸鳍发达如翼，腹鳍也发达，尾鳍下叶长于上叶。尾部急速摆动，跃出水面，张开胸鳍，可滑翔飞行百米以上，以逃避敌害。喜集群洄游。以浮游生物为食。

[2] **《吴都赋》** 见"245 水松"注[2]。

[3] **网** 《纲目》引《拾遗》作"纶"。

530 牛鱼[1]

无毒。主六畜[2]疾疫，作干脯，捣为末，以水灌之，即鼻中黄涕出。亦可置病牛处，令其气相熏。生东海，头如牛也。(《证类》页420，《大观》卷20页22，《纲目》页1611)

【校注】

[1] **牛鱼** 《纲目》引《异物志》云："南海有牛鱼，一名引鱼。重三四百斤，状如鳢，无鳞

骨，背有斑文，腹下青色。知海潮。肉味颇长。”又引《一统志》云：“牛鱼出女直（原作女真，因避辽主雅律宗真讳，改称女直。是满族的祖先），混同江（今松花江）。大者长丈余，重三百斤。无鳞骨，其肉脂相间，食之味长。”

[2] **六畜** 古书所讲六畜，指牛、马、羊、鸡、犬、豕。《管子·牧民》云：“养桑麻，育六畜。”今日家禽有鹅、鸭，家畜有驴、骡，合起来不止六种。

531 海豚鱼[1]

味咸，无毒。肉主飞尸蛊毒[2]，瘴疟[3]，作脯食之。一如水牛肉，味小腥耳。皮中肪，摩恶疮[4]，疥癣，痔瘘[5]，犬马病疥[6]，杀虫。生大海中，候风潮出。形如豚，鼻中声，脑上有孔，喷水直上，百数为群，人先取得其子，系着水中，母自来就而取之。其子如蠡鱼子，数万为群，常随母而行。亦有江豚，状如豚，鼻中为声，出没水上。海中舟人候之，知大风雨。又中有油脂，堪摩病，及樗博[7]即明，照读书及作即暗，俗言懒妇化为此也。（《证类》页420，《大观》卷20页23，《纲目》页1614）

【校注】

[1] **海豚鱼** 为海豚科动物海豚，生于海中。生于江中名江豚。《郭璞赋》云：“海豨江豚”。其体形似鱼，故名海豚鱼，长近一丈，背有鳍，嘴尖，上下颌各有尖细齿百枚。常群游海面，以小鱼、虾、蟹、乌贼等为食。

[2] **飞尸蛊毒** 飞尸，见“149 草犀根”注[7]；蛊毒，见“135 猪槽中水”注[2]。

[3] **瘴疟** 即疟瘴。见“140 阴地流泉”[1]。

[4] **恶疮** 见“20 铁锈”注[2]。

[5] **痔瘘** 见“176 孟娘菜”注[2]。

[6] **病疥** 见“368 省藤”注[3]。

[7] **樗博** 为赌博通称。古代赌具名樗蒱。《艺文类聚》卷74载汉·马融《樗蒱赋》中记有以掷骰决胜负，骰之制作已失传。唐·李肇《国史补》“叙古樗蒱法”，谓赌具有子、有马、有五木（削木为子，一具五枚）。盛行于汉、魏，后则专以五木为戏。

532 杜父鱼[1]

主小儿差颓。差颓核大小也。取鱼擘开，口咬之七下。生溪间下，背有刺[2]，大头，阔口，长二三寸，色黑斑，如吹沙[3]而短也。（《证类》页421，《大观》卷20页23，《纲目》页1605）

【校注】

[1] **杜父鱼**　《纲目》谓“杜父”当作“渡父”，溪涧小鱼，渡父所食，见人则以喙插入泥中，如船碇也。现代杜父科鱼类的总称，亦名杜父鱼。体中等长，前部稍平扁，后方侧扁。头宽扁，口宽大，牙细小。鳞常退化，种类颇多。

[2] **背有刺**　《纲目》引《拾遗》化裁为“脊背上有鬐刺，螫人”。

[3] **吹沙**　《太平御览》卷940“吹沙鱼”条引《临海异物志》云：“吹沙长三寸，背上有刺，犯之螫人。”

533　海鹞鱼齿[1]

无毒，主瘴疟[2]，烧令黑，末服二钱匕。鱼似鹞，有肉翅，能飞上石头，一名石蛎，一名邵阳鱼[3]，齿如石版[4]。生东海[5]。(《证类》页421，《大观》卷20页23，《纲目》页1617)

【校注】

[1] **海鹞鱼齿**　《纲目》作“海鹞鱼”，并云：“海中颇多，江湖亦有。状如盘及荷叶，大者围七八尺。无足无鳞，背青腹白。口在腹下，目在额上。尾长有节，螫人甚毒。皮色肉味俱同鲇鱼。肉内皆骨，节节联比，脆软可食。”

[2] **瘴疟**　即疟瘴。见“140阴地流泉”注[1]。

[3] **一名邵阳鱼**　后“545魟鱼”亦称邵阳鱼，与海鹞鱼的异名相同。

[4] **齿如石版**　此下，《纲目》引《拾遗》有“尾大有毒，逢物以尾拨食之。其尾刺人，甚者至死。候人尿处钉之，令人阴肿痛，拔去乃愈。海人被刺毒者，以鱼簄竹及海獭皮解之。又有鼠尾鱼、地青鱼，并生南海，总有肉翅，刺在尾中。食肉去刺。”按：此文原出“魟鱼”条，《纲目》将其文并入“海鹞鱼”条中。

[5] **东海**　今浙江、福建沿海。

534　鮠鱼[1]

一作鮇(并音五禾反，鲶属，又五回反)，味甘，平，无毒，不腥。主膀胱水下，开胃。作鲙白如雪。隋朝吴都进鮠鱼，干鲙。取块日曝干，瓶盛，临食以布裹，水浸良久，洒去水，如初鲙无异[2]。鱼生海中，大如石首[3]。(《证类》页421，《大观》卷20页23，《纲目》页1611)

【校注】

[1] **鮠鱼**　陶弘景注鳠鱼云：“又有鮠鱼亦相似，黄而美，益人。”《蜀本草·图经》云：“口腹俱大者名鳠，口小背青名鲇(即鲶)，口小背黄腹白者名鮠。三鱼并堪为臛，美而且补。”《本草图

经》云："鲍，秦人呼为獭鱼，能动痼疾，不可与野鸡、野猪肉合食，令人患癞。"

［2］**不腥……如初鲙无异** 以上47字，《纲目》根据《杜宝拾遗录》认为是讲海鲍，不是讲鲍。因鲍、鲍字形相近，陈藏器误鲍为鲍。鲍有鳞不腥，生于海；鲍无鳞极腥臭，生于江河。

［3］**石首** 即石首鱼科动物大黄鱼或小黄鱼。《开宝本草》云："石首鱼，头中有石如棋子，主下石淋，磨石服之，亦烧为灰末服。和莼菜作羹，开胃益气。候干食之，名为鲞（音想），炙食之主卒腹胀，食不消，暴下痢。"

535 鮹鱼[1]

味甘，平，无毒。主五野鸡痔[2]，下血，瘀血在腹。似马鞭，尾有两歧，如鞭鞘，故名之。出江湖。（《证类》页421，《大观》卷20页23，《纲目》页1615）

【校注】

［1］**鮹鱼** 《集韵》云："鮹，海鱼名，形如鞭鞘（音刘）。"

［2］**五野鸡痔** 见"183 益奶草"注［1］。

536 鳣鱼肝[1]

无毒。主恶疮疥癣，勿以盐炙食。郭注《尔雅》云：鳣鱼长二三丈。《颜氏家训》[2]曰：鳣鱼纯灰色，无文。古书云：有多用鳣鱼字为鳝[3]，既长二三丈，则非鳝鱼明矣。《本经》又以鳝为鼍[4]，此误深矣。今明鳝鱼，体有三行甲，上龙门化为龙也。（《证类》页421，《大观》卷20页23，《纲目》页1610）

【校注】

［1］**鳣鱼肝** 为鲟科动物鳇鱼的肝。鳇鱼古称鳣。体形似鲟鱼，唯左右鳃膜相连。长达5米，重达1000千克。背灰绿色，腹黄白色。初夏溯江产卵。渔人以小钩数百沉水，一钩着身，动而护痛，诸钩背着。游数日，待其困惫，方敢擒取。

［2］**《颜氏家训》** 北齐·颜之推撰。为杂家著作，但以儒家思想为主，论述立身治家之道，辨正时俗之谬。其中《归心》《养生》等篇颇近释家道家之言；《文章》《书证》《音辞》诸篇对文字音韵学颇多见解，为后世所重。

［3］**用鳣鱼字为鳝** 鳣，古字通鳝。《后汉书·杨震传》有"冠雀衔三鳣鱼，飞某讲堂前，都讲取鱼进曰蛇鳣者。"注云："按，谢承续汉书，鳣皆作鳝。"《颜氏家训·书证篇》云："《后汉书》云鹳雀衔三鳝鱼，多假借为鳣鲔之鳣。"据此，鳣有二义，一作鳝鱼（黄鳝）解；一作鳣鲔（鳣鱼）解。鳣鱼长二三丈，黄鳝长尺余。

［4］**《本经》又以鳝为鼍** 鳝字为多义字，通鳣（见上文注［4］）、作鳝、作鼍。《六书正伪》云："鳝，俗作鳝。"段玉裁云："鳝亦作鳝。"又《集韵》云："鼍，《说文》云水虫，似蜥蜴长大，

或作鲆。”鼍即鼍龙，是鳄鱼的一种，皮可以蒙鼓，《本经》名鮀鱼。

537 石鮅（音必）鱼[1]

味甘，平，有小毒。主疮疥癣。出南海方山涧中[2]，长一寸，背里腹下赤。南人取之作鲊[3]。（《证类》页421，《大观》卷20页24，《纲目》页1606）

【校注】

[1] **石鮅鱼** 鲤科动物宽鳍鱲鱼亦称石鮅鱼。

[2] **出南海方山涧中** 《纲目》引《拾遗》作“生南方溪间中”。

[3] **南人取之作鲊** 《纲目》引《拾遗》作“南人以作鲊，云甚美”。又，鲊，《释名·释饮食》云：“鲊，菹也。以盐、米酿鱼为菹，熟而食之。”

538 鱼鲊[1]

味甘，平，无毒。主癣，和柳叶捣碎，热炙傅之。又主马病疮[2]，取酸臭者，和糁[3]及屋上尘傅之。病似疥而大，凡鲊皆发疮疥，可合杀虫疮药用之。（《证类》页421，《大观》卷20页24）

【校注】

[1] **鱼鲊** 《释名·释饮食》云：“鲊，菹也。以盐、米酿鱼为菹，熟而食之。”吴瑞《日用本草》云：“鲊不熟者，损人脾胃，反致疾也。”《纲目》云：“诸鲊皆不可合生胡荽、葵菜、豆藿、麦酱、蜂蜜食，令人消渴及霍乱。凡诸无鳞鱼鲊，食之尤不益人。”

[2] **病疮** 见“368 省藤”注[3]。

[3] **糁** 指煮熟的米粒。

539 鱼脂[1]

主牛疥狗病疮，涂之立愈。脂是和灰泥船者，腥臭为佳。为主癥，取铜器盛二升，作大火炷脂上燃之，令暖彻，于癥上熨之，以纸藉腹上，昼夜勿息火，良。（《证类》页421，《大观》卷20页24，《纲目》页1622）

【校注】

[1] **鱼脂** 即鱼油。本条《纲目》引《拾遗》化裁为：“主治癥疾，用和石灰泥船鱼脂腥臭者二斤，安铜器内，燃火炷令暖，隔纸熨癥上，昼夜勿息火，又涂牛狗疥，立愈。”其中有的更改，使文

义亦变。如原文“狗病疮”“灰”，《纲目》改成“狗疥”“石灰”。

540 鲙[1]

味甘，温。蒜齑食之，温补，去冷气湿痹[2]，除膀胱水，喉中气结，心下酸水[3]，腹内伏梁[4]，冷痃，结癖[5]，疝气[6]，补腰脚，起阳道[7]。鲫鱼鲙，主肠澼[8]，水谷不调，下利，小儿大人丹毒[9]，风眩[10]。鲤鱼鲐，主冷气，气块结在心腹，并宜蒜齑进之。鱼鲙，以菰菜为羹，吴人谓之金羹玉鲙，开胃口，利大小肠。食鲙不欲近夜，食不消，兼饮冷水，腹内为虫。时行病起，食鲙令人胃弱，又不可同乳酪食之，令人霍乱[11]。凡羹以蔓菁煮之，蔓菁去鱼腥。又万物脑能消毒，所以食鲙，食鱼头羹也。(《证类》页421，《大观》卷20页24，《纲目》页1621)

【校注】

[1] **鲙** 《集韵》云：“鲙通脍”。《说文》云：“脍，细切肉也。”《纲目》作“鱼鲙”，并云：“剑切而成，故谓之鲙。凡诸鱼之鲜活者，薄切洗净血腥，沃以蒜齑、姜、醋五味食之。”又云：“鱼鲙肉生，损人，为癥瘕，为痼疾，为奇病，不可不知。”

[2] **湿痹** 见“299 菰草”注[2]。

[3] **心下酸水** 即胃中酸水。汪颖《食物本草》云：“鱼鲙辛辣，有劫病之功。一妇人病吞酸，诸药不效，偶食鱼鲙，其疾遂愈。”

[4] **伏梁** 指脘腹部有痞满肿块的一类疾患。《难经》云：“心之积，名曰伏梁，起脐上，大如臂，上至心下，久不愈，令人病心烦。”《武威汉代医简》有“治伏梁里脓在胃肠之外治方”，说明伏梁主要是指体内的痈疡疾患。

[5] **冷痃，结癖** 即得痃癖。痃癖，见“59 桑灰”注[3]。

[6] **疝气** 泛指少腹部多种病证。《素问·长刺节论》云：“病在少腹，腹痛不得大小便，病名曰疝。”如突出于腹壁、腹股沟，或从腹腔下入阴囊的肠段，多伴有气痛症状，故有小肠气、疝气等病名。

[7] **起阳道** 即加强性器官活动功能。

[8] **肠澼** 大便挟垢腻黏滑似涕似脓的液体自肠排出，澼澼有声，名肠澼。与肠澼相似的病名肠癖，指大便下血。

[9] **丹毒** 见“22 淬铁水”注[2]。

[10] **风眩** 见“144 白菊”注[2]。

[11] **霍乱** 见“1 铜盆”注[2]。

541 昌侯鱼[1]

味甘，平，无毒。腹中子有毒，令人痢下。食其肉肥健[2]，益气力。生南海，

如鲫鱼[3]，身正圆，无硬骨，作炙食之至美，一名昌鼠也。(《证类》页421，《大观》卷20页24，《纲目》页1602)

【校注】

[1] **昌侯鱼** 《纲目》引《拾遗》作“鲳鱼”。为鲳科动物银鲳及近缘种灰鲳、中国鲳。体侧扁而高，呈卵圆形，近似车轮，又名车片鱼，长达40厘米，银灰色。头小，吻圆，口小，牙细。成鱼腹鳍消失。初夏游向内海产卵。《纲目》云：“鲳鱼游于水，群鱼随之，食其涎沫，有类于娼，故名。闽人讹为鲶鱼。《岭表录异》云：鲶鱼形似鳊鱼，而腔上突起，连背而圆，身肉甚厚，白如凝脂，只有一脊骨。”

[2] **食其肉肥健** 《纲目》引《拾遗》化裁为“令人肥健”。

[3] **鲫鱼** 为鲤科动物鲫鱼，亦名鲋鱼。《吕氏春秋》云：“鱼之美者，有洞庭之鲋。”

542 鲩鱼[1]

无毒。主喉闭[2]，飞尸[3]，取胆和暖水搅服之。鲩（音患）似鲤[4]，生江湖间，内喉中、飞尸上。此胆至苦[5]。(《证类》页421，《大观》卷20页25，《纲目》页1598)

【校注】

[1] **鲩鱼** 为鲤科动物鲩鱼。《尔雅》有“鲩”，郭璞注：“今辉鱼，似鳟而大。”鲩与鳟形状相似，身圆而长。鳟小鳞细，有赤脉贯瞳。鲩体青绿黄色，鳍灰色，鳞片边缘黑色，头宽平，齿梳状。主食水草、芦苇。易繁殖。《纲目》云：“鲩肉厚而松，状类青鱼。有青鲩、白鲩二色。白者味胜，商人多鲍(用盐腌)之。”

[2] **喉闭** 即喉痹。见“164 陈思岌”注[4]。

[3] **飞尸** 见“149 草犀根”注[7]。

[4] **鲤** 为鲤科动物鲤鱼。《本草图经》云：“鲤脊中鳞一道，从头至尾，无大小皆36鳞，每鳞有一小黑点。为食品上味。”

[5] **此胆至苦** 草鱼肉味美，可供食用，但其胆有毒。

543 鯢鱼[1]

肝及子有大毒，入口烂舌，入腹烂肠，肉小毒。人亦食之，煮之不可近铛，当以物悬之。一名胡夷鱼，以物触之，即嗔腹如气球[2]，亦名嗔鱼。腹白，背有赤道如印，鱼目得合[3]，与诸鱼不同。江海中并有之，海中者大毒，江中者次之，人欲收其肝、子毒人，则当反被其噬，为此人皆不录。惟有橄榄木[4]及鱼茗木[5]

解之，次用芦根[6]、乌蓝草[7]根汁解之。此物毒疾，非药所及[8]。橄榄、鱼茗已出木部。(《证类》页422，《大观》卷20页25，《纲目》页1613)

【校注】

[1] **鯢鱼** 即河豚。《食疗本草》名鯸鮧。鮧或作鲐。段玉裁《说文解字》注："鲐又名侯鲐，即今河豚。"《吴都赋》云："王鲔侯鲐。"《食疗本草》云："鯸鮧鱼有毒，不可食，其肝毒杀人。缘腹中无胆，头中无腮，故知害人。若中此毒及鲈鱼毒者，便剉芦根煮汁饮，解之。此鱼行水之次，或自触着物，即自怒气胀，浮于水上，为鸦、鹞所食。"

[2] **以物触之，即嗔腹如气球** 《纲目》引《拾遗》化裁为"触物即嗔怒，腹胀如气球浮起，故人以物撩而取之。"按：此文原出《本草衍义》。《本草衍义》云："此物多怒，触之则怒气满腹，翻浮水上，渔人就以物撩之，遂为人获。"

[3] **鱼目得合** 《纲目》引《拾遗》作"目能开阖"。

[4] **橄榄木** 见"336橄榄木"条。

[5] **鱼茗木** 见"337鱼茗木"条。

[6] **芦根** 见"254江中采出芦"条。

[7] **乌蓝草** 见"255乌蓝草"条。

[8] **此物毒疾，非药所及** 河豚肝脏、生殖腺、血液均含有毒素。俗云："血麻子胀眼睛花"。处理不好，食之丧命。据云用龙脑、橄榄浸水，或用至宝丹可解。

544 鱼虎[1]

有毒。背上刺着人，如蛇咬。皮如猬有刺，头如虎也。生南海，亦有变为虎者。(《证类》页422，《大观》卷20页25，《纲目》页1618)

【校注】

[1] **鱼虎** 《纲目》引《倦游录》云："海中泡鱼大如斗，身有刺如猬，能化为豪猪。"

545 鯕(音拱，鲲子) 鱼[1]

鳅鱼(鳅、鳝同音)[2]，鼠尾鱼，地青鱼，鯆(普胡反) 魮(音毗) 鱼，邵阳鱼[3]，尾刺人者，有大毒。三刺中之者死，二刺者困，一刺者可以救。候人溺处钉之，令人阴肿痛，拔去即愈。渔人被其刺毒，煮鱼簄竹[4]及海獭[5]皮解之。已上鱼并生南海，总有肉翅，尾长二尺，刺在尾中，逢物以尾拨之。食其肉而去其刺。其鯆魮鱼已在《本经》鱓鱼注中[6]。(《证类》页422，《大观》卷20页25)

【校注】

[1] **鉷鱼** 《玉篇》云："鉷，鲲也。大鱼。"

[2] **鳅鱼** 《尔雅》云："鳛，鳝。"郭璞注："今泥鳝。"《纲目》云："海鳝生海中，极大。江鳝生江中，长七八寸。泥鳝生湖池，最小，长三四寸。"本条下文有"已上鱼并生南海"，则本条中鳅鱼当指海鳅。

[3] **鯆魮鱼，邵阳鱼** 《纲目》卷44视鯆魮鱼、邵阳鱼为海鹞鱼的异名。见"533 海鹞鱼"注[1][4]。

[4] **鱼簄竹** 簄，音户。《集韵》云："取鱼竹网。"

[5] **海獭** 见"481 海獭"条。

[6] **鯆魮鱼已在《本经》鲟鱼注中** 文中《本经》泛指前代本草。如《唐本草》《本草经集注》，不是指古代《神农本草经》。因为鲟鱼是《名医别录》药，不是《神农本草经》药。《唐本草》"鲟鱼"条引陶弘景注云："又有鯆魮亦益人，尾有毒，疗齿痛。"

546 鲵鱼[1]

鳗鲡注陶云：鳗鲡能上树。苏云：鲵鱼能上树，非鳗鲡也。按：鲡鱼一名王鲔，在山溪中，似鲇[2]，有四脚，长尾，能上树，天旱则含水上山，叶覆身，鸟来饮水，因而取之。伊、洛间[3]亦有声如小儿啼，故曰鲵鱼，一名鳠鱼，一名人鱼，膏燃烛不灭。秦始皇冢中用之[4]。陶注鲇鱼条云：人鱼即鲵鱼也。（《证类》页422，《大观》卷20页25，《纲目》页1612）

【校注】

[1] **鲵鱼** 《尔雅》云："鲵，大者谓之鰕。"郭璞注："今鲵鱼似鲇，四脚，前脚似猴，后脚似狗，声如小儿啼，长八九尺。"《御览》引《异物志》云："鲵鱼有四足如鳖而行疾，有鱼之体，而以足行。"《唐本草》"鳗鲡鱼"条，苏敬注云："鲵鱼有四脚，能缘树。"

[2] **鲇** 《唐本草》"鳀鱼"条，苏敬注云："鳀鱼一名鲇鱼，一名鳀鱼。"《本草衍义》云："鳀鱼形小类獭，有四足，腹重坠如囊，身微紫。"

[3] **伊、洛间** 今河南省伊河、洛河之间。《水经·伊水》注引《广志》曰："鲵鱼声如小儿啼，有四足，形如鲮鲤，可以治牛，出伊水也。"

[4] **人鱼，膏燃烛不灭。秦始皇冢中用之** 《史记》曰："始皇帝之葬，以人鱼膏为烛。"徐广注："人鱼即鲵鱼是也"。

547 诸鱼有毒[1]

鱼目有睫杀人。目得开合杀人。逆鳃杀人。脑中白连珠杀人。无鳃杀人。二目不同杀人。连鳞者杀人。白鳍杀人。腹下丹字杀人。鱼师大者有毒，食之杀人[2]。

（《证类》页422，《大观》卷20页25，《纲目》页1618）

【校注】

[1] **诸鱼有毒** 前述“543鲵鱼”肝及子有大毒，“545鯸鱼”、鲭鲐鱼、邵阳鱼尾有毒。“542鲩鱼”胆有毒。其中以鲵鱼最毒。鲵鱼即河豚。《纲目》云：“吴人言河豚血有毒，脂令舌麻，子令腹胀，眼令目花。”又引严有翼《艺苑雌黄》云：“南人言鱼之无鳞无腮，无胆有声，目能眨者，皆有毒。”

[2] **鱼师大者有毒，食之杀人** 《集韵》云：“鰤，老鱼，一说出历水，食之杀人。”现代鲹科动物有黄条鰤、杜氏鰤。体呈纺锤形，长达七十余厘米。背部蓝褐色，腹部银白色。春夏游向近海岸。不知《拾遗》“鱼师”即此否？

548 水龟[1]

无毒。主难产，产妇戴之，亦可临时烧末酒下。出南海[2]，如龟，长二三尺，两目在侧旁。（《证类》页422，《大观》卷20页26，《纲目》页1630）

【校注】

[1] **水龟** 《纲目》引《拾遗》作“鹗龟”。按《拾遗》文所言“出南海，如龟，长二三尺”，似是海龟科海龟。海龟长可达一米余，背面褐色或暗绿色，有黄斑。分布于我国沿海，被列为保护动物。本条水龟非《本草经》的水龟。

[2] **南海** 今广东、福建以南的海域。

549 疟龟

无毒。主老疟发无时者，亦名痞疟[1]，下俚人呼为妖疟。烧作灰，饮服一、二钱匕，当微利，取头烧服弥佳。亦候发时，煮为沸汤，坐中浸身，亦悬安病人卧处。生高山石下，身扁头大，嘴如鹗鸟[2]，亦呼为鹗龟[3]。（《证类》页422，《大观》卷20页26，《纲目》页1629）

【校注】

[1] **痞疟** 《正字通》云：“痞同痎。老疟发作无时名痞疟，谷呼妖疟。”

[2] **身扁头大，嘴如鹗鸟** 以上8字，《纲目》化裁为“扁头大嘴”4字。又，鹗鸟，鹗音恶，即鱼鹰。《诗》云“关关雎鸠，在河之洲”即此。为鹗科动物，性凶猛，背暗褐色，腹白色。常在水面上飞翔，捕食鱼类，为渔业害鸟。

[3] **鹗龟** 《拾遗》以鹗龟为疟龟的异名。《纲目》以鹗龟为水龟（指海龟）的正名。

550 嘉鱼[1]

《吴都赋》[2]云："嘉鱼出于丙穴[3]。"李善[4]注云："丙日出穴。今则不然，丙者向阳穴也，阳穴多生此鱼。"鱼复何能择丙日耶？此注误矣。《新注》云：治肾虚消渴及劳损羸瘦，皆煮食之。又《抱朴子》[5]云：鹤知夜半，燕知戊已[6]，岂鱼不知丙日也。(《证类》页435，《大观》卷21页25，《纲目》页1601)

【校注】

[1] **嘉鱼** 《太平御览》卷937"嘉鱼"条引任豫《益州记》云："嘉鱼似鲤，鳞细如鳟，大者五六尺。食乳泉。出丙穴，二三月随水出穴，八九月逆水入穴，《食疗本草》云："嘉鱼微温，常于崖石下孔中吃乳石沫，甚补益，微有毒。其味甚珍美也。"

[2] **《吴都赋》** 见"245 水松"注[2]。

[3] **丙穴** 《地名大辞典》云："丙穴，大丙山之穴，山在陕西略阳东南（今汉中勉县北)。《左思赋》嘉鱼出丙穴注：'丙，地名有鱼穴二所'。《寰宇记》：大丙小丙二山，峻崖南北相对，高百余丈，北有穴，方圆二丈余，有水潜流，传为丙穴。沮水经穴门而过。每春三月上旬，有鱼从穴出跃，相传名为嘉鱼。《水经》注：穴口向丙，故曰丙穴。"

[4] **李善** 唐代扬州江都（今江苏扬州市）人、唐高宗乾封中为经城（今河北南宫与广宗之间）令。曾从曹宪学《文选》，遂撰《文选注》60卷，引证详赡，考核精审。晚年以此书讲学，学生多自远方而至，传其业者，号称"文选学"。另著有《汉书辨惑》30卷。

[5] **《抱朴子》** 见"71 执日取天星上土"注[3]。

[6] **燕知戊已** 《纲目》作"燕避戊己"。

551 鲎鱼[1]

味辛，无毒。主五野鸡病[2]，杀虫、发嗽[3]。壳发众香。尾灰断产后痢。膏烧集鼠矣。生南海，大小皆牝牡相随。牝无目，得牡始行，牡去牝死。以骨及尾，尾长二尺，烧为黑灰，米饮下，大主产后痢。先服生地黄蜜等煎讫，然后服尾，无不断也。(《证类》页436，《大观》卷21页26，《纲目》页1636)

【校注】

[1] **鲎鱼** 为肢口纲剑尾目鲎科动物中国鲎。体分头胸、腹及尾三部。头胸甲宽广，作半月形，如古代武官所戴的"武冠"。腹面有六对附肢。腹部较小，略呈六角形，两侧有若干锐棘，下面有六对片状游泳肢，后五对上面各有一对鳃。尾长，呈剑状。我国浙江以南浅海中常见。

[2] **五野鸡病** 见"183 益奶草"注[1]。

[3] **发嗽** 鲎鱼肉多食发咳嗽，但其壳能治积年咳嗽。《圣惠方》治积年咳嗽呀呷作声，用鲎鱼

壳半两，贝母一两，桔梗、牙皂各一分，为末，蜜丸弹子大。每含一丸，咽汁。服三丸，吐出恶涎而差。

552 河豚[1]

如鲶鱼，口尖，一名鲵鱼也。（《证类》页435，《大观》卷21页24，《纲目》页1613）

【校注】

[1] **河豚** 河豚即“543鯸鱼”。《拾遗》既列“鯸鱼”专条，不知为何又出“河豚”条。《证类本草》卷21“河豚”条下有唐慎微引陈藏器云：“云如鲶鱼，口尖，一名鲵鱼也。”此文不像“河豚”条的文字。疑唐慎微有错简，误置“河豚”条下。引文“云如鲶鱼”，其实河豚并不像鲶鱼。鲶鱼体延长，前部平扁，后部侧扁，灰黑色，口宽大，有须两对，眼小，无鳞，皮肤富黏液腺。河豚体呈圆筒形，牙愈合成牙板，有刺鳞及气囊，能吸气胀腹。引文“一名鲵鱼也”。前534“鲵鱼”条已有论述，此处岂能重出鲵鱼？可是鲵鱼形态确与鲶鱼相似。疑唐慎微节引鲵鱼之文误置“河豚”条下。

553 蝤蛑[1]

主小儿闪痞[2]，煮食之。大者长尺余，两螯至强，八月能与虎斗，虎不如也。随大潮退壳，一退一长。

拥剑[3]

一名桀步，一螯极小，以大者斗；小者食，别无功。

蟛蜞[4]

有小毒。膏主湿癣疽疮，不差者涂之。食其肉，能令人吐下至困。蔡谟渡江误食者。

蟛蜎[5]

如小蟹，无毛，海人食之，别无功。（《证类》页426，《大观》卷21页7，《纲目》页1634）

【校注】

[1] **蝤蛑** 陶弘景云：“蟹类甚多，蝤蛑、拥剑、蟛蜎皆是。”《日华子》云：“蝤蛑，冷，无毒。解热气，治小儿痞气。”《本草图经》云：“蟹最大后足阔者为蝤蛑。岭南人谓之拨棹子，以后脚形如棹也，一名蟳，随潮退壳，一退一长。其大者如升，小者如盏碟，两螯无毛，所以异于蟹。其力至强，能与虎斗，往往虎不能胜。主小儿闪癖，煮与食之，良。”

[2] **主小儿闪痞** 《日华子》作“主小儿痞气”，《本草图经》作“主小儿闪癖”。按：痞气为

五积之一，见《难经·五十六难》。症见胃脘有肿块突起，状如覆盘，肌肉消瘦，四肢无力等，日久不消，可发黄疸。其闪痞、闪癖，同痞气相似，都指腹内积块疾患，类似现代肝脾肿大。

［3］**拥剑** 《本草图经》云："蝤蛑、拥剑是蟹中最大者。其一螯大一螯小者名拥剑，又名桀步。常以大螯斗，小螯食物，一名执火，以其螯赤故也。"

［4］**蟛蜞** 陶弘景云："蟛蜞似蟛蜎而大，似蟹而小，不可食。蔡谟渡江不识而啖之，几死。叹曰：读《尔雅》不熟，为劝学者所误。"

［5］**蟛蜎** 《本草图经》云："蟹之最小者名蟛蜎，吴人语讹为彭越。《尔雅》云：蜎蛘，小者蟧。郭璞云：即蟛蜎也，似蟹而小，其膏可以涂癣，食之令人吐下至困。蟛蜞亦其类也。蔡谟渡江误食者是此也。"

554 鼋[1]

鳣鱼注陶云：鼋肉补。此老者能变化为魅。按：鼋甲功用同鳖甲，炙浸酒，主瘰疬[2]，杀虫，逐风恶疮[3]痿，风顽疥瘙[4]。肉主湿气[5]，诸邪气蛊[6]，消百药毒。张鼎[7]云：膏涂铁摩之便明，膏摩风及恶疮。子如鸡卵，正圆，煮之白不凝。今时人谓藏卵为鼋子，似此非为木石机也。至难死，剔其肉尽，头犹咬物，可以张鸢鸟[8]。（《证类》页431、436，《大观》卷20页27，《纲目》页1633）

【校注】

［1］**鼋** 为鳖科动物鼋。吻突很短，长不及眼直径的一半。背甲近圆形，散生小疣，暗绿色，亦称绿团鱼。腹面白色，前肢上缘和蹼亦呈白色。大者可达一米有余。《本草图经》云："鳖最大者为鼋，江中或有阔一二尺者，南人亦捕而食之。云其肉有五色而白多。卵大如鸡鸭子，一产一二百枚。人亦掘取以盐腌可食。其甲亦主五脏邪气，妇人血热。"《日华子》云："鼋甲，臣，平，无毒。主五脏邪气，杀百虫毒，消百药毒，续人筋骨。又脂涂铁烧之便明。淮南王方术内用之。"

［2］**瘰疬** 见"6 水银粉"注［4］。

［3］**恶疮** 见"20 铁锈"注［2］。

［4］**风顽疥瘙** 顽固性疥疮瘙痒。见"383 枕材"注［7］。

［5］**湿气** 湿为六淫之一。性质重浊、黏腻，妨碍脾胃运化，阻滞气机活动。湿邪外侵，肢节筋骨疼痛，痛有定处，四肢困倦；湿邪内阻，常见食欲不振，胸闷不舒，小便少，大便稀。

［6］**蛊** 蛊的含义很广，不同的古籍所讲内容各异。《周礼·秋官庶氏》谓蛊为古代以毒虫所作的毒药。《左传·昭公》谓蛊为近女室所致房劳病证。《素问·玉机真藏论》谓蛊为小便白浊的病证。《肘后方》《诸病源候论》以多种寄生虫病和腹部疾患为蛊，如肠寄生虫、急慢性血吸虫病、恙虫病、阿米巴痢、重症菌痢、重症肝炎、肝硬化、肝腹水等。

［7］**张鼎** 《嘉祐本草》所引书传"《食疗本草》"条云："唐同州刺史孟诜撰，张鼎又补其不足者89条，并归为227条，凡3卷。"据考张鼎可能是唐开元间（713—741）的道士，兼通医学。《医心方》引《食疗》文注出晤玄子。疑晤玄子为张鼎道号。

［8］**鸢鸟** 《尔雅》云："鸢，乌丑，其飞也翔。"郝懿行疏云："鸢即鸱，今之鹞鹰。"鹞鹰俗称

老鹰，为鹰科动物，是猛禽。天晴飞翔，盘旋空中，视力很强，见地面可食之物，瞥然而下，攫之而去。

555　海马[1]

谨按：《异志》[2]云：生西海[3]，大小如守宫，虫形若马形，其色黄褐。性温，平，无毒。主妇人难产，带之于身神验。（《证类》页436，《大观》卷21页27，《纲目》页1619）

【校注】

[1] **海马**　为海龙科动物多种海马的通称。本条与前“487 水马”文同。水马是《开宝本草》所引陈藏器本草文作为鼺鼠的释文。海马为《证类本草》唐慎微所引“陈藏器余”之文。由此可见“陈藏器余”即陈藏器《拾遗》。

[2] **《异志》**　《开宝本草》“鼺鼠”注引陈藏器本草“水马”条作《南州异物志》。见“45 琉璃”注[2]。

[3] **生西海**　《本草图经》作“生南海”。《开宝本草》引陈藏器本草“水马”条作“出南海”。疑本条“西海”为“南海”之误。

556　齐蛤[1]

远志注陶云：远志畏齐蛤。苏云：《药录》下卷有齐蛤，而不言功状。注又云：蜡畏齐蛤。按：齐蛤如蛤，两头尖小，生海水中。无别功用，海人食之。（《证类》页436，《大观》卷21页27）

【校注】

[1] **齐蛤**　《拾遗》云：“齐蛤如蛤，两头尖小，生海水中。”按：蛤类很多，有文蛤、海蛤、魁蛤，《梦溪笔谈》云：“文蛤即吴人所食花蛤。其形一头小，一头大，壳有花斑；海蛤即海边沙泥中得之，黄白色，或黄赤相杂。”后文“576 蛤蜊”，亦属蛤类。不知齐蛤是哪种蛤。

557　柘虫屎[1]

詹糖[2]注陶云：詹糖伪者，以柘虫屎为之。按：即今之柘木虫，在木间食木注为屎。其屎破血，不香。詹糖烧之香也。既不相似，不堪为类。（《证类》页436，《大观》卷21页27，《纲目》页1542）

【校注】

[1] **柘虫屎** 《纲目》引《拾遗》作“柘蠹虫”。柘是桑科植物柘树，有刺，其叶可饲蚕。柘树中蛀虫为柘蠹虫。桑树中蛀虫为桑蠹虫。柘虫屎活血破血，桑虫屎烧炭止血，能治肠下血。

[2] **詹糖** 《唐本草》注：“詹糖树似橘，煎枝为香似砂糖而黑，出交（今越南河内）、广（今广东广州）以南。云詹糖治恶疮，去恶气。”

558 蚱蜢[1]

石斛[2]注陶云：石斛[2]如蚱蜢。形长小，两股如石斛[2]。在草头能飞，蛗螽[3]之类，无别功。与蚯蚓交，在土中得之，堪为媚药[4]。入《拾遗记》。（《证类》页436，《大观》卷21页27，《纲目》页1553）

【校注】

[1] **蚱蜢** 本条与“569 蛗螽”，《纲目》并为一条，以“蛗螽”为正名，并云：“蛗螽在草上曰草螽，在土中曰土螽，似草螽而大曰螽斯，似螽斯而细长曰蛗螽。”《诗》云：“趯趯蛗螽”。陆机疏云：“蛗螽，亦螽之统称。”《尔雅》云：“蛗螽，�”。郭璞注：“今俗呼蚣蝑而细长，飞翅作声者为螇蚸。”现代生物学蛗螽是蝗科蚱蜢亚科中华蚱蜢。体长形，绿色或黄褐色。头尖，呈长圆锥形。飞翔有札札声。后腿及胫长，善跳跃。

[2] **石斛** 本条三处石斛，原俱作“石蟹”，修改理由如下。

石蟹，《本草图经》云：“石蟹出南海，体质石也，与蟹相似，或云是海蟹多年水沫相著，化而为石。遇海潮即飘出，为人所得。”《本草衍义》云：“石蟹，是今之生蟹，更无异处，但有泥与粗石相著，用须去泥并粗石，止用蟹磨合他药，点目中须水飞。”则本草石蟹，当是石蟹的化石。现代生物学石蟹科石蟹属的石蟹，生活于较深的海底，形如蟹类，但腹部由多块骨片组成。第五对足短小，隐于鳃腔，外观只有四对足。额剑长，全身有刺。

原文“石蟹注陶云：石蟹如蚱蜢”，此“陶云”当是陶弘景云。查《证类》卷4“石蟹”条并无陶弘景注。石蟹是宋代《开宝本草》新增药，陶弘景是南北朝梁代人。梁代陶弘景不可能为宋代石蟹作注。要不文中“陶云”是另一姓陶者。而《证类》“石蟹”条并无姓陶的注文。但《证类》卷6“石斛”条有陶弘景注云：“石斛……桑灰汤沃之，色如金，形似蚱蜢髀者为佳。”据此可知，本条文中“石蟹”实为“石斛”之误，本条文中“蟹”当改为“斛”。

[3] **蛗螽** 见“569 蛗螽”条。

[4] **与蚯蚓交，在土中得之，堪为媚药** “569 蛗螽”条作“蛗螽、蚯蚓二物，异类同穴为雄雌，令人相爱。五月五日收取，夫妻带之。”又云：“蛗螽如蝗虫，东人呼为蚱蜢。”按陈藏器既云，蛗螽即蚱蜢，不知为何分立为二条。

559 寄居虫[1]

蜗牛注陶云：海边大有似蜗牛，火炙壳便走出。食之益颜色。按：寄居在壳间，而非螺也。候螺蛤开，当自出食，螺蛤欲合，已还壳中，亦名寄生，无别功用。海族多被其寄。又南海一种似蜘蛛，入螺壳中，负壳而走，一名辟[2]，亦呼寄居，无别功用也。（《证类》页437，《大观》卷21页27，《纲目》页1653）

【校注】

[1] **寄居虫** 是寄生物通称。种类多，形式多样。例如寄居蟹，成体匿居空螺壳内，头胸部能伸出壳外，在海底或海滩上爬行。本条寄居虫系出陶弘景所云。陶弘景注蜗牛云："海边又一种正相似，火炙壳便走出，食之益颜色，名为寄居。方家既不复用，人亦无取者，未详何者的是。"

[2] **南海一种似蜘蛛，入螺壳中，负壳而走，一名辟** 文中"似蜘蛛"，疑为寄居蟹。蟹外形似蜘蛛，故云"似蜘蛛"。又，辟，《纲目》引"藏器曰"作"䗑"。

560 蚍（音抽）蟱[1]

蜘蛛注陶云：悬网状如鱼罾者，亦名蚍蟱。按：蚍蟱在孔穴中及草木稠密处，作网如蚕丝为幕络者，就中开一门出入，形段小，似蜘蛛而斑小。主疔肿出根，作膏涂之。陶云罾网，此正蜘蛛也，非为蚍蟱。此物族类非一也。（《证类》页437，《大观》卷21页28，《纲目》页1562）

【校注】

[1] **蚍蟱** 陶弘景在"蜘蛛"条注："悬网状如鱼罾者为蚍蟱"。陈藏器认为不对。悬网状如鱼罾者，正是蜘蛛。蚍蟱是在孔穴中，作网如蚕丝为幕络者。蜘蛛为蛛形纲中蜘蛛目及盲蛛目的通称。前者如圆网蛛、络新妇、壁钱；后者如盲蛛。不知蚍蟱是何种蜘蛛。《本草图经》云："陶弘景谓悬网状如鱼罾为蚍蟱。则《尔雅》所为鼄蝥，郭璞所谓蝃蝥者是也。古方主蛇、蜂、蜈蚣毒，及小儿大腹丁奚、赘疣。"

561 负蠜[1]

葵注苏云：戎人重薰渠[2]，犹巴人重负蠜。按：蜚蠊[3]一名负盘，蜀人食之，辛辣也，已出《本经》[4]。《左传》[5]云：蜚不为灾。杜注[6]云：蜚，负蠜也，如蝗虫。又夜行[7]，一名负盘，即屁盘虫也，名字及虫相似，终非一物也。（《证类》页437，《大观》卷21页28，《纲目》页1553）

【校注】

[1] **负蠜** 本条末原注云："蠜音烦，蛗螽也。"《纲目》以"蛗螽"为正名，以"负蠜"为释名。其后"569 蛗螽"条，与本条似重复。《拾遗》"蛗螽"条云："如蝗虫，东人呼为蚱蜢，有毒，

有黑斑。”关于蚱蜢，详见前“558 蚱蜢”条。《纲目》云：“此有数种，螽螽，总名也。在草上者曰草螽，在土中者曰土螽，似草螽而大者曰螽斯，似螽斯而细长者曰蟿螽。数种皆类蝗，而大小不一。长角、修股善跳，有青、黑、斑数色。五月动股作声，至冬入土穴中。”

[2] **薰渠** 《唐本草》“冬葵子”条，苏敬注云：“薰渠者，婆罗门云阿魏是。言此草苗根似白芷，取根汁曝之如胶，如截根日干，并极臭。常食中用之，云去臭气。戎人重此，犹俗中贵胡椒，巴人重负蠜。”

[3] **蜚蠊** 原作“飞廉”，据药名改。“飞廉”是菊科植物，而蜚蠊是昆虫纲蜚蠊目昆虫的通称。蟑螂也是蜚蠊目昆虫中的一种。《唐本草》“蜚蠊”条，苏敬注云：“此虫味辛辣而臭，汉中人食之，言下气，名曰石姜，一名负盘。《别录》云：形似蚕蛾，腹下赤，二月八月采。”

[4] **《本经》** 指《唐本草》。

[5] **《左传》** 见“522 姑获”注［4］。

[6] **杜注** 即杜预注《左传》。杜预为西晋京兆杜陵（今陕西西安东南）人。酷爱《左氏春秋》，时称“左癖”。著《春秋左氏经传集解》，是今传《左传》注解最早的一种。此书始分经之年与传之年相附，以《春秋》与《左传》合刊为一书。

[7] **夜行** 《名医别录》有名无用类作“行夜”，并云：“行夜疗腹痛寒热，利血，一名负盘。”

562 蠼螋[1]

鸡肠注陶云：鸡肠草主蠼螋溺[2]。按：蠼螋能溺人影，令发疮，如热疿[3]而大，绕腰匝，不可疗。虫如小蜈蚣，色青黑长足，山蠼螋溺毒更猛。诸方中大有主法，其虫无能，惟扁豆叶傅即差。（《证类》页 437，《大观》卷 21 页 28，《纲目》页 1564）

【校注】

[1] **蠼螋** 《拾遗》云：“虫如小蜈蚣，色青黑长足。”《纲目》云：“其虫隐居墙壁及器物下，长不及寸，状如小蜈蚣，青黑色，二须六足，足在腹前，尾有叉歧，能挟人物。”现代生物学蠼螋为昆虫纲革翅目昆虫的通称，其形态与《拾遗》所云“虫如小蜈蚣”不同。体扁平狭长，触角细长多节，前翅短，革质，作截断状；后翅大而圆，膜质。腹部有铗状尾须一对，能挟人、物。

[2] **鸡肠草主蠼螋溺** 陶弘景云：“人家园庭有此草，小儿取挼汁以挼蜘蛛网至粘，可掇蝉，疗蠼螋溺也。”《博物志》云：“蠼螋溺人影，亦随所著作疮，以鸡肠草汁傅之效。”

[3] **热疿** 即炎夏生的热痱子。皮肤因湿热蕴蒸，生出如粟米大小的红色丘疹，密集，范围较广，头面、颈项、腹、背、肩、股皆有，瘙痒、灼热，抓破感染或成小脓疮。《纲目》云：“蠼螋溺射人影，令人生疮，身体寒热。古方用犀角末、鸡肠草汁、马鞭草汁、梨叶汁、茶叶末、紫草末、鹿角末、羊髭烧灰、燕窠土，但得一品涂之皆效。”

563 蛊虫

败鼓皮注陶云：服败鼓皮，即唤蛊主姓名[1]。按：古人愚质，造蛊图富，皆取百虫瓮中盛，经年间开之，必有一虫尽食诸虫，即此名为蛊。能隐形，似鬼神，与人作祸，然终是虫鬼，咬人至死者。或从人诸窍中出，信候取之，曝干。有患蛊人，烧为黑灰，服少许立愈。亦是其类，自相伏耳。新注云：凡蛊虫疗蛊，是知蛊名，即可治之。如蛇蛊用蜈蚣蛊虫，蜈蚣蛊用虾蟆蛊虫，虾蟆蛊病复用蛇蛊虫。是互相能伏者，可取治之。(《证类》页437，《大观》卷21页28，《纲目》页1571)

【校注】

[1] **服败鼓皮，即唤蛊主姓名** 陶弘景注败鼓皮云："烧作屑，水和服之，病人即唤蛊主姓名，仍往令其呼取蛊便差。"

564 土虫[1]、蚰蜒[2]

马陆注陶云：今有一细黄虫。状如蜈蚣，俗呼为土虫。按：土虫无足，如一条衣带，长四五寸，身扁似韭叶，背上有黄黑襉，头如铲子，行处有白涎，生湿地，有毒，鸡吃即死。陶云：如蜈蚣者，正是蚰蜒，非土虫也。苏云：马陆如蚰蜒。按：蚰蜒色正黄，不斑，大者如钗股，其足无数，正是陶呼为土虫者。此虫好脂油香，能入耳及诸窍中，以驴乳灌之，化为水，苏云似马陆误也[3]。(《证类》页437，《大观》卷21页28，《纲目》页1563)

【校注】

[1] **土虫** 陈藏器谓土虫无足，如一条衣带，长四五寸，身扁似韭叶，背上有黄黑襉（衣褶缝），头如铲子，行处有白涎，鸡吃即死。《酉阳杂俎》云："土蛊，形似衣带，色类蚯蚓，长尺余，首如铲，背有黄黑襉。有毒，鸡食之辄死。"则土虫、土蛊似是一物。现代生物学涡虫纲笄蛭科笄蛭，古称土蛊，体长20~30厘米，黄色，有五条黑纵纹，头部扁状，生活于树根旁或墙脚下阴湿的土壤中。

[2] **蚰蜒** 蚰蜒是多足纲蚰蜒科的昆虫。体短微扁，灰白色。全体分15节，每节有细长足一对，最后一对足特长。足易脱落，栖息土墙房屋内外阴湿处。

[3] **苏云似马陆误也** 苏云即苏敬云。苏敬注马陆云："马陆大如细笔管，长三四寸，斑色一如蚰蜒。"陈藏器认为蚰蜒不像马陆，故曰："苏云似马陆误也"。按：马陆是多足纲山蛩科马陆，体长而稍扁，长约35毫米，暗褐色。其死侧卧状如刀环，称为刀环虫。

565 鳙鱼[1]

鲍鱼注陶云：今此鲍鱼乃是鳙鱼，长尺许，合完淡干之，而都无臭气。按：鳙鱼，岭南人作鲍鱼。刘元绍云：其臭如尸，正与陶公相背，海人食之，所谓海上有逐臭之夫也[2]。其鱼以格额、目旁有骨，名乙。礼云：鱼去乙。郑云：东海鰫鱼也。只食之，别无功用也。（《证类》页437，《大观》卷21页29，《纲目》页1597）

【校注】

[1] **鳙鱼** 陶弘景注鲍鱼云："鲍鱼之肆，言其臭也。……今此鲍鱼乃是鳙鱼，长尺许。合完淡干之，而都无臭气。"按：鲍鱼即石决明，腹足纲鲍科，贝壳坚厚，螺旋部很小，体螺层极大，壳的左侧边缘有一列呼吸孔。鳙鱼为鱼纲鲤科鳙鱼，亦称胖头鲢。《拾遗》云："鳙鱼，岭南人作鲍鱼。"此当是异地异物同名故也。

[2] **刘元绍云……有逐臭之夫也** 以上28字，《纲目》引《拾遗》作"然则刘元绍言，海上鳙鱼，其臭如尸，海人食之，当别一种也。"

566 予脂[1]

有毒。主风肿，痈毒[2]，隐疹赤瘙[3]，病疥[4]，痔瘘[5]，皮肤顽痹[6]，踠跌折伤[7]，肉损瘀血，以脂涂上，炙手及热摩之，即透。生岭南[8]，蛇头鳖身。《广州记》云：予，蛇头鳖身，亦水宿，亦树栖，俗谓之予膏，主蛭刺。以铜及瓦器盛之，浸出，唯鸡卵盛之不漏。摩理毒肿大验，其透物甚于醍醐也。（《证类》页437，《大观》卷21页29，《纲目》页1576）

【校注】

[1] **予脂** 予，《太平御览》卷932"吊"条引裴氏《广州记》作"吊，蛇头鼍身。"《纲目》亦作"吊脂"，并云："陈藏器有予脂一条，引《广州记》云：'予，蛇头鳖身，膏主蛭刺'云云。今考《广州记》及《太平御览》止云：'吊，蛇头鼍身，膏至轻利'等语，并无所谓蛇头鳖身。吊字似予，鼍字似鳖，至轻利似主蛭刺。传写讹误，陈氏承其误耳。"

[2] **风肿，痈毒** 见"384鬼膊藤"注［1］。

[3] **隐疹赤瘙** 隐疹，出《素问·四时刺逆从论》，又名风隐疹、瘖瘰。皮肤出现大小不等的风团，小如麻粒，大如豆瓣，剧痒。赤瘙指疹色红赤瘙痒。

[4] **病疥** 见"368省藤"注［3］。

[5] **痔瘘** 见"176孟娘菜"注［2］。

[6] **皮肤顽痹** 痹指风寒湿侵袭肢体经络所引起的肢节疼痛、麻木、屈伸不利的病证。皮肤顽痹，指皮肤麻木不仁，是很难治愈的顽症。

[7] **踠跌折伤** 即跌打损伤，伤处多有疼痛、肿胀、瘀血、伤筋、骨折，或破损出血。

[8] **岭南** 见"7诸金有毒"注［2］。

567 砂挼子[1]

有毒。杀飞禽走兽，合射罔[2]用之。人亦生取置枕，令夫妻相好。生砂石中，作旋孔，有虫子如大豆，背有刺，能倒行，一名倒行狗子。性好睡，亦呼为睡虫，是处有之。(《证类》页438,《大观》卷20页29,《纲目》页1570)

【校注】

[1] **砂挼子** 是何物不详。按：原生动物砂壳虫科砂壳虫，体似变形虫，体外被角质壳，壳表面粘结多数砂，叶状伪足由壳口伸出。不知砂挼子是否即指砂壳虫科一类的虫。

[2] **射罔** 《本草经》云："乌头，其汁煎之名射罔，杀禽兽。"《别录》云："射罔味苦，有大毒。"陶弘景云："猎人以傅箭射禽兽。中人亦死，宜速解之。"

568 蚘虫[1]

汁，大寒。主目肤赤热痛。取大者净洗，断之，令汁滴目中，三十年肤赤亦差。(《证类》页438,《大观》卷21页29,《纲目》页1571)

【校注】

[1] **蚘虫** 即线虫纲蛔虫科蛔虫。成虫寄生人的小肠内，引起蛔虫病。卵呈椭圆形，黄绿色或黄褐色，随粪便排出。昔日农村以粪便施肥于菜地，其卵即留在菜地泥土中。被人吞入后，即在肠内孵出幼虫。幼虫穿入肠壁血管，随血流经过心而至肺，在此生长发育，再由气管至会厌，经食管至胃，返回小肠，发育为成虫。

569 蛗螽[1]

蚯蚓二物，异类同穴为雄雌[2]，令人相爱。五月五日收取，夫妻带之。蛗螽如蝗虫，东人呼为蚱蜢，有毒，有黑斑者，候交时取之。(《证类》页438,《大观》卷21页29,《纲目》页1553)

【校注】

[1] **蛗螽** 《拾遗》云："蛗螽如蝗虫，东人呼为蚱蜢，有毒，有黑斑。"《诗·召南》："趯趯蛗螽。"《尔雅》云："蛗螽，蠜也；草螽，负蠜。"《纲目》云："蛗螽，总名也。在草上者曰草螽，在土中者曰土螽，似草螽而大者曰螽斯，似螽斯而长者曰蟿螽。数种皆类蝗，而大小不一。长角，修股善跳，有青、黑、斑数色，五月动股作声，至冬入土穴中。"

[2] **蚯蚓二物，异类同穴为雄雌** 陆佃《埤雅》云："草虫鸣于上风，蚯蚓鸣于下风，性不忌而一母百子。故《诗》曰：喓喓草虫，趯趯蛗螽。"

570 灰药

令人喜好相爱。出岭南[1]陶家，如青灰。彼人以竹筒盛之，云是蚘[2]（蛲音，蛔虫也）所作。以灰拭物皆可喜[3]。损小儿、鸡、犬等，不置家中[4]，未知此事虚实。（《证类》页438，《大观》卷21页29，《纲目》页1572）

【校注】

[1] **岭南** 见“7诸金有毒”注[2]。

[2] **蜕** 原作“蜣”，据本条括号中注文改。《纲目》亦作“蜕”。

[3] **以灰拭物皆可喜** 《纲目》引“藏器曰”作“凡以拭物，令人喜好相爱。”

[4] **损小儿、鸡、犬等，不置家中** 《纲目》化裁为“置家中，损小儿、鸡、犬也。”

571 吉丁虫[1]

功用同前[2]，人取带之。甲虫背正绿，有翅在甲下。出岭南[3]、宾、澄洲[4]也。（《证类》页438，《大观》卷21页29，《纲目》页1553）

【校注】

[1] **吉丁虫** 为昆虫纲鞘翅目吉丁虫科的通称，成虫大小、形状因种类而异。体色有金属光泽，头小垂向下，嵌入前胸；触角短，锯齿状；足短。幼虫大多蛀树，亦有潜食于树叶中。为森林、果木重要害虫。

[2] **功用同前** 前条“灰药”，令人喜好相爱。则吉丁虫功用亦当是令人喜好相爱。

[3] **岭南** 见“7诸金有毒”注[2]。

[4] **宾、澄洲** 宾州，今广西宾阳；澄州，今广西上林。

572 腆颗（一作颗）虫[1]

功用同前[2]，人取带之。似屁盘，褐色，身扁。出岭南[3]，人重之也。（《证类》页438，《大观》卷20页30，《纲目》页1553）

【校注】

[1] **腆颗虫** 陈藏器云：“似屁盘，褐色，身扁，出岭南。”《别录》有名无用类有“行夜”，陶弘景云：“行夜，小儿呼屁盘。”陈藏器云：“屁盘虫一名负盘，有短翅，飞不远，好夜中出行，触之气出。”

[2] **功用同前** 即带之，令人喜好相爱。

[3] **岭南** 见“7诸金有毒”注[2]。

573 蟨鼠[1]

有毒。食人及牛马等皮肤成疮，至死不觉。此虫极细，不可卒见。《尔雅》

云：有虫毒[2]，食人至尽不知。《左传》[3]曰：食郊牛角者也。《博物志》[4]云：食人死肤，令人患恶疮[5]，多是此虫食。主之法，当以狸膏摩之及食狸肉[6]。凡正月食鼠残，多为鼠瘘[7]，小孔下血者，是此病也。(《证类》页438，《大观》卷20页30，《纲目》页1805)

【校注】

[1] **鼷鼠** 为鼠科动物小家鼠，体长约8厘米，吻尖长，耳大，尾细短，或略长于体长，上门齿有缺刻，毛色不一，自黑灰色至灰褐色。为主要害鼠之一，危害农作物，传播疾病。实验用的小白鼠和玩赏用的车鼠，是它的变种。

[2] **有虫毒** 《纲目》引“藏器曰”作“有螫毒”。

[3] **《左传》** 见“522 姑获”注[4]。

[4] **《博物志》** 见“29 石漆”注[2]。

[5] **恶疮** 见“20 铁锈”注[2]。

[6] **狸膏摩之及食狸肉** 《纲目》云：“鼷鼠咬人成疮，用狸膏摩之，并食狸肉。”按：狸为猫科动物豹猫，亦称狸猫，浅棕色挟褐色斑点，头顶至肩有四条棕褐色纵纹，两眼内缘向上各有一白纹。骨治鼠瘘、恶疮。

[7] **鼠瘘** 《灵枢·寒热》云：“鼠瘘之本，皆在于脏，其末上出于颈腋之间。”即颈、腋部淋巴结核。

574 诸虫[1]有毒

不可食者。鳖[2]目白杀人，腹下有卜字及五字不可食，颔下有骨如鳖不利人。虾[3]煮白食之，腹中生虫。蟹[4]腹下有毛，两目相向，腹中有骨，不利人。鳖肉共鸡肉食，成瘕疾也。(《证类》页438，《大观》卷21页30)

【校注】

[1] **虫** 古代讲虫，泛指多种动物。如蛇、蛸皆从虫。对鳞介类亦视为虫。《广韵》云：“鳞介总名曰虫”。

[2] **鳖** 陶弘景云：“鳖目陷者及合鸡子食之，杀人。不可合苋菜食之。其厌下有王字形者，亦不可食。”《本草图经》云：“鳖胸前有软骨，谓之丑，食当去之。其头足不能缩及独目者并大毒，不可食，食之杀人。三足鳖名能，大寒，有毒。”

[3] **虾** 《食疗本草》云：“虾无须及煮色白者不可食。”

[4] **蟹** 陶弘景云：“蟹未被霜甚有毒，人中之，不即疗多死。蟹目相向者亦杀人，服冬瓜汁、紫苏汁及大黄丸皆得差。海边蟛蜞、拥剑，似蟛蜎而大，似蟹而小，不可食。蔡谟渡江不识而啖之，几死。叹曰：读《尔雅》不熟，为劝学者所误。”

575　淡菜[1]（东海夫人）

味甘，温，无毒。主虚羸劳损[2]，因产瘦瘠[3]，血气结积，腹冷，肠鸣，下痢，腰疼，带下[4]，疝瘕[5]。久服令人发脱。取肉作臛宜人，发石令肠结。生南海[6]，似珠母，一头尖，中衔少毛。海人亦名淡菜。新注云：此名壳菜，大甘美，南人好食，治虚劳伤惫，精血少者及吐血，妇人带下漏下[7]，丈夫久痢，并煮食之，任意。出江湖。（《证类》页442，《大观》卷22页7，《纲目》页1649）

【校注】

[1] **淡菜**　为贻贝科动物贻贝类的肉，经煮后晒干而成。

[2] **虚羸劳损**　指虚弱、羸瘦、劳倦、损伤。包括因气血、脏腑虚损所致多种病证，以及相互传染的劳瘵。可见于多种慢性消耗性病证、贫血、结核等。

[3] **瘦瘠**　即瘦病。

[4] **带下**　见“282 地锦”注［4］。

[5] **疝瘕**　见“540 鲙”注［6］。

[6] **南海**　唐代南海即今广州。

[7] **漏下**　指妇女慢性子宫出血。

576　蛤蜊（音梨）[1]

冷，无毒。润五脏，止消渴，开胃，解酒毒，主老癖[2]，能为寒热者及妇人血块，煮食之。此物性虽冷，乃与丹石[3]相反，服丹石人食之，令腹结痛。（《证类》页442，《大观》卷22页4，《纲目》页1645）

【校注】

[1] **蛤蜊**　为蛤蜊科动物多种蛤蜊的通称。常见的有四角蛤蜊。本条《拾遗》首载之，其后《日华子》亦收之，《嘉祐本草》糅合两家文字为一体，录为正品。

[2] **老癖**　癖，古病名，见《诸病源候论·癖病诸候》，表现为有痞块隐伏于两胁，时痛时止，或平时摸不着，痛时才能触及，多由气血瘀阻，或寒痰凝聚所致。常见有痰癖、饮癖、寒癖、悬癖。癖经久不愈，年深者为老癖。

[3] **丹石**　见“56 土地”注［2］。

577　蚌[1]

据陶云：大蛤乃蚌。按：蚌寒，煮之，主妇人劳损[2]，下血[3]，明目，除湿，止消渴。老蚌含珠[4]，壳堪为粉，烂壳为粉，饮下，主反胃[5]，心胸间痰饮。生江溪渠渎间。陶云大蛤误耳。(《证类》页442，《大观》卷22页5，《纲目》页1639)

【校注】

[1] **蚌** 为蚌科动物多种蚌的通称。《食疗本草》云："蚌，大寒。主大热，解酒毒，止渴，去眼赤，动冷热气。"《日华子》云："蚌，冷，无毒。明目，止消渴，除烦，解热毒。补妇人虚劳下血，并痔瘘、血崩、带下，压丹石药毒。以黄连末内（纳）之，取汁，点赤眼并暗，良。烂壳粉饮下，治反胃痰饮。此即是宝装大者。"又云："蚌粉，冷，无毒。治疳，止痢并呕逆。痈肿，醋调傅，兼能制石亭脂（石流赤，即硫黄多赤者）。"

[2] **劳损** 指劳倦、损伤。

[3] **下血** 《素问·阴阳别论》称便血。指血从肛门而出。先便后血曰远血，远血紫暗污浊者曰脏毒。先血后便曰近血，近血鲜红者为肠风。

[4] **老蚌含珠** 蚌在一定外界条件刺激下，分泌并形成的与蚌壳珍珠层相似的固体粒状物，具有明亮艳丽的光泽，称为珍珠。有镇心定惊、明目退翳、解毒敛疮的功效。适用于惊悸不安、小儿惊风、目赤翳障、喉痹、口疳、溃疡不敛。

[5] **反胃** 食物入胃，或一两时吐出，或一日一夜吐出，吐出物酸臭不化，称为反胃。

578 车螯[1]

冷，无毒。治酒毒，消渴，酒渴，并痈肿[2]。壳治疮疖肿毒[3]，烧二度，各以醋煅，捣为末。又甘草等分，酒服，以醋调傅肿上，妙。车螯是大蛤，一名蜃，能吐气为楼台[4]。海中春夏间，依约岛溆，常有此气。(《证类》页442，《大观》卷22页6，《纲目》页1646)

【校注】

[1] **车螯** 本条末，《嘉祐本草》注云："新见陈藏器、日华子"。说明本条是掌禹锡糅合陈藏器、日华子两家文字而成。目前无法甄别出各家的文字。又，条文谓车螯是大蛤，当是文蛤、海蛤同类物。

[2] **痈肿** 见"384 鬼膊藤"注[1]。

[3] **疮疖肿毒** 疮疖，指疮面浅而小。肿毒，指疮深而大。二者临床均有红肿、焮热、疼痛及成脓等证。属急性化脓性疾患。

[4] **车螯是大蛤，一名蜃，能吐气为楼台** 晋·伏琛《三斋略记》云："海上蜃气，时结楼台，名海市。"《梦溪笔谈·异事》云："登州（今山东蓬莱）海中，云气如宫室、台观、城郭、人物、车马、冠盖，历历可见，谓之海市。"按：海市，是因海边上空的空气密度一时性改变，形成类似特大镜面，能折射远处地面之物景，犹如人能视镜中之物一般。

579 蚶[1]

温。主心腹冷气、腰脊冷气，利五脏，健胃，令人能食。每食了，以饭压之，不尔令人口干。又云温中，消食，起阳，时最重[2]。出海中，壳如瓦屋[3]。又云无毒，益血气。壳烧以米醋三度淬[4]后，埋令坏，醋膏丸，治一切血气、冷气、癥癖[5]。(《证类》页442，《大观》卷22页6，《纲目》页1647)

【校注】

[1] **蚶** 本条末，《嘉祐本草》注："新见陈藏器、萧炳、孟诜、日华子。"说明本条是掌禹锡糅合四家文字而成。目前无法甄别出各家的文字。《尔雅》云："魁陆"。郭璞注："《本草》云：魁状如海蛤，圆而厚，外有理纵横，即今之蚶也。"《岭表录异》云："瓦屋子，南人旧呼为蚶子，以其壳上有棱如瓦垄故名。"《别录》名魁蛤，俗称瓦楞子。蚶为蚶科动物多种蚶的通称。其壳与海蛤壳功能相近，俱有消痰散结、化瘀滞、制酸作用。

[2] **起阳，时最重** 起阳，即兴奋性功能。时最重，即为当时人所重视。

[3] **壳如瓦屋** 《临海水土记》云："蚶径四寸，背似瓦垄有文。"

[4] **淬** 矿物药煅时，乘热浸入液体内为淬。蚶壳烧赤，浸入米醋内，使壳崩解，称为醋淬。

[5] **癥癖** 癥，见"59桑灰"注[2]。癖，见"59桑灰"注[3]。瓦楞子火煅后，能化瘀散结，治妇女癥癖痞块。《拾遗》单用瓦楞子醉淬三次，制醋膏丸服，治一切血气、癥癖。

580 蛏[1]

味甘，温，无毒。补虚，主冷痢[2]。煮食之，主妇人产后虚损。生海泥中，长二三寸，大如指，两头开。主胸中邪热烦闷气，与服丹石[3]人相宜。天行[4]病后不可食，切忌之。(《证类》页442，《大观》卷22页6，《纲目》页1646)

【校注】

[1] **蛏** 本条末，《嘉祐本草》注："新见陈藏器、萧炳、孟诜"。说明本条由掌禹锡糅合三家文字而成，目前无法甄别出各家的文字。按：蛏为竹蛏科动物蛏的通称。一般指缢蛏，体细长者为竹蛏。

[2] **冷痢** 见《诸病源候论·痢病诸候》。亦称寒痢。痢下纯白，或白多红少，质稀气腥，或如冻胶。脉迟，舌苔白。

[3] **丹石** 见"56土地"注[2]。

[4] **天行** 见"164陈思岌"注[3]。

581 蚬（音显）[1]

冷，无毒。治时气[2]，开胃，压丹石药[3]，及疔疮[4]，下湿气，下乳。糟煮服良。生浸取汁，洗疔疮，多食发嗽，并冷气，消肾[5]。陈壳，治阴疮[6]，止痢。蚬肉，寒，去暴热，明目，利小便，下热气，脚气湿毒[7]，解酒毒，目黄。浸取汁服，主消渴。烂壳温，烧为白灰，饮下，主反胃[8]吐食，除心胸痰水。壳陈久，疗胃反[9]及失精[10]。蚬小于蛤，黑色，生水泥中。候风雨，能以壳为翅飞也。（《证类》页441，《大观》卷22页5，《纲目》页1641）

【校注】

［1］**蚬**　本条末，《嘉祐本草》注："新见唐本注、陈藏器、日华子。"说明本条是掌禹锡糅合三家文字而成，目前无法甄别出各家文字。按：蚬为蚬科动物蚬，形小，圆形或近三角形，壳厚而坚，壳内白色或青紫色。雌雄同体或异体，产于淡水河、湖及咸、淡水河口。为鱼类、禽类饵料。

［2］**时气**　即时疠（音利）气，指能引起流行的传染性强的病邪。

［3］**丹石药**　即丹石。见"56 土地"注［2］。

［4］**疔疮**　见"269 断罐草"注［1］。

［5］**消肾**　即下消。按：消渴因病机、症状和病情不同，可分上消、中消、下消。下消，其症面黑耳焦，饮一溲二，溲似淋浊，如膏如油等。

［6］**阴疮**　一名阴蚀、阴䘌、䘌疮。外阴部溃烂，脓血淋漓，或痒，或痛，或肿胀坠痛，多挟有小便淋漓，赤白带下。

［7］**脚气湿毒**　外感湿邪风毒，流注于脚。初腿脚麻木、酸痛、软弱无力，或挛急，或肿胀，或痿枯，或胫红肿、发热，甚或入腹攻心。另一种湿脚气，初趾间生小疱，瘙痒，搓破流水，反复发作，趾间糜烂，擦掉表皮，显露鲜红糜烂面；甚者肿烂疼痛，流脓水。

［8］**反胃**　见"577 蚌"注［5］。

［9］**胃反**　即反胃。同注［8］。

［10］**失精**　指因梦交而精液遗泄的病证。病多在心，如果心中无色情，其病不药而愈。

582 蜬（呼咸切）蜌（音进）[1]

一名生进。有毛，似蛤，长扁。壳烧作末服之，主野鸡病[2]。人食其肉，无功用也。（《证类》页442，《大观》卷22页5，《纲目》页1641）

【校注】

［1］**蜬蜌**　《本草图经》云："蜬蜌似蛤而长扁，壳主痔。"《本草衍义》云："顺安军（河北

省高阳、任丘两县之间）界河中出蝛蛖，大抵与马刀相类，肉颇淡，人作鲊以寄邻左，不能致远，亦发风。此等皆不可多食。"《衍义》谓蝛蛖与马刀相类。马刀为竹蛏科长竹蛏。疑蝛蛖亦为竹蛏科蛏的同类物。

［2］**野鸡病** 即痔疾。见"183 益奶草"注［1］。

583 虾[1]

食主五野鸡病[2]，上儿患赤白游疹[3]，捣碎傅之。煮熟色正赤，小儿及鸡狗食之，脚屈不行。江湖中者稍大，煮之色白。陶云白者煞人，非也。海中有大者，已出《拾遗》条中。以热饭盛密器中，作鲊食之，毒人至死[4]。（《证类》页443，《大观》卷22页7，《纲目》页1619）

【校注】

［1］**虾** 《食疗本草》云："虾，平。动风，发疮疥。虾无须及煮色白者，不可食。谨按：小者生水田及沟渠中，有小毒。小儿患赤白游肿，捣碎傅之。鲊内者甚有毒尔。"按：虾为甲壳纲十足目游泳亚目动物的通称。淡水、海水均产。种类甚多，如毛虾、米虾、白虾、沼虾、对虾。对其他虾形种类也称虾，如龙虾。

［2］**五野鸡病** 见"183 益奶草"注［1］。

［3］**赤白游疹** 见"197 海根"注［8］。《食疗》"虾"条作"赤白游肿"。

［4］**作鲊食之，毒人至死** 《食疗》"虾"条作"鲊内者甚有毒尔"。《延寿类要》引《食疗》作"勿作鲊食之"。"鲊"，《释名·释饮食》云："鲊，菹也。以盐、米酿鱼以为菹，熟而食之。"

584 金蛇[1]

味咸，平。（《证类》页451，《大观》卷22页24，《纲目》页1588）

【校注】

［1］**金蛇** 《本草图经》云："金蛇出宾（今广西宾阳）、澄（今广西上林）州，大如中指，长尺许，常登木饮露，体作金色，照日有光，及能解金毒。亦有银蛇解银毒。信州（今江西上饶）上饶县灵山乡出一种蛇，酷似此蛇，彼人呼为金星地鳝，冬月收捕之，亦能解众毒，止泄泻及邪热。"

585 海螺[1]

《百一方》[2]治目痛累年，或三四十年。方取生螺一枚，洗之，内燥抹螺口开，以黄连一枚，内螺口中，令其螺饮黄连汁，以绵注取汁，著眦中[3]。（《证类》页456，《大观》卷22页34，《纲目》页1650）

【校注】

[1] **海螺** 《本草图经》云："海螺厣名甲香，生南海。今岭外闽（今福建）中近海州郡及明州（今浙江宁波）皆有之。厣如瓯面，壳岨峿（高低不平）有刺，大小如拳，青黄色，长四五寸，人亦啖其肉。凡螺之类亦多，绝有大者。珠螺莹洁如珠；鹦鹉螺形似鹦鹉头，并堪酒杯者；梭尾螺如梭状，释（和尚）辈所吹者。"

[2] **《百一方》** 即《肘后方》。晋·葛洪撰。葛洪摘录其自著《玉函方》中可供急救、有效的单、验方及简要灸法编成此书。初名《肘后救卒方》，后经梁·陶弘景增补，改名《补阙肘后百一方》，简称《百一方》。其后又由金·杨用道摘取《证类本草》的单方编入，取名《附广肘后方》。原《百一方》残缺，仅存半数，笔者从诸书辑得另半数佚方补入之，订名为《补辑〈肘后方〉》，1981年由安徽科学技术出版社出版。

[3] **眦中** 眼角内。

586 海月[1]

味辛，平，无毒。主消渴，下气，令人能食，利五脏，调中。生姜、酱食之，消腹中宿物，令易饥，止小便。南海水沫所化，煮时犹变为水，似半月，故以名之。海蛤类也。（《证类》页456，《大观》卷22页34，《纲目》页1653）

【校注】

[1] **海月** 《食疗本草》云："海月，平。主消痰，辟邪鬼毒。以生椒酱调和食之，良。能消诸食，使人易饥。又，其物是水沫化之，煮时犹是水。入腹中之后，便令人不小便，故知益人也。又，有食之人，亦不见所损。此看之，将是有益耳。亦名以下鱼。"按：海月为海月蛤科动物窗贝，近圆形，极扁平，质薄透明，长约10厘米。壳外面白色，内面亦白色，有云母光泽。古代建筑常用来镶嵌屋顶或门窗，用以透光，故有窗贝、明瓦之称。

587 青蚨[1]

味辛，温，无毒。主补中[2]，益阳道[3]，去冷气，令人悦泽。生南海[4]，状如蝉，其子着木，取以涂钱，皆归本处，一名𧐢蜗。《广雅》云：青蚨也[5]。《搜神记》[6]曰：南方有虫，名蜠蠋，如蝉，大辛美，可食。其子如蚕种，取其子归，则母飞来，虽潜取，必知处，杀其母涂钱，子涂贯，用钱则自还。《淮南万毕术》[7]云：青蚨一名鱼伯，以母血涂八十一钱，以子血涂八十一钱，置子用母，置母用子，皆自还也。（《证类》页456，《大观》卷22页34，《纲目》页1525）

【校注】

[1] **青蚨** 《海药本草》云："谨按，《异志》云：生南海诸山，雄雌常处不相舍。主秘精，缩小便。青金色相似，人采得，以法末之，用涂钱以货易，昼用夜归，亦是人间难得之物也。"

[2] **补中** 即补脾胃。因脾胃居人体正中，故名补中。

[3] **益阳道** 见"35 磁石毛"注［2］。

[4] **南海** 唐代所言南海指广东广州。

[5] **《广雅》云：青蚨也** 《广雅》原文作"蝍蠋、鱼伯，青蚨也。"按：《广雅》是训诂书，三国魏·张揖撰，为补《尔雅》之缺而作。隋·曹宪为之作音释，因避炀帝讳，改称《博雅》。清·王念孙为之注释，撰成《广雅疏证》。

[6] **《搜神记》** 志怪笔记小说。晋·干宝撰。叙事古雅，为我国志怪小说代表作。原书至宋已佚，今本20卷为明·胡应麟从《法苑珠林》《太平御览》等书中辑录而成。

[7] **《淮南万毕术》** 道家杂著。传为西汉·刘安撰。专讲用药用符、黄白变化之事，包含有关物理、化学知识。书久佚，后世所见散引于《初学记》《太平御览》《艺文类聚》等书。清·孙冯翼有辑本。

588 豉虫[1]

有毒。杀禽兽，蚀息肉[2]，傅恶疮[3]。(《证类》页456，《大观》卷22页34，《纲目》页1570)

【校注】

[1] **豉虫** 《肘后方》治卒中射工水弩毒方。取水上浮走豉母虫一枚，置口中便差。云此虫正黑如大豆，浮水上相游者。又云："豉虫主射工，取一枚致口中便愈，已死者亦起。虫有毒，应不可吞，云以白梅皮裹含之。"

[2] **息肉** 见"2 铜青"注［3］。

[3] **恶疮** 见"20 铁锈"注［2］。

589 乌烂死蚕[1]

有小毒。蚀疮[2]有根者，亦主外野鸡病[3]，并傅疮上。在簇上乌臭者。白死蚕，主白游[4]。赤死蚕，主赤游[5]。并涂之。游，一名疹也。(《证类》页456，《大观》卷22页34，《纲目》页1516，《医心方》页34，《本草和名》卷20)

【校注】

[1] **乌烂死蚕** 《纲目》云："蚕种类甚多，有大、小、白、乌、斑色之异。"《唐本草》注："蚕自僵死，其色自白。"《拾遗》云："乌烂死蚕，在簇上乌臭者。"按：蚕为家蚕蛾科及天蚕蛾科昆

虫的幼虫的通称，其幼虫感染白僵菌而僵死的为白僵蚕。

［2］**蚀疮** 初起皮肤潮红，久则滋水淋漓，湿烂作痒，搔破出血水。湿烂扩大如腐蚀，生于耳后名月蚀疮。

［3］**外野鸡病** 野鸡病即痔疾，见“183 益奶草”注［1］。外野鸡病即外痔。

［4］［5］**白游、赤游** 即赤白游疹，见“197 海根”注［8］。

590 蚕布屉[1]

（《本草和名》卷20、《医心方》卷1页34，均注出《拾遗》，未言明功用。）

【校注】

［1］**蚕布屉** 为蚕蛾下的卵粘在布上，孵出后，遗留卵壳在布上，谓之蚕布屉。如果以纸代布，则称蚕退纸，或称蚕纸，又名蚕连。《百一方》治风癫悲泣呻吟，以蚕退纸作灰，酒水任下。《本草衍义》治妇人血露，以蚕连烧灰用之。《集验方》治缠喉风及喉痹、牙宣、牙痈、口疮并小儿走马疳，蚕退纸不计多少，烧成灰存性，又炼蜜和丸如鸡头（芡实）大，含化咽津；牙宣、牙痈揩龈上；口疮干傅患处；小儿走马疳入麝香少许，贴患处。

591 茧卤汁[1]

主百虫入肉，䘌疮[2]瘙疥，及牛马虫疮，山蜍[3]山蛭[4]入肉，蚊子诸虫咬毒。盐茧瓮下收之，以竹筒盛卤浸疮，山行亦可预带一筩，取一蛭置中，兼持一片干海苔，则辟诸蛭。苏敬注《本经》蛭条云：山人自有疗法，岂非此乎！亦可为汤浴小儿，去疮疥。此汁是茧中蛹汁，故能杀虫，非为卤咸也。（《证类》页456，《大观》卷22页35）

【校注】

［1］**茧卤汁** 《拾遗》云：“盐茧瓮下收之”。此即茧以盐腌的卤汁。《纲目》云：“已出蛾的蚕茧，煮汤治消渴，古方甚称之。缫丝汤及丝绵煮汁，功并相同。”

［2］**䘌疮** 即阴疮。见“581 蚬”注［6］。

［3］**山蜍** 疑是�蜍。《方言》云：“蜘蛛，北燕、朝鲜洌水之间谓之蟵蜍。”

［4］**山蛭** 山蛭为环节动物门蛭纲中的动物。体长而扁平，无刚毛，前后各有一个吸盘，能吸附动物皮表吸血，生于潮湿的山地。生于水中的名水蛭，又称蚂蟥。

592 壁钱[1]

无毒。主鼻衄[2]及金疮[3]，下血[4]不止，捺取虫汁点疮上及鼻中，亦疗外野鸡病[5]下血。其虫上钱幕[6]，主小儿呕吐逆，取二七煮汁饮之。虫似蜘蛛，作白幕如钱，在暗壁间，此土人呼为壁茧。（《证类》456页，《大观》卷廿二35页，《纲目》1532页）

【校注】

[1] **壁钱** 为壁钱科动物壁钱。体扁平，宽大于长，暗褐色，有白斑，昼伏夜出。在壁上结白色扁圆形卵茧，名壁茧。因其形如古钱，故名壁钱。

[2] **鼻衄** 即鼻出血。

[3] **金疮** 见“2 铜青”注［2］。

[4] **下血** 指大便出血。

[5] **外野鸡病** 野鸡病即痔疾，见“183 益奶草”注［1］。外野鸡病即外痔。

[6] **钱幕** 一名壁茧、窠幕，是壁钱虫的窠囊。

593 针线袋[1]

主妇人产后肠中痒[2]不可忍，以袋安所卧褥下，无令知之。（《证类》页457，《大观》卷22页35，《纲目》页1495）

【校注】

[1] **针线袋** 本条《纲目》引《拾遗》化裁为“痔疮，用二十年者，取袋口烧灰，水服。又妇人产后肠中痒不可忍，密安所卧褥下，勿令知之。”

[2] **产后肠中痒** 实即阴痒，指阴部或阴道中瘙痒，甚则奇痒难忍，坐立不安。

594 故锦[1]

烧作灰。主小儿口中热疮，研灰为末，傅口疮上。煮汁服，疗蛊毒[2]。岭南[3]有食锦虫[4]，屈如指环，食故绯帛锦，如蚕之食叶。（《证类》页457，《大观》卷22页35，《纲目》页1485）

【校注】

[1] **故锦** 锦即有锦文的丝织品。故锦，指破旧的丝织品。丝织品含有蛋白质，烧存性后变成血馀炭样物质，有止血功效，能治各种出血。

[2] **蛊毒** 见“135 猪槽中水”注［2］。

[3] **岭南** 见“7 诸金有毒”注［2］。

[4] **食锦虫** 《纲目》页1572作“金蚕”，并引《蔡絛丛谈》云：“金蚕始于蜀中，近及湖、

广、闽、粤浸多。状如蚕，金色，日食蜀锦四寸。南人畜之，取其粪置饮食中以毒人，人即死也。”

595 故绯帛[1]

主恶疮[2]，疔肿[3]，毒肿[4]，诸疮有根者，作膏用。帛如手大，取露蜂房、弯头棘刺、烂草节二七、乱发烧为末，空腹服，饮下方寸匕，大主毒肿。绯帛亦入诸膏，主疔肿用为上，又主儿初生脐未落时，肿痛水出，烧为末，细研傅之。又五色帛，主盗汗[5]，拭讫弃五道头。（《证类》页457，《大观》卷22页35，《纲目》页1485）

【校注】

[1] **故绯帛** 白蚕丝织成巾为帛，帛染成赤色为绯帛，陈旧者为故绯帛。

[2] **恶疮** 见“20 铁锈”注［2］。

[3] **疔肿** 见“269 断罐草”注［1］。

[4] **毒肿** 疮疡痈肿结块，表现红、肿、热、痛，并伴有全身症状，为毒肿。

[5] **盗汗** 出《金匮要略·血痹虚劳病脉证并治》。指入睡后出汗，醒后即止。多属虚劳之症，尤以阴虚为多见。

596 赦日线[1]

主人在牢狱日，经赦得出。候赦日，于所被囚枷上合取，将为囚缝衣，令犯罪经恩也。（《证类》页457，《大观》卷22页35，《纲目》页1495）

【校注】

[1] **赦日线** 囚犯在大赦的那一天，出狱时，缝衣用的线，名赦日线。本条《纲目》并在“针线袋”条内。

597 苟印[1]

一名苟汁，取膏滴耳中，令左右耳彻。出潮州[2]，似蛇，有四足。大主聋也。（《证类》页457，《大观》卷22页35，《纲目》页1572）

【校注】

[1] **苟印** 很像是蜥蜴一类的动物。蜥蜴科、壁虎科、石龙子科动物，均有四足，似四脚蛇。不知苟印是何物。

[2] **潮州** 今广东潮州。

598 溪鬼虫[1]

取其角带之，主溪毒[2]。射工出有溪毒处山林间。大如鸡子，似蛣蜣，头有一角长寸余，角上有四岐，黑甲，下有翅，能飞，六月七月取之。(《证类》页457，《大观》卷22页36，《纲目》页1569)

【校注】

[1] **溪鬼虫** 《御览》卷950引《博物志》云："江南有射工虫，甲虫类也。口边有弩，以气射人。"《补辑肘后方》云："江南有射工虫，一名短狐，一名蜮。常在山间水中，人行及入水中，此虫口中有横骨，状如角弩，即以气射人影则病。"又云："射工毒虫正黑，状如大蜚，生啮发，而形有雌雄，雄者口边有两横角，角能屈伸，有一长角，横在口前，弩檐临其角端，曲如上弩，以气为矢，因水势以射人。人中之便不能语。"(《外台秘要》卷40同)《证类》引《玄中记》云："水狐虫，长四寸，其色黑，背上有甲，其口有角，向前如弩，以气射人，江淮间谓之短狐、射工。"据以上所云，溪鬼虫有水狐、短狐、蜮、射工等异名，具体何物不详。

[2] **溪毒** 见"149 草犀根"注[4]。

599 赤翅蜂[1]

有小毒。主蜘蛛咬及疔肿[2]，疽病疮[3]，烧令黑，和油涂之。亦取蜂窠土，酢[4]和为泥，傅蜘蛛咬处，当得丝。出岭南，如土蜂，翅赤，头黑，穿土为窠，食蜘蛛。大如螃蟹，遥知蜂来，皆狼狈藏隐[5]。蜂以预知其处，相食如此者无遗也。(《证类》页457，《大观》卷22页36，《纲目》页1508)

【校注】

[1] **赤翅蜂** 今胡蜂科有蜂名赤翅蜂，集于杉、松林中为巢，并不穿土为窠。其长约3厘米，并无蟹大。不知是否同一物也。

[2] **疔肿** 见"269 断罐草"注[1]。

[3] **疽病疮** 见"263 朝生暮落花"注[2]。

[4] **酢** 即醋。其味酸。古时无醋，以酸梅为醋。惠士奇曰："古有梅而无酢。五味调和，须之而成，食之乃甘美。"

[5] **狼狈藏隐** "狼狈"，比喻为难窘迫。《文选·晋·李密陈情事表》："臣欲奉表奔驰，则刘病日笃；苟顺私情，则告诉不许。……臣之进退，实为狼狈。"狼狈藏隐，指窘迫状躲藏。

600 独脚蜂[1]

所用同前[2]。似小蜂，黑色，一足。连树根不得去，不能动摇，五月采取，出岭南；又有独脚蚁[3]，功用同蜂[4]，亦连树根下，能动摇，出岭南。(《证类》页457，《大观》卷22页36，《纲目》页1508)

【校注】

[1] **独脚蜂** 本条所云似是树根的寄生物。《酉阳杂俎》前集卷17虫篇云："毒蜂，岭南有毒菌，夜明，经雨而腐，化为巨蜂，黑色，喙若锯，长三分余，夜入人耳鼻中，断人心系。"

[2] **所用同前** 前条为赤翅蜂，主蜘蛛咬及疔肿疽病疮，烧令黑，和油涂之。

[3] **独脚蚁** 同独脚蜂。见本条注[1]。

[4] **功用同蜂** 功用同独脚蜂。

601 蜡(音蛇)[1]

味咸，无毒。主生气，及妇人劳损，积血带下[2]，小儿风疾[3]，丹毒[4]，汤火伤。炸出，以姜、酢进之，海人亦为常味。一名水母，一名樗蒲鱼，生东海，如血衉[5]，大者如床，小者如斗，无腹胃眼目，以虾为目，虾动蛇沉故曰水母。目虾如駏驉之与蛩蛩相假矣[6]。(蛇，除驾切)。(《证类》页457，《大观》卷22页36，《纲目》页1618)

【校注】

[1] **蜡(音蛇)** 即海蜇。《纲目》引《拾遗》作"海蛇"。海蜇为钵水母纲腔肠动物，伞部隆起呈馒头状，最大1米，胶质较坚硬，青蓝色，触手乳白色。口腕八枚，各枚裂成许多瓣片。伞部名蜇皮，口腕名蜇头。

[2] **带下** 见"282 地锦"注[4]。

[3] **小儿风疾** 多指小儿惊风。或手足抽动，或身体强直，或角弓反张。发作有急有慢，病情有轻有重，病程有久有暂，证候表现各有不同。

[4] **丹毒** 见"22 淬铁水"注[2]。

[5] **血衉** 即羊血羹。《说文》："衉(苦绀切)，羊血凝也。"陶弘景注藕实茎云："宋时太官作血衉，庖人削藕皮误落血中，遂皆散不凝。"据此，衉，血羹也。

[6] **駏驉之与蛩蛩相假矣** 司马相如《子虚赋》："蹵蛩蛩，辚駏驉"。张揖注曰："蛩蛩青兽，状如马；駏驉似骡而小。"此释"蛩蛩""駏驉"为二兽。但另一些古书释"蛩蛩""駏驉"为一兽。《吕氏春秋》曰："北方有兽名蹷，鼠前而兔后(即前低后高)，趋则顿，走则颠。'蛩蛩''駏驉'鼠后兔前(即前高后低)，前高不得取甘草(可食的美草)，故须蹷食(供给)之。"孙炎注《尔雅》

同。谓“蛩蛩”“駏驉”前足高，后足低，不得食而善走；蹷前足低、后足高，善求食，走则倒。故啮草以仰食駏驉；有难，駏驉负蹷而逃。这些传说，古籍记载很多。《名医别录》云：“菴蕳、駏驉食之神仙。”

602 盘蝥(蝥、牟二音)虫[1]

有小毒。主传尸[2]鬼疰[3]，如夜行虫[4]而小，亦未可轻用也。(《证类》页457，《大观》卷22页36，《纲目》页1527)

【校注】

[1] **盘蝥（蝥、牟二音）虫** 《纲目》作“蟞蝥虫”，并入“斑蝥”条中。斑蝥为芫青科昆虫多种斑蝥的通称。《本草图经》云：“斑蝥生河东（今山西）川谷，今处处有之。七月八月大豆盛时，此虫多在叶上，长五六分，甲上黄黑斑文，乌腹，尖喙如巴豆大。就叶上采之，阴干。”

[2] **传尸** 见“398古厕木”注［3］。按：传尸又名劳瘵。是传染性的结核病。斑蝥有抗结核病的功效。

[3] **鬼疰** 见“19锻锁下铁屑”注［3］。

[4] **夜行虫** 即屁盘虫。《拾遗》云：“屁盘虫有短翅，飞不远，好夜中出行，触之气出也。”

603 螲蟷[1](音至当，即土蜘蛛)

有毒。主一切疔肿[2]，附骨疽[3]、蚀等疮，宿肉赘瘤[4]，烧为末，和腊月猪脂傅之。亦可和诸药为膏，主疔肿出根。似蜘蛛，穴土为窠。《尔雅》云：蛈（音迭）蝪（音荡）。郭注[5]云：螲蟷也。穴上有盖覆穴口，今呼为颠蟷虫，河北人呼为蛈蝪（音姪唐），是处有之。崔知悌[6]方云：主疔肿为上。(《证类》页457，《大观》卷22页36，《纲目》页1533)

【校注】

[1] **螲蟷** 为螲蟷科动物土蜘蛛。体长约1厘米，黑褐色，腹部有七条白色横纹。穴居土中，穴深可达30厘米，内部满布蛛丝，穴口上有圆盖，能开合，有小虫经过，翻盖捕之，遇敌害，则闭盖藏之。

[2] **疔肿** 见“269断罐草”注［1］。

[3] **附骨疽** 初起有寒热，患处漫肿无头，皮色不变。继则筋骨疼痛如锥刺，甚至肢体难以屈伸转动。久则成脓，溃后稀脓淋漓不尽，色白腥秽，难收口，形成窦道，或有死骨脱出。可见于骨结核。

[4] **宿肉赘瘤** 即瘤赘、息肉。

[5] **郭注** 见“262藒车香”注［5］。

[6] **崔知悌** 见“57 市门土”注[3]。

604 山蛩虫[1]

有大毒。主人嗜酒不已，取一节烧成灰，水下服之讫，便不喜闻酒气。过一节则毒人至死[2]。此用疗嗜酒人也。亦主蚕白僵死，取虫烧作灰粉之。以烧令黑，傅恶疮[3]。乌斑色，长二三寸，生林间，如百足而大。更有大者如指，名马陆，能登木群吟[4]。已见《本经》。(《证类》页458，《大观》卷22页37，《纲目》页1564)

【校注】

[1] **山蛩虫** 为山蛩虫科动物的通称。本条中“如百足而大”的“大”字，疑为“小”之误。因《本经》谓百足虫即马陆。古本草所讲马陆长、短、颜色各不相同，其中可能含有山蛩虫。李当之谓马陆长五六寸，状如大蛩。陶弘景注马陆云：“今有一细黄虫，状如蜈蚣。百足之虫，至死不僵。”《唐本草》注：“马陆大如细笔管，长三四寸，斑色，亦名刀环虫，以其死侧卧如刀环也。”《本草衍义》云：“马陆紫黑色光润，百足，死则侧卧如环，长二三寸，尤者粗如小指。”以上各家所讲马陆，其长有二三寸、三四寸、五六寸，其色有紫黑色、斑色、黄色，其粗细有粗如小指、细如笔管。不知何者为是。现代生物学马陆为山蛩虫科北京山蛩虫。体长3.5厘米，稍扁，暗褐色，与《本草衍义》所述相近。《纲目》谓山蛩虫，盖即马陆之在山而大者耳，故曰山蛩。

[2] **过一节则毒人至死** 山蛩虫有毒。《纲目》云：“山蛩虫，鸡、犬皆不敢食之。”马陆同山蛩虫一样，也有毒。陶弘景云：“马陆，鸡食之，醉闷亦至死。”《唐本草》云：“有人自毒，服一枚马陆便死。”

[3] **恶疮** 见“20 铁锈”注[2]。

[4] **能登木群吟** 李当之亦云：“马陆状如大蛩，夏月登树鸣。”

605 溪狗[1]

有小毒。主溪毒[2]及游蛊[3]，烧末服一二钱匕。似虾蟆，生南方溪石间，尾长三四寸。(《证类》页458，《大观》卷22页37，《纲目》页1561)

【校注】

[1] **溪狗** 虾蟆是蛙和蟾蜍的通称。虾蟆无尾。此言溪狗尾长三四寸。当非虾蟆一类。蛙在幼小时有尾，但尾极短，并无三四寸，至长成时其尾消失。

[2] **溪毒** 见“149 草犀根”注[4]。

[3] **蛊** 见“554 鼋”注[6]。

606 水黾[1]

有毒。令人不渴，杀鸡犬。长寸许，四脚，群游水上。水涸[2]即飞，亦名水马，非海中主产难之水马[3]也。(《证类》页458，《大观》卷22页37，《纲目》页1570)

【校注】

[1] **水黾** 有些能飞的甲壳虫，亦能在水面上滑游，疑水黾或属此类。单言“黾”，《说文》云“黾，蛙黾也”，但蛙不能飞，则水黾当非蛙类。

[2] **水涸** 指水干涸。

[3] **水马** 主产难的水马，即海马。见“555 海马”。

607 飞生虫[1]

无毒。令人易产，取角，临时执之。亦得可烧末服少许。虫如啮发[2]，头上有角。(《证类》页458，《大观》卷22页37，《纲目》页1547)

【校注】

[1] **飞生虫** 本条《纲目》列在“天牛”条的附录中。天牛为天牛科昆虫的通称，种类很多。成虫大小、形状、颜色因种类而异；大者体长可达11厘米，小者仅4.5毫米。常见有星天牛、云天牛、褐天牛、桑天牛。又，鼯鼠的异名、功效同飞生虫。陶弘景云：“鼯鼠一名飞生，暗夜行飞，生人取其皮毛，以与产妇持之，令儿易生。”

[2] **啮发** 又名啮桑。《尔雅》云：“蠰，啮桑。”郭璞注：“似天牛，长角，体有白点，喜啮桑树，作孔入其中。江东呼啮发。”按《拾遗》所云“虫如啮发，头上有角”，则飞生虫似是天牛一类的昆虫。

608 芦中虫[1]

无毒。主小儿饮乳后吐逆，不入腹亦出。破芦节中，取虫二枚，煮汁饮之。虫如小蚕。小儿呕逆与哯乳[2]不同，亦细详之。哯乳，乳饱后哯出者是。(《证类》页458，《大观》卷22页37，《纲目》页1543)

【校注】

[1] **芦中虫** 《纲目》作“芦蠹虫”。

[2] **哯乳** 音现。哯乳即转乳。《证治准绳》云：“凡吐乳直出而不停留者，谓之哯乳。”

609 蓼螺[1]

无毒。主飞尸[2]、游蛊[3]。生食，以姜、醋进之，弥佳。生永嘉[4]海中，味辛辣，如蓼，故名蓼螺。(《证类》页 458,《大观》卷 22 页 37,《纲目》页 1652)

【校注】

[1] **蓼螺** 《纲目》引《韵会》云:“蓼螺紫色有斑文。”

[2] **飞尸** 见“149 草犀根”注 [7]。

[3] **蛊** 见“554 鼋”注 [6]。

[4] **永嘉** 见“183 益奶草”注 [2]。

610 蛇婆[1]

味咸，平，无毒。主赤白毒痢[2]，蛊毒[3]下血，五野鸡病[4]，恶疮[5]。生东海[6]，一如蛇，常在水中浮游。炙食，亦烧末服一二钱匕。(《证类》页 458,《大观》卷 22 页 37,《纲目》页 1589)

【校注】

[1] **蛇婆** 我国台湾地区沿海有一种毒蛇名扁尾蛇，为海蛇科，亦称蛇婆，长 1 米余，头、身干略呈圆筒形，尾侧扁，全身有 42 个暗褐环纹。

[2] **赤白毒痢** 即赤白痢。见“379 角落木皮”注 [1]。

[3] **蛊毒** 见“135 猪槽中水”注 [2]。

[4] **五野鸡病** 见“183 益奶草”注 [1]。

[5] **恶疮** 见“20 铁锈”注 [2]。

[6] **东海** 今浙江、福建。

611 朱鳖[1]

带之，主刀刃不伤，亦云令人有媚。生南海[2]山水中，大如钱，腹下赤如血。云在水中着水马脚，皆令仆倒耳。(《证类》页 458,《大观》卷 22 页 37,《纲目》页 1633)

【校注】

[1] **朱鳖** 《纲目》将朱鳖与多种鳖并列，视朱鳖为鳖科动物鳖，而一般鳖大小长约 24 厘米，宽约 16 厘米，不会大如钱。疑朱鳖非鳖科动物的鳖。

[2] **南海** 唐代南海，即今广东广州。

612　担罗[1]

味甘，平，无毒。主热气，消食。杂昆布为羹，主结气[2]。生新罗[3]，蛤之类，罗人食之。(《证类》页458，《大观》卷22页37，《纲目》页1646)

【校注】

[1] **担罗**　蛤类的一种。本条所云蛤类，泛指多种贝壳类水生动物，如海蛤、文蛤、蛤蜊之类。

[2] **杂昆布为羹，主结气**　此处结气指瘿瘤聚结气。因昆布能散瘿瘤聚结气。

[3] **新罗**　朝鲜古国名。先居朝鲜南部，都庆州，与高句丽、百济并立。后统一朝鲜大部。五代时分裂，为王氏高丽（王建）所灭。

613　青腰虫[1]

有大毒，着皮肉肿起。杀癣虫[2]，食恶疮[3]息肉[4]，剥人面皮，除印字[5]，印骨者亦尽。虫如中蚁大，赤色，腰中青黑，似狗猲，一尾尖，有短翅，能飞，春夏时有。(《证类》页458，《大观》卷22页38，《纲目》页1536)

【校注】

[1] **青腰虫**　本条文中所云"似狗猲"。猲，《说文》云："短喙犬也。"《尔雅》云："短喙猲獢。"《毛诗》传注："猲獢，田犬也。"则青腰虫似为田犬样的虫，中蚁大，有翅能飞。具体何种动物待考。

[2] **癣虫**　《诸病源候论》云："癣病之状，皮肉隐疹如钱文，渐渐增长，或圆或斜，痒痛有匡郭，里生虫，搔之有汁。"古人因历史条件所限，所云癣虫，实际上是皮肤真菌。

[3] **恶疮**　见"20铁锈"注［2］。

[4] **息肉**　见"2铜青"注［3］。

[5] **印字**　古代犯人发配远方时，在面颊处刺以字，名印字，用腐蚀药腐烂印字处面皮，才能除掉。

614　虱[1]

主脑裂，人大热。发头热者，令脑缝裂开，取黑虱三五百，捣碎傅之。又主疔肿[2]，以十枚置疮上，以荻箔绳[3]作炷，炙虱上，即根出。又脚指间有肉刺疮[4]，以黑虱傅根出也。(《证类》页458，《大观》卷22页38，《纲目》页1537)

【校注】

[1] **虱** 为昆虫纲虱目虱子的通称。体小，扁平，有刺吸口器，眼退化或消失。寄生于人和哺乳动物体表，吸食血液。种类很多，如人虱（分体虱、头虱、阴虱）、牛虱。本条《纲目》以人虱为正名。

[2] **疔肿** 见“269 断罐草”注［1］。

[3] **荻箔绳** 荻是禾本科植物，似芦苇，秆可编织席箔名荻箔（帘子）。编织荻箔用的绳索名荻箔绳。

[4] **肉刺疮** 即鸡眼。《便民图纂》治脚指鸡眼，先挑破，取黑、白虱各一枚，置于上，缚之，数用自愈也。

615 枸杞上虫[1]

味咸，温，无毒。主益阳道[2]，令人悦泽有子。作茧子为蛹时取之，曝干，炙令黄，和干地黄为丸服之，大起阳，益精[3]。其虫如蚕[4]，食枸杞叶。（《证类》页458，《大观》卷22页38，《纲目》页1523）

【校注】

[1] **枸杞上虫** 《纲目》引《拾遗》作“枸杞虫”。枸杞虫食枸杞叶，犹如蚕食桑叶。这类虫，古书称为蠋。《方言》云：“南楚谓之蜀。”郭璞注：“蜀犹独耳。”此虫性好独行。

[2] **主益阳道** 即能够强壮性功能。不仅枸杞虫有此功能，雄性家蚕蛾亦有此作用。《别录》云：“原蚕蛾雄者，主益精气，强阳道，交接不倦，亦止精。”《日华子》云：“晚蚕蛾壮阳事，止泄精。”

[3] **和干地黄为丸服之，大起阳，益精** 同注［2］。枸杞为茄科植物，其子（枸杞子）也益精。陶弘景云：“去家千里，勿食枸杞。言其补益精气，强盛阳道。”临床医家，以枸杞子、菊花合六味地黄丸，治肾亏目暗，有一定疗效，宜久服方见功。

[4] **其虫如蚕** 枸杞虫与蚕相类。此类虫，古书名蠋。《尔雅》云：“蚅，乌蠋。”郭璞注：“虫如指似蚕”。《淮南子·说林》云：“蚕与蠋状相类，而忧憎异。”《广志》云：“槐蠋臭，藿（豆苗）蠋香。”而枸杞蛹与原蚕蛾能助阳，但虫相类，而性各不同，古人认为是因食不同草木叶所致。是否如此，还有待实验来证明。

616 大红虾鲊[1]

味甘，平，小毒。主飞尸[2]、蛲虫[3]，口中疳䘌，风瘙身痒[4]，头疮[5]，牙齿痛，去疥癣，涂山蜍蚊子[6]入人肉初食疮，发后而愈。生临海、会稽[7]，大者长一尺，须可为簪。虞啸父答晋帝云：时尚温未及以贡，即会稽所出也。盛密器，及热飰作鲊，毒人至死。崔豹[8]云：辽海间，有蜚虫，如蜻蛉，名绀缙[9]，七月群飞暗天，夷人食之，云是虾化为之。杜台卿[10]《淮赋》云：蝗化为雉，入水为蜃[11]。（《证类》页458，《大观》卷22页38，《纲目》页1619）

【校注】

[1] **大红虾鲊**　“鲊”，《释名·释饮食》云：“鲊，菹也。以盐、米酿鱼为菹，熟而食之。”“大红虾”，《纲目》引《拾遗》作“海虾”。《尔雅》云：“鰝，大虾。”郭璞注：“虾大者出海中，长二三丈，须长数尺，今青州呼虾鱼为鰝。”段公路《北户录》云：“海中大红虾，长二丈余，头可作杯，须可作簪、杖。”刘恂《岭表录异》云：“海虾皮壳嫩红，就中脑壳与前双足有钳者，其色如朱，最大者长七八尺至一丈也。”生物学海虾中龙虾或对虾俱无长一丈以上。对虾体长仅20厘米左右。锦绣龙虾，其体长也不过30厘米以上。然而《拾遗》所言大红虾，大者长一尺，疑是龙虾或对虾同类物。

[2] **飞尸**　见“149 草犀根”注［7］。

[3] **蚘虫**　即蛔虫。见“368 省藤”注［2］。

[4] **风瘙身痒**　即痒风。《外科证治全书》云：“痒风，遍身瘙痒，并无疮疥，搔之不止。”类似皮肤瘙痒症，为一种自觉瘙痒而无原发损害的皮肤病，由于不断搔抓，常有抓痕、血痂、色素沉着及苔藓样变等继发损害。

[5] **头疮**　亦称秃疮，即头癣，有黄癣、白癣之分。《医宗金鉴·外科心法》云：“秃疮，头生白痂，瘙痒，不痛，日久漫延成片，发焦脱落，即成秃疮。”

[6] **山蜍蚊子**　《纲目》引《拾遗》作“山蚊子”，无“蜍”字。疑山蜍即蟏蜍，是蜘蛛的一种。

[7] **临海、会稽**　临海，今浙江临海。会稽，今浙江绍兴。

[8] **崔豹**　见“353 木蜜”注［3］。

[9] **绀 蟠**　今本《古今注》作“绀蝶”。

[10] **杜台卿**　隋朝文人，撰有《淮赋》及《玉烛宝典》12卷。记时令，每月1卷。用《礼记·月令》分冠各卷，引经传百家之说，多存六朝旧籍。

[11] **蝗化为雉，入水为蜃**　这种传说，由来已久。汉代《说文》云：“雉入海化为蜃。”《月令》云：“九月雀入大水为蛤，十月雉入大水为蜃”。《国语》注：“小曰蛤，大曰蜃。”

617　木蠹[1]

味辛，平，小毒。主血瘀劳积，月闭不调[2]，腰脊痛，有损血及心腹间疢。桃木中有者[3]，杀鬼，去邪气。桂中者[4]，辛美可啖，去冷气。一如蛴螬，节长足短，生腐木中，穿木如锥刀，至春羽化，一名蝎。《尔雅》云：蝎，蛣蝙。注云：木蠹也。苏敬注云蛴螬，深误也[5]。（《证类》页459，《大观》卷22页38，《纲目》页1541）

【校注】

[1] **木蠹** 即木中蛀虫。其中木蠹蛾科幼虫蛀食树干，形成隧道，严重危害树木生长。其幼虫，古籍称为蝎（非全蝎之蝎），又名蝤蛴。《诗·卫风》云："领如蝤蛴。"传注："蝤蛴，蝎虫也。"所谓食木叶为蠋，食木心为蝎。

[2] **月闭不调** 见"296 败芒箔"注［4］。

[3] **桃木中有者** 指桃蠹虫。《别录》："食桃树虫也。"《本经》："桃蠹杀鬼邪恶不详。"《日华子》："桃蠹，食之肥，悦人颜色。"

[4] **桂中者** 指桂蠹虫。《纲目》云："桂蠹虫除寒痰、澼饮、冷痛。"

[5] **苏敬注云蛴螬，深误也** 《唐本草》"蛴螬"条，苏敬注："蛴螬在粪聚，或在腐木中。其在腐柳树中者，内外洁白；土粪中者，皮黄内黑黯。"陈藏器认为苏敬所注属误，他认为在木中者为蝎，一名木蠹，至春羽化为天牛；在粪土中者为蛴螬，不是木蠹。

618 留师蜜[1]

味甘，寒。主牙齿䘌痛[2]，口中疮，含之。蜂如小指大，正黑色，啮竹为窠，蜜如稠糖，酸甜好食。《方言》[3]云：留师[4]，竹蜂也。（《证类》页459，《大观》卷22页39页，《纲目》页1508）

【校注】

[1] **留师蜜** 即竹蜂的蜜。《百孔六帖》云："竹蜜蜂出蜀中。于野竹上结窠，绀色，大如鸡子，长寸许，有蒂。窠为蜜，甘甜倍常蜜。"

[2] **牙齿䘌痛** 即齿䘌。见"241 甘松香"注［4］。

[3] **《方言》** 训诂书。西汉·扬雄（公元前53—公元18）撰，为我国最早的方言学著作。仿《尔雅》体例，汇集西汉及先秦各地同义词语，以当时通行语解释。对每组词语后分别说明其通行地区。晋代郭璞为之作注。

[4] **留师** 郭璞注《方言》作"笛师"。

619 蓝蛇[1]

头大毒，尾良，当中有约，从约断之。用头合毒药，药人至死。岭南[2]人名为蓝药，解之法，以尾作脯，与食之即愈。蓝蛇如蝮，有约，出苍梧[3]诸县。头毒尾良也。（《证类》页459，《大观》卷22页39，《纲目》页1591）

【校注】

[1] **蓝蛇** 即有毒的土公蛇，为蝰蛇科动物，长70厘米左右。头三角形，颈细，背灰褐色，两侧各有一行黑褐色圆斑；腹灰褐，具黑白斑点。所云"有约"，"约"原义为缠束紧细，此处指颈细

如约。

[2] **岭南** 见“7 诸金有毒”注[2]。

[3] **苍梧** 见“172 陈家白药”注[3]。

620 两头蛇[1]

见之令人不吉。大如脂，一头无目无口，二头俱能行。出会稽，人云是越王弩弦。昔孙叔敖[2]埋之，恐后人见之，将必死也。人见蛇足，亦云不佳。蛇以桑薪烧之，则足出见[3]，无可怪也。(《证类》页459，《大观》卷22页39，《纲目》页1591)

【校注】

[1] **两头蛇** 《尔雅·释地》云：“中有枳首蛇焉”。郭璞注：“岐头蛇也。或曰今江东呼两头蛇，为越王约发，亦名弩弦。”《楚辞·天问篇》注云：“中央之州有岐首之蛇，争食牧草之实，自相啄啮。”又，《韩非子》曰：“虫有螝（古虺字）者，一身两口，争食相龁。”刘恂《岭表录异》云：“岭外极多，长尺余，大如小指，背有锦文，腹下鲜红。”疑两头蛇或即虺。孙炎注《尔雅》云：“江淮以南谓虺为蝮，有牙最毒。”

[2] **孙叔敖** 春秋楚国令尹（楚国最高官职）芳贾之子。虞丘相荐之于楚庄王以自代。开凿芍陂，灌田万顷。按：芍陂在今安徽寿县安丰塘。俗以两头蛇见者必死，故孙叔敖杀而埋之。此言两头蛇最毒。伤人致死。

[3] **蛇以桑薪烧之，则足出见** 《纲目》火部卷6“桑柴火”条，“发明”下引“藏器曰”作“桑柴火炙蛇，则足见。”桑火炙蛇足出，未见试过。但古有画蛇添足。《战国策·齐二》：“楚有祠者，赐其舍人卮酒。舍人相谓曰：数人饮之不足，一人饮之有余，请画地为蛇，先成者饮酒。一人蛇先成，引酒且饮之，乃左手持卮，右手画蛇曰：吾能为之足。未成，一人之蛇成，夺其卮曰：蛇固无足，子安能为之足？”

621 活师[1]

主火焱热疮[2]及疥疮[3]，并捣碎傅之；取青胡桃子上皮，和为泥，染髭发[4]，一染不变。胡桃条中有法，即虾蟆儿[5]。生水中，有尾如鲦（音余）鱼[6]，渐大脚生，尾脱，卵主明目。《山海经》[7]云：活师，科斗虫也。(《证类》页459，《大观》卷22页39)

【校注】

[1] **活师** 即蝌蚪，为蛙、蟾蜍的幼体。春二三月蛙、蟾蜍下子于水际草上，经日光曝晒，子生黑点日渐变深，孵出蝌蚪，有尾无足。全体乌黑，成群在一起游泳，渐大，脚生尾脱。

[2] **火焱热疮** 见“243 马藻”注[3]。

[3] **疥疮** 见“383 枕材”注［7］。

[4] **染髭发** 《经验方》记载，青胡桃皮、蝌蚪等分，捣为泥，染髭发即黑。

[5] **虾蟆儿** 虾蟆亦作蛤蟆，是蛙和蟾蜍的统称。虾蟆儿即虾蟆的幼体。《尔雅》云：“蝌蚪，活东。”郭璞注：“虾蟆子。”

[6] **有尾如鲦鱼** 鲦鱼，《玉篇》谓鱼名，未言形态。《纲目》云：“蝌蚪状如河豚，形圆而尾细，并头尾有似斗形，身上青黑，始出有尾无足，稍大则足生尾脱。”

[7] **《山海经》** 见“239 零陵香”注［4］。《山海经·东山经》云：“畾山，湖水出也，其中多活师。”郭璞注：“活师，蝌蚪也。”

拾遗　果菜米部　卷第七

622 山姜
623 [犭巢]子姜
624 枸橼
625 乳柑
626 榅桲
627 橄榄
628 杨梅
629 荔枝
630 胡桃
631 猕猴桃
632 柿蒂
633 榠楂
634 楂子
635 灵床上果子
636 无漏子
637 都角子
638 文林郎
639 木威子
640 摩厨子
641 悬钩根皮
642 钩栗
643 石都念子
644 君迁子
645 韶子
646 探子
647 诸果有毒
648 胡荽
649 邪蒿
650 同蒿
651 罗勒
652 石胡荽
653 甜瓜
654 胡瓜叶
655 越瓜
656 白芥
657 蜀葵
658 菰首
659 蕨叶
660 翘摇
661 甘蓝
662 马齿苋
663 茄子
664 白苣
665 莴苣
666 仙人杖
667 蕹菜
668 菠薐
669 苦[艹耳页]
670 苦荬
671 鹿角菜
672 莙荙
673 紫菜
674 斑杖
675 蒻头
676 灰藋
677 五辛菜
678 藜
679 蘪蒿
680 白油麻
681 白麻油
682 穞豆
683 糯米
684 稻穰
685 泔
686 糗
687 麸
688 面
689 曲
690 神曲
691 女曲
692 黄蒸
693 麦苗
694 麦奴
695 荞麦
696 蒒草实
697 寒食飰
698 茵米
699 狼尾草
700 蒯草子
701 胡豆子
702 东廧
703 罂子粟
704 雕胡
705 稗
706 五谷烧作灰爇
707 蓬草子
708 寒食麦仁粥
709 甜糟
710 糟笋中酒
711 社酒
712 诸米酒有毒

622 山姜[1]

味辛，温。去恶气，温中，中恶[2]，霍乱[3]，心腹冷痛，功用如姜。南人食之。根及苗并如姜而大，作樟木臭。(《证类》页460，《大观》卷23页1，《纲目》页811)

【校注】

[1] **山姜** 为姜科植物山姜。《本草图经》云："山姜花、茎、叶，皆姜也。但根不堪食，足与豆蔻花相乱而微小耳。花生叶间，作穗如麦粒，嫩红色。南人取其未大开者，谓之含胎花，以盐水淹藏入甜糟中，经冬如琥珀色，香辛可爱，用其鲙（细切的肉）醋最相宜也。又以盐杀治暴干者，煎汤服之，极能除冷气，止霍乱，消酒食毒，甚佳。"《日华子》云："山姜花，暖，无毒。调中下气，消食，杀酒毒。"

[2] **中恶** 见"93 仰天皮"注[2]。

[3] **霍乱** 见"1 铜盆"注[2]。

623 獛子姜[1]

黄色而紧，辛辣，破血气，殊强于山姜。(《证类》页460，《大观》卷23页1，《纲目》页811)

【校注】

[1] **獛子姜** 原并在"山姜"条中，今分出。

624 枸橼[1]

生岭南，大叶，甘橘[2]属也。子大如盏，味辛，酸，性温。皮去气，除心头

痰水，无别功。(《证类》页460，《大观》卷23页1，《纲目》页1286)

【校注】

[1] **枸橼** 为芸香科植物枸橼或香圆。本条《纲目》注出典为“宋《图经》”，但唐代《拾遗》已有著录。

[2] **甘橘** 《纲目》作“柑、橘”。柑和橘常统称为柑橘。柑皮海绵层较厚，难剥。橘皮海绵层薄，易剥。柑的花大，约3厘米；橘的花小，约2.5厘米。

625 乳柑[1]

产后肌浮，柑皮为末酒下[2]，汁服之佳。(《证类》页470，《大观》卷23页23，《纲目》页1285)

【校注】

[1] **乳柑** 《拾遗》云：“橘柚，其类有朱柑、乳柑、黄柑、石柑、沙柑；橘类有朱橘、乳橘、榻橘、黄淡子，此辈皮皆去气调中，实总堪食，就中以乳柑为上。”《本草衍义》云：“乳柑皮不甚苦，橘皮极苦，至熟亦苦。”《开宝本草》云：“乳柑子，味甘，大寒。主利肠胃中热毒，解丹石，止暴渴，利小便。多食令人脾冷，发痼癖，大肠泄。又有沙柑、青柑、山柑，体性相类。惟山柑皮疗咽喉痛效。余者皮不堪用。其树若橘树，其形似橘而圆大，皮色生青熟黄赤，未经霜时尤酸，霜后甚甜，故名柑子，生岭南及江南。”

[2] **产后肌浮，柑皮为末酒下** 《雷公炮炙论·序》云：“产后肌浮，甘皮酒服。”注云：“产后肌浮，酒服甘皮立愈。”

626 榅桲[1]

树如林檎[2]，花白绿色[3]。(《证类》页479，《大观》卷23页41，《纲目》页1274)

【校注】

[1] **榅桲** 为蔷薇科植物榅桲。《本草图经》云：“关陕（今陕西）有之，沙苑（今陕西大荔）出者更佳。实类楂子（木瓜之小而酸涩多渣者），但肤慢而多毛，味尤甘。治胸膈中积食，去醋水，下气，止渴，欲卧啖一枚而寝，生熟皆宜。”《开宝本草》云：“榅桲，味酸、甘，微温，无毒。主温中下气，消食，除心（指胃）间醋水，去臭，辟衣鱼。生北土，似楂子而小。”《日华子》云：“除烦渴治气。”陈士良云：“榅桲发毒热，秘大小肠，聚胸中痰壅，不宜多食。”

[2] **林檎** 为蔷薇科植物林檎。《本草图经》云：“木似柰，实比柰差圆，六七月熟。有甘、酢（酸）二种。甘者早熟而脆，味美；酢者差晚，须熟烂乃堪啖。病消渴者宜食之。不可多食，反令人心（指胃）中生冷痰。”

［3］**花白绿色**　《本草衍义》云："榅桲，食之须净去上浮毛，不尔损人肺。花亦香，白色。诸果中惟此多生虫，少有不蚛（蛀）者。"

627　橄榄[1]

树大圆实，长寸许，南方人以为果，生实味酸。《南州异物志》[2]曰：橄榄子，缘海浦屿间生[3]，实大如轴头，皆反垂向下，实先生者向下，后生者渐高。《南方草木状》[4]曰：子，大如枣，八月熟，生交趾[5]。（《证类》页479，《大观》卷23页47，《纲目》页1301）

【校注】

［1］**橄榄**　为橄榄科植物橄榄的果实。《海药本草》云："按，《异物志》云：生南海浦屿间，树高丈余，其实如枣，二月有花生，至八月乃熟，甚香。橄榄木高大，难采，以盐擦木身，则其实自落。"

［2］**《南州异物志》**　《海药本草》引作"《异物志》"。《隋书·经籍志》载有万震《南州异物志》。东汉·杨浮撰有《异物志》。疑《海药》所引《异物志》或为《南州异物志》简称。因《海药》与《拾遗》成书时代相近，所引的内容又相同。

［3］**缘海浦屿间生**　《海药本草》引作"生南海浦屿间"。

［4］**《南方草木状》**　见"206 耕香"注［4］。

［5］**交趾**　今越南北部河内地区。

628　杨梅[1]

止渴。张司空[2]云：地瘴无不生杨梅者，信然矣。（《证类》页477，《大观》卷23页36，《纲目》页1288）

【校注】

［1］**杨梅**　为杨梅科植物杨梅。《开宝本草》云："杨梅，味酸，温，无毒。主去痰，止呕哕，消食，下酒；干作屑，临饮酒时，服方寸匕，止吐酒。多食令人发热。其树若荔枝树，而叶细阴青，其形似水杨，而子生青熟红，肉在核上，无皮壳。生江南、岭南山谷，四月五月采。"《宋齐丘化书》云："梅接杏而本强者，其实甘。"孟诜云："杨梅，和五脏，能涤肠胃，除烦愦恶气。不可久食，甚能损齿及筋。亦能治痢，烧灰服之。"

［2］**张司空**　见"63 好土"注［2］。

629　荔枝[1]

味酸。子如卵。《广州记》[2]云：荔枝精者，子如鸡卵黄大，壳朱，肉白，核如鸡舌香。《广志》[3]曰：荔枝冬青，实如鸡子，核黄黑似熟莲子，实白如肪脂，甘而多汁美，极益人也。（《证类》页470，《大观》卷23页22，《纲目》页1299）

【校注】

［1］**荔枝** 为无患子科植物荔枝。《本草图经》云："今泉（今福建泉州）、福（今福建福州）、漳（今福建漳州）、嘉（今四川乐山）、罗（今四川崇庆）、渝（今四川重庆）、涪（今重庆涪陵）、兴化军（今福建蒲田）及二广（广东、广西）州郡皆有之。其品闽中（福建）第一，蜀川（四川）次之，岭南（广东、广西）为下。《扶南记》云：此木结实，枝弱而蒂牢，不可摘取，以刀斧劙（割）取其枝，故名。其木高二三丈，自径尺至于合抱，颇类桂木、冬青之属。叶蓬蓬然，四时不凋，木性至坚劲。木之大者，子至百斛。其花青白，状若冠之蕤缨。实如松花之初生，壳若罗文，初青渐红，肉淡白如肪玉，味甘而多汁。"

［2］**《广州记》** 此书有裴渊、顾微两家本子。《艺文类聚》《太平御览》《纲目》引此书名，或注裴渊，或注顾微。一般文献引裴渊撰的，标作裴渊《广州记》；引顾微撰的，仅作《广州记》。本条仅标《广州记》，疑是晋·顾微撰本。

［3］**《广志》** 见"150 薇"注［5］。

630 胡桃[1]

味甘，平，无毒，食之令人肥健，润肤，黑发，去野鸡病[2]。烧令烟尽，研为泥和胡粉，拔白发，以内孔中，其毛皆黑。（《医心方》卷4页105，又卷30页695）

【校注】

［1］**胡桃** 为胡桃科植物胡桃。《本草图经》云："此果本出羌、胡（中国古代对西北少数民族的称呼），汉张骞使西域（中国古代对甘肃以西广大地区的称呼）还，始得其种，植之秦中（今陕西），后渐生东土，故名。陈仓（今陕西宝鸡南）胡桃薄皮多肌，阴平（今四川剑阁西北一带）胡桃大而皮脆，急捉则碎。今京东（今开封以东）亦有其种，实不佳。南方则无。"《开宝本草》云："胡桃味甘，平，无毒。食之令人肥健，润肌黑发。取瓤烧令黑末断烟，和松脂研，傅瘰疬疮。又和胡粉为泥，拔白须发，以内（纳）孔中，其毛皆黑。多食利小便，能脱人眉，动风故也。去五痔。外青皮染髭及帛皆黑。其树皮止水痢，可染褐。仙方取青皮压油和詹糖香涂毛发，色黑如漆。"按：《医心方》所引"胡桃"条，与《开宝本草》文同。掌禹锡作《嘉祐本草》，所引诸书作注时，凡与前代本草文相同，即不录作注。《嘉祐本草》本条未引陈藏器文作注，即此故也。《医心方》引《拾遗》胡桃，说明《拾遗》载有"胡桃"条。

［2］**去野鸡病** 野鸡病，即痔疾。孟诜云："胡桃能养一切老痔疾。"

631 猕猴桃[1]

味咸[2]，温，无毒。主骨节风，瘫缓不随，长年变白，野鸡内痔病，调中下气。皮中作纸。藤中汁至滑，下石淋，主胃闭[3]，取汁和生姜汁服之，佳。（《证类》页478，《大观》卷23页39，《纲目》页1335）

【校注】

[1] **猕猴桃** 为猕猴桃科植物猕猴桃的果实。《开宝本草》云："猕猴桃味酸，甘，寒，无毒。止暴渴，解烦热，冷脾胃，动泄澼，压丹石，下石淋热壅。反胃者，取汁和生姜汁服之。一名藤梨，一名木子，一名猕猴梨。生山谷，藤生著树，叶圆有毛。其形似鸡卵大，其皮褐色，经霜始甘美可食。枝叶杀虫，煮汁饲狗疗㾓也。"

[2] **味咸** 《医心方》《开宝本草》俱作"味酸"。

[3] **胃闭** 《纲目》作"热壅反胃"。按：胃为六腑之一，以通为主，胃不通则闭塞，食物入胃不能下行则变酸臭，脘腹胀闷而吐出。所以胃闭、胃反，大意相同。

632 柿蒂[1]

煮服之，止哕气[2]。（《证类》页468，《大观》卷23页18，《纲目》页1277）

【校注】

[1] **柿蒂** 为柿树科植物各种柿果实的蒂。柿最早见录于《别录》，柿蒂为《拾遗》所首载。《本草图经》云："柿之种亦多，黄柿生近京（今开封）州郡，红柿南北通有；朱柿出华山（今陕西华阴）似红柿而皮薄，更甘珍；椑柿出宣（今安徽宣州）、歙（今安徽歙县）、荆（今湖北江陵）、襄（今湖北襄樊）、闽（今福建）、广（今广东）诸州。诸柿食之皆美而益人。柿蒂主饮止哕。"

[2] **止哕气** 本条中哕气，泛指干呕、呃逆、咳逆。此三者皆因气上逆所致。

633 榠楂[1]

一名蛮楂，本功外，食之去恶心。其气辛香，放衣箱中杀虫鱼。食之，止心中酸水，水痢。（《证类》页467，《大观》卷23页17，《纲目》页1273）

【校注】

[1] **榠楂** 为蔷薇科植物榠楂。《本草经集注》"木瓜"条，陶弘景注云："榠楂大而黄，可进酒去痰。"《本草图经》云："榠楂，木、叶、花、实酷类木瓜。陶云木而黄可进酒去痰者是也。欲辨之，看蒂间别有重蒂如乳者为木瓜，无此者为榠楂。"又云："道家以榠楂生压汁，合和甘松、玄参末作湿香，云甚爽神。"

634 楂子[1]

本功外，食之去恶心[2]，酸咽[3]，止酒痰黄水[4]。小于榅桲[5]而相似，北土无之，中都[6]有。郑注《礼》云：植梨之不藏者[7]，为无功也。(《证类》页467，《大观》卷23页17，《纲目》页1273)

【校注】

[1] **楂子** 为蔷薇科植物木桃的果实。《本草经集注》“木瓜”条，陶弘景注云：“楂子涩，断痢。《礼》云：楂梨钻之。郑公不识楂，乃云是梨之不藏者。然古亦以楂为果，今则不入例尔。”

[2] **恶心** 出《诸病源候论》。欲吐不吐，称为恶心。常为呕吐的前兆。也有时时恶心并不继之呕吐者。

[3] **酸咽** 即《三因极一病证方论》吞酸，酸水自胃中上涌至咽喉，咽喉难受，随即咽下，故名酸咽。

[4] **止酒痰黄水** 酒痰黄水，似《金匮要略》酒黄疸。由饮酒过度引起（酒对肝脏有毒，长期饮或过量饮则损伤肝脏)，症见身目发黄，面发赤斑等。

[5] **榅桲** 详见前“626榅桲”条。

[6] **中都** 唐代中都，在今山东汶上县。本条“中都”上有“北土无之”，而山东汶上县亦接近北方。此与“北土无之”似有矛盾。

[7] **郑注《礼》云：楂梨之不藏者** “郑注《礼》”即东汉郑玄注《礼记》。陶弘景曰：“《礼》云：楂梨钻之。谓钻去核也。郑玄不识，以为梨之不藏者。”

635 灵床上果子[1]

主人夜卧谵语[2]，食之差也。(《证类》页479，《大观》卷23页41，《纲目》页1347)

【校注】

[1] **灵床上果子** “灵床”即吊唁死者时灵堂中陈设的台桌，其上放置的水果祭品，即为灵床上果子。

[2] **夜卧谵语** 指人夜晚睡着时说梦话。谵语又名谵语，出《素问·热病论》。指高烧病人，出现神志不清、胡言乱语的重症。与本条夜卧谵语不同。

636 无漏子[1]

味甘，温，无毒。主温中益气，除痰嗽，补虚损，好颜色，令人肥健。生波斯国[2]，如枣，一云波斯枣[3]。(《证类》页479，《大观》卷23页42，《纲目》页1309)

【校注】

[1] **无漏子** 《海药本草》云：“无漏子，消食，止咳嗽，虚羸，悦人。久服无损。”本条末一云波斯枣。《本草图经》“大枣”条云：“又广州有一种波斯枣。木无旁枝，直耸三四丈，至巅四向，

共生十余枝叶如棕榈，彼土人亦呼为海棕木，三五年一著子，都类北枣，但差小耳。舶商亦有攜本国生者至南海（指广州）与此地人食之，云味极甘，似此中天蒸枣之类，然其核全别，两头不尖，双卷而圆，如小块紫矿，种之不生，疑亦蒸熟者。”

［2］**波斯国** 见“236 荜拨没”注［8］。

［3］**波斯枣** 段成式《酉阳杂俎》前集卷18云：“波斯枣出波斯国，其国人呼为窟莽。树长三四丈，围五六尺。叶似土藤，不凋。二月生花，状如蕉花。有两甲，渐渐开罅，中有十余房。子长二寸，黄白色，有核，熟则紫黑，状类干枣，味如饧，可食。”

637 都角子[1]

味酸涩，平，无毒。久食益气，止泄[2]。生南方，树高丈余，子如卵。徐表《南方记》[3]云：都角树，二月花，花连著实也。（《证类》页479，《大观》卷23页42，《纲目》页1312）

【校注】

［1］**都角子** 《海药本草》云：“按，徐表《南州记》云：生广南（广东、广西）山谷。二月开花，至夏末结实如卵。主益气，安神，遗泄（梦遗泄精），痔，温肠。久服无所损。”《纲目》引魏王《花木志》云：“都角树出九真（越南顺化地区）、交趾（越南河内地区），野生。二三月开花，赤色。果似木瓜，八九月熟，里民取食之。味酢（即醋），以盐、酸沤食，或蜜藏皆可。”

［2］**止泄** 按：《海药本草》有主遗泄，则本条所言止泄，当是止梦遗泄精。又按：都角子味酸涩，有收敛性，亦可止泄泻。

［3］**徐表《南方记》** 《海药本草》作“徐表《南州记》”。又，《纲目》卷17“白附子”条引珣曰（即《海药本草》）作“徐表《南州异物记》”，疑是同书异名。

638 文林郎[1]

味甘，无毒。主水痢[2]，去烦热。子如李，或如林檎[3]。生渤海[4]间，人食之。云其树从河中浮来，拾得人种之，是文林郎[5]，因以此为名也。（《证类》页479，《大观》卷23页42，《纲目》页1276）

【校注】

［1］**文林郎** 本条《纲目》并在“林檎”条中。《海药本草》云：“文林郎，南山亦出，彼人呼榅桲，其味酸香，微温，无毒。主水泻，肠虚，烦热，并宜生食散酒气也。”

［2］**水痢** 见“393 白马骨”注［5］。

［3］**林檎** 《本草图经》云：“林檎似柰，实比柰差圆，六七月熟。有甘、酢二种。甘者早熟，味美而脆；酢者差晚，须熟烂乃堪啖。病消渴者宜食之。亦不可多食，反令人心中生冷痰。今俗间医

人亦干之，入治伤寒药，谓之林檎散。”

[4] **渤海** 唐代渤海，指黑龙江、辽宁、吉林、朝鲜北部广大地区。

[5] **文林郎** 《纲目》引洪玉父云：“唐高宗时，纪王李谨得五色林檎似朱柰以贡。帝大悦，赐李谨为文林郎。”

639 木威子

味酸，平，无毒。主心中恶水水气，生岭南山谷，树叶似楝[1]，子如橄榄而坚，亦似枣也[2]。(《证类》页479，《大观》卷23页42)

【校注】

[1] **树叶似楝** 《纲目》作“树高丈余，叶似楝叶”。

[2] **亦似枣也** 《纲目》作“亦似枣，削去皮，可为粽食”。

640 摩厨子[1]

味甘，香，平，无毒。主益气，润五脏，久服令人肥健。生西域[2]及南海[3]，子如瓜，可为茹[4]。《异物志》[5]云：木有摩厨，生自斯调，厥汁肥润，其泽如膏，馨香馥射[6]，可以煎熬。彼州之人，仰以为储。斯调，国名也[7]。(《证类》页480，《大观》卷23页42，《纲目》页1312)

【校注】

[1] **摩厨子** 《海药本草》云：“摩厨子，按，《异物志》云：生西域，二月花，四月五月结实，如瓜许。益气安神，养血生肌，久服健人。”

[2] **西域** 泛指中亚、西亚、南亚广大地区。

[3] **南海** 见“334鼠藤”注[6]。

[4] **可为茹** 《纲目》作“可为茹，其汁香美，如中国用油”。

[5] **《异物志》** 《纲目》作“陈祈畅《异物志赞》”。

[6] **馥射** 《纲目》作“馥郁”。

[7] **仰以为储。斯调，国名也** 《纲目》作“以为嘉肴”。

641 悬钩根皮[1]

味苦，平，无毒。主子死腹中不下，破血，杀虫毒，卒下血[2]，妇人赤带下，久患痢[3]，不问赤白脓血腹痛，并浓煮服之。子如梅，酸美。人食之，醒酒止渴，除痰唾，去酒毒。茎上有刺如钩，生江淮林泽，取茎烧为末服之，亦主喉中塞[4]也。（《证类》页 480，《大观》卷 23 页 42，《纲目》页 1007）

【校注】

［1］**悬钩根皮**　《纲目》以“悬钩子”为正名，并云：“树生（非藤蔓），树高四五尺，叶似樱桃叶而狭长，四月开小白花，结实与覆盆子同，但色红（覆盆生青黄，熟乌赤），俗名藨，《尔雅》名山莓。”郭璞注《尔雅》：“山莓，今之木莓也。”孟诜云：“覆盆子，江东亦有，名悬钩子，大小形异，气味功力同。北土无悬钩，南地无覆盆。”《日华子》云：“又有树莓，即是覆盆子。”按：孟诜、日华子所云，悬钩子即覆盆子。《纲目》认为孟诜、日华子皆误。《纲目》云：“覆盆藤蔓生，茎有钩刺，一枝五叶，叶小而面背皆青，光薄无毛，开白花，四五月实成，生青黄，熟乌赤，冬月苗凋，俗名插田藨，《尔雅》谓蒸，缺盆。”现代的悬钩子为蔷薇科植物悬钩子，覆盆子为蔷薇科植物华东覆盆子。

［2］**卒下血**　突然下血，泛指阴道出血或大肠出血。明·宁献王《乾坤生意》治妇人血崩，木莓根四两，酒一碗，煎七分。空心温服。

［3］**妇人赤带下，久患痢**　《千金翼方》治妇人崩中及下痢，日夜数十起。悬钩根、蔷薇根、柿根、菝葜各一斛，剉，入釜中，水淹上四五寸，煮减三之一，去滓取汁，煎至可丸，丸梧子大。每温酒服十丸，日三服。

［4］**喉中塞**　即喉闭，亦称喉痹。出《内经·阴阳别论》。指咽喉红肿疼痛较轻，并有轻度吞咽不顺或声音低哑、寒热等证。《杂病源流犀烛》卷 24 云：“喉痹，痹者闭也，必肿甚，咽喉闭塞。”

642　钩栗[1]

味甘，平。主不饥[2]，厚肠胃，令人肥健。子似栗而圆小。生江南山谷，树大数围，冬月不凋，一名巢钩子。又有雀子，小圆黑，味甘，久食不饥。生高山，子小圆黑。槠子[3]，小于橡子[4]，味苦涩。止泄痢，破血，食之不饥，令健行。木皮叶煮取汁，与产妇饮之，止血。皮树如栗，冬月不凋，生江南。子能除恶血，止渴也。（《证类》页 480，《大观》卷 23 页 42，《纲目》页 1294）

【校注】

［1］**钩栗**　为壳斗科植物钩栲的果实。吴瑞《日用本草》谓钩栗即甜槠子。

［2］**主不饥**　《纲目》作“食之不饥”。按：钩栗及栗子都难消化，消化不良者，不可多食，多食后下餐即不想吃饭，表现不饥。

［3］**槠子**　本条《拾遗》附“钩栗”条中，《纲目》析出，另立一条。槠子为壳斗科植物苦槠。钩栗为甜槠。汪颖《食物本草》云：“槠子有苦、甜二种，治作粉食、糕食，褐色甚佳。《纲目》云：“槠子，木大者数抱，高二三丈，叶长大如栗，叶稍尖而厚坚光泽，锯齿峭利，凌冬不凋，三四月开白花成穗，如栗花。结实大如槲子，外有小苞，霜后苞裂子坠。子圆褐而有尖，大如菩提子。内仁如

杏仁，生食苦涩，煮炒乃带甘，亦可磨粉。”

[4] **橡子** 即橡实。《本草图经》云：“橡实，栎木子也。木高二三丈，三四月开黄花，八九月结实，其实为皂斗。”孙真人《枕中记》云：“橡子，消食，止痢，令人强健。”《唐本草》云：“橡实，味苦，微温，主下痢，厚肠胃，肥健人。其壳为散及煮汁服，亦主痢，并堪染用。”

643 石都念子[1]

味酸，小温，无毒。主痰嗽[2]，哕气[3]。生岭南[4]，树高丈余，叶如白杨，花如蜀葵，正赤。子如小枣，蜜渍为粉，甘美益人。隋朝植于西苑也[5]。（《证类》页480，《大观》卷23页42，《纲目》页1312）

【校注】

[1] **石都念子** 本条《纲目》作“都念子”，并引刘恂《岭表录异》云：“倒捻子（即都念子）窠丛不大，叶如苦李。花似蜀葵，小而深紫，南中妇女多用染色。子如软柿，外紫内赤，无核，头上有四叶如柿蒂，食之必捻其蒂，故谓之倒捻子，讹为都念子。味甘甚软。暖腹脏，益肌肉。”

[2] **痰嗽** 见“201 刺蜜”注［2］。

[3] **哕气** 见“95 古砖”注［1］。

[4] **岭南** 见“7 诸金有毒”注［2］。

[5] **隋朝植于西苑也** 《纲目》引“藏器曰”作“杜宝《拾遗录》云：都念子生岭南，隋炀帝时进百株，植于西苑”。

644 君迁子[1]

味甘，平，无毒。主止渴[2]，去烦热，令人润泽。生海南，树高丈余，子中有汁，如乳汁。《吴都赋》[3]云：平仲君迁。（《证类》页480，《大观》卷23页43，《纲目》页1279）

【校注】

[1] **君迁子** 为柿科植物君迁子的果实。《海药本草》云：“按，刘斯《交州记》云：其实中有乳汁，甜美香好，微寒，无毒。主消渴、烦热，镇心。久服轻身，亦得悦人颜色也。”司马光《名苑》云：“君迁子似马奶，即今牛奶柿也。”崔豹《古今注》云：“牛奶柿即软枣，叶如柿，子亦如柿而小。”

[2] **止渴** 《纲目》作“止消渴”。

[3] **《吴都赋》** 见“245 水松”注［2］。

645 韶子[1]

味甘，温，无毒。主暴痢[2]，心腹冷。生岭南[3]，子如栗，皮肉核如荔枝。

《广志》云[4]：韶叶似栗，有刺，斫皮内白脂如猪肪。味甘，酸，亦云核如荔枝也。(《证类》页480，《大观》卷23页43，《纲目》页1313)

【校注】

[1] **韶子** 为无患子科植物韶子的果实。

[2] **暴痢** 指突然暴发急性下痢。

[3] **岭南** 见“7诸金有毒”注[2]。

[4] **《广志》云** 《纲目》引“藏器曰”作“按，裴渊《广州记》云：韶叶如栗，赤色，子大如栗，有棘刺。破其皮，内有肉如猪肪，着核不离”。本书“629荔枝”条既引《广志》，又引《广州记》，说明《广志》《广州记》不是同书异名。《广志》为西晋·郭义恭撰。

646 探子

味甘、涩，平，无毒。生食主水痢[1]，熟者和蜜，食之去嗽。子似梨，生江南。《吴都赋》[2]云：探榴御霜是也。(《证类》页480，《大观》卷23页42，《纲目》页1311)

【校注】

[1] **水痢** 见“393白马骨”注[5]。

[2] **《吴都赋》** 见“245水松”注[2]。

647 诸果有毒

桃、杏仁双有毒。五月食未成核果，令人发痈疖[1]及寒热。又秋夏果落地，为恶虫缘食之，令人患九漏[2]。桃花食之，令人患淋[3]。李仁不可和鸡子食之，患内结不消。(《证类》页480，《大观》卷23页43)

【校注】

[1] **痈疖** 痈，出《内经》。疮面浅而大为痈。因发病部位不同，分内痈、外痈。临证均有肿胀、焮红热痛及成脓等症。属急性化脓性疾患。疖，出《刘涓子鬼遗方》，一名热疖。即毛囊和皮脂腺的急性炎症，肿势局限，色红、热痛，根浅，出脓后即愈。

[2] **九漏** 指多种漏症，如：漏精，男子精不固，常自遗泄；漏汗，《伤寒论》太阳病发汗，遂漏不止，其人恶风，小便难，四肢微急，后人称为漏汗；漏睛，即慢性泪囊炎，目内眦处按之脓出，名漏睛脓出；痔漏，即肛漏，痔疮久不愈成漏，肛周疮口生成瘘道，常流脓水，疼痛，瘙痒，缠绵难愈；项漏，即颈项患瘰疬溃破，久不收口，形成窦道，常流稀薄脓汁。

［3］**淋** 见“3 大钱”注［2］。

648 胡荽[1]

防风注苏云[2]：防风子似胡荽，味辛，温，消谷[3]，久食令人多忘，发腋臭[4]，根发痼疾[5]。子主小儿秃疮[6]，油煎傅之；亦主虫毒、五野鸡病[7]及食肉中毒下血，煮令子拆服汁。石勒讳胡[8]，并、汾[9]入呼为香荽也。（《证类》页501，《大观》卷27页11，《纲目》页1199）

【校注】

［1］**胡荽** 为伞形科植物芫荽。《嘉祐本草》云：“胡荽，味辛，温，微毒。消谷，治五脏，补不足，利大小肠，通小腹气，拔四肢热，止头痛，疗沙疹（麻疹）、豌豆疮（天花）不出，作酒喷之，立出。通心窍。久食令人多忘，发腋臭、脚气。根发痼疾。子主小儿秃疮，油煎傅之。亦主蛊、五痔及食肉中毒下血，煮，冷取汁服，并州人呼为香荽，入药炒用。”《食疗本草》云：“胡荽，平，利五脏，补筋脉，主消谷能食。若食多，则令人多忘。又食着诸毒肉，吐下血不止，顿痞黄者，取净胡荽子一升，煮令腹破（煮使子胀开），取汁停冷，服半升。一日一夜二服即止。又狐臭、匿齿病人不可食，疾更加。久冷人食之脚弱。患气弥不得食。又不得与斜蒿同食，食之令人汗臭难差。不得久食，此是薰菜，损人精神。秋冬捣子醋煮，熨肠头出（脱肛）甚效。可和生菜食，治肠风。热饼裹食甚良。”

［2］**防风注苏云** 即《唐本草》“防风”条苏敬注云。

［3］**消谷** 能消化水谷（指食物）。

［4］**腋臭** 见“271 百草灰”注［2］。

［5］**痼疾** 见“321 诸草有毒”注［6］。

［6］**秃疮** 即头癣。《诸病源候论》称白秃，并云：“头上白点斑驳，初似癣而上有白皮屑，久则生痂瘤成疮，遂至遍头，不痛，微痒，头发秃落，谓之白秃。”

［7］**五野鸡病** 见“183 益奶草”注［1］。

［8］**石勒讳胡** 石勒（274—333），东晋十六国后赵的创建者。羯族。上党（今山西长治）武乡人。投军成都王颖故将公师藩，藩败死，归匈奴族刘渊。渊使将兵，攻陷州郡甚多。公元329年灭前赵，建都襄国（今河北邢台市）称帝，改元太和，史称后赵。石勒是少数民族胡人，称帝后避讳胡字，称胡荽为香荽。

［9］**并、汾** 并，今山西太原；汾，今山西汾阳。

649 邪蒿[1]

味辛，温，平，无毒。似青蒿细软[2]。主胸膈中臭烂恶邪气，利肠胃，通血脉，续不足气。生食微动风气[3]、作羹食良，不与胡荽同食，令人汗臭气。（《证

类》页 501，《大观》卷 27 页 11，《纲目》页 1198）

【校注】

[1] **邪蒿** 本条在《嘉祐本草》中，与石胡荽等五味药相连并列，在“石胡荽”条末注云：“以上五种新补，见孟诜、陈藏器、萧炳、陈士良、日华子。”说明本条是糅合五家文字而成，目前无法甄别各家文字。

[2] **似青蒿细软** 《纲目》引“藏器曰”作“邪蒿根，茎似青蒿而细软”。又，本条此句以上文字，《纲目》注出典为“诜曰”；此句以下文字，《纲目》注出典为“孟诜”或“诜曰”。

[3] **生食微动风气** 中医讲的风，既是症状，又是病因。作病因，风为百病之长；作症状，如惊风、抽风、中风、痛风、头风（头痛）。此处的风气，似指病证。邪蒿生食，能引动某些症状，如头昏、头痛等。

650 同蒿[1]

平。主安心气，养脾胃，消水饮[2]，又动风气[3]，熏人心，令人气满，不可多食。（《证类》页 501，《大观》卷 27 页 12，《纲目》页 1198）

【校注】

[1] **同蒿** 为菊科植物茼蒿。《千金食治》首载此药，并云：“味辛，平，无毒。安心气，养脾胃，消痰饮。”其后孟诜、陈藏器、萧炳、陈士良、日华子皆有著录。《嘉祐本草》糅合诸家文字为一体，收为正品。《纲目》云：“同蒿八九月下种，冬春采食肥茎。花、叶微似白蒿，其味辛甘，作蒿气。四月起苔，高二尺余。开深黄色花，状如单瓣菊花。一花结子近百成球，如球菘及苦荬子，最易繁茂。”

[2] **消水饮** 《千金食治》作“消痰饮”。《金匮要略》云：“夫饮有四，痰饮、悬饮、溢饮、支饮。”饮即水饮。水饮在肺、胃称痰饮，在两胁称悬饮，在皮下称溢饮，在胸称支饮。痰饮在肺能致咳嗽、喘急；在胃能致呕吐、眩晕；在胸胁能致胸胁痛；在皮下能致浮肿。

[3] **又动风气** 即可引动风气。风气，见“649 邪蒿”注[3]。

651 罗勒[1]

味辛，温，微毒。调中，消食，去恶气，消水气，宜生食。又疗齿根烂疮，为灰用甚良。不可过多食，壅关节，涩荣卫[2]，令血脉不行，又动风[3]，发脚气[4]，患啘[5]，取汁服半合定。冬月用干者煮之。子，主目翳及物入目，三五颗致目中少顷当湿胀，与物俱出[6]；又疗风赤眵泪[7]。根，主小儿黄烂疮[8]，烧灰傅之，佳。北人呼为兰香，为石勒讳也。（《证类》页 501，《大观》卷 27 页 12，《纲目》页 1204）

【校注】

[1] **罗勒** 为唇形科植物罗勒。本条在《嘉祐本草》中，与石胡荽等五味药并列，在“石胡荽”条末注云：“以上五种新补，见孟诜、陈藏器、萧炳、陈士良、日华子。”说明本条是糅合五家文字而成，目前无法甄别出各家的文字。掌禹锡注云：“此有三种：一种堪作生菜；一种叶大，二十步内闻香；一种似紫苏叶。”

[2] **荣卫** 即营气和卫气。营行脉中，卫行脉外。营能生血，使皮肤光华润泽。卫气能捍卫躯体，防病抗病。见《灵枢·营卫生会》《素问·玉机真脏论》。

[3] **动风** 即动风气。风气，见“649 邪蒿”注［3］。

[4] **脚气** 见“274 灵床下鞋履”注［2］。

[5] **患啘** 《纲目》作“患啘呕者”。啘是干呕，指患者有呕吐之态，仅有声，无物吐出，或仅有涎沫，而无食物吐出。呕也是有声无物，义与啘同。吐是有物无声。有物有声为呕吐，现一般不分。

[6] **三五颗致目中少顷当湿胀，与物俱出** 《普济方》云：“昔庐州（今安徽合肥市）彭大辨，暴得赤眼后生翳。一医生以兰香子（罗勒子）洗晒，每纳一粒入眦内，闭目少顷，连翳膜而出。”《纲目》云：“目中不可着一尘，而此子可纳三五颗亦不妨碍，盖一异也。”

[7] **风赤眵泪** 即风火眼。起病较急，双眼红赤疼痛，沙涩羞明，眵（眼屎）多泪热，可兼发热头痛等。

[8] **黄烂疮** 皮肤先起红斑，继之成粟米样水疱，基底红晕，随即变为脓疱，痒而兼痛，搔破后黄水淋漓，或糜烂，久之有结痂而愈者，亦有蔓延扩大者。

652 石胡荽[1]

寒，无毒，通鼻气[2]，利九窍[3]，吐风痰[4]。不任食，亦去翳[5]，熟挼内鼻中，翳自落。俗名鹅不食草。（《证类》页501，《大观》卷27页12，《纲目》页1080）

【校注】

[1] **石胡荽** 为菊科植物鹅不食草。本条末《嘉祐本草》注：“新补见孟诜、陈藏器、萧炳、陈士良、日华子。”说明本条由《嘉祐本草》糅合五家文字而成，目前无法甄别出各家文字。

[2] **通鼻气** 石胡荽善通鼻道。单用本品研末嗃鼻内，每日3~4次，可治鼻塞、鼻息肉。

[3] **九窍** 见“408 相思子”注［2］。

[4] **风痰** 同“头痛风痰”。见“408 相思子”注［3］。

[5] **去翳** 明·倪维德《原机启微》治外翳攀睛，以鹅不食草二钱，川芎、青黛各一钱，研细末，以米许嗃鼻内，泪出为度。此方亦治目赤肿痛，羞明沙涩，眵泪风痒，以及鼻塞头痛。鹅不食草还能消痈肿，平喘，截疟。

653 甜瓜[1]

寒，有毒。止渴，除烦热，多食令人阴下湿痒生疮，动宿冷病[2]，发虚热[3]，破腹[4]。又令人惙惙虚弱[5]，脚手无力。少食，即止渴，利小便，通三焦间壅塞气，兼主口鼻疮。叶，治人无发，捣汁涂之，即生。子，止月经太过，为末去油，水调服[6]。（《证类》页504，《大观》卷27页17，《纲目》页1331）

【校注】

[1] **甜瓜** 为葫芦科植物甜瓜的果实。《嘉祐本草》将甜瓜、胡瓜并列，并在“胡瓜”条末注：“以上二种新补，见《千金》及孟诜、陈藏器、日华子。”说明本条为《嘉祐本草》糅合四家文字而成，目前无法甄别出各家文字。《本草图经》云：“甜瓜生嵩高（今河南登封）平泽。今处处有之，亦园圃所莳。旧说瓜有青、白二种。入药当用青者（此处指瓜蒂）。”

[2] **动宿冷病** 《纲目》作“动宿冷癥癖病”。《食疗本草》作“动宿冷病，癥癖不可食。”

[3] **虚热** 类似低烧。由气、血、阴、阳不足引起的发热，为虚热。虚热必兼见其他虚性症状及虚性脉象、舌象。虚热用一般退热剂无效，服药时热退，药一停依然如故。余曾治一低烧患者，久不退热，用中、西药只能取效于一时，不能根治。后以小柴胡汤重用人参，三剂而愈。该患者当属气虚发热。

[4] **破腹** 《食疗本草》作“饱胀”。又引《龙鱼河图》作“食多腹胀”。

[5] **惙惙虚弱** 疲倦虚弱。孙真人《食忌》云：“甜瓜多食发黄疸病，动冷疾，令人虚羸。”

[6] **子，止月经太过，为末去油，水调服** 《雷公炮炙论·序》云：“血泛经过，饮调瓜子。”注云：“甜瓜子内仁，捣，去油，饮调服之，立绝。”

654 胡瓜叶[1]

味苦，平，小毒。主小儿闪癖[2]，一岁服一叶，以上斟酌与之，生挼绞汁服，得吐下。根，捣傅胡刺毒肿[3]。其实味甘，寒，有毒，不可多食，动寒热，多疟病[4]，积瘀热[5]，发疰气[6]，令人虚热[7]，上逆少气[8]，发百病及疮疥[9]，损阴血脉气，发脚气[10]。天行[11]后不可食，小儿切忌，滑中生疳虫，不与醋同食。北人亦呼为黄瓜，为石勒讳[12]，因而不改。（《证类》页504，《大观》卷27页17，《纲目》页1236）

【校注】

[1] **胡瓜叶** 为葫芦科植物黄瓜的叶。《嘉祐本草》在本条末注：“新补见《千金方》及孟诜、陈藏器、日华子。”说明本条为《嘉祐本草》糅合四家文字而成，目前无法甄别出各家的文字。《纲

目》云："胡瓜，正二月下种，三月生苗引蔓。叶如冬瓜叶，有毛。四五月开黄花，结瓜围二三寸，长者至尺许，青色，皮上有痦瘟如疣子，至老则黄赤色。其子与菜瓜子同。"

[2] **癖** 见"59 桑灰"注[3]。

[3] **胡刺毒肿** 即狐刺疮。见"94 蚁穴中出土"注[2]。

[4] **疟病** 即疟疾。见"426 柘木"注[5]。

[5] **瘀热** 指郁积在内的热。亦指滞留的瘀血郁而化热。

[6] **发疰气** 指诱发原先所患有的传染性疾病。

[7] **虚热** 见"653 甜瓜"注[3]。

[8] **上逆少气** 指肺气上逆，症见呼多吸少，气息急促。

[9] **疮疥** 见"383 枕材"注[7]。

[10] **脚气** 见"274 灵床下鞋履"注[2]。

[11] **天行** 见"164 陈思岌"注[3]。

[12] **石勒讳** 见"648 胡荽"注[8]。又，《纲目》云："张骞使西域得种，故名胡瓜。按，杜宝《拾遗录》云：隋大业四年（608）避讳，改胡瓜为黄瓜。与陈氏之说微异。"

655 越瓜[1]

大者色正白，越[2]人当果食之。利小便，去烦热，解酒毒，宣泄热气。小者糟藏之，为灰，傅口吻疮[3]及阴茎热疮。（《证类》页505，《大观》卷27页18，《医心方》页705，《纲目》页1236）

【校注】

[1] **越瓜** 为葫芦科植物越瓜。越瓜即菜瓜，其苗蔓及瓜的形态，极似黄瓜。黄瓜青时，皮有上痦瘟如疣子（俗称带嫩刺的黄瓜）。菜瓜青时皮光滑。

[2] **越** 今浙江绍兴。

[3] **口吻疮** 即吻疮。见"289 甲煎"注[3]。

656 白芥[1]

主冷气。子主上气[2]，发汗，胸膈痰冷[3]，面目黄赤，亦入镇宅用之。生太原[4]，如芥而叶白，为茹食之，甚美。（《证类》页505，《大观》卷27页18，《纲目》页1189）

【校注】

[1] **白芥** 为十字花科植物白芥。《唐本草》"芥"条，苏敬注云："芥有三种：叶大粗者，叶堪食，子入药用，熨恶疰至良。叶小子细者，叶不堪食，其子但堪为齑尔。又有白芥，子粗大白色，如

白粱米，甚辛美，从戎中来。”

［2］**上气** 见“202 骨路支”注［2］。《千金方》治反胃吐食上气，白芥子日干为末，酒服方寸匕。《外台秘要》治上气，白芥子一升，捣碎，以绢袋盛，好酒二升，浸七日，空心温服三合，日二。

［3］**胸膈痰冷** 《三因方》治痰饮积于胸胁，咳喘胸痛，将白芥子、大戟、甘遂（控涎丹）合用。

［4］**太原** 今山西太原。又，《纲目》引“藏器曰”作“白芥生太原、河东”。

657 蜀葵[1]

味甘，寒，无毒。久食钝人性灵[2]。根及茎，并主客热，利小便，散脓血恶汁[3]。叶烧为末，傅金疮[4]。煮食，主丹石发热结。捣碎傅火疮[5]。又，叶，炙煮，与小儿食，治热毒下痢[6]及大人丹痢[7]。捣汁服亦可，恐腹痛，即暖饮之。花[8]，冷，无毒，治小儿风疹[9]。子，冷，无毒，治淋涩[10]，通小肠，催生落胎，疗水肿[11]，治一切疮疥[12]，并瘢疵土靥[13]。花，有五色，白者疗痎疟[14]，去邪气，阴干末食之。小花者，名锦葵，一名戎葵，功用更强。《尔雅》云：菺，戎葵。释曰：菺，一名戎葵。郭曰：蜀葵也，似葵，华如槿华。戎蜀盖其所自也，因以名之。（《证类》页 507，《大观》卷 27 页 17，《纲目》页 904）

【校注】

［1］**蜀葵** 为锦葵科植物蜀葵。本条末《嘉祐本草》注云：“新补见陈藏器、日华子。”说明《嘉祐本草》本条乃糅合两家文字而成。

［2］**久食钝人性灵** 孙真人云：“食之，狗咬疮不差，又能钝人情性。”

［3］**散脓血恶汁** 《本草衍义》云：“蜀葵，四时取红单叶者根，阴干，治带下，排脓血恶物极验。”

［4］**金疮** 见“2 铜青”注［2］。

［5］**傅火疮** 即傅烧伤。亦可傅痈毒。《经验后方》治痈毒无头，杵蜀葵末傅之。

［6］**热毒下痢** 即热痢。见“394 紫衣”注［3］。

［7］**丹痢** 即赤痢。指痢下挟血，或下纯血，兼腹痛里急后重。

［8］**花** 即蜀葵花。《千金·食治》谓蜀葵名吴葵，其花定心气。《名医别录·有名无用》云：“吴葵花，味咸，无毒。主理心气不足。”

［9］**风疹** 见“287 螺靥草”注［3］。

［10］**淋涩** 即淋病。见“3 大钱”注［2］。

［11］**水肿** 见“202 骨路支”注［3］。

［12］**疮疥** 见“383 枕材”注［7］。

［13］**瘢疵土靥** 瘢疵即疤痕，土靥即面颊上小窝。

［14］**痎疟** 疟疾的通称，出《素问·疟论》，后世亦指间日疟、老疟、久疟。《说文》云：“痎，

二日一发疟也。"《丹溪心法》云："痎疟，老疟也。"《医学纲目》云："痎疟，久疟也，以其隔二三日一发，缠绵不去。"

658 菰首[1]

生菰蒋草心[2]，至秋，如小儿臂，故云菰首，一名茭首。主心胸中浮热，动气，不中食，食之发冷，滋牙齿，伤阳道[3]，令卜焦冷，不食为妙[4]。煮食之，止渴，甘冷，杂蜜食之发痼疾[5]，无别功。更有一种小者，擘肉如黑，名乌郁，人亦食之，止小儿水痢[6]。治小儿患痢腹内不调，食菰、乌郁甚良。（《证类》页267，《大观》卷11页14，《纲目》页1067，《医心方》页574）

【校注】

[1] **菰首** 为禾本科植物菰的花茎肥大菌瘿，一名菰首、菰手。其果实名菰米、雕胡米。其根名菰根，其苗名菰蒋草。《开宝本草》注："菰蒋草，江南人呼为茭草。"《蜀本草·图经》云："生水中，叶似蔗、荻，久根盘厚，夏月生菌，细堪啖，名菰菜。三年已上中心生台如藕，白软，中有黑脉，堪啖，名菰首。"

[2] **菰蒋草心** 《本草图经》云："菰根，其苗有茎梗者，谓之菰蒋草。岁久者，中心生白台如小儿臂，谓之菰手，今人作菰首。"

[3] **伤阳道** 即损伤性机能，阳痿者不宜食。《日华子》云："茭首，多食弱阳"。

[4] **令下焦冷，不食为妙** 下焦为三焦之一。是三焦的下部。《灵枢·营卫生会》云："下焦者，别回肠，注于膀胱而渗入焉。故水谷者，常并居于胃中，成糟粕，俱下于大肠而成下焦。"《本草图经》云："菰之种类皆极冷，不可过食"。过食使下焦冷，故云"不食为妙"。

[5] **痼疾** 见"321 诸草有毒"注［6］。

[6] **止小儿水痢** 《医心方》引《拾遗》云："治小儿患痢腹内不调，食菰、乌郁甚良。"《本草图经》云："茭草岁久，中心生台，白台如小儿臂为菰首；其台中有墨者谓之茭郁。"

659 蕨叶[1]

似老蕨，根如紫草。按：蕨，味甘，寒，滑。去暴热，利水道，令人睡，弱阳。小儿食之，脚弱不行[2]。生山间，人作茹食之。四皓[3]食之而寿，夷齐食蕨而夭[4]，固非良物。《搜神记》[5]曰：郗鉴镇丹徒，二月出猎，有甲士折一枝食之，觉心中淡淡成疾，后吐一小蛇，悬屋前，渐干成蕨，遂明此物不可生食之也。（《证类》页509，《大观》卷27页20，《纲目》页1219，《医心方》页557）

【校注】

[1] **蕨叶** 为凤尾蕨科植物蕨的叶。《尔雅》云："蕨，鳖"。《诗·释文》云："初生似鳖脚，故名。"《要术》引《诗义疏》曰："蕨，山菜也。初生似蒜，茎紫黑色，二月中高八九寸，老有叶，瀹（烹煮）为茹，滑美如葵。三月中，其端散为三枝，枝有数叶，叶似青蒿而粗坚长，不可食。周秦曰蕨，齐鲁曰鳖。"

[2] **小儿食之，脚弱不行** 《医心方》引《拾遗》云："小儿食蕨，脚弱不行。"《医心方》所引，说明《拾遗》收载有"蕨"条。本书据此补辑之。

[3] **四皓** 一是指《汉书·张良传》中商山四皓。汉初商山（今陕西商县东南）四个隐士，名东国公、绮里季、夏黄公、角里先生。四人须眉皆白，故称四皓，高祖召，不应。二是指《南齐书·徐伯珍传》所载"徐伯珍兄弟四人，皆白首相对，时人呼为四皓"。

[4] **夷齐食蕨而夭** "夷、齐"是兄弟二人名字简称。夷即伯夷，为兄；齐即叔齐，为弟。他俩都是商末孤竹君之子。"食蕨"，有的书说是"采薇而食"。《毛诗》云"陟彼南山，言采其蕨"，又曰"言采其薇"。蕨、薇俱可食。

[5] **《搜神记》** 东晋干宝撰的怪异小说，讲些神灵怪异故事。干宝，字令升，新蔡（今河南新蔡）人，撰有《晋纪》《搜神记》。

660 翘摇[1]

味辛，平，无毒。主破血[2]，止血，生肌。亦充生菜食之。又主五种黄病[3]，绞汁服之。生平泽，紫花，蔓生，如劳豆。《诗义疏》[4]云：苕饶，幽州[5]人谓之翘饶。《尔雅》云：柱夫，摇车也。（《证类》页509，《大观》卷27页21）

【校注】

[1] **翘摇** 为豆科植物野豌豆一类的植物。《尔雅》云："柱夫，摇车。"郭璞注云："蔓生，细叶，紫花，可食。今俗呼日翘摇车。"《诗》云："邛有旨苕"。陆玑疏云："苕，苕饶。幽州（今河北及东北广大地区）人谓之翘饶，蔓生，茎如萤（劳）豆而细，叶似蒺藜而青。其茎叶绿色。可生啖，味如小豆藿（叶）。"

[2] **破血** 见"26 石栏干"注［3］。

[3] **五种黄病** 即五种黄疸病，简称五疸。《金匮要略》以黄疸、谷疸、酒疸、女劳疸、黑疸为五疸。《肘后方》以黄疸、谷疸、酒疸、女疸、劳疸为五疸。《千金方》以黄疸、谷疸、酒疸、女劳疸、黄汗为五疸。《千金方》是唐代书。陈藏器是唐代人。本条所言五种黄病，疑指《千金方》的五疸。

[4] **《诗义疏》** 指《诗经》汉·毛亨传、东汉·郑玄笺、唐·孔颖达疏的传本。是《诗经》最通行的注本。《十三经注疏》收有此书。

[5] **幽州** 今河北及东北广大地区。

661 甘蓝[1]

平。补骨髓，利五脏六腑，利关节，通经络中结气，明耳目，健人，少睡，益心力，壮筋骨。此者是西土蓝[2]，阔叶，可食。治黄毒者[3]，作菹[4]，经宿渍色黄，和盐食之。去心下结伏气[5]。（《证类》页509，《大观》卷27页21，《纲目》页929）

【校注】

[1] **甘蓝** 《千金·食治》作“蓝菜”，并云：“味甘，平，无毒。久食大益肾，填髓脑，利五脏，调六腑。胡居士（即南北朝胡洽）云：河东（今山西）、陇西（今甘肃陇西）羌、胡（少数民族称呼）多种食之。汉地少有。其叶长大厚者，食甘美。经冬不死，春亦有英。其花黄，生角结子。子甚治人多睡。”

[2] **西土蓝** 指中国西部产的蓝。

[3] **黄毒者** 疑指黄疸毒。甘蓝能利五脏六腑，可除黄疸毒。

[4] **作菹** 即制作酸菜。

[5] **去心下结伏气** 心下结伏气指伏邪结于心下，胸脘痞满。甘蓝能通经络中结气，故能去心下结伏气，使气机通畅，痞满消失。

662 马齿苋[1]

破痃癖，止消渴[2]，又主马恶疮虫[3]。此物至难死[4]，燥了致之地犹活。（《证类》页519，《大观》卷29页7，《纲目》页1212）

【校注】

[1] **马齿苋** 为马齿苋科植物马齿苋。《唐本草》“苋实”条苏敬注：“马苋，一名马齿草，味酸，寒，无毒。主诸肿瘘疣目，捣揩之。饮汁主反胃、诸淋、金疮血流，破血癥癖，小儿尤良。用汁洗紧唇、面疱、马汗。射工毒涂之差。”

[2] **破痃癖，止消渴** 痃癖，见“59 桑灰”注［3］。苏敬亦云马齿苋能破癥癖。《开宝本草》云：“马齿苋破癥结，止渴。”

[3] **主马恶疮虫** 孟诜云：“马齿苋主马毒疮，以水煮，冷，服一升，并涂疮上。又湿癣、白秃，以马齿膏和灰涂效。”《灵苑方》治毒虫螫，赤痛不止，将马齿苋熟杵傅之。

[4] **此物至难死** 《蜀本草》云：“马齿苋至难燥，当以槐木槌碎之，向日东作架晒之三两日即干。如隔年矣，其茎无效，不入药用。”

663 茄子[1]

味甘，平，无毒。醋摩傅痈肿[2]。茎叶枯者，煮洗冻疮[3]。今人种食之，一名落苏。又岭南[4]有野生者，名苦茄，足刺，子小，亦主瘴[5]。(《证类》页520，《大观》卷29页8，《纲目》页1230)

【校注】

[1] **茄子** 为茄科植物茄的果实。《本草图经》云："茄之类有数种：紫茄、黄茄南北通有之。青水茄、白茄惟北土多有。入药多用黄茄，其余惟可作菜茹耳。又有苦茄，小株有刺，亦入药。"

[2] **醋摩傅痈肿** 孟诜云："茄子，醋摩之，傅肿毒。"《开宝本草》云："苦茄树小，有刺，其子以醋摩疗痈肿。"

[3] **茎叶枯者，煮洗冻疮** 《食疗本草》云："茄根主冻脚疮，煮汤浸之。"《开宝本草》云："茄根及枯茎叶主冻脚疮，可煮作汤，渍之，良。"按：煮汤浸渍冻疮时，汤的温度要保持稍烫。如果汤冷，即无疗效。当冻疮出现，皮肤变红硬时，每日多次用热水浸泡，亦能缓解或消散，说明热效应比药效更有作用。

[4] **岭南** 见"7诸金有毒"注[2]。

[5] **瘴** 指山岚雾露烟瘴湿热恶气。《肘后方》谓瘴是湿热杂毒所致疫疠的一种。《外台秘要》指为瘴疟，即恶性疟疾。岭南闽广山区多称为瘴气。

664 白苣[1]

味苦，寒(一云平)。主补筋骨，利五脏，开胸膈壅气，通经脉，止脾气，令人齿白，聪明少睡，可常食之[2]。患冷气人食，即腹冷不至苦损人。产后不可食，令人寒中小腹痛。白苣如莴苣[3]，叶有白毛。(《证类》页521，《大观》卷29页10，《纲目》页1215)

【校注】

[1] **白苣** 为菊科植物莴苣的茎。本条末《嘉祐本草》注："新补见孟诜、陈藏器、萧炳。"这说明本条是掌禹锡糅合三家文字而成。

[2] **可常食之** 《纲目》引孟诜作"可煮食之"。

[3] **莴苣** 详见"665莴苣"条。

665 莴苣[1]

冷，微毒。紫色者，入烧炼[2]药用，余功同白苣。(《证类》页521，《大观》卷29页10，《纲目》页1215)

【校注】

[1] **莴苣** 为菊科植物莴苣。莴苣、白苣，《嘉祐本草》原附在“苦苣”条下。唐慎微作《证类本草》时分出。掌禹锡云：“苦苣即野苣也。野生者又名徧苣。今人家常食为白苣，江外、岭南、吴人无白苣，尝植野苣以供厨馔。”白苣为菊科植物莴苣的栽培种。

[2] **烧炼** 指道家烧炉炼丹。

666 仙人杖[1]

味甘，小温，无毒。久眼长生，坚筋骨，令人不老。作茹食之，去痰癖[2]，除风冷。生剑南[3]平泽，叶似苦苣，丛生。陈子昂《观玉篇》[4]序云：夏四月次于张掖[5]，河洲草木无他异者，皆仙人杖，往往丛生，予家世代服食者，昔尝饵之。及此行也，息意兹味。戍人有荐嘉蔬者，此物存焉，岂非将欲扶吾寿也。（《证类》页330，《大观》卷13页39，《纲目》页1216）

【校注】

[1] **仙人杖** 《纲目》作“仙人杖草”。《本草图经》云：“按，枸杞一名仙人杖。而陈藏器《拾遗》别有两种仙人杖：一种是枯死竹竿之色黑者（见本书木部“357仙人杖”），一种是菜类（即本条仙人杖），并此（指枸杞）为三物而同一名也。”

[2] **痰癖** 见《诸病源候论·癖病诸候》。指水饮久停化痰，流移胁肋之间，以致有时胁痛的病证。此证与饮癖相类似。

[3] **剑南** 见“314廉姜”注[4]。

[4] **陈子昂《观玉篇》** 陈子昂（661—702），字伯玉。唐梓州（今四川三台）射洪（今四川射洪）人。撰有《陈伯玉集》。《本草图经》引陈子昂《观玉篇》云：“余从补阙乔公北征，夏四月次于张掖，河洲草木无他异，惟有仙人杖往往丛生。予昔尝饵之。此役也息意滋味，戍人有荐嘉蔬者，此物存焉。因为乔公唱言其功。时东莱（今山东掖县）王仲烈亦同旅闻之，喜而甘心食之。旬有五日，行人有自谓知药者，谓乔公曰，此白棘也。仲烈遂疑曰，吾亦怪其味甘。乔公信是言乃讥予，予因作《观玉篇》。”苏颂曰：“按，此仙人杖（指本条）作菜茹者，叶似苦苣。白棘木类，是枸杞之有刺者。其味苦，仙人杖味甘。是知草木之类难识，使人惑疑，疑似之言，以真为伪，失青、黄、甘、苦之别。子昂论之详也。”

[5] **张掖** 见“357仙人杖”注[6]。

667 蕹菜[1]

味甘，平，无毒。主解野葛毒[2]，煮食之，亦生捣服之。岭南[3]种之，蔓生，花白，堪为菜。云南人先食蕹菜，后食野葛，二物相伏，自然无苦。又取汁滴野葛苗，当时蔫死[4]，其相杀如此。张司空[5]云：魏武帝啖野葛至一尺，应是先

食此菜也。(《证类》页522,《大观》卷29页13,《纲目》页1207)

【校注】

[1] **蕹菜** 为旋花科植物蕹菜。《南方草木状》云:“蕹菜,叶如落葵而小。南人编苇为筏,作小孔,浮水上,种子于筏中,及长成茎叶,皆出于苇筏孔中,如萍根浮上面,随水上下,南方之奇蔬也。”

[2] **解野葛毒** 《纲目》作“解胡蔓草毒(即野葛毒)”。《岭表录异》云:“野葛,毒草也,俗呼为胡蔓草。误食之,则用羊血解之。”

[3] **岭南** 见“7诸金有毒”注[2]。

[4] **蔫死** 即枯萎而死。

[5] **张司空** 即张华。见“63好土”注[2]。

668 菠薐[1]

冷,微毒。利五脏,通肠胃热[2],解酒毒,服丹石[3]人食之,佳。北人食肉、面即平,南人食鱼、鳖、水米即冷。不可多食,冷大小肠。久食令人脚弱不能行,发腰痛。不与鳝鱼同食,发霍乱吐泻[4]。(《证类》页522,《大观》卷29页13,《纲目》页1207)

【校注】

[1] **菠薐** 为藜科植物菠菜。刘禹锡《嘉话录》云:“菠薐,本西国中有,自彼将其子来,如苜蓿、葡萄因张骞而至也。本是颇陵国,将来语讹尔。”《唐会要》云:“太宗时尼波罗国(今尼泊尔,见《大唐西域记》)献波棱菜,类红蓝,实如蒺藜,火熟之,能益食味。”

[2] **利五脏,通肠胃热** 《儒门事亲》云:“凡人久病,大便涩滞不通,及痔漏之人,宜常食菠薐、葵菜之类,滑以养窍,自然通利。”

[3] **丹石** 见“56土地”注[2]。

[4] **霍乱吐泻** 即霍乱。见“1铜盆”注[2]。

669 苦蘵[1]

味苦,寒,有小毒。捣叶傅小儿闪癖[2],煮汁服去暴热,目黄秘塞[3]。叶极似龙葵,但龙葵子无壳,苦蘵子有壳[4]。苏云是龙葵,误也。人亦呼为小苦耽。崔豹《古今注》[5]云:苦蘵,一名蘵,子有实,形如皮弁[6],子圆如珠。(《证类》页506,《大观》卷27页13,《纲目》页908)

【校注】

[1] **苦蘵** 一作苦葴。《嘉祐本草》在《本经》“苦菜”条下，引陈藏器文作“苦蘵”释苦菜，同时又在《嘉祐本草》新补药“苦耽”条中叙述苦蘵，并云：“又有一种小者名苦蘵”。《本草衍义》云：“酸浆苗如天茄子，开小白花，结实青壳，熟则深红，壳中子大如樱，亦红色。樱中复有细子，如落苏之子，食之有青草气，此即苦耽也。今《图经》又立“苦耽”条，显然重复。”按《本草衍义》所云，苦耽即酸浆果实中的细子，而苦蘵为苦耽之小者。《纲目》云：“酸浆、苦蘵，一种二物。大者为酸浆，小者为苦蘵。”所以《纲目》将苦蘵并入“酸浆”条中。

[2] **闪癖** 《嘉祐本草》云：“苦耽苗子，味苦寒，小毒。主传尸、伏连鬼气疰忤邪气，腹内结热，目黄不下食，大小便涩，骨热咳嗽，多睡劳乏，呕逆痰壅，痃癖痞满，小儿无辜疬子寒热，大腹，杀虫，落胎，去蛊毒，并煮汁服，亦生捣绞汁服，亦研傅小儿闪癖。”

[3] **目黄秘塞** 指黄疸大小便涩。《嘉祐本草》云：“苦耽苗子，主目黄不下食，大小便涩。”

[4] **叶极似龙葵，但龙葵子无壳，苦蘵子有壳** 龙葵是《唐本草》新增药，其子疗疔肿。《本草图经》云：“龙葵叶圆，花白，实若牛李子，生青熟黑。其实赤者名赤珠。”《药性论》云：“龙葵赤珠者名龙珠。”《纲目》将“苦蘵”并入“酸浆”条中，并说明与龙葵的不同。龙葵、酸浆苗叶一样。但龙葵茎光无毛，五月至入秋开小白花，五出黄蕊，结子无壳。子有蒂盖，生青熟紫黑。其酸浆同时开小花黄白色，紫心白蕊，结一铃壳，状如龙葵子，生青熟赤。

[5] **崔豹《古今注》** 见“353 木蜜”注[3]。

[6] **皮弁** 古代一种皮帽子，以鹿皮浅毛黄白者制之。皮帽的缝中贯结五彩玉以为饰。官的等级不同，所贯结五彩玉的数目亦异。由于苦蘵、苦耽的壳像皮帽子，所以《嘉祐本草》称苦耽为皮弁草。

670 苦荬[1]

冷，无毒。治面目黄，强力，止困，傅蛇虫咬；又汁傅疔肿，即根出。蚕蛾出时，切不可取拗令蛾子青烂，蚕妇亦忌食。野苦荬五六回拗后，味甘，滑于家苦荬，甚佳。(《证类》页522，《大观》卷29页14，《纲目》页1216)

【校注】

[1] **苦荬** 《纲目》认为《拾遗》“苦荬”、《嘉祐本草》“苦苣”、《本草经》“苦菜”三者是同一植物，所以《纲目》将苦荬、苦苣并入“苦菜”条中，并云：“苦菜即苦荬，家栽为苦苣，实一物也。春初生苗，有赤茎、白茎二种。其茎中空而脆，折之有白汁。胼（指并列）叶似花萝卜菜叶而色绿带碧，上叶抱茎，梢叶似鹳嘴，每叶分叉，撺茎如穿叶状。开黄花，如初绽野菊。一花结子一丛，如同蒿子。花罢则收敛，子上有白毛茸茸，随风飘扬，落处即生。”

671 鹿角菜[1]

大寒，无毒，微毒。下热风气，疗小儿骨蒸热劳[2]。丈夫不可久食，发痼疾[3]，损经络血气，令人脚冷痹[4]，损腰肾，少颜色，服丹石[5]人食之，下石力也。出海州，登、莱、沂、密州[6]并有，生海中，又能解面热。(《证类》页522，《大观》卷29页13，《纲目》页1240)

【校注】

[1] **鹿角菜** 本条与莙荙等五味药并列，《嘉祐本草》在"莙荙"条末注"以上五种新补，见孟诜、陈藏器、陈士良、日华子"。说明本条是《嘉祐本草》糅合诸家文字而成，目前无法甄别出各家的文字。《纲目》注本条出典为南唐·陈士良《食性本草》，并云："鹿角菜生东南海中石崖间。长三四寸，大如铁线，分丫如鹿角状，紫黄色。以水洗醋拌，胀起如新，味极滑美。若久浸则化如胶状，女人用以梳发，粘而不乱。"

[2] **骨蒸热劳** 骨蒸，见"333 阿勒勃"注[3]。热劳，指虚劳发热，症见骨蒸潮热、五心烦热等。由于虚的原因不同，又分阴虚发热、阳虚发热、气虚发热、血虚发热、劳瘵发热。劳瘵发热多兼咳嗽、咯血、自汗、盗汗。阴虚发热多兼舌红、脉细数、五心烦热。

[3] **痼疾** 见"321 诸草有毒"注[6]。

[4] **冷痹** 即寒痹。见"335 浮烂罗勒"注[2]。

[5] **丹石** 见"56 土地"注[2]。

[6] **海州，登、莱、沂、密州** 海州，今江苏连云港。登州，今山东蓬莱；莱州，今山东掖县；沂州，今山东临沂；密州，今山东诸城。

672 莙荙[1]

平，微毒，补中[2]，下气[3]，理脾气[4]，去头风[5]，利五脏冷气。不可多食，动气，先患腹冷，食必破腹[6]。茎灰淋汁，洗衣白如玉色。(《证类》页522，《大观》卷29页13，《纲目》页1207)

【校注】

[1] **莙荙** 本条末《嘉祐本草》注："新补见孟诜、陈藏器、陈士良、日华子。"说明本条为《嘉祐本草》糅合诸家文字而成，目前无法甄别出各家的文字。《纲目》认为"莙荙"即是《别录》"菾菜"，所以《纲目》将"莙荙"并入"菾菜"条中，并云："菾菜正二月下种，宿根亦自生。其叶青白色，似白菘菜叶而短，茎亦相类，但差小耳。生、熟皆可食，微作土气。四月开细白花。结实状如茱萸梂而轻虚，土黄色，内有细子，根白色。"

[2] **补中** 即补脾胃，因脾胃居人身正中，故名补中。补中能健脾胃，增加饮食，使气力壮，所以补中又称补气。

[3] **下气** 即降气，能降上气所引起的呃逆、呕吐、咳喘等证。

[4] **理脾气** 即调脾胃之气，使消化吸收功能正常，不停滞，不紊乱。

[5] **头风** 见"452 结杀"注[2]。

[6] **破腹** 指腹痛腹泻。犹如肚子破了，大便流出来。

673 紫菜[1]

味甘，寒。主下热烦气。多食令人腹痛发气[2]，吐白沫[3]，饮少热醋消之。(《证类》页222,《大观》卷9页13,《纲目》页1239)

【校注】

[1] **紫菜** 为红毛菜科植物甘紫菜一类植物的通称。《食疗本草》云："紫菜，下热气，多食胀人，若热气塞咽喉，煮汁饮之。此是海中之物味，犹有毒性。凡是海中菜，所以有损人矣。"朱震亨云："凡瘿结积块之疾，宜常食紫菜。"《纲目》云："病瘿瘤脚气者，宜食之。"

[2] **发气** 腹中气胀，要放屁。

[3] **吐白沫** 紫菜寒凉，胃不好的人，吃多了生冷痰，吐白沫。

674 斑杖[1]

根苗与蒟头相似，至秋有花直出，生赤子。其根傅痈甚好。根如蒟头[2]，毒猛不堪食。(《证类》页283,《大观》卷11页54,《纲目》页980,《医心方》卷30页709)

【校注】

[1] **斑杖** 《医心方》引"斑杖"，注出《拾遗》，说明《拾遗》载有本条。《开宝本草》亦载有此药，其文全同，但未注明出典。若无《医心方》核对，疑本条为《开宝本草》所首载。《纲目》云："斑杖，即天南星之类有斑者。"《日华子》云："斑杖者，虎杖之别名，即前条虎杖是也。"《纲目》页933"虎杖"条释名下，亦引《日华子》"斑杖"为"虎杖"的别名，但又云："一种斑杖似蒟头者，与此同名异物。"从异名上讲，《纲目》承认《日华子》的说法；但从实物上讲，《纲目》又否定《日华子》的说法。

[2] **蒟头** 详见下条"蒟头"。

675 蒟头[1]

味辛，寒，有毒。主痈肿[2]风毒，磨傅肿上。捣碎，以灰汁煮成饼，五味调和为茹食。性冷，主消渴。生戟人喉出血。生吴、蜀[3]，叶似由跋[4]、半夏，根大如碗。生阴地。雨滴叶下生子，一名蒻蒟。(《证类》页283,《大观》卷11页54,《纲目》页980,《医心方》卷30页709)

【校注】

[1] **蒻头** 《医心方》卷30菜部引“蒻头”，注出《拾遗》，说明《拾遗》菜部有蒻头。《开宝本草》载有此药，其文全同，但未注明出典。若无《医心方》核对，疑蒻头为《开宝本草》所首载。蒻头即蒟蒻，为天南星科植物魔芋。《本草图经》云：“天南星根似芋而圆，二月八月采根，亦与蒟蒻根相类，人多误采。其茎斑花紫是蒟蒻。”

[2] **痈肿风毒** 见“384鬼膊藤”注[1]。

[3] **吴、蜀** 指江苏、四川。

[4] **叶似由跋** 《本草图经》“天南星”条引陈藏器文云：“由跋苗高一二尺，茎似蒟蒻而无斑，根如鸡卵。”

676 灰藋[1]

味甘，平，无毒。主恶疮[2]，虫蚕蜘蛛等咬。捣碎，和油傅之，亦可煮食。亦作浴汤，去疥癣风瘙[3]。烧为灰，口含及内齿孔中，杀齿䘌[4]甘疮。取灰三四度淋取汁，蚀息肉[5]，除白癜风[6]，黑子面䵟，著肉作疮。子炊为饭，香滑，杀三虫[7]。生熟地，叶心有白粉，似藜。（《证类》页485，《大观》卷24页8，《纲目》页1220）

【校注】

[1] **灰藋** 为藜科植物小藜。《雷公炮炙论》云：“金锁天，时呼为灰藋。是金锁天叶，扑蔓翠上，往往有金星，堪用也。若白青色是忌女茎（地肤子苗），不入用也。若使金锁天叶，茎高位二尺五寸妙，若长若短不中使。”

[2] **主恶疮** 《普济方》治疔疮恶肿，将灰藋菜叶烧灰，拨破疮皮，唾调少许点之，血出为度。

[3] **风瘙** 风瘙即风痒。

[4] **齿䘌** 见“241甘松香”注[4]。

[5] **息肉** 见“2铜青”注[3]。

[6] **白癜风** 见“58自然灰”注[2]。

[7] **三虫** 见“202骨路支”注[6]。

677 五辛菜[1]

味辛，温。岁朝食之[2]，助发五脏气。常食温中，去恶气[3]，消食下气。《荆楚岁时记》[4]亦作此说，热病后不可食之，损目。（《证类》页516，《大观》卷28页16，《纲目》页1185）

【校注】

[1] **五辛菜** 《嘉祐本草》认为五辛菜即秦荻藜，在“秦荻藜”条下，引陈藏器“五辛菜”作为注释文。二者性味相同，味皆辛、温。二者主治功用亦同，均能下气消食。但《纲目》认为五辛菜不是秦荻藜，并分立为二条。又在“秦荻藜”条下注云：“按，《山海经》云：秦山有草名曰藜，如荻，可为菹。此即秦荻藜也，盖亦藜类。”又云：“五辛菜，乃元旦立春，以葱、蒜、韭、蓼、蒿芥辛嫩菜，杂和食之。”按《纲目》所云，五辛菜不是单纯一味药物的品种。

[2] **岁朝食之** 岁朝，指正月之节。如农历正月初一为岁朝。《食医心镜》云：“正月之节，食五辛以辟疠气。蒜、葱、韭、薤、姜。”又唐·道世《诸经要集·杂要五辛》言佛教徒按戒律不许吃五辛的蔬菜，一般指葱、薤、韭、蒜、兴渠（阿魏）。

[3] **恶气** 见“34 砺石”注［4］。

[4] **《荆楚岁时记》** 见“25 大石镇宅”注［2］。

678 藜[1]

心赤，茎大，堪为杖，亦杀虫。人食，为药不如白藋也。（《证类》页 485，《大观》卷 24 页 8，《纲目》页 1221）

【校注】

[1] **藜** 为藜科植物藜。本条原并在“灰藋”条内，今分出。《诗经》称藜为莱。《诗·小雅》云：“南山有台，北山有莱。”陆机疏云：“莱即藜也，初生可食。”《大戴礼》云：“聚橡、栗、藜、藋而食之。”《韩非子》云：“藜藋之美。”《史记·太史公自序》云：“藜藋之羹”。注云：“藜似藋而表赤；藋，豆叶。”藜藋用以指粗劣的饮食。《纲目》云：“藜即灰藋之红心者，茎、叶稍大。河朔（黄河以北地区）人名落藜，南人名胭脂菜，亦曰鹤顶草。嫩时可食，故昔人谓藜藋与膏粱不同。老则茎可为杖。”《圣惠方》治白癜风，用红灰藋五斤，茄子根、茎三斤，苍耳根、茎五斤，并晒干烧灰，以水一斗煎汤淋汁熬成膏，别以好乳香半两，铅霜一分，腻粉一分，炼成牛脂二两，和匀，每日涂三次。按：红灰藋、茄子根茎、苍耳根茎烧灰，水淋汁熬膏，主要含碳酸钾、碳酸钠等碱性物，再加铅霜（醋酸铅）、腻粉（氯化亚汞），以牛油调成膏。膏中碳酸钾本来碱性较强，有腐蚀作用，经过牛油皂化后，其碱性和腐蚀性大大减弱，用之无妨。古人经验的确可贵。

679 藁蒿[1]

味辛，温，无毒。主破血，下气。煮食之，似小蓟。生高岗，宿根先于百草[2]，一名莪蒿。《尔雅》云：莪，萝。注藁蒿也。释曰：《诗·小雅》[3]云：菁菁者莪[4]。陆机[5]云：莪蒿也。一名萝蒿，生泽田渐洳处[6]，叶似邪蒿而细，科生[7]，三月中，茎可食，又可蒸香美，味颇似蒌蒿是也[8]。（《证类》页 272，《大观》卷 11 页 25，《纲目》页 855）

【校注】

[1] **麋蒿** 《嘉祐本草》引《拾遗》"麋蒿"作为"角蒿"的释文，其义"麋蒿"即角蒿。《纲目》将"麋蒿"从"角蒿"条下拔出，单列为一条。陆佃《埤雅》云：麋之为言高也。

[2] **百草** 《证类》原作"白草"，据植物学改。

[3] **《诗·小雅》** 见"427 扶移木皮"注［9］。

[4] **菁菁者莪** 《毛传》注："莪，萝蒿也。"

[5] **陆机** 三国时吴国人。撰《毛诗草木鸟兽虫鱼疏》2卷，其书对《诗经》中动植物注释很详细，对后人考证《诗经》中动植物品种有重要参考价值。

[6] **生泽田渐洳处** 泽田，指平泽有水的田；渐洳，指低湿。按陆机所云，莪蒿生泽田水湿处，与陈藏器所云麋蒿生高岗，二者生境不同，则麋蒿、莪蒿似非同一植物。陈藏器说麋蒿一名莪蒿，这只能说,麋蒿的异名为莪蒿，但其实物未必是莪蒿。

[7] **科生** 《广韵》云："滋生也。"指一本多茎。

[8] **味颇似蒌蒿是也** 《纲目》云："麋蒿味带麻，不似蒌蒿甘香。"蒌蒿即白蒿，为菊科植物大籽蒿，初生时幼嫩茎根炒作菜食味道香美。

680 白油麻[1]

大寒，无毒。治虚劳[2]，滑肠胃[3]，行风气[4]，通血脉，去头浮风[5]，润肌。食后生啖一合，终身不辍。与乳母食，其孩子永不生病。若客热[6]，可作饮汁服之。停久者，发霍乱。又生嚼傅小儿头上诸疮，良。久食抽人肌肉。生则寒，炒则热。又叶捣和浆水，绞去滓，沐发，去风润发。(《证类》页484，《大观》卷24页6，《纲目》页1101)

【校注】

[1] **白油麻** 为脂麻科植物脂麻的种子。《嘉祐本草》对白油麻注："新补见孟诜及陈藏器、陈士良、日华子。"说明本条是掌禹锡糅合四家文字而成，目前无法甄别出各家的文字。《本草衍义》云："白油麻与胡麻一等。但以其色言之，比胡麻差淡，亦不全白。今人止谓之脂麻。"

[2] **虚劳** 见"236 革拔没"注［3］。

[3] **滑肠胃** 能滑润大便，太过亦能引起下利。

[4] **风气** 指能引起一些神经系统症状（如眩晕、抽搐、两目上视，甚或昏仆）的一类疾病。因其似风般急骤、动摇、多变，故名。

[5] **头浮风** 指头部的轻微风痛、风痒等症状。

[6] **客热** 客指外来的，即感受外邪发热，类似外感发热。

681 白麻油[1]

冷，常食所用也，无毒。发冷疾，滑骨髓[2]，发脏腑渴，困脾脏[3]，杀五黄[4]，下三焦[5]热毒气，通大小肠，治蛔心痛[6]，傅一切疮疥癣，杀一切虫。取油一合，鸡子两颗，芒硝一两，搅服之，少时即泻，治热毒[7]甚良。治饮食物，须逐日熬熟用，经宿即动气[8]。有牙齿并脾胃疾人，切不可吃。陈者煎膏，生肌长肉止痛，消痈肿[9]，补皮裂[10]。（《证类》页484，《大观》卷24页6，《纲目》页1101）

【校注】

[1] **白麻油** 为脂麻科植物脂麻种子榨的油。《本草衍义》云："脂麻炒熟乘热压出油，谓之生油，但可点照，须再煎炼，方谓之熟油，始可食。"

[2] **滑骨髓** 《纲目》作"滑精髓"，《本草图经》同。

[3] **发脏腑渴，困脾脏** 《本草图经》云："白油麻压榨为油，大寒，发冷疾，滑精髓，发脏腑渴，令人脾困。"

[4] **五黄** 即五疸。见"660翘摇"注[3]。

[5] **三焦** 指上、中、下三个部位。《灵枢·营卫生会》以心肺为上焦，脾胃为中焦，肝肾为下焦。三焦有疏通水道的功能。《素问·灵兰秘典》云："三焦者，决渎之官，水道出焉。"《难经·三十一难》："三焦者水谷之道路，气之所终始也。"

[6] **蛔心痛** 指蛔虫引起的心腹痛。

[7] **热毒** 一种病因，能引起发炎症状，如引起外症的红、肿、热、痛等。

[8] **经宿即动气** 指白麻油经久放会败坏，产生有毒物质，特别是长期曝光氧化，能产生致癌物质。

[9] **痈肿** 见"384鬼膊藤"注[1]。

[10] **皮裂** 昔日农村贫苦人，每到严寒时，营养不足，保温差，其手足皮肤受冷风吹则开裂口。可用白麻油加少许黄蜡、樟脑加热烊化和为膏擦涂裂口。

682 穞（音吕）豆[1]

味甘，温，无毒。炒令黑及热投酒中，渐渐饮之。去贼风风痹[2]，妇人产后冷血。堪作酱。生田野，小黑。《尔雅》云：戎菽一名驴豆，一名萱豆。（《证类》页486，《大观》卷25页1，《纲目》页1134、1142、1220）

【校注】

[1] **穞豆** 本条是何物，文献中分歧很多。陈藏器引《尔雅》云："戎叔，一名驴豆，一名萱（音劳）豆"。今本《尔雅》作"戎叔，谓之荏叔。"孙炎注："戎叔，大豆也"。李巡、郭璞注："戎叔即胡豆也。"郝懿行《尔雅义疏》云："萱豆即鹿豆（鹿藿别名）。"王盘《野菜谱》谓萱豆即野绿豆。吴瑞《日用本草》谓穞豆为黑豆中最细者。《纲目》谓穞豆即黑小豆，小科细粒，霜后乃熟。从

以上资料看，穞豆所指物有大豆、胡豆、鹿豆（鹿藿）、野绿豆、黑豆中最细者、黑小豆等。其中以黑豆最细者较可信。大豆有黑、白两种。掌禹锡在“大豆”条引“穞豆”作注，说明穞豆与黑大豆为同类物。《嘉祐本草》载有赤小豆与绿豆，但掌氏在此二豆注释时，均未引穞豆，则穞豆与绿豆、黑小豆非同类物。至于萤豆，可能是穞豆、鹿豆（鹿藿）共有的异名。鹿藿应是野绿豆。

[2] **贼风风痹** 贼风指对人有贼害的风。中医所讲的风，既是病因，又是症状。例如破伤风，因伤口受风发病，此风为病因（指看不见的病原体）；破伤风病发作抽风，此风即指症状。风痹，指游走性筋骨痛。中医认为风邪多行善变，所以风痹又称行痹。痹即闭塞不通，不通则痛。

683 糯米[1]

性微寒。妊身与杂肉食之不利子，作糜食[2]一斗，主消渴。久食之，令人身软。黍米[3]及糯，饲小猫犬，令脚屈不能行[4]，缓人筋故也。（《证类》页495，《大观》卷26页2，《纲目》页1115，《医心方》页691）

【校注】

[1] **糯米** 为禾本科植物糯稻种仁。颜师古《刊谬正俗》云：“本草所谓稻米者，今之糯米耳。”《本草图经》云：“《本经》以秔为粳米，糯为稻米者。……《字林》云：糯，粘稻也。秔，稻不粘者。”

[2] **糜食** 即煮粥食。

[3] **黍米** 为禾本科植物黍的种仁。《纲目》云：“盖稷之粘者为黍，粟之粘者为秫，粳之粘者为糯。”

[4] **行** 其后，《纲目》衍“马食之足重”，此文原出《博物志》，非《拾遗》文。

684 稻穰[1]

主黄病[2]。身作金色，煮汁浸之。又稻谷芒，炒令黄，细研作末，酒服之。（《证类》页495，《大观》卷26页2，《纲目》页1115）

【校注】

[1] **稻穰** 为禾本科植物糯稻的稻秆。

[2] **黄病** 即黄疸病。见“421 柞木皮”注［2］。

685 泔[1]

主霍乱[2]。新研米清水和滤取汁服。亦主转筋入腹[3]。胃冷者不宜多食。酸泔[4]，洗皮肤疮疥[5]，服主五野鸡病[6]及消渴。下淀酸者[7]，杀虫及恶疮[8]。

和臭樗皮[9]煎服，主疳痢[10]。樗皮一名武目树[11]。(《证类》页488，《大观》卷25页6，《纲目》页1125)

【校注】

[1] **泔** 指禾本科植物粟的种仁水研为泔汁。粟即小米，穗小毛短粒细。其穗大毛长粒粗为粱。《唐本草》云："粟类多种而并细于粱，北土常食，与粱有别。"

[2] **主霍乱** 《唐本草》云："粟米泔汁主霍乱，卒热心烦渴，饮数升立差。"

[3] **转筋入腹** 指抽筋严重，导致小腹肌痉挛。

[4] **酸泔** 即米泔汁久放变酸。

[5] **疮疥** 见"383 枕材"注[7]。

[6] **五野鸡病** 见"183 益奶草"注[1]。

[7] **下淀酸者** 即粟米泔沉淀物变酸。《圣济总录》治眼热赤肿，将粟米泔淀极酸者、生地黄等分，研匀摊绢上，方圆二寸，贴目上，干即易。

[8] **恶疮** 见"20 铁锈"注[2]。

[9] **臭樗皮** 即樗白皮，为苦木科植物臭椿树干的内皮。它与楝科植物香椿功用相同。《唐本草》视为一物，以椿樗名之。历代本草因袭之。

[10] **疳痢** 出《颅囟方》。指疳疾患儿合并痢疾。疳，见"6 水银粉"注[3]。痢疾以大便次数增多而量少、腹痛、里急后重、下黏液及脓血样大便为主要症状，为夏秋季常见的急性肠道疾患之一。

[11] **武目树** 《纲目》引陈藏器文作"虎目树"。

686 糗[1]

一名麨(昌少切)，味酸，寒。和水服之，解烦热[2]，止泄[3]，实大肠，压石热[4]，止渴。河东[5]人以麦为之，粗者为干糗粮；东人以粳米为之，炒干磨成也。(《证类》页488，《大观》卷25页6，《纲目》页1153)

【校注】

[1] **糗** 《纲目》作"麨"。《唐本草》注粟米云："米麦麨，味甘、苦，寒，无毒。主寒中，除热渴，解烦，消石气。蒸米麦，熬，磨作之。一名糗也。"糗即干粮，或以米炒为粉，或以粟炒为粉，或以麦炒为粉。

[2] **烦热** 出《素问·本病论》。指心烦发热，或烦躁有闷热感。里实热盛，或表证邪热不得外泄，或肝火旺盛，或阴虚火旺，均能引起烦热。

[3] **止泄** 即止泄泻。

[4] **石热** 指丹石发热。

[5] **河东** 黄河流经山西、陕西之间时呈南北向流，山西在黄河以东，称河东。

687 麸[1]

味甘，寒，无毒。和面作饼，止泄利，调中，去热健人，蒸热袋盛熨人。马冷失腰脚，和醋蒸，包扎所伤折处，止痛散血。人作面，第三磨者凉，为近麸也。小麦皮寒肉热。(《证类》页491，《大观》卷25页12，《纲目》页1109)

【校注】

[1] **麸** 为禾本科植物小麦种仁的皮。《日华子》云："麦麸，凉，治时疾，热疮，汤火疮烂，扑损伤折瘀血，醋炒贴罯（包扎）。"《本草图经》云："小麦皮为麸，性复寒，调中去热。亦犹大豆作酱、豉，性便不同也。"

688 面[1]

味甘，温[2]。补虚，实人肤体，厚肠胃，强气力，性壅热，小动风气。(《证类》页491，《大观》卷25页12，《纲目》页1109)

【校注】

[1] **面** 为禾本科植物小麦磨的粉。孟诜云："小麦作面有热毒，多是陈裹之色。作粉补中益气，和五脏调脉。又炒粉一合和服，断下痢。又性主伤折，和醋蒸之，裹所伤处便定；重者再蒸裹之，甚良。"

[2] **温** 陈藏器在"麸"条中云："人作面，第三磨者凉，为近麸也。"

689 曲[1]

味甘，大暖。疗脏腑中风气，调中下气，开胃消宿食[2]。主霍乱[3]，心膈气，痰逆[4]，除烦破癥结[5]，及补虚，去冷气，除肠胃中塞，不下食，令人有颜色。六月作者良，陈久者入药，用之当炒令香。六畜食米胀欲死者，煮曲汁灌之立消。落胎并下鬼胎。(《证类》页492，《大观》卷25页14，《纲目》页1155)

【校注】

[1] **曲** 本条《嘉祐本草》注："新补见陈藏器、孟诜、萧炳、陈士良、日华子。"说明本条由掌禹锡糅合五家文字而成。目前无法一一甄别出各家文字。

[2] **宿食** 出《金匮要略》。指饮食停积胃肠，表现为脘腹胀痛，嗳气酸臭，恶心厌食，大便闭，或泄下不爽，舌苔腻。

[3] **霍乱** 见“1 铜盆”注［2］。

[4] **心膈气，痰逆** 指痰水结聚胸膈，气机升降失常，表现为气逆痰壅，心腹痞满，短气不能平卧，头眩目暗，常欲呕逆。治宜降气涤痰。

[5] **癥结** 见“34 砺石”注［3］。

690 神曲[1]

使，无毒。能化水谷、宿食癥气，健脾暖胃[2]。（《证类》页 492，《大观》卷 25 页 14，《纲目》页 1156）

【校注】

[1] **神曲** 本条原附在“曲”条下，今分出。《纲目》引《叶氏水云录》云：“五月五日，或六月六日（指农历），用白面百斤，青蒿自然汁三升，赤小豆末、杏仁泥各三升，苍耳自然汁，野蓼自然汁各三升，以配白虎、青龙、朱雀、玄武、勾陈、螣蛇六神，用汁和面、豆、杏仁泥作饼，麻叶或楮叶包罯，待生黄衣（约七日），晒干收之。”

[2] **健脾暖胃** 神曲专功健脾、开胃、消食。治食积不化，脘闷腹胀，或腹痛泻痢，单用有效，配山楂、乌梅、麦芽、木香，其效更佳。入药宜炒用。

691 女曲[1]

一名䴷子，按：䴷子与黄蒸不殊。（《证类》页 491，《大观》卷 25 页 12，《纲目》页 1154）

【校注】

[1] **女曲** 《唐本草》“小麦”条苏敬注：“女曲，完小麦为之，一名䴷子。主消食，止泄痢，下胎，破冷血也。”女工于夏月将小麦煮成饭，于暗室摊开，待上黄衣，晒干即成女曲。功效与曲同。

692 黄蒸[1]

温补，消诸生物。北人以小麦，南人以秫米，皆六七月作之。苏又云磨破之谓。当完作之，亦呼为黄衣。尘绿者佳。（《证类》页 491，《大观》卷 25 页 12，《纲目》页 1154）

【校注】

[1] **黄蒸** 《唐本草》“小麦”条苏敬注：“黄蒸，磨小麦为之，一名黄衣。主消食，止泄痢，下胎，破冷血。”黄蒸做法：小麦磨成粉，少许水和制成饼，置暗室处，以麻叶盖之，待上黄衣，取

出晒干收之。

693 麦苗[1]

味辛，寒，无毒。主酒疸[2]目黄，消酒毒暴热。又主蛊，煮取汁，细绢滤服之。稳（与本反）即芒秕也。（《证类》页491、498，《大观》卷22页12，卷26页9，《纲目》页1111）

【校注】

[1] **麦苗** 禾本科植物小麦的苗。《日华子》云："麦苗，凉。除烦闷，解时疾狂热，消酒毒，退胸膈热，患黄疸人绞汁服，并利小肠。"

[2] **酒疸** 见"249 马兰"注[5]。

694 麦奴

麦苗上黑霉名麦奴[1]。主热烦[2]，解丹石[3]，天行热毒[4]。（《证类》页491，《大观》卷25页12，《纲目》页1111）

【校注】

[1] **麦苗上黑霉名麦奴** 《纲目》引"藏器曰"作"麦奴，麦穗将熟时，上有黑霉者也。"朱肱《南阳活人书》治阳毒温毒热极发狂发斑，大渴倍常，用小麦奴、梁上尘、釜底煤、灶突墨，同黄芩、麻黄、芒硝、大黄等分为末，蜜丸弹子大，取一丸，化水服，汗出或微利即愈。

[2] **热烦** 高热烦躁不安。

[3] **丹石** 见"56 土地"注[2]。

[4] **天行热毒** 同天行壮热。见"164 陈思岌"注[3]。

695 荞麦[1]

味甘，平，寒，无毒。实肠胃，益气力。久食动风，令人头眩。和猪肉食之，患热风，脱人眉须，虽动诸病，犹挫丹石[2]，能炼五脏滓秽，续精神。作饭与丹石人食之，良。其饭法可蒸，使气馏，于烈日中曝令口开，使舂取仁作饭，叶作茹，食之下气，利耳目，多食即微泄。烧其穰作灰，淋洗六畜[3]疮，并驴马躁蹄。（《证类》页493，《大观》卷25页15，《纲目》页1113）

【校注】

[1] **荞麦** 为蓼科植物荞麦的种子。本条末《嘉祐本草》注："新补见陈藏器、孟诜、萧炳、陈士良、日华子。"说明本条由掌禹锡糅合五家文字而成，目前无法甄别出各家的文字。《纲目》云："荞麦，立秋前后下种，八九月收刈，性最畏霜。苗高一二尺，赤茎绿叶，如乌柏树叶，开小白花，结实如羊蹄，实有三棱，老则乌黑。"

[2] **丹石** 见"56 土地"注[2]。

[3] **六畜** 指牛、马、羊、猪、狗、鸡。

696 䔉草实[1]

味甘，平，无毒。主不饥轻身。出东海州岛[2]，似大麦，秋熟，一名禹馀粮，非石之余粮也。(《证类》页498，《大观》卷26页8，《纲目》页1129)

【校注】

[1] **䔉草实** 为莎草科植物䔉草的种子。《本草图经》"禹馀粮"条注："按，张华《博物志》曰：扶海（即东海）洲上有草焉，名曰䔉，其实，食之如大麦。从七月稔熟，民敛至冬乃讫。名曰自然谷，亦曰禹馀粮。今药中有禹馀粮者，世传昔禹治水，弃其所余食于江中而为药也。然则䔉草与此异物而同名也。"《海药本草》："䔉草实如球子，八月收之。彼常食之物。主补虚羸乏损，温肠胃，止呕逆。久食健人，一名自然谷，中国人未曾见也。"

[2] **出东海州岛** 海边人取䔉草实以充饥。明代方孝孺曾见之，其《集》有《海米行》诗云："海边有草名海米，大非蓬蒿小非荠。妇女携篮昼作群，采摘仍于海中洗。归来涤釜烧松枝，煮米为饭充朝饥。莫辞苦涩咽不下，性命聊假须臾时。"诗中所云海米能充饥，当属䔉草实同类之物。

697 寒食飰[1]

主灭瘢痕，有旧瘢及杂疮，并细研傅之。饭灰，主病后食劳[2]。(《证类》页498，《大观》卷26页8，《纲目》页1150)

【校注】

[1] **寒食飰** 飰即饭，六朝时讳反，改"饭"为"飰"。《纲目》作"寒食饭"，并释为"饋饭"(即蒸饭)。

[2] **饭灰，主病后食劳** 病初愈，气血未平复，或余热未消，须适当调养，若饮食失宜，使病复发，称为病后食劳。《纲目》云："伤寒食复，寒食饭烧研，米饮服二三钱，效。"

698 菵米[1]

味甘，寒，无毒。主利肠胃，益气力，久食不饥，去热，益人，可为饭。生水田中，苗子似小麦而小，四月熟。《尔雅》[2]云：皇，守田，似燕麦。可食，一名守气也。(《证类》页499，《大观》卷26页8，《纲目》页1128)

【校注】

[1] **茵米** 《纲目》作“茵草”。按：“茵草”亦是莽草别名。《一切经音义》云：“茵药正言莽草，有毒，出幽州。人或捣和食，置水中，鱼皆死浮出，取食之无妨。”郝懿行《尔雅义疏》释“皇，守田”引陈藏器本草作“菌米”。《证类》卷9目录有“蚕网草”，但正文（页240）作“蚕茵草”。据此“茵”为“菌”“网”的异体字。

[2] **《尔雅》** 《尔雅》云：“皇，守田。”郭璞注：“似燕麦，子雕胡米（即菰米），可食，生废田中，一名守气。”

699 狼尾草[1]

子作黍，食之，令人不饥。似茅，作穗，生泽地。《广志》[2]云：可作黍。《尔雅》云：孟，狼尾[3]。今人呼为狼茅子。(《证类》页498，《大观》卷26页8，《纲目》页1127)

【校注】

[1] **狼尾草** 为禾本科植物狼尾草。

[2] **《广志》** 《太平御览》卷994引《广志》云：“狼尾子可作黍。”《纲目》云：“狼尾似粟，穗色紫黄有毛，荒年亦可采食。”

[3] **孟，狼尾** 郭璞注《尔雅》云：“似茅，今亦以覆屋。”司马相如《子虚赋》云：“其卑湿则生藏莨蒹葭。”《史记集解》引《汉书音义》云：“莨，莨尾草。”则莨尾即狼尾也。

700 蒯草子[1]

亦堪食，如秔米[2]，苗似茅[3]。(《证类》页498，《大观》卷26页8，《纲目》页1127)

【校注】

[1] **蒯草子** 本条原附“狼尾草”条，今分出。

[2] **秔米** 即粳米。粳米不黏，糯米黏。

[3] **苗似茅** 《纲目》引“藏器曰”作“蒯草苗似茅，可织席为索”。

701 胡豆子[1]

味甘，无毒。主消渴[2]，勿与盐煮食之。苗似豆，生野田间，米中往往有之。

（《证类》页 498，《大观》卷 26 页 8，《纲目》页 1142）

【校注】

[1] **胡豆子** 胡豆同名异物很多。《尔雅》云："戎叔谓之荏叔。"郭璞注："即胡豆也。"但孙炎注："戎叔，大豆也"。《管子》云："山戎出荏叔。"注云即胡豆也。

[2] **主消渴** 青小豆亦主消渴。《千金方·食治》云："青小豆，味甘、咸，温，平，涩，无毒。主寒热，热中，消渴，止泄利，利小便，除吐逆、卒澼下、腹胀满。一名麻累，一名胡豆。黄帝云：青小豆合鲤鱼鲊食之，令人肝至五年成干痟病。"将《拾遗》胡豆同《千金方》青小豆相比，其名称、味甘、无毒，主消渴俱相同，疑二者为同一物。

702 东廧[1]

味甘，平，无毒。益气轻身，久服不饥，坚筋骨，能步行。生河西[2]，苗似蓬，子似葵，可为饭。《魏书》[3]曰：东廧生焉，九月、十月熟。《广志》[4]曰：东廧之子，似葵，青色。并、凉[5]间有之。河西人[6]语：贷我东廧，偿尔田粱。廧（疾羊切）。（《证类》页 498，《大观》卷 26 页 8，《纲目》页 1127）

【校注】

[1] **东廧** 为藜科植物沙蓬。

[2] **河西** 见"332 赤柽木"注［2］。

[3] **《魏书》** 北齐·魏收所撰纪传体史书，130 卷，记载北魏、东魏兴亡史，尤详拓跋部及各族人民的活动、北方门阀制度。

[4] **《广志》** 《纲目》引《广志》作"粱禾，蔓生，其子如葵子，其米粉白如面，可作饘（稠厚）粥。六月种，九月收。牛食之尤肥"。

[5] **并、凉** 并即并州，唐代并州在今山西太原；凉即凉州，唐代凉州在今甘肃武威。

[6] **河西人** 泛指黄河以西广大地区的人。

703 罂子粟[1]

嵩阳子曰：其花四叶，有浅红晕子也。（《证类》页 497，《大观》卷 26 页 8，《纲目》页 1131）

【校注】

[1] **罂子粟** 为罂粟科植物罂粟的种子。《本草图经》云："罂子粟，人家园庭多莳以为饰。花有红、白二种，微腥气，其实作瓶子，似髇箭头，中有米极细，种之甚难。圃人隔年粪地，九月布子，涉冬至春始生苗，极繁茂矣；不尔种之多出。其瓶（指果实）焦黄则采之。"

704 雕胡[1]

是菰蒋草米，古今所贵。雕胡，性冷，止渴。《内则》[2]云：鱼宜菰枭粱[3]。按：枭粱亦粱之类，消玉未闻。按：穈、穄一物[4]，性冷，塞北最多。《广雅》[5]云：穄也，如黍黑色。（《证类》页496，《大观》卷26页4，《纲目》页1128）

【校注】

［1］**雕胡** 为禾本科植物菰的种子。《本草图经》“菰根”条注：“其苗有茎梗者，谓之菰蒋草，至秋结实乃雕胡米。菰蒋草，南人呼为茭草，叶如蒲苇辈，刈以秣马甚肥。春亦生笋，甜美，堪啖，即菰菜也。”

［2］**《内则》** 见“520 鹆目”注［3］。

［3］**鱼宜菰枭粱** 菰即菰米（雕胡）；枭粱，《本草经集注》“稷米”条陶弘景注云：“汉中（今陕西汉中）有一种名枭粱，粒如粟而皮黑，亦可食，酿为酒，甚消玉。”

［4］**穈、穄一物** 穈、穄都是稷。《纲目》云：“稷即穄，楚人谓之稷，关中谓之穈。”又云：“稷之黏者为黍，粟之黏者为秫，粳之黏者为糯。”

［5］**《广雅》** 训诂书。三国魏·张揖撰。分上、中、下3卷；传抄中被分为4卷；隋·曹宪为之作音释，分为10卷，避隋炀帝广讳，改称《博雅》。清·王念孙又为《广雅》作疏证，对原书讹误详加校正。以古音求古义，引申触类，颇多创见。

705 稗[1]

有二种，一黄白，一紫黑。其紫黑者似芑[2]有毛，北人呼为乌禾[3]。（《证类》页496，《大观》卷26页4，《纲目》页1127）

【校注】

［1］**稗** 为禾本科植物稗。《六书故》云：“稗叶纯似稻，惟节间无毛。”《救荒本草》云：“稗有水稗、旱稗。水稗生田中。旱稗苗叶似䅌子（叶似稻，穗似稗，子粒大），色深绿，根下带紫色。梢头出扁穗，子如黍粒，茶褐色，味微苦，性温。煮粥、炊饭、磨面食之皆宜。”曹子建《七启》云：“芳菰精稗”。谓菰米、稗米炊饭益气宜人。

［2］**芑** 《尔雅》云：“芑，白苗。”郭璞注：“今之白粱粟，皆好谷。”《纲目》谓芑为黍。并云：“白黍曰芑。稷之粘为黍。可为酒。白黍亚于糯，赤者最粘，可蒸食，俱可作饧（同糖）。”

［3］**乌禾** 《本草经集注》“稷米”条陶弘景注云：“乌禾生野中如稗，荒年代粮而杀虫。煮以沃地，蝼、蚓皆死。”

706 五谷[1]烧作灰爇[2]

主恶疮[3]疥癣，虫瘘疽螫毒，涂之。和松脂、雄黄烧灰更良。作法如甲煎[4]

为之。(《证类》页496,《大观》卷26页4,《纲目》页1100)

【校注】

[1] **五谷** 《素问》云:“五谷为养,麻、麦、稷、黍、豆。”《周礼·天官·疾医》云:“以五味、五谷、五药养其病”。郑玄注:“五谷:麻、黍、稷、麦、豆也。”

[2] **烧作灰爇** 爇原指燃烧。此处灰爇,指将五谷烧成灰炭末。

[3] **恶疮** 恶疮,见“20铁锈”注[2]。

[4] **甲煎** 见本书“289甲煎”条。

707 蓬草子[1]

作饭食之,无异秔米,俭年食之也。(《证类》页498,《大观》卷26页9,《纲目》页1128)

【校注】

[1] **蓬草子** 《纲目》云:“蓬类不一,有雕蓬,即菰蒋草;有黍蓬,即青科,西南夷人种之,叶如交黍,秋月结实成穗,子如赤黍而细,其稃甚薄,曝舂炊食;又有黄蓬,生湖泽中,叶如菰蒲,秋月结实成穗,子细如雕胡米,饥年人采食之,须浸洗曝舂,乃不苦涩。”《拾遗》所讲蓬草子属何种蓬?说是雕蓬,前“704雕胡”已有。说是黍蓬,黍蓬乃西南夷人所种,非野生。疑是黄蓬。黄蓬子饥年人采食之,与蓬草子俭年食之义同。

708 寒食麦仁粥[1]

有小毒。主咳嗽,下热气,调中。和杏人作之,佳也。(《证类》页498,《大观》卷26页9,《纲目》页1152)

【校注】

[1] **寒食麦仁粥** 《纲目》作“寒食粥”,收在“粥”条下,并引陈藏器文作“用杏仁和诸花作之。主咳嗽,下热气,调中。”寒食,传说春秋晋国晋文公回国后,赏赐流亡时的从属,当时介之推没有被提名,介和母亲隐居绵上(今山西介休东南介山)山里,文公为逼他出来,放火烧山,介不出,被焚死。晋文公为纪念介,是日不起烟火,吃冷食,称为寒食。(见《史记·晋世家》)

709 甜糟[1]

味咸,温,无毒。主温中冷气,消食,杀腥,去草菜毒,藏物不败,糅物能软,润皮肤,调腑脏,三岁以下,有酒以物承之,堪摩风瘙[2],止呕哕[3],及煎

煮鱼菜，取腊月酒糟，以黄衣[4]和粥成之。(《证类》页488，《大观》卷25页5，《纲目》页1167)

【校注】

[1] **甜糟** 《日华子》云："糟署扑损瘀血，浸洗冻疮及傅蛇咬、蜂叮毒。"又云："糟下酒，暖，开胃下食，暖水脏，温肠胃，消宿食，御风寒，杀一切蔬菜毒，多食微毒。"本条《纲目》作"酒糟"，并云："能活血行经止痛，治伤损有功。"

[2] **风瘙** 即风痒。

[3] **呕哕** 出《金匮要略》，指患者作呕吐之态，但有吐声而无物吐出，或仅有涎沫而无食物吐出。

[4] **黄衣** 见"692黄蒸"条。

710 糟笋中酒

味咸，平，无毒。主哕气[1]呕逆，小儿乳和少牛乳饮之，亦可单服。少许摩疬疡风[2]，此糟笋节中水也。(《证类》页498，《大观》卷26页9，《纲目》页1161)

【校注】

[1] **哕气** 哕气，见"632柿蒂"注[2]。呕逆，见"202骨路支"注[4]。

[2] **疬疡风** 出《诸病源候论》，俗称花斑癣。多发颈旁、胸背、腋下等处，其色紫白。斑点群集相连，亦有蔓延扩大，痒感不适，冬轻夏重。

711 社酒[1]

喷屋四壁，去蚊子。内小儿口中，令速语。此祭祀社余者酒也。(《证类》页498，《大观》卷26页9，《纲目》页1161)

【校注】

[1] **社酒** 本条《纲目》引《拾遗》作"社坛余胙酒。治小儿语迟，纳口中佳。又以喷屋四角，辟蚊子。"按：此文原出《日华子》，《纲目》页注为《拾遗》。

712 诸米酒有毒[1]

酒浆照人无影不可饮。酒不可合乳饮之，令人气结。白酒食牛肉，令腹内生虫。酒后不得卧黍穰，食猪肉，令人患大风。凡酒忌诸甜物。(《证类》页488，《大观》

卷25页5）

【校注】

［1］**诸米酒有毒**　酒都有毒。《别录》云："酒味苦、甘、辛，大热有毒。"陶弘景云："大寒凝海，惟酒不冰，明其性热，独冠群物。药家多须以行其势。人饮之，使体弊神昏，是其有毒故也。"

解纷（二）　卷第八

713 芒硝
714 消石
715 滑石
716 石膏
717 太一禹馀粮
718 锡、铅
719 胡粉
720 水银
721 赤铜屑
722 铁
723 珊瑚
724 戎盐
725 食盐
726 硇砂
727 乌古瓦
728 石燕
729 天门冬
730 麦门冬
731 女萎、萎蕤
732 黄精
733 干地黄
734 升麻
735 柴胡
736 防葵
737 薏苡仁
738 菥蓂子
739 茺蔚子
740 白英
741 肉苁蓉
742 忍冬
743 龙须
744 络石
745 千岁蘽
746 黄连
747 蓝
748 天名精
749 兰草
750 茳芏
751 续断
752 茵陈
753 漏卢
754 茜根
755 薇衔
756 旋花
757 生姜
758 葛根
759 芮子
760 通草
761 枲耳
762 百合
763 知母
764 茅针
765 防己
766 泽兰
767 百部根
768 王瓜
769 高良姜
770 积雪草
771 恶实根
772 大、小蓟根
773 水萍
774 海藻
775 昆布
776 荭草
777 蒟酱
778 萝摩
779 姜黄
780 大黄
781 钩吻
782 赭魁
783 射罔
784 天雄
785 附子
786 侧子
787 射干
788 鸢尾
789 半夏
790 由跋
791 莨菪子
792 蛇衔
793 草蒿
794 羊桃
795 酸模
796 乌韭
797 虎杖
798 鼠尾草
799 马鞭草
800 苎根
801 菰菜
802 半天河
803 三白草
804 猪膏草
805 五叶莓

806 故麻鞋底
807 阿魏
808 琥珀
809 桂
810 枫皮
811 女贞
812 蕤核
813 五加皮
814 沉香
815 檀香
816 乳香
817 檗皮
818 辛夷
819 榆荚
820 酸枣
821 槐实
822 苏合香
823 橘柚
824 苦竹笋
825 秦皮
826 合欢皮
827 芜荑
828 食茱萸
829 茗、苦樣
830 桑叶
831 庵摩勒
832 巴豆
833 樟材
834 白杨
835 小檗
836 荚蒾
837 柳絮
838 梓树
839 苏方
840 接骨木
841 木天蓼
842 乌臼叶
843 赤爪
844 檀树
845 樗木

713 芒硝[1]

按：石脾[2]、芒硝、消石，并出于西戎卤地[3]，咸水结成[4]，所主亦以类相次。(《证类》页 86，《大观》卷 3 页 16，《纲目》页 693)

【校注】

[1] **芒硝** 为不纯的含水硫酸钠，夹杂少许食盐、硫酸镁。由朴消再结晶而成。陶弘景云："以朴消作芒硝者，用暖汤淋朴消，取汁清澄煮之减半，出，著木盆中，经宿即成，状如白石英，皆六道也。"

[2] **石脾** 《名医别录》有名无用类有"石脾"。陶弘景云："但不知石脾是何物，《本草》乃有石脾、石肺，人无识者。皇甫既是安定（今甘肃镇原）人，又明医药，或当详之。"

[3] **西戎卤地** 西戎，见"53 流黄香"注［5］。卤地，指含有盐卤的地。类似现代盐土地。

[4] **咸水结成** 指地表或地下盐水径流汇集，出流不畅而形成芒硝。

714 消石[1]

头疼欲死，鼻内吹消末愈[2]。(《证类》页 86，《大观》卷 3 页 15，《纲目》页 696)

【校注】

[1] **消石** 《开宝本草》云："此即地霜，冬月地上有霜扫取之，以水淋汁后煎炼而成，盖以能消化诸石，故名。"今由硝石矿提炼而成，含硝酸钾。火烧之有钾的焰色反应。陶弘景云："强烧之，紫青烟起。"

[2] **头疼欲死，鼻内吹消末愈** 此文出陈藏器《本草拾遗·序》。《雷公炮炙论·序》作"脑痛欲亡，鼻投消末"。注云："头痛者以消石作末，内鼻中立止。"

715 滑石[1]

按：始安及掖县所出二石，形质既异，所用又殊。陶云不知今北方有之否？当陶之时，北方阻绝[2]，不知之者，曷足怪焉。苏敬[3]引为一物，深可嗟讶。其始安者，软滑而白，是滑石。东莱者，硬涩而青，乃作器石也。(《证类》页89，《大观》卷3页22，《纲目》页643)

【校注】

[1] **滑石** 为硅酸盐类矿物滑石族滑石。因产地不同，品质各异。陈藏器认为南方始安（今广西桂林）所出，软滑而白，是滑石；北方东莱（今山东掖县）所出，硬涩而青，是作器的石。陶时南北不通，故陶不知北地情况。苏敬引为一物是不对的。

[2] **当陶之时，北方阻绝** 陶即陶弘景。陶生活于南朝，当时南北朝对峙，南北不通，故言“北方阻绝。”

[3] **苏敬** 见“282 地锦”注［7］。

716 石膏[1]

陶云：出钱塘县中。按：钱塘在平地，无石膏，陶为错注。苏又注五石脂云：五石脂中，又有石膏，似骨如玉坚润，服之胜钟乳。与此石膏，乃是二物同名耳，不可混而用之。(《证类》页108，《大观》卷4页16，《纲目》页639)

【校注】

[1] **石膏** 为硫酸盐类矿物硬石膏族石膏。主要成分是硫酸钙。此条陈藏器对陶注、苏注的辨解有问题。陶注云：“石膏，今出钱塘（今浙江钱塘）县，皆在地中，雨后时时自出，取之皆如棋子，白彻最佳。”陈藏器云：“按，钱塘在平地，无石膏，陶为错注。”但宋代陈承《别说》云：“按，陶说出钱塘山中，雨后时时自出。今钱塘人乃凿山以取之甚多。陈藏器谓钱塘县在平地上无石膏，乃知陈不识钱塘明矣。”陈藏器谓苏注五石脂中的石膏，与此石膏乃是二物同名耳，不可混用。按：《大观》《政和》“赤石脂”条下有“唐本注”云：“又有石骨，似骨如玉坚润，服之力胜钟乳。”此文与陈藏器所言“苏注”几同，仅“石骨”“石膏”一字之差。按：唐代书靠手工抄写，疑陈氏所见抄本，石骨误为石膏。《纲目》将苏注五石脂中的“石骨”拔出，列在卷9“般蘖”条附录之下。

717 太一禹馀粮[1]

苏云：禹馀粮及太一馀粮，皆以精粗为名。余粮中黄子，年多变赤，从赤入紫，俱名太一馀粮，杂色者即禹馀粮。按：苏敬此谈，直以紫色为名，都无按据。

且太一者，道之宗源，太者大也，一者道也。大道之师，即禹之理化神君，禹之师也，师常服之，故有太一之名。兼服混然。张司空云：还魂石中黄子，鬼物禽兽守之，不可妄得，即其神物也。会稽有地名蓼，出余粮，土人掘之，以物请买，所请有数，依数必得，不可妄求。此犹有神，岂非太一也。（《证类》页92，《大观》卷3页27，《纲目》页666）

【校注】

［1］**太一禹馀粮** 为褐铁矿的矿石，以含氧化铁为主，夹磷酸盐及其他氧化物。本条陈藏器认为苏敬以精粗及紫赤论述禹馀粮及太一馀粮，缺乏根据。陈氏认为太一馀粮是大禹老师服而命名，非以紫色为名。

718 锡、铅[1]

及琅玕[2]、锡铜镜鼻[3]。陶云：琅玕杀锡毒。按：锡有黑有白，黑锡寒，小毒，主瘿瘤[4]鬼气疰忤[5]，剉为末，和青木香，傅风疮肿恶毒[6]。《本经》虽有条，皆以成丹及粉，非专为铅、锡生文也。锡为粉，化铅为丹。《本经》云：铅丹，锡粉是也。苏云铅为丹、锡为粉，深误。（《证类》页126，《大观》卷5页10，《纲目》页605）

【校注】

［1］**锡、铅** 本条主要讲《唐本草》作者苏敬对锡、铅不分。以铅为锡，以锡为铅，说铅丹、胡粉皆为锡炒成。《唐本草》“粉锡”（陶云即胡粉）条，苏敬注云：“铅丹、胡粉实为锡造。”又，“铅丹”条，苏注云：“丹白二粉（指铅丹、胡粉）俱炒锡作。”陈藏器指出苏敬之误。其后《开宝本草》亦云：“铅丹即今黄丹，与粉锡（陶云是胡粉）二物俱是化铅为之。唐注以二物俱炒锡，大误矣。”陶弘景说《本经》粉锡是胡粉，陶本人也怀疑。陶云：“粉锡即今化铅所作胡粉也，而谓之粉锡，事与《经》乖。”《本经》云：“粉锡一名解锡。”从名义上看，解锡当是锡坏崩解为粉，故有粉锡之名。据此粉锡本质仍应是锡所为。不知为何到南北朝时，以胡粉为粉锡。从陶弘景注后，历代本草皆袭陶氏之说，凡讲《本经》“粉锡”，都指胡粉而言。此事由来已久，无复更改。

［2］**琅玕** 即《本经》“青琅玕”。其条末有《别录》文“杀锡毒，得水银良，畏鸡骨。”

［3］**锡铜镜鼻** 《开宝本草》云：“凡铸镜，皆用锡和，不尔不明白，故言锡铜镜鼻。今广陵（今江苏扬州）为胜。”

［4］**瘿瘤** 见“51 烟药”注［2］。

［5］**疰忤** 见“66 铸钟黄土”注［2］。

［6］**风疮肿恶毒** 即恶疮，见“20 铁锈”注［2］。

719　胡粉[1]

本功外，主久痢成疳，和水及鸡子白服，以粪黑为度[2]，为其杀虫而止痢也。（《证类》页127，《大观》卷5页11，《纲目》页611）

【校注】

[1] **胡粉**　为人工制造碱式碳酸铅。何孟春《余冬序录》云："嵩阳产铅，民多造胡粉。其法：悬铅块于酒缸内，封闭四十九日，开之则化为粉矣。"

[2] **主久痢成疳，和水及鸡子白服，以粪黑为度**　按：胡粉能杀虫止痢。《子母秘录》亦云："小儿无辜痢赤白兼成疳，胡粉熟蒸熬令色变，以饮服之。"所云"以粪黑为度"，因胡粉是铅化物，铅离子在肠道内遇硫化氢，产生黑色硫黄铅，使粪便呈黑色。

720　水银[1]

本功外，利水道[2]，去热毒。入耳能食脑至尽，入肉令百节挛缩，倒阴绝阳。人患疮疥，多以水银涂之[3]，性滑重，直入肉，宜慎之。昔北齐徐王[4]疗挛躄病[5]，以金物火炙熨之。水银得金当出蚀金，候金色白者是也，如此数度并差也。（《证类》页107，《大观》卷4页14，《纲目》页628）

【校注】

[1] **水银**　为液态金属汞，能溶化多种金属，为古代炼丹重要原料。《本经》云："水银，主疥瘘痂疡、白秃，杀皮肤虫，堕胎，杀金银铜锡毒。熔化还复为丹，久服神仙不死。"陶弘景云："水银是烧粗末朱砂所得，甚能消化金银使成泥，人以镀物是也。服之长生。烧时飞著釜上灰名汞粉，俗呼为水银灰，最能去虱。"由于古代方士过度夸张水银炼丹为不死之药，历代贪生服食致成废笃而丧身者，不计其数。唐代韩愈详述当时权贵，因服食中毒者极为普遍。此风延至明代，尚有流行。凡服食求长生不死者，无一人能长生。

[2] **利水道**　汞粉能利水。王好古《医垒元戎》治水气肿满。汞粉一钱，鸡子去黄盛粉，蒸饼包，蒸熟取出，苦葶苈（炒）一钱，同蒸饼，杵丸绿豆大。以车前子煎汤下三五丸，日三服。利水极效。

[3] **人患疮疥，多以水银涂之**　疮疥，见"383 枕材"注［7］。此处云"以水银涂之"，但纯水银无法涂，多制成油膏涂，水银制油膏很难，要研到不见星为度。

[4] **北齐徐王**　即北齐·徐之才（505—572），字士茂，祖籍东莞姑幕（今山东诸城），寄居丹阳（今江苏南京）。祖徐文伯、父徐雄，均为名医。初仕南齐，后被俘入魏。武平二年封西阳郡（今湖北武汉）王，又称徐王。撰有《徐王方》5卷、《徐王八代效验方》10卷、《徐氏家传秘方》2卷、《雷公药对》2卷。

[5] **挛躄病** 即筋骨挛缩。见“459 芙树”注 [3]。

721 赤铜屑[1]

主折伤，能焊人骨及六畜有损者。取细研酒中，温服之，直入骨损处；六畜死后，取骨视之，犹有焊痕。赤铜为佳，熟铜不堪。(《证类》页 127，《大观》卷 5 页 12，《纲目》页 596)

【校注】

[1] **赤铜屑** 为煅铜时打落的铜屑，功同自然铜。散瘀止痛，接续筋骨。唐·张鷟《朝野佥载》云：“定州（今河北定县）人崔务坠马折足，医者令取铜末和酒服之，遂痊平。及亡后十余年改葬，视其胫骨折处，有铜束之。”

722 铁

凡言铁疗病不入丸散，皆煮浆用之[1]。按：今针砂[2]、铁精[3]，俱堪染皂，铁并入丸散。(《证类》页 114，《大观》卷 4 页 30，《纲目》页 611)

【校注】

[1] **凡言铁疗病不入丸散，皆煮浆用之** 此文原出《唐本草》“铁精”条苏敬注。陈藏器认为此话不对，针砂、铁精并入丸散。

[2] **针砂** 见本书“18 针砂”条。

[3] **铁精** 陶弘景云：“铁精出煅灶中如尘，紫色轻者为佳，亦以摩莹铜器用之。”则铁精是煅灶中紫灰。

723 珊瑚[1]

生石岩下，刺刻之，汁流如血，以金投之为丸，名金浆[2]，以玉投之为玉髓[3]，久服长生。(《证类》页 116，《大观》卷 4 页 35，《纲目》页 617)

【校注】

[1] **珊瑚** 《唐本草》云：“主宿血，去目中翳，鼻衄末吹鼻中。生南海。”“唐本注”云：“似玉红润，中多有孔。”《海药本草》云：“主消宿血、风痫等疾。”《日华子》云：“镇心止惊，明目。”

[2] **金浆** 见本书“8 金浆”条。

[3] **玉髓** 本书“49 玉膏”条云：“以玉投朱草汁，化成醴。朱草瑞物。”《纲目》“白玉髓”条

集解云：“玉膏即玉髓也。《河图玉版》云：少室（今河南登封）之山，有白玉膏，服之成仙。东方朔《十州记》云：瀛州有玉膏如酒，名曰玉醴，饮数升辄醉，令人长生。”如此说，则玉髓、玉醴、玉膏似是同物异名。又，“49 玉膏”条“以玉投朱草汁”和本条“以玉投珊瑚汁”极相似。朱草汁的“朱”字为红色，珊瑚汁如血也是红色，疑朱草即红珊瑚。

724　戎盐[1]

戎盐累卵[2]。（《证类》页 130，《大观》卷 5 页 17，《纲目》页 688）

【校注】

[1] **戎盐**　《别录》云：“戎盐一名胡盐，生胡盐山（今甘肃秦岭山脉）及西羌（今甘肃岷县一带）、酒泉（今属甘肃）。主心腹痛、溺血、吐血、齿舌血出。”陶弘景云：“戎盐从凉州（今甘肃）来，胡客从敦煌（今甘肃敦煌）来。其形作块片，或如鸡鸭卵，或如菱米，色紫白，味不甚咸，口尝气臭正如毈鸡子臭。”

[2] **戎盐累卵**　陶弘景《本草经集注》序录云：“寻万物之性，皆有离合。戎盐累卵，獭胆分杯”。《丹房镜源》云：“戎盐赤、黑二色，累卵干汞制丹砂。”

725　食盐[1]

按：盐本功外，除风邪，吐下恶物，杀虫，明目，去皮肤风毒，调和腑脏，消宿物，令人壮健。人卒小便不通，炒盐内脐中即下。陶公以为损人，斯言不当[2]。且五味之中，以盐为主，四海之内，何处无之。惟西南诸夷稍少，人皆烧竹及木盐当之[3]。（《证类》页 106，《大观》卷 4 页 7，《纲目》页 685）

【校注】

[1] **食盐**　《药性论》云：“盐有小毒。能杀一切毒气、鬼疰气。主心痛中恶，或连腰脐者，盐如鸡子大，青布裹烧赤，内酒中，顿服，当吐恶物。主小儿卒不尿，安盐于脐中，灸之。面上五色疮，盐汤，绵浸搨疮上，日五六度易，差。又和槐白皮切蒸治脚气。”

[2] **陶公以为损人，斯言不当**　陶弘景注食盐云：“西方北方人食不耐咸而多寿少病，东方南方人食绝欲咸而少寿多病，便是损人。”陈藏器认为陶公之言不当。其实，适量的盐是人体必需的；过多的盐，超出人体排泄限度，对人是有害的。《别录》云：“多食伤肺喜咳”，肺中有痰饮，咳痰清稀者，不能多食，有浮肿者亦不能多食盐。《蜀本草》云：“多食令人失色肤黑，损伤筋力也。”

[3] **惟西南诸夷稍少，人皆烧竹及木盐当之**　西南诸夷，指云南、贵州少数民族。云南、贵州不产盐，靠外地供应，因山地交通阻塞，运输困难，盐运不足。以烧竹木取盐代之。按：海盐、井盐（四川）、池盐（山西）、岩盐（西北），其成分以含氯化钠为主，而烧竹木的盐，含钠盐很少，主要是钾盐，所以竹木盐不及天然食盐好。

726　硇砂[1]

主妇人丈夫羸瘦，积病，血气不调，肠鸣，食欲不消，腰脚疼冷，痃癖痰饮[2]，喉中结气[3]，反胃吐水，令人能食，肥健。一飞为酸砂，二飞为伏翼，三飞为定精，色如鹅儿黄，和诸补药为丸。服之有暴热损发。飞炼有法，亦能变铁。（《证类》页125，《大观》卷5页7，《纲目》页699）

【校注】

[1] **硇砂**　为含氯化铵矿，较纯者为白硇砂，杂有食盐为紫硇砂。出北庭（新疆乌鲁木齐以东）为北庭砂。

[2] **痃癖痰饮**　痃癖，泛指癖块隐于脐腹或两胁。硇砂化瘀消坚，故能治痃癖。外用亦能除息肉、目生胬肉。硇砂配硼砂、雄黄，外用蚀瘰疬。硇砂治痰饮，以化顽痰、老痰为主。对老痰咳吐不利，配百部、黄芩、天麦冬（天门冬、麦门冬）合用。

[3] **喉中结气**　指咽喉肿痛，吞咽不顺，犹如气结。《圣济总录》以硇砂、芒硝研细末点，能散结消肿止痛。《本草图经》云："硇砂为今医家治咽喉要药。"

727　乌古瓦[1]

主汤火伤。当取土底深者，既古且润。三角瓦子，灸牙痛法。令三姓童子，候星初出时，指第一星下火，三角瓦上灸之。（《证类》页136，《大观》卷5页33，《纲目》页585）

【校注】

[1] **乌古瓦**　《唐本草》云："乌古瓦止消渴，取屋上年深者水煮及渍汁饮。"

728　石燕[1]

主消渴，取水牛鼻和煮饮之。自死者鼻，不如落崖死者良。（《证类》页129，《大观》卷5页16，《纲目》页680）

【校注】

[1] **石燕**　有两种。一是化石的石燕，一是有生命的石燕。"唐本注"云："永州（今湖南零陵）、祁阳（今湖南祁阳）西北土岗上掘深丈余取之，形似蚶而小，坚重如石。"《日华子》云："石燕出南土穴中，凝疆似石者佳。"以上两书所言为化石的石燕。萧炳《四声本草》云："别有乳洞中食乳有命者，亦名石燕，似蝙蝠，口方，生气物也。"《食疗本草》云："在乳穴石洞中者，冬月采之

堪食。取石燕二七枚，和五味炒令熟……能吃，食令人健力也。”以上两书所言为有生命的石燕。治病用的石燕，多是化石。《本草衍义》云：“石燕，今人用者如蚬蛤之状，色如土，坚重则石也。”

729 天门冬[1]

陶云：百部根亦相类，苗异尔。按：天门冬根有十余茎；百部多者五六十茎，根长尖内虚，味苦。天门冬根圆短实润，味甘不同，苗蔓亦别。如陶所说，乃是同类。今人或以门冬当百部者，说不明也[2]。（《证类》页147，《大观》卷6页20，《纲目》页1025）

【校注】

[1] **天门冬** 陶弘景注云：“又有百部亦相类，但苗异尔”。陈藏器认为，不仅苗异，而且根的数量、质地、形状也不相同。特为之表出。天门冬异名很多，古时亦称百部。《抱朴子》云：“天门冬在南岳名百部。”但天门冬与百部在主治功用上并不相同。天门冬性寒，善清肺热、滋肾阴、润肠燥；治劳热咳嗽，吐血、咯血，痰黏燥咳，大便燥结；配生地、麦冬、当归、白芍、肉苁蓉治肠燥便闭。百部性微温，能润肺下气止咳、杀虫灭虱；善治各种咳嗽，新咳、久咳、寒热咳、肺痨咳均可用；水煎或酒泡能除头虱、阴虱、体虱、阴痒有虫、疥疮、皮癣。由于百部根在形态上、名称上与天门冬相似，所以古代有以百部为天门冬。天门冬并无杀虫作用，而百部有杀虫作用。但《本草经》“天门冬”条云：“杀三虫，去伏尸。”这就提示，在《本草经》时代，有以百部当作天门冬用的。

[2] **今人或以门冬当百部者，说不明也** 由于百部根与天门冬在形态上，以及止咳功用上俱相同。百部历来被视为治肺劳咳嗽之要药，配三七、白及、贝母治肺劳咳嗽、吐血、咯血；而天门冬合麦门冬熬膏，亦治劳热咳嗽、吐血、咯血。因此有人亦把天门冬当作百部用。

730 麦门冬[1]

《本经》不言生者[2]，按：生者本功外，去心煮饮，止烦热[3]，消渴[4]，身重，目黄、寒热，体劳，止呕，开胃，下痰饮；干者入丸散及汤用之，功如《本经》，方家自有分别。出江宁[5]小润，出新安[6]大白，其大者苗如鹿葱，小者如韭叶。大小有三四种，功用相似。其子圆碧，久服轻身明目；和车前子、干地黄为丸，食后服之，去温瘴，变白，明目，夜中见光。（《证类》页156，《大观》卷6页48，《纲目》页899）

【校注】

[1] **麦门冬** 为百合科植物沿阶草的块根。《本草图经》云：“生石间久废处，叶青似莎草，长及尺余，四季不凋，根黄白色有须，根作连珠，形似穬麦颗，故名麦门冬，四月开淡红花，如红蓼

花，实碧而圆如珠。江南出者，叶大者苗如鹿葱，小者如韭，大小有三四种，功用相似。”

[2] **《本经》不言生者** 此处“生者”，指鲜麦门冬。《拾遗》将麦门冬分生、干两种，二者主治功用不同。但临床多用干者，因生者难保存。

[3] **去心煮饮，止烦热** 现代用麦门冬，滋阴、清心火、除烦，多连心用；养肺、胃之阴，多去心用。

[4] **消渴** 麦门冬能益胃阴生津，治胃阴亏，口舌干，消渴，配生地、沙参、玉竹合用。崔元亮《海上方》治消渴，以鲜肥麦门冬合黄连为丸服之。

[5] **江宁** 今江苏南京。

[6] **新安** 古代以新安为地名有十数处，皆未提及唐代有新安，唯安徽歙县，在隋代改为新安，到唐初改为歙州，寻改为新安。本条所言新安，不知是否即此处。

731 女萎[1]、萎蕤[2]

二物同传，陶云：同是一物，但名异耳。下痢方多用女萎，而此都无止泄之说，疑必非也。按：女萎，苏又于中品之中出之，云主霍乱，泄痢，肠鸣，正与陶注上品女萎相会，如此即二萎功用同矣，更非二物，苏乃剩出一条。苏又云：女萎与萎蕤不同，其萎蕤一名玉竹，为其似竹；一名地节，为其有节。《魏志·樊阿传》：青粘一名黄芝，一名地节，此即萎蕤，极似偏精。本功外，主聪明，调血气，令人强壮。和漆叶为散，主五脏，益精，去三虫，轻身不老，变白润肌肤，暖腰脚，惟有热不可服。晋嵇绍有胸中寒疾，每酒后苦唾，服之得愈。草似竹，取根、花、叶阴干。昔华佗入山，见仙人所服，以告樊阿，服之寿百岁也。(《证类》页154，《大观》卷6页41，《纲目》页734，《和名类聚抄》卷10页4)

【校注】

[1] **女萎** 陶弘景认为女萎与萎蕤同功，故合并为一条，并云今下痢方多用女萎。苏敬认为有下痢功效女萎，乃是另一种女萎，于中品另立一条。陈藏器认为女萎只有一种，苏敬剩出一条。苏颂《本草图经》认为：《本经》女萎性平，《唐本草》女萎性温，二者性味不同，安得为一物。然女萎究竟是何物？陶注上品女萎云：“其根似黄精而小异。今市人别用一种，根形状如续断茎，味至苦，乃言是女青根，出荆州（湖北江陵）。”苏敬注中品女萎云：“其叶似白敛，蔓生，花白、子细，荆襄（湖北江陵、襄樊）之间名女萎，亦名蔓楚，止痢有效，用苗不用根。”从产地看，陶、苏二人所注女萎均出江陵。疑苏注女萎即陶注中另一种女萎（即荆州人称女青）。但苏颂《本草图经》在《唐本草》“女萎”条中所附的药图，与苏敬所言女萎形态全不像。而苏敬所注女萎形态与现代毛茛科铁线莲属植物女萎极相似，疑《唐本草》女萎即毛茛科植物女萎。按：陶弘景注《本经》女萎云：“《本经》有女萎无萎蕤，《别录》无女萎有蕤萎，而为用正同，疑女萎即萎蕤也，唯名异尔。”从陶注来看，在《本经》时代所言女萎，其实物是萎蕤，而作《别录》者，只记实物萎蕤，不言女萎之名。至唐代苏敬见到另一种实物亦名女萎，其形态与萎蕤不同。所以苏敬注云：“女萎功用及苗蔓与萎蕤

全别。”按以上所述，女萎名称出现很早，在《本经》时代，其实物为萎蕤；到陶弘景时，女萎的实物又指另一种。到《唐本草》时，女萎疑是毛茛科植物女萎。

［2］**萎蕤** 一名葳蕤。为百合科植物玉竹。陈藏器疑是青粘。苏颂云：“陈藏器云萎蕤疑即青粘，华佗所服漆叶青粘散是此也。然世无复能辨者，非敢以为信然耳。”可见苏颂不同意陈氏的观点。

732 黄精[1]

陶云：与钩吻相似，但一善一恶耳。按：钩吻即野葛之别名。若将野葛比黄精，则二物殊不相似，不知陶公凭何此说。其叶偏生、不对者为偏精，功用不如正精。（《证类》页142，《大观》卷6页5，《纲目》页732）

【校注】

［1］**黄精** 为百合科多种黄精植物的通称。陶弘景说黄精叶与钩吻相似，唯茎不紫、花不黄为异。陈藏器认为陶说不对。《唐本草》注亦云：“黄精叶似柳及龙胆、徐长卿辈而坚，其钩吻蔓生，殊非此类。”但也有些书同意陶氏的看法。如《雷公炮炙论》即云：“钩吻，真似黄精，只是叶有毛钩子二个是别认处，若误服害人。黄精叶似竹叶。”《本草图经》云：“黄精，三月生苗，高一二尺，叶如竹而短，两两相对，茎梗柔脆，本黄末赤。四月开细青白花，如小豆花状。子白如黍。根如嫩生姜，黄色。二月采根，蒸过，曝干用。江南人说黄精苗叶稍类钩吻，但钩吻叶头极尖而根细。”

733 干地黄[1]

《本经》不言生干及蒸干。方家所用二物有别：蒸干即温补，生干则平宣，当依此用之。（《证类》页149，《大观》卷6页26，《纲目》页892）

【校注】

［1］**干地黄** 为玄参科植物地黄的块根。初挖出为鲜生地，晒干变黑为生地；经蒸过晒干变黑为熟地。《本经》统言干地黄，所以陈藏器指出《本经》不言生干及蒸干。生地滋阴清热、凉血止血；尤以鲜生地清热除烦止渴、凉血止血更佳。熟地以养阴生精补血为主，适用于阴虚、血虚、精亏。

734 升麻[1]

陶云：“人言升麻是落新妇根，非也，其形自相似耳。落新妇亦解毒。取叶作小儿浴汤，主惊。”按：今人多呼小升麻为落新妇，功用同于升麻，亦大小有殊。（《证类》页158，《大观》卷6页55，《纲目》页775）

【校注】

[1] **升麻** 为毛茛科升麻属多种升麻的通称。升麻又名落新妇，陶弘景认为落新妇不是升麻。陈藏器认为陶的看法不对。陈氏认为小升麻为落新妇。《日华子》亦云："升麻又名落新妇。"《本草图经》云："升麻以蜀川者为胜。春生苗，高三尺以来，叶似麻叶并青色，四月五月著花，似粟穗，白色；六月以后结实，黑色；根紫如蒿根，多须。二月八月采，曝干。今医家以治咽喉肿痛、口舌生疮，解伤寒头痛，凡肿毒之属殊效。"

735 柴胡[1]

陶云：芸蒿是茈胡，主伤寒[2]。苏云：茈姜作紫，此草紫色。《上林赋》云：茈姜，今太常用茈胡是也。（《证类》页155，《大观》卷6页46，《纲目》页769）

【校注】

[1] **柴胡** 为伞形科柴胡属植物多种柴胡的通称。柴胡原作茈胡，茈有紫、柴二音：茈草、茈姜的"茈"音"紫"，茈胡的"茈"音"柴"。茈胡嫩可食，老而作柴烧，故名柴胡。

[2] **陶云：芸蒿是茈胡，主伤寒** 《别录》云："茈胡一名芸蒿"。陶注云："《博物志》云：芸蒿叶似邪蒿，春秋有白蒻，长四五寸，香美可食，长安及河内并有之。此茈胡疗伤寒第一用。"《唐本草》注认为，陶氏以芸蒿根为柴胡，大谬矣。陈藏器亦认为陶氏以芸蒿即柴胡是不对的。古代所用柴胡包含银柴胡。《本草图经》云："柴胡生洪农（河南灵宝），以银州（陕西榆林以南）者为胜，茎青紫，叶似竹叶稍紧。"此言银州所产，似是石竹科银柴胡。银柴胡以治疳热、劳热为主。《本草衍义》云："柴胡，《本经》并无一字治劳，今人治劳方中鲜有不用者。"陈承《别说》云："柴胡唯银夏者最良，根如鼠尾，长一二尺。"从药物产地、形态、主治功用来看，在宋代确有以银柴胡作柴胡用者。

736 防葵[1]

按：此二物（指防葵与狼毒），一是上品，而陶云：防葵与狼毒根同，但置水中不沉尔。然此二物善恶不同，形质又别，陶既为此说，后人因而用之。防葵将以破坚积为下品之物，与狼毒同功[2]，今古因循，遂无甄别，此殊误也。（《证类》页155，《大观》卷6页43，《纲目》页947）

【校注】

[1] **防葵** 《唐本草》注云："其根叶似葵花子根，香味似防风，故名防葵。"陶弘景谓防葵与狼毒同根，其形相似，但置水中不沉。陈藏器认为陶氏所说有误。苏敬对此问题早已提出，谓防葵依时采，亦能沉水，狼毒枯朽，亦不沉水，以狼毒当防葵，极为谬矣。《唐本草序》云："防葵、狼毒妄曰同根"，即指陶氏之误。《本草图经》云："防葵生临淄（今属山东）川谷及嵩高少室（今河南登封）、太山（今山东泰山）。苏云：襄阳（今属湖北）望楚山东及兴州（今陕西略阳）西方有之。其

叶似葵，每茎三叶，一本十数茎，中发一干，其端开花如葱花、景天辈而色白，根似防风，香味亦如之。”

［2］**与狼毒同功** 此言为陈藏器批评陶弘景“妄曰防葵、狼毒同根”。如此，则防葵变成下品狼毒了，故云“与狼毒同功。”按：《别录》云“狼毒有大毒，破胁下积癖。”《本经》云“狼毒，破积聚，主恶疮、鼠瘘、疽蚀、鬼精、蛊毒，杀飞鸟走兽。”

737 薏苡仁[1]

薏苡收子，蒸令气馏，曝干，磨取仁，炊作饭及作面。主不饥，温气轻身。煮汁饮之，主消渴，杀蛕虫[2]。根煮服堕胎。（《证类》页161，《大观》卷6页63，《纲目》页1129）

【校注】

［1］**薏苡仁** 为禾本科植物薏苡的种仁。《本草图经》云：“生真定（今河北正定）。春生苗，茎高三四尺，叶如黍，开红白花作穗子，五六月结实，青白色，形如珠子而稍长，故呼薏珠子。”薏苡仁善利湿，清热排脓。

［2］**杀蛕虫** 蛕虫即蛔虫。《外台秘要》治蛔虫攻心腹痛，薏苡根二斤，切，水七升，煮取三升，先食尽服之，虫死尽出。按：此方用量很重要，按常规量无效。又，葛洪治卒心腹痛，剉薏苡根浓煮汁服三乃定。疑此卒心腹痛或为虫痛。

738 菥蓂子[1]

《本经》一名大荠。苏引《尔雅》为注云：大荠。按：大荠，即葶苈，非菥蓂也。菥蓂大而扁，葶苈细而圆[2]，二物殊别也。（《证类》页167，《大观》卷6页84，《纲目》页1209）

【校注】

［1］**菥蓂子** 菥蓂子、葶苈子、荠子（荠实）三者与麦同时熟，形态相似，异名互通，三者极易相混。陈士良云：“荠实（荠子）亦呼菥蓂子。”《别录》云：“菥蓂子一名大荠”。《尔雅》：“菥蓂，大荠。”郭璞注：“似荠，细叶，俗呼之曰老荠。”《唐本草》注：“菥蓂味辛，大荠味甘。”

［2］**葶苈细而圆** 此乃陈藏所见的葶苈。但《本草图经》所见葶苈为子扁小如黍粒，微长，黄色。《本草图经》所载葶苈药图有三种，各不相同。《本草衍义》云：“葶苈用子，子之味有甜、苦两等。”翟灏《尔雅》补郭云：“葶苈有二种：一种叶近根，生角细长，俗谓之狗芥，其味微甜；一种单茎向上，叶端出角，粗且短，其味至苦。郭璞云：实叶似芥，一名狗荠，乃甜葶苈也。”《本草图经》引崔知悌方所述，两种葶苈同此。《别录》云：“葶苈味苦”，则《别录》所讲的葶苈当是苦葶苈。

739 茺蔚子[1]

此草田野间，人呼为郁臭草，本功外，苗、子入面药，令人光泽[2]。亦捣苗傅乳痈恶肿痛者[3]。又捣苗绞汁服，主浮肿，下水[4]，兼恶毒肿。(《证类》页153，《大观》卷6页38，《纲目》页856)

【校注】

[1] **茺蔚子** 为唇形科植物益母草的种子。《日华子》云："茺蔚子，治产后血胀，苗、叶同功，乃益母草子也。节节生花如鸡冠子，黑色。九月采。"茺蔚子的苗叶名益母草，能活血、消肿、利水。

[2] **苗、子入面药，令人光泽** 《本草衍义》谓，唐武后九烧益母草入紧面少容药。

[3] **捣苗傅乳痈恶肿痛者** 益母草能解毒消痈肿。《唐本草》注："捣茺蔚茎傅肿毒疔疮；服汁，使疔疮肿毒内消。又虺蛇毒，傅之良。"

[4] **主浮肿，下水** 益母草能利水消肿，配白术、茯苓、桑白皮、车前子治尿少浮肿。

740 白英[1]

主烦热[2]，风疹[3]，丹毒[4]，疟瘴[5]寒热，小儿结热，煮汁饮之。一名鬼目[6]。《尔雅》云：苻，鬼目。注：似葛叶，有毛，子赤如耳珰珠[7]。若云子熟黑，误矣。(《证类》页165，《大观》卷6页78，《纲目》页1046)

【校注】

[1] **白英** 为茄科植物白英。白英是《本经》药，陶弘景注白英，未确指是何物。或说是蔛菜，蔛菜生水中，白英生山谷，生境不同，当非是；或说是白草，白草用叶不用根、花，白英叶、茎、花、根皆用；或说是苦菜，土人食之充健无病，疑或是此。《唐本草》注："白英即鬼目草，蔓生，叶似王瓜，小长而五桠，实圆若龙葵子，生青、熟紫黑。"陈藏器根据郭璞注《尔雅》"江东有鬼目草，茎似葛，叶缘有毛，子如耳珰也，赤色，丛生"，认为《唐本草》注"子黑"是错误的。比较《唐本草》注与郭璞注的鬼目，不仅子的颜色不同，叶子形状亦异。两家所言鬼目，是名同物异。

[2] **烦热** 出《素问·本病论》。指心烦发热，或烦躁而有闷热的感觉。多种热病过程中都会出现烦热。

[3] **风疹** 见"287 螺蛳"注[3]。

[4] **丹毒** 见"22 淬铁水"注[2]。

[5] **疟瘴** 见"140 阴地流泉"注[1]。

[6] **鬼目** 《别录》有名无用类有"鬼目"条，以鬼目为正名，其条文为"鬼目，味酸，平，无毒。主明目，一名来甘，实赤如五味。十月采。"陈藏器云："白英，一名鬼目。"查《本经》"白英"条，其性味、主治与《别录》"鬼目"全不相同，二者似非同一物也。

[7] **耳珰珠** 妇女的耳饰。《后汉书·舆服志下》："珥，耳珰垂珠也。"

741 肉苁蓉[1]

强筋健髓[2]，苁蓉、鳣鱼为末，黄精酒丸服之，力可十倍[3]。此说出《乾宁记》[4]。(《证类》页179，《大观》卷7页16，《纲目》页737)

【校注】

[1] **肉苁蓉** 为列当科植物肉苁蓉。《别录》云："生河西（今陕西、甘肃）山谷及代郡（今河北蔚县）、雁门（今山西代县）。"

[2] **强筋健髓** 对筋骨无力，腰膝冷痛有良效。肉苁蓉配杜仲、巴戟天、菟丝子、萆薢为丸服之。

[3] **苁蓉、□鱼为末，黄精酒丸服之，力可十倍** 按：此文与《雷公炮炙论·序》"强筋健骨须是苁蓉。注云：苁蓉并鳝鱼二味作末，以黄精汁丸服之，可力倍常也。出《乾宁记》中"完全相同，不知是谁抄得谁。

[4] **《乾宁记》** 宋·赵希弁《郡斋读书后志》谓《雷公炮炙论》多本于乾宁晏先生。范行准说乾宁晏名郭晏封，唐代人，著《制伏草石论》6卷，不知《乾宁记》是否即乾宁晏所撰。《本草拾遗序》《雷公炮炙论·序》两书所言肉苁蓉鳣鱼丸，皆云出自《乾宁记》。传统认为《雷公炮炙论》为刘宋时书，如果《乾宁记》真为唐代乾宁晏所撰，则刘宋时书如何能引唐时作品？

742 忍冬[1]

主热毒[2]，血痢，水痢[3]，浓煎服之。小寒，本条云温，非也[4]。(《证类》页186，《大观》卷7页39，《纲目》页1052)

【校注】

[1] **忍冬** 为忍冬科植物忍冬，其茎名忍冬藤，花名金银花。《唐本草》注："此草藤生，绕覆草木上，苗茎赤紫色，宿者有薄白皮膜。嫩茎有毛，叶似胡豆，亦上下有毛，花白蕊紫。"

[2] **主热毒** 忍冬为消肿散毒治疮要药。

[3] **血痢，水痢** 《圣惠方》治血痢，忍冬藤浓煎饮。按：忍冬藤单煎，取浓汁饮，易致呕吐，宜配甘草合煎，分多次服，每次少许饮，则不吐。

[4] **小寒，本条云温，非也** 此文中"本条"指《名医别录》"忍冬"条。《别录》云："忍冬甘，温"。陈藏器认为忍冬能治热毒，其性小寒，说忍冬性温当然不对。

743 龙须[1]

作席弥败有垢者，取方尺，煮汁服之。主淋及小便卒不通[2]。今出汾州[3]，

亦处处有之。(《证类》页190,《大观》卷7页50,《纲目》页889)

【校注】

[1] **龙须** 为灯心草科植物石龙刍。《别录》云:“石龙刍九节多味者良。生梁州(陕西汉中)山谷湿地。”陶弘景云:“茎青细相连,实赤。今出近道水石处,似东阳(山东费县)龙须以作席者,但多节尔。”陶氏既云石龙刍似东阳龙须,则石龙刍与龙须似非一物。

[2] **主淋及小便卒不通** 《本经》云:“石龙刍一名龙须。主小便不利、淋闭。”

[3] **汾州** 今山西汾阳。

744 络石[1]

煮汁服之,主一切风[2],变白,宜老。在石者良,在木者随木有功。生山之阴,与薜荔相似[3]。更有木莲[4]、石血[5]、地锦[6]等十余种藤,并是其类。大略皆主风血,暖腰脚,变白,不衰。若呼石血为络石,殊误尔。石血叶尖,一头赤;络石叶圆,正青。(《证类》页176,《大观》卷7页11,《纲目》页1049)

【校注】

[1] **络石** 为夹竹桃科络石藤属植物络石,或桑科榕属植物薜荔的不育幼枝,亦有以卫矛科卫矛属植物扶芳藤为络石的。《本草图经》云:“络石叶圆如细橘正青,冬更不凋,其茎蔓延,茎节著处即生根须,包络石上,故名。花白子黑。以石上生者良。其在木上,随木性而移。薜荔、木莲、地锦、石血皆其类也。薜荔与此极相类,但茎叶粗大。木莲更大如络石,其实若莲房,能壮阳道。地锦,叶如鸭掌,蔓著地上,随节有根,亦缘木石上。石血极与络石相类,但叶头尖而赤耳。”

[2] **主一切风** 络石能祛风通络、凉血解毒、消痈肿。

[3] **与薜荔相似** 《本草图经》云:“络石与薜荔极相类。但薜荔茎叶粗大如藤状,人用其叶治背痈,干末服之,下利即愈。”艾晟治一老人患背痈,取薜荔叶烂研绞汁和蜜饮数升,以其滓傅疮上,后以他药傅遂愈。并云《图经》所载不妄。现代所讲的薜荔为桑科榕属植物薜荔。其不育枝为络石的一种。盖陈藏器所见络石为桑科榕属植物,故云“与薜荔相似”。

[4] **木莲** 即桑科榕属植物薜荔的果实。《拾遗》并在“扶芳藤”条中。见本书“283 扶芳藤”。

[5] **石血** 《本草图经》云:“石血与络石相类,但叶头尖而赤耳。”但《唐本草》注云:“络石,山南人谓之石血。”陈藏器批评:“若呼石血为络石,殊误尔。”

[6] **地锦** 见“282 地锦”条。

745 千岁蘽[1]

陶云藤生,树如葡萄,叶如鬼桃,蔓延木上,汁白,人不复识,仙方或须。“唐本注”即云蘡薁藤,得千岁者,汁甘、子酸。按:蘡薁是山葡萄[2],斫断藤,吹气出一头如通草。以水浸，吹取气，滴目中，去热翳赤障[3]，更无甘汁。《本经》云汁甘[4]，明非蘡薁也。千岁蘽似葛蔓，叶下白，子赤，条中有白汁。《草木疏》[5]云：一名苣荒[6]，连蔓而生，子赤可食。《毛诗》[7]云：葛藟。注云：似葛之草也。此藤大者盘薄[8]，故云千岁蘽，谓蘡薁者，深是妄言。(《证类》页187，《大观》卷7页42，《纲目》页1051)

【校注】

[1] **千岁蘽** 为葡萄科植物葛藟。《本草图经》云："千岁蘽作藤生，蔓延木上，叶如葡萄而小，四月摘其茎，汁白而甘。五月开花，七月结实，八月采子青黑微赤，冬惟凋叶，此即诗云葛藟者也。苏恭谓是蘡薁藤，深为谬妄。陶弘景、陈藏器说最得之。"

[2] **蘡薁是山葡萄** 《蜀本草·图经》亦云："蘡薁是山葡萄，亦堪为酒。"

[3] **热翳赤障** 因郁热而生翳障，眼睑边缘红赤。

[4] **《本经》云汁甘** 千岁蘽是《别录》药。《别录》云："千岁蘽汁味甘"。而陈藏器为何说"《本经》云"？在古代所讲的"《本经》"，除指《神农本草经》外，亦泛指前代本草。此处《本经》是指《唐本草》而言。

[5] **《草木疏》** 是《毛诗草木鸟兽虫鱼疏》的简称，或称《草木鸟兽虫鱼疏》，或称《草木虫鱼疏》。三国时吴·陆机撰。

[6] **苣荒** 《纲目》引《拾遗》作"苣瓜"。

[7] **《毛诗》** 即《诗经》。见"427 扶移木皮瓜"注[9]。汉代传《诗经》有今文经学家韩、鲁、齐，和古文经学家毛亨、毛苌。后者所传称为《毛诗》。《毛诗》篇前各有序，简要概括全诗题旨，称为"诗序"。

[8] **盘薄** 据持牢固貌。唐·白居易《长庆集·有木诗》："有木名杜梨，阴森覆丘壑，心蠹已空朽，根深尚盘薄。"

746 黄连[1]

主羸瘦气急[2]。(《证类》页175，《大观》卷7页8，《纲目》页761)

【校注】

[1] **黄连** 为毛茛科多种黄连的通称。《本草图经》云："苗高一尺以来，叶似甘菊，四月开花黄色，六月结实似芹子，色亦黄，八月采根。生江左者，根若连珠，其苗经冬不凋，叶如小雉尾草，正月开花作细穗，淡白微黄色，六七月根紧始堪采。"

[2] **主羸瘦气急** 黄连以燥湿、清热、解毒泻火为主，多用于痢疾，热病高热神昏，疮痈火毒，目赤肿痛。很少用于羸瘦气急。至于"黄连"用于羸瘦气急，可能是玄参科植胡黄连。胡黄连除能清热燥湿外，还能治劳热、羸瘦咳喘气急、午后潮热、小儿瘦削疳热腹胀。《证治准绳》载治午后潮热，以胡黄连配银柴胡、青蒿、地骨皮、秦艽、鳖甲等合用。钱乙治小儿疳腹胀，以胡黄连配黄连、青

黛、猪胆、芦荟、朱砂为丸服之。

747 蓝

有数种[1]，蓼蓝最堪入药[2]。甘蓝[3]，北人食之，去热黄也。(《证类》页173，《大观》卷7页3，《纲目》页926)

【校注】

［1］**有数种** 现代所讲的蓝有：十字花科松蓝、爵床科马蓝、马鞭草科大青、蓼科的蓼蓝、豆科槐蓝、十字花科大青。其中松蓝叶称为大青叶，其他种蓝的叶在不同地区亦作大青叶用。其中松蓝、马蓝的根称为板蓝根。大青叶、板蓝根为清热、凉血、解毒要药。二者合用，再入黄连、栀子、玄参可治痈肿、口疮、咽喉肿痛、丹痧、大头瘟等症，对毒痢、黄疸肝炎、热病高烧均有良效。

［2］**蓼蓝最堪入药** 《唐本草》注："蓼蓝，其苗似蓼，而味不辛，此草汁甚疗热毒。"《蜀本草·图经》云："蓼蓝，叶似水蓼，花红白色，子若蓼子而大，黑色，生下湿地。"《本草衍义》云："蓼蓝是解诸药等毒不可缺也。堪揉汁染碧。花成长穗，细小浅红色。"

［3］**甘蓝** 见"661 甘蓝"条。

748 天名精[1]

《本经》一名麦句姜。苏云[2]鹿活草也。《别录》云：一名天蔓菁，南人呼为地菘，与蔓菁相似，故有此名。《尔雅》云：大菊，蘧麦。注云：麦句姜、蘧麦，即今之瞿麦，然终非麦句姜。《尔雅》注错如此。陶公注"钓樟"条云：有一草，似狼牙，气辛臭，名为地菘，人呼为刘憰草，主金疮，言刘憰昔曾用之。《异苑》[3]云：青州[4]刘憰，宋元嘉中[5]，射一獐，剖五脏，以此草塞之，蹶然而起，憰怪而拔草便倒，如此三度，憰密录此草种之，主折伤多愈，因以名焉。既有活鹿之名，雅与獐事相会。陶、苏两说，俱是地菘，功状既同，定非二物。(《证类》页182，《大观》卷7页29，《纲目》页878)

【校注】

［1］**天名精** 为菊科植物天名精。其异名有天蔓菁、地菘、麦句姜。郭璞注《尔雅》云："大菊，蘧麦"，说蘧麦即瞿麦，一名麦句姜。陈藏器认为郭璞所注有误，麦句姜是天名精异名，非瞿麦的异名。按：瞿麦异名有大菊、大兰、巨句麦。郭璞误巨句麦为麦句姜。所以陈氏评郭璞误注是有理由的。

［2］**苏云** "唐本注"苏敬云："天名精，鹿活草是也。南人名为地菘。味甘辛，故有姜称（麦句姜）。主破血生肌，止渴，利小便，杀三虫，除诸毒、疔疮、痔瘘。金疮内射，身痒瘾疹不止，揩

之立已。”

[3] **《异苑》** 见“195越王馀筭”注[2]。

[4] **青州** 今山东益都。

[5] **宋元嘉中** 南朝刘宋·文帝刘义隆年号为元嘉(424—452)。

749 兰草[1]

兰草与泽兰，二物同名。陶公竟不能知。苏亦强有分别。按：兰草本功外，主恶气，香泽可作膏涂发。生泽畔，叶光润，阴小紫，五月六月采阴干，妇人和油泽头，故云兰泽，李云都梁是也。苏注兰草云：八月花白，人多种于庭池，此即泽兰，非兰草也。泽兰叶尖，微有毛，不光润，方茎紫节。初采微辛，干亦辛，入产后补虚用之，已别出中品之下。苏乃将泽兰注于兰草之中，殊误也。《广志》云：都梁香，出淮南，亦名煎泽草。盛洪之《荆州记》[2]曰：都梁县[3]有山，山下有水清浅，其中生兰草，因名为都梁，亦因山为号也。(《证类》页186，《大观》卷7页38，《纲目》页831)

【校注】

[1] **兰草** 为菊科植物兰草。它与唇形科植物泽兰多相混。陈藏器指出苏敬在“兰草”条下所注的实物是泽兰。又指出都梁香是兰草的别名，而陶弘景注都梁香是泽兰的异名。《纲目》亦以都梁香为泽兰的异名。《本草图经》对兰草、泽兰作如下区分：“兰草生水旁，叶光润，阴小紫，五六月盛。”“泽兰茎干青紫色，作四棱，叶生相对，叶尖微有毛，不光润，方茎，紫节，七八月初采，微辛，生水泽中及下湿地。此为异耳。”兰草即佩兰，能祛暑化湿，去陈腐，辟秽浊。治湿胜脘腹胀闷、吐泻，或感受暑湿恶寒发热、头痛。泽兰能活血化瘀、利水消肿。

[2] **盛洪之《荆州记》** 南朝刘宋·盛洪之撰，3卷。其书多记荆州往事，有些夹杂神话传说。

[3] **都梁县** 今湖南武冈。

750 茳芏[1]

是江离子。芏字音吐，草也。似莞，生海边，可为席。又与决明叶不类。《本草》决明注又无，好事者更详之。陶云决明叶如茳芏。按：茳芏性平，无毒。火炙作饮，极香，除痰止渴，令人不睡，调中，生道旁，叶小于决明。隋稠禅师作五色饮，以为黄饮进，炀帝嘉之。(《证类》页183，《大观》卷7页31，《纲目》页912)

【校注】

[1] **茳芏**　“芏”，陈藏器注音吐。但《纲目》作“芒”。本条前后，陈藏器讲述两种植物：前者谓茳芏似莞，生海边，可为席。后者谓茳芏叶小于决明，生道旁，可以为饮。二者形状、产地、功用都不相同。《纲目》说后者是茳芒。按：本条是《嘉祐本草》引陈藏器文作为决明子注释用，则茳芏似是决明子同类物。《纲目》云：“决明有二种：一种马蹄决明，叶本小末宽，昼开夜合，结角如初生细豇豆，长五六寸，子状如马蹄，青绿色。一种茳芒决明，叶本小末尖，夜不合，结角如小指，长二寸许，子状如黄葵子而扁，其色褐。”《纲目》所讲马蹄决明，与豆科决明属植物决明同；所讲的茳芒决明，与豆科决明属植物望江南同。疑《拾遗》的茳芏即望江南，个别地区称为圓决明，充决明子用。马蹄决明、圓决明（茳芏）都能清肝明目、润肠通便。

751　续断[1]

中有水者[2]，谓之含水藤。（《和名类聚钞》卷10页6，《证类》181，《大观》卷7页24，《纲目》页867）

【校注】

[1] **续断**　为续断科植物川续断。能补肝肾、安胎、止崩漏、通血脉、治伤折、续筋骨、消痈肿。其同名异物很多。《桐君药录》谓续断生蔓延，叶细，茎如荏，大根本，黄白有汁。李当之谓是虎蓟。《范汪方》谓续断是马蓟，与小蓟菜相似，两边有刺。陶弘景注云：“时人又有接骨树，高丈余许，叶似蒴藋，皮疗金疮。而广州又有一藤名续断，一名诺藤，断其茎，器承其汁饮之，疗虚损绝伤。”《唐本草》注：“今俗用叶似苎而茎方，根如大蓟，黄白色。”《本草图经》云：“市之货者，亦有数种，少能辨其粗良。医人用之，但以节节断、皮黄皱者为真。”

[2] **中有水者**　此说正与陶弘景所讲广州诺藤相似，疑即是此。

752　茵陈[1]

本功[2]外，通关节，去滞热，伤寒用之[3]。虽蒿类，苗细经冬不死，更因旧苗而生，故名因陈，后加“蒿”字也。（《证类》页188，《大观》卷7页45，《纲目》页851）

【校注】

[1] **茵陈**　为菊科植物茵陈蒿。《本草图经》云：“春初生苗，高三五寸，似蓬蒿，而叶紧细，无花实，秋后叶枯，茎干经冬不死，至春更因旧苗而生新叶。五月七月采茎叶，阴干。今谓之山茵陈。”按：《本草图经》云“茵陈有数种。京下及北地用者，如艾蒿，叶细，味苦，干则色黑，用于解肌发汗，少效；江南所用茎叶都似家茵陈，大而高，气极芳香，用于伤寒脑痛绝胜。”可见宋代所用茵陈并非同一品种。

[2] **本功**　指《本经》《别录》所言功用。《本经》云：“茵陈主热结黄疸。”《别录》云：“主通

身发黄、小便不利。”陶弘景注：“惟入疗黄疸用。”《药性论》云：“茵陈治眼目通身黄，小便黄赤。”

[3] **去滞热，伤寒用之** 《食医心镜》：“茵陈除大热黄疸、伤寒头痛、风热瘴疠，利小便。切，煮羹，生食之亦宜人。”

753 漏卢[1]

南人用苗，北土多用根。树生如茱萸，树高二三尺，有毒，杀虫。山人洗疮疥用之。(《证类》页182，《大观》卷7页27，《纲目》页868)

【校注】

[1] **漏卢** 本条同名异物很多。陶弘景注：“漏卢根名鹿骊根，苦酒摩以疗疮疥。”《唐本草》注：“漏卢，茎叶似白蒿，花黄，生荚端，荚长似细麻如箸许，有四五瓣，七八月后皆黑，异于众草、蒿之类也。其鹿骊，山南谓之木藜卢，有毒，非漏卢也。”《本草图经》云：“今诸郡所图上，惟单州(今山东单县)者差相类(即与《唐本草》所注同)；沂州(今山东临沂)者花叶颇似牡丹；秦州(今甘肃天水)者花似单叶寒菊，紫色，五七枝同一秆上；海州(今江苏连云港)者花紫碧，如单叶莲花，花萼下及根旁有白茸裹之，根黑色如蔓菁而细。一物而殊类若此，医家何所适从。当依旧说，以单州出者为胜。”按：《图经》所云：单州所出最好，又与《唐本草》注同，当以《唐本草》注为正。陈藏器说漏卢树生如茱萸，高二三尺，有毒，杀虫。此与《唐本草》注“漏卢似白蒿”不相同，而与陶注相近。疑陈藏器所讲的漏卢或是木藜卢。现代所讲的漏卢为菊科漏卢属植物祁州漏卢和蓝刺头属植物禹州漏卢。

754 茜根[1]

主蛊[2]，煮汁服之。今之染绯者[3]，字亦作蒨。《周礼》[4]庶氏掌除蛊毒，以嘉草攻之。嘉草，蘘荷与茜主蛊为最也[5]。(《证类》页184，《大观》卷7页33，《纲目》页1040)

【校注】

[1] **茜根** 为茜草科植物茜草的根。《别录》云：“茜根一名蒨，生乔山(今陕西黄陵)川谷，二月三月采根，曝干。”《尔雅》云：“茹藘，茅蒐。”陆机云：“一名地血，齐人谓之茜，徐州人谓之牛蔓。”《蜀本草·图经》云：“染绯草，叶似枣叶，头尖下阔，茎叶俱涩，四五叶对生节间，蔓延草木上，根紫赤色。八月采根。”

[2] **蛊** 《纲目》作“蛊毒”。

[3] **染绯者** 《说文新附》：“绯，帛赤色也。”《酉阳杂俎》：“血可染绯”。

[4] **《周礼》** 见“520 鹆目”注[4]。

[5] **蘘荷与茜主蛊为最也** 《伤寒类要》治中蛊毒，或吐下血如烂肝。茜草根、蘘荷根各三两，

切，以水四升，煮取二升，去滓，温服。

755 薇衔[1]

一名无心草，非草无心者，南人名吴风草，方药不用之。妇人服之，绝产无子[2]。（《证类》页190，《大观》卷7页51，《纲目》页859）

【校注】

[1] **薇衔** 《本经》云："薇衔，一名麋衔。主风湿痹、历节痛、贼风、鼠瘘、痈肿。"《别录》云："一名无心，主暴癥逐水，疗瘘蹷。生汉中（今属陕西）、宛句（山东曹县）、邯郸（今属河北）。"《唐本草》注："此草丛生，似茺蔚及白头翁，其叶有毛，茎赤。疗贼风大效。南人名吴风草，一名鹿衔草。言鹿有疾，衔此草差。"《蜀本草·图经》云："叶似茺蔚，丛生，有毛，黄花，根赤黑也。"

[2] **妇人服之，绝产无子** 如果有此功能，作为避孕药开发研究，大有可为。

756 旋花[1]

一名鼓子花[2]。本功外，取根食之，不饥，又取根苗捣绞汁服之，主丹毒，小儿毒热。根主续筋骨、合金疮[3]。陶注误而唐注是也[4]。（《证类》页185，《大观》卷7页38，《纲目》页1015）

【校注】

[1] **旋花** 为旋花科植物旋花。另有旋覆花，为菊科植物，与本品不同。但其异名相似。《本经》云："旋花，一名金沸。"又云："旋覆花，一名金沸草。"《本草图经》云："旋花，苗作丛蔓，叶似山芋而狭长，花白。"又云："二月以后生苗，似红蓝而无刺，长一二尺，叶如柳，茎细，六月开花如菊花，小铜钱大，深黄色。人呼为金钱花。"《唐本草》注云："旋花生平泽，旋葍根又名筋根。"

[2] **一名鼓子花** 见《本草和名》卷上"旋花"引《拾遗》。

[3] **根主续筋骨、合金疮** 《别录》云："根主续筋骨"。《外台秘要》云："被斫筋断，旋葍根捣汁，沥疮中，仍以滓傅之，日三易，半月断筋便续。"

[4] **陶注误而唐注是也** 陶弘景将旋花注为山姜，并云："东人呼为山姜，根似杜若，亦似高良姜。腹中冷痛煮服甚效。其叶似姜，花赤色，味辛美，子状如豆蔻，此旋花之名即是其花也。"按陶所述其形态及功用，是姜科植物山姜，非旋花科植物旋花。陈藏器评"陶注误"是对的。又，《唐本草》注云："旋花，即生平泽旋葍是也，其根似筋，故一名筋根。此根味甘，而山姜味辛，都非此类。"陈藏器评"唐注是"，也是正确的。

757 生姜[1]

本功外，汁解毒药[2]，自余破血，调中，去冷[3]，除痰，开胃[4]。须热即去皮，要冷即留皮[5]。又，《经》云：久服少志少智[6]。按：今食姜处，亦未闻人愚；无姜处，未闻人智，此为浪说尔。（《证类》页194，《大观》卷8页3，《纲目》页1194，《医心方》页706）

【校注】

[1] **生姜** 为姜科植物姜的根茎。《别录》云："生犍为（今四川犍为）、荆州（今湖北江陵）、扬州（今江苏扬州）。"《本草图经》云："以汉（今四川广汉）、温（今浙江温州）者为良。苗高二三尺，叶似箭竹叶而长，两两相对，苗青根黄，无花实，秋采根。"

[2] **汁解毒药** 生姜能解生半夏、生南星毒，由半夏、南星中毒引起的喉舌肿痛麻木，生姜煎汤服可治之。炮制半夏、南星须用生姜。又，中鱼蟹毒，以生姜同紫苏合用可解。

[3] **去冷** 《纲目》作"去冷气"。生姜经晒干或烘干名干姜。干姜辛热燥烈，去冷强于生姜，为温中散寒主药。

[4] **除痰，开胃** 生姜能祛痰止咳。《外台秘要》治咳嗽不止，以生姜合白蜜同用。生姜能除湿开胃，增进食欲。

[5] **须热即去皮，要冷即留皮** 生姜皮性凉，治寒证，须靠生姜热性作用，宜去皮。如果治热证，即留皮。例如治胃热呕吐，利用生姜止呕，不须生姜热性，即应留皮。但生姜本身仍有些热性，更宜加黄连、竹茹，去其热性，以治胃热呕吐。

[6] **久服少志少智** 陶弘景云："生姜久服少志少智"。《食医心镜》亦云："生姜久食令人少智慧，伤心气。"陈藏器评曰："按，今食姜处，亦未闻人愚；无姜处，亦未闻人智，此为浪说尔。"（按：陈藏器评文，见《医心方》页706）

758 葛根[1]

生者破血[2]，合疮[3]，堕胎[4]，解酒毒[5]，身热赤酒黄，小便赤涩，可断谷不饥。根堪作粉[6]。（《证类》页196，《大观》卷8页8，《纲目》页1022）

【校注】

[1] **葛根** 为豆科植物野葛或甘葛藤的根。《本草图经》云："春生苗引藤蔓长一二丈，紫色，叶颇似楸叶而青，七月著花似豌豆花，不结实。根形如手臂，紫黑色。五月采曝干，入土深者佳。"

[2] **生者破血** 生葛根以断血、止血为主，未见用于破血。疑"破血"或为"断血"之误。陶弘景云："取葛根为屑，疗金疮断血为要药。"

[3] **合疮** 《梅师方》治虎伤人疮，取生葛根煮浓汁洗疮，兼捣葛末，水服方寸匕，日夜五六服。《药性论》云："干葛熬屑治金疮"。

[4] **堕胎** 葛根能升提，作用有向上趋势，故能止泻。陈藏器谓葛根堕胎，可疑。《伤寒类要》治妊娠热病心闷，取葛根汁二升，分作三服。如果葛根能堕胎，则妊娠岂能用。

[5] **解酒毒** 《别录》云："葛花主消酒。"陶弘景云："葛花并小豆花干末服方寸匕，饮酒不知

醉。”《药性论》云：“干葛主解酒毒。”《本草衍义》云：“葛根大治中热酒渴，多食行小便，亦能使人利，病酒及渴者得之甚良。”

［6］**根堪作粉** 葛根可以制葛粉。详见“228 葛粉”条。

759 芮子[1]

味辛。按：苏注《别录》云：水堇，主毒肿，蛇虫[2]，齿龋[3]。且水堇如苏所注：定是石龙芮，更非别草。《尔雅》云：芨，堇草。郭注云乌头苗也。苏又注天雄云：石龙芮，叶似堇草，故名水堇。如此则依苏所注，是水堇。芮子是堇草，水堇、堇草二物同名也[4]。（《证类》页208，《大观》卷8页45，《纲目》页995）

【校注】

［1］**芮子** 陶弘景注：“石龙芮，其子，状如葶苈，黄色而味小辛。”《唐本草》注云：“石龙芮，俗名水堇，苗如附子，实如桑椹，生下湿地，子味辛。”又注天雄云：“石龙芮，叶似堇草，故名水堇。”按《唐本草》注，石龙芮即水堇。《本草图经》认为水堇、石龙芮非一物。《纲目》认为是一物，水堇是苗，石龙芮是子。《本草衍义》认为石龙芮分水生、陆生两种：水生叶光而末圆；陆生叶有毛而末锐，取少叶揉系臂上一夜作大泡如火烧，谓之天灸。《纲目》认为陆生石龙芮是毛堇，有大毒，不可食。今日的石龙芮为毛莨种植物石龙芮，水堇为伞形植物旱芹，二者似非同一物。

［2］**蛇虫** 《唐本草》注“石龙芮”引《别录》作“蚘虫”。蚘虫即蛔虫。

［3］**齿龋** 同齿䘌。见“241 甘松香”注［4］。

［4］**水堇、堇草二物同名也** 此处水堇指石龙芮，堇草指芮子。《证类》卷25页521有《唐本草》新增药“堇汁”，《纲目》将“堇汁”易名为“水堇”，并入卷17“石龙芮”条下，出［校正］“并入菜部水堇”。但《纲目》卷26“堇”条，注出《唐本草》，其文与“石龙芮”条下并的“水堇”文全同，连引的“孟诜”，及出的“发明”“附方”文亦相同。按《本草图经》所云，《唐本草》“堇汁”（《纲目》称“水堇”）似不应并入“石龙芮”条下。

760 通草[1]

本功外，子味甘[2]，利大小便，宣通，去烦热，食之令人心宽，止渴，下气。江东人呼为畜葍子，江西人呼为拏子，一名好手子。如算袋，穰黄，子黑。食之当去其皮[3]。苏云色白，乃猴葍也。（《证类》页201，《大观》卷8页21，《纲目》页1043）

【校注】

［1］**通草** 《本经》所言通草，为多种科属植物木通。陶弘景云：“绕树藤生，茎有细孔，两头皆通，含一头吹之，则气出彼头。”《药性论》《食性本草》皆以“木通”为正名。《本草图经》云：“通草作藤蔓，大如指，其茎干大者径三寸，每节有二三枝，枝头出五叶，夏秋开紫花，亦有白花者。

结实如小木瓜，核黑瓤白，食之甘美，南人谓之燕覆。正月、二月采枝阴干。今人谓木通。而俗间所谓通草，乃通脱木也。此木生山侧，叶如萆麻，心空，中有瓤，轻白可爱，女工取以为饰物。"通脱木为五加科植物，详"358 通脱木"条。古书的通草，即今之木通；今之通草，即古书的通脱木。

[2] **子味甘** 《唐本草》注："通草（今称木通）子，食之甘美，南人谓为燕覆。"

[3] **食之当去其皮** 孟诜亦云："通草子，其皮不堪食。"

761 枲耳[1]

叶挼，安舌下，令涎出，去目黄好睡。子炒令香，捣去刺使腹破，浸酒，去风，补益。又烧作灰，和腊月猪脂封疔肿，出根。又毡中子七枚，烧作灰，投酒中饮之，勿令知，主嗜酒。叶煮服之，主狂狗咬[2]。（《证类》页 195，《大观》卷 8 页 5，《纲目》页 876）

【校注】

[1] **枲耳** 为菊科植物苍耳，其果实名苍耳子。《别录》云："枲耳生安陆（今湖北安陆）川谷及六安（今安徽六安）田野。"《本草图经》云："诗人谓之卷耳，《尔雅》谓之苓耳，《广雅》谓之枲耳。陆机疏云，叶青白，似胡荽，白花细茎蔓生（菊科苍耳非蔓生，疑另是一种）。郭璞云，形似鼠耳，丛生如盘。今之所有皆类此，但不作蔓生。或曰此物本生蜀中，其实多刺，因羊过之，毛中粘缀，遂至中原，故名羊负来。四月中生子，正如妇人耳珰，今谓之耳珰草。"

[2] **狂狗咬** 即狂犬伤。见"447 百家箸"注 [2]。

762 百合[1]

一名山丹[2]。（《本草和名》卷上引《拾遗》，《证类》页 204，《大观》卷 8 页 32，《纲目》页 1225，《本草和名》卷上）

【校注】

[1] **百合** 为百合科植物百合，或细叶百合。《唐本草》注："此药有二种。一种细叶，花红白色；一种叶大茎长，根粗，花白，宜入药用。"《日华子》亦分百合为二种，称白花者为白百合，称红花者为红百合。并云："红百合，凉，无毒。治疮肿及疗惊邪，此是红花者，名连珠。"

[2] **山丹** 此名最早见于《食疗本草》。孟诜云："百合红花者名山丹"。《纲目》云："山丹根似百合，小而瓣少，茎亦短小。其叶狭长而尖，颇似柳叶，与百合迥别。四月开红花，六瓣不四垂，亦结小子。其花跗名红花菜。"《纲目》所言山丹，即《日华子》所称红百合。

763 知母[1]

治妊娠因服致胎气不安，烦不得卧者。知母一两，洗焙为末，束肉丸弹子大。

每服一丸，人参汤下。医者不识此病，作虚烦治，反损胎气。(《证类》页 205，《大观》卷 8 页 34，《纲目》页 736)

【校注】

[1] **知母** 本条末《纲目》云："产科郑宗文得此方于陈藏器《拾遗》中，用之良验。"并注出"杨归厚产乳集验方"。按：知母为百合科知母的根茎。陶弘景云："出彭城（今江苏徐州）形似菖蒲而柔润，至难死，掘出随生，须枯燥乃止。甚疗热结。"《金匮要略》百合知母汤，知母、百合同用，治百合病（见"762 百合"注［1］）。

764 茅针[1]

味甘，平，无毒。主恶疮肿未溃者[2]，煮服之。服一针一孔，二针二孔。生挼傅金疮，止血。煮服之，主鼻衄及暴下血。成白花者，功用亦同。针即茅笋也。屋茅[3]，主卒吐血，细剉三升，酒浸煮，服一升。屋上烂茅和酱汁研，傅斑疮[4]、蚕啮疮，一名百足虫。茅屋滴溜水，杀云母毒。(《证类》页 208，《大观》卷 8 页 46，《纲目》页 783)

【校注】

[1] **茅针** 为禾本科白茅属植物白茅初生幼苗。其根名茅根。《本草图经》云："春生苗布地如针，俗谓之茅针。夏生白花，至秋而枯。其根洁白，亦甚甘美。今人取茅针挼以傅金疮，塞鼻洪，止暴下血及溺血者殊效。"《拾遗》早有著录："茅针，生挼傅金疮，止血。"

[2] **主恶疮肿未溃者** 刘禹锡《传信方》：疗痈肿有头，使必穴方，取茅针一茎正尔，全煎十数沸服之，立溃。若两茎即生两孔。

[3] **屋茅** 《纲目》引《拾遗》作"屋上败茅"。《本草图经》云："其屋苫（编茅以盖屋）茅经久者，主卒吐血，细剉三升，酒浸煮服一升。"

[4] **斑疮** 《肘后方》名天行发斑疮，即天花。是一种传染性强、病情险恶的传染病。明·隆庆年间出现了鼻苗法预防天花。今已消灭了天花。

765 防己[1]

如陶所注，即是木防己，用体小同。按：木、汉二防己，即是根苗为名，汉主水气，木主风气[2]，宣通。作藤著木生，吹气通一头如通草。(《证类》页 223，《大观》卷 9 页 14，《纲目》页 1042)

【校注】

[1] **防己** 为汉防己、木防己的通称。汉防己为防己科植物粉防己的根；木防己为马兜铃科植物广防己的根。《本草图经》云："汉中（今陕西汉中）出者，破之，文作车辐解，黄实而香，茎梗甚嫩，苗叶小类牵牛，折其茎，一头吹之，气从中贯如木通。它处出者，青白虚软，又有腥气，皮皱，上有丁足子，名木防己。木防己虽今不入药，而古方通用之。张仲景治伤寒有增减木防己汤。"

[2] **汉主水气，木主风气** 汉防己利水退肿，木防己祛风止痛。二者今常通用，总以利水湿为主。由水湿所致浮肿、腹水、脚气、痰饮、下焦湿毒、风湿痛等，以之作适当的配伍，均可治疗。

766 泽兰[1]

按：马兰[2]生泽旁，如泽兰气臭，《楚辞》[3]以恶草喻恶人。（《证类》页239、222，《大观》卷9页12，《纲目》页832）

【校注】

[1] **泽兰** 为唇形科植物地瓜儿苗。《本草图经》云："泽兰根紫黑色，如粟根。二月生苗，高二三尺，茎干青紫色，作四棱，叶生相对如薄荷，微香。七月开花带紫白色，萼通紫色，三月采苗阴干。"泽兰利水退肿、活血化瘀。《本经》云："泽兰主大腹水肿、身面四肢浮肿、金疮痈肿疮脓。"

[2] **马兰** 见"249马兰"条。《本草图经》云："马兰生水泽旁，颇似泽兰而气臭、味辛，亦主破血、补金创、断下血。陈藏器以为《楚辞》所喻恶草即是也。"

[3] **《楚辞》** 见"143诸水有毒"注[2]。

767 百部[1]根

火炙，浸酒，空腹饮，去虫[2]蚕咬，兼疥癣疮。（《证类》页225，《大观》卷9页20，《纲目》页1027）

【校注】

[1] **百部** 为百部科多种百部的通称。《本草图经》云："百部，春生苗，作藤蔓，叶大而尖长，颇似竹叶，面青色而光，根下作撮如芋子，一撮乃十五六枚，黄白色，二月、三月、八月采曝干。"

[2] **去虫** 《日华子》云："百部根治疳蛔及传尸骨蒸劳，杀蛔虫、寸白、蛲虫，并治一切树木蛀虫，亦可杀蝇蠓。"百部根酒浸或水煎液外用，灭头虱、体虱、阴虱，亦除阴道滴虫，内服杀蛔虫（蛔虫）、蛲虫。

768 王瓜[1]

主蛊毒[2]，小儿闪癖，痞满[3]并疟。取根及叶，捣绞汁服，当吐下。宜少进

之，有小毒故也。(《证类》页220，《大观》卷9页6，《纲目》页1021)

【校注】

[1] **王瓜** 为葫芦科植物王瓜的果实，其根名土瓜根。《本草图经》云："《月令》云，四月王瓜生，叶似栝楼，圆无叉缺，有刺如毛，五月开黄花，花下结子，如弹丸，生青熟赤。根似葛，细而多糁，谓之土瓜根。"

[2] **主蛊毒** 《外台秘要》治蛊，用土瓜根，大如拇指，长三寸，切，以酒半升渍一宿，一服当吐下。

[3] **痞满** 见"175甜藤"注[3]。

769 高良姜[1]

味辛，温。下气，益声，好颜色。煮作饮服之，止痢[2]及霍乱。(《证类》页224，《大观》卷9页18，《纲目》页809)

【校注】

[1] **高良姜** 为姜科植物高良姜的根茎。陶弘景云："高良姜出高良郡（今广东阳江），人腹痛不止，但嚼食亦效。"

[2] **止痢** 高良姜辛温燥散，只能用于寒痢、下白冻或久痢，对于暴痢、热痢、下痢红赤有热禁用。

770 积雪草[1]

东人呼为连钱，生阴处，蔓延地，叶如钱。主暴热，小儿丹毒寒热[2]，腹内热结，捣绞汁服之。(《证类》页233，《大观》卷9页41，《纲目》页839)

【校注】

[1] **积雪草** 为伞形科植物积雪草。《唐本草》注云："此草叶圆如钱大，茎细劲蔓延，生溪涧侧。荆楚人以叶如钱谓为地钱草，《徐仪药图》名连钱草。"

[2] **主暴热，小儿丹毒寒热** 《本经》云："积雪草主大热恶疮，痈疽，浸淫赤熛，皮肤赤，身热。"《唐本草》注："捣傅热肿丹毒"。《日华子》云："以盐挼贴，消肿毒，并风疹疥癣。"《本草衍义》云："捣烂贴一切热毒痈疽。"

771 恶实根[1]

蒸，曝干，不尔令人欲吐。浸酒去风[2]，又主恶疮。子名鼠粘，上有芒，能缀鼠[3]。味苦，主风毒肿诸瘘[4]。根可作茹食之，叶亦捣傅杖疮，不脓，辟风。（《证类》页 218，《大观》卷 9 页 3，《纲目》页 874）

【校注】

[1] **恶实根** 即牛蒡根。为菊科植物牛蒡的根，其果实名牛蒡子。《本草图经》云："恶实叶如芋而长，实似葡萄核而褐色。根大者作菜茹。生根捣入少盐花，以搨肿毒。"

[2] **浸酒去风** 刘禹锡《传信方》疗暴中风，用紧细牛蒡根，捣绞取汁一大升，和灼热好蜜四大合，温，分两服。初服得汗，汗出便差。

[3] **子名鼠粘，上有芒，能缀鼠** 《本草图经》云："恶实外壳如栗球，小而多刺，鼠过之则缀惹不可脱，故谓之鼠粘子，亦如羊负来之比。"

[4] **主风毒肿诸瘘** 牛蒡子能清热解毒，消痈肿，散风热，透疹，止咳。

772 大、小蓟根[1]

蓟门，以蓟为名，北方者胜也。小蓟破宿血，止新血，暴下血，血痢，惊疮出血，呕血等[2]。绞取汁温服。作煎和糖合，金疮及蜘蛛蛇蝎毒服之亦佳。（《证类》页 221，《大观》卷 9 页 9，《纲目》页 866，《医心方》页 708）

【校注】

[1] **大、小蓟根** 大蓟为菊科植物大蓟；小蓟为菊科植物刺儿菜，或刻叶刺儿菜。《本草图经》云："小蓟苗高尺余，叶多刺，心中出花，头如红蓝花而青紫色。当二月苗初生二三寸时，并根作茹，食之甚美。四月采苗，九月采根。"又云："大蓟与小蓟相似，但肥大耳。而功力有殊，除破血外，亦疗痈肿。小蓟专主血疾。"《本草衍义》云："大小蓟皆相似，花如髻。但大蓟高三四尺，叶皱；小蓟高一尺许，叶不皱，以此为异。"大蓟、小蓟皆能凉血止血，大蓟偏于解毒消肿，小蓟偏于利尿利疸。

[2] **小蓟破宿血，止新血，暴下血，血痢，惊疮出血，呕血等** 《本草图经》云："小蓟生捣根绞汁饮，止吐血、衄血、下血皆验。"

773 水萍[1]

有三种，大者曰蘋，叶圆，阔寸许，叶下有一点如水沫，一名芣菜。曝干，与栝楼等分，以人乳为丸，主消渴。捣绞取汁饮，主蛇咬毒入腹，亦可傅热疮[2]。小萍子，是沟渠间者，末傅面皯，捣汁服之[3]，主水肿，利小便[4]。又，人中毒[5]，取萍子暴干，末酒服方寸匕，又，为膏长发。《本经》云水萍，应是小者。（《证类》页 219，《大观》卷 9 页 4，《纲目》页 1068）

【校注】

[1] **水萍** 《唐本草》注："水萍有三种：大者名蘋，中又有荇菜（凫葵），小者水上浮萍。"陶弘景、苏颂谓水萍是蘋，而陈藏器谓水萍即沟渠间浮萍。按：沟渠间浮萍为浮萍科植物紫背浮萍。蘋是蘋科四叶菜（田字草）。但《拾遗》所讲大者曰蘋，叶圆，阔寸许，叶下有一点如水沫。与现代蘋科四叶菜形态大小皆不相同，《拾遗》所谓的蘋应是另一物，非蘋科四叶菜。

[2] **傅热疮** 《日华子》云："水萍治热毒风，热疾热狂，熁肿毒，汤火疮，风疹。"

[3] **末傅面䵟，捣汁服之** 《圣惠方》治少年面上起细疱，挼浮萍傅之，亦可饮少许汁，良。

[4] **主水肿，利小便** 《千金翼方》治小便不利、膀胱水气流滞，以浮萍日干，末服方寸匕，日一二服。《圣惠方》治水气浮肿亦用此方。

[5] **人中毒** 《千金方》治中水毒，手足指冷即是，或至膝肘，以浮萍日干，服方寸匕，差。

774 海藻[1]

此物有马尾者，大而有叶者，《本经》及注，海藻功状不分。马尾藻，生浅水，如短马尾，细黑色，用之当浸去咸。大叶藻，生深海中及新罗，叶如水藻而大。《本经》云：主结气瘿瘤是也[2]。《尔雅》云：纶似纶，组似组，正为二藻也[3]。海人取大叶藻，正在深海底，以绳系腰没水下刈得，旋系绳上。五月以后，当有大鱼伤人，不可取也。（《证类》页221，《大观》卷9页10，《纲目》页1072）

【校注】

[1] **海藻** 本条《拾遗》将海藻分为马尾藻、大叶藻两种，并详述其形态产地及收割。所言马藻与马尾藻科羊栖菜（小叶海藻）相同，大叶藻与马尾藻科海蒿子（大叶海藻）相同。

[2] **《本经》云：主结气瘿瘤是也** 《本经》云："（海藻）主瘿瘤、颈下核，下十二水肿。"《肘后方》治颔下瘰疬如梅李，宜速消之。海藻一斤，酒二升，渍数日，稍稍饮之。

[3] **纶似纶，组似组，正为二藻也** 《本草图经》云："陶弘景云，《尔雅》所谓纶似纶，组似组，东海有之。今青苔、紫菜皆似纶，昆布亦似组，恐即是此也。而陈藏器乃谓纶、组正谓此二藻也。而海藻有马藻、大叶藻二名，释注皆以为药草，谓纶、组乃别草。若然，陶所云似近之，陈藏器之说未可的据。"

775 昆布[1]

主颓卵肿，煮汁咽之。生南海，叶如手，干紫赤色，大似薄苇。陶云：出新罗[2]，黄黑色，叶柔细。陶解昆布乃是马尾海藻也[3]。新注云：如瘿气，取末蜜丸含化，自消也。（《证类》页222，《大观》卷9页13，《纲目》页1073，《医心方》页710）

【校注】

[1] **昆布** 为翅藻科植物昆布。但中药昆布除本种外，主要是用海带科植物海带。本条录自唐慎微援引的陈藏器文。《开宝》引陈藏器文作“昆布主阴𤻙，含之咽汁。生南海，叶如手大，如薄苇紫色。”陶弘景注云：“昆布，今惟出高丽（朝鲜古国），绳把索之如卷麻，作黄黑色，柔韧可食。”又云：“凡海中菜皆疗瘿结气。”

[2] **新罗** 即朝鲜古国。

[3] **陶解昆布乃是马尾海藻也** 见“774 海藻”注［1］。

776 荭草[1]

作汤，浸水气、恶疮肿佳[2]。(《证类》页 235，《大观》卷 9 页 47，《纲目》页 931)

【校注】

[1] **荭草** 为蓼科植物荭草，一名水荭。《尔雅》云：“红，笼古。其大者蘬。”疏引陆机云：“一名马蓼，叶大而赤，生水泽中，高丈余。”《别录》云：“荭草如马蓼而大，生水旁。”陶弘景云：“马蓼茎斑，叶大有黑点，其最大者即水荭。”

[2] **作汤，浸水气、恶疮肿佳** 《唐本草》注云：“荭草有毛，花红白，除恶疮肿、脚气，煮浓汁渍之，多差。”

777 蒟酱[1]

苏注云：荜拨丛生，子细，味辛，烈于蒟酱。按：荜拨[2]，温中下气[3]，补腰脚，杀腥气，消食，除胃冷、阴疝、痃癖[4]。根名荜拨没[5]，主五劳七伤[6]、阴汗核肿[7]，已出《拾遗》。生波斯国[8]，胡人将来此，调食用之。(《证类》页 228，《大观》卷 9 页 32，《纲目》页 815)

【校注】

[1] **蒟酱** 为胡椒科植物蒟酱的果穗。是《唐本草》收载之药，并注云：“《蜀都赋》所谓流味于番禺者。蔓生，叶似王瓜而厚大，味辛香，实似桑椹，皮黑肉白。”

[2] **荜拨** 为胡椒科植物荜拨未成熟的果穗。《开宝本草》云：“荜拨生波斯国。丛生，茎叶似蒟酱，子紧细，味烈于蒟酱。”《本草图经》云：“高三四尺，茎如箸，叶青圆，阔二三寸，如桑，面光而厚，三月开花，白色在表，七月结子，如小指大，长二寸已来，青黑色，类椹子。九月采，灰杀曝干。”又云：“今惟贵荜拨，而不尚蒟酱。”

[3] **温中下气** 荜拨能温胃肠、散沉寒。配高良姜、木香、厚朴治胃寒呕吐、脘腹冷痛。

[4] **阴疝、痃癖** 阴疝是疝气的一种，见“540 鲙”注［6］。痃癖，见“59 桑灰”注［3］。

[5] **荜拨没** 即荜拨根。见“236 荜拨没”。

[6] **五劳七伤** 见“236 荜拨没”注[3][4]。

[7] **阴汗核肿** 阴汗，见“68 铸铧钼孔中黄土”注[3]。肿核，即核肿，见“236 荜拨没”注[6]。

[8] **波斯国** 即伊朗古国。见“236 荜拨没”注[8]。

778 萝摩[1]

萝摩条中白汁，主蜘蛛、蚕咬，折取汁点疮上，此汁烂丝。煮食，补益。按：陶注“枸杞”条云傅肿[2]。东人呼为白环，藤生篱落间，折有白汁，一名雀瓢。此注又云雀瓢是女青[3]，然女青终非白环，二物相似，不能分别。（《证类》页 229，《大观》卷 9 页 32，《纲目》页 1046）

【校注】

[1] **萝摩** 为萝摩科植物萝摩。萝摩最早见于陶弘景作“枸杞注”。陶云：“去家千里，勿食萝摩、枸杞，言其补益精气，强盛阳道也。萝摩一名苦丸。叶厚大，作藤生，摘之有白汁，人家多种之，可生啖，亦蒸煮食也。”《唐本草》收萝摩子为正品，并云：“主虚劳，叶食之，功同于子。陆机云，一名丸兰，幽州（今北京市）谓之雀瓢。”又注云：“按，雀瓢是女青别名，以叶似女青，故兼名雀瓢。”按：萝摩子，即斫合子，见“219 斫合子”条。

[2] **按：陶注“枸杞”条云傅肿** 检《大观》《政和》卷 12“枸杞”条引陶弘景注无此文。疑今本陶弘景注有脱文。

[3] **此注又云雀瓢是女青** 《唐本草》注女青云：“此草即雀瓢也。叶似萝摩，两叶相对，子似瓢形，大如枣许，故名雀瓢。”是雀瓢为萝摩、女青共有的异名。

779 姜黄[1]

真者是经种三年已上。老姜能生花，花在根际，一如蘘荷，根节紧硬，气味辛辣，种姜处有之，终是难得。性热不冷，《本经》云寒，误也。破血下气。西番亦有来者，与郁金[2]、莪药[3]相似。如苏所附，即是莪药，而非姜黄，苏不能分别二物也。又云：莪，味苦，温。主恶气疰忤，心痛，血气结积。苏云姜黄是莪，又云郁金是胡莪，夫如此，则三物无别，递相连名，总称为莪，功状则合不殊。今莪味苦，色青。姜黄味辛，温，无毒，色黄，主破血、下气、温不寒。郁金味苦，寒，色赤，主马热病。三物不同，所用各别。（《证类》页 228，《大观》卷 9 页 30，《纲目》页 818）

【校注】

［1］**姜黄** 本条是讲姜黄、郁金、蒁药（莪术）三者的鉴别。《本草图经》云："按，郁金、姜黄、蒁药三物相近，苏恭不细辨，所说乃如一物。陈藏器《解纷》云：蒁味苦，色青；姜黄味辛，温，色黄；郁金味苦，寒，色赤，主马热病，三物不同，所用各别。"按：此三者都是姜科植物，姜黄为姜科植物姜黄，郁金为姜科植物郁金，蒁药为姜科植物莪术。但姜黄、蒁药有时亦作郁金用。三者都能行气活血。但姜黄能驱风，疗肩背风湿痛；郁金能解郁、利胆、止血；蒁药能消积聚癥瘕、止痛。此外姜黄有香气可制调味剂，熬煮可制黄色染料。

［2］**郁金** 既能行气活血，又能解郁、利胆、止血。《傅青主女科》载治肝郁行经腹痛及乳房胀痛，以郁金配丹皮、柴胡、当归、白芍合用。

［3］**蒁药** 即莪术。见"229 蓬莪茂"。

780 大黄[1]

用之当分别其力，若取和厚深沉，能攻病者，可用蜀中似牛舌片紧硬者[2]；若取泻泄峻快，推陈去热，当取河西锦纹者[3]。凡有蒸有生有熟，不得一概用之[4]。（《证类》页247，《大观》卷10页15，《纲目》页941）

【校注】

［1］**大黄** 为蓼科植物多种大黄的通称，如掌叶大黄、唐古特大黄、药用大黄。《本草图经》："正月内生青叶似蓖麻，大者如扇，根如芋。大者如碗，长一二尺，旁生细根如牛蒡；小者亦如芋。四月开黄花，亦有青红似荞麦花。茎青紫色，形如竹。二月八月采根，去黑皮，火干。"

［2］**蜀中似牛舌片紧硬者** 《本草图经》云：蜀大黄乃作紧片如牛舌形，谓之牛舌大黄。"《药性论》云："蜀大黄，通女子经候，利水肿，能破痰实、冷热结聚、宿食，利大小肠，贴热毒肿，蚀脓，破留血。"

［3］**河西锦纹者** 指陕西、甘肃所产有锦纹的大黄，泻下力猛，能泻热通便。

［4］**凡有蒸有生有熟，不得一概用之** 大黄作用强度、速度，除与品种、用量有关外，还与炮炙、煎法有关。未经炮制的生大黄，用热汤浸泡服，作用快而强。经过炮制后的大黄为熟大黄，用热汤煮服，则作用弱而慢。经过久蒸久制久煮的大黄，作用很弱而和缓。用于高热便闭，宜热汤浸泡生大黄。用于老年、体虚便闭，宜用久蒸久制的大黄。

781 钩吻[1]

人食其叶，饮冷水即死，冷水发其毒也。彼人以野葛饲人，勿与冷水，至肥大。以冷水饮之至死，悬尸于树，汁滴地，生菌子，收之名菌药，烈于野葛。胡蔓叶细长光润[2]。（《证类》页252，《大观》卷10页27，《纲目》页998）

【校注】

[1] **钩吻** 为马钱科植物胡蔓藤。陶弘景云："钩吻是野葛。叶似黄精而茎紫，当心抽花黄色。初生极类黄精，以杀生之对。"《唐本草》注云："苗名钩吻，根名野葛，蔓生。人或误食其叶者皆致死，而羊食其苗大肥。"又云："黄精直生如龙胆、泽漆，两叶或四五叶相对；钩吻蔓生，叶如柿叶。"《雷公炮炙论》云："钩吻真似黄精，只是叶有毛钩子二个是别认处，若误服害人。黄精叶似竹叶。"又云："钩吻治人身上恶疮毒疮"。《葛洪方》云："钩吻与食芹相似，而生处无他草，其茎有毛，误食之杀人。"

[2] **胡蔓叶细长光润** 以上七字，《纲目》节录"蕹菜"条文易之。其文为"蕹菜捣汁，解野葛毒。取汁滴野葛苗即萎死。南人先食蕹菜，后食野葛，二物相伏，自然无苦。魏武帝啖野葛至尺，先食此菜也。"《岭表录异》云："野葛，毒草也。俗呼为胡蔓草，误食之，则用羊血解之。"

782 赭魁[1]

按：土卵[2]，蔓生，根如芋，人以灰汁煮食之。不闻有功也。（《证类》页257，《大观》卷10页40，《纲目》页1034）

【校注】

[1] **赭魁** 为何物，各家意见不一。陶弘景云："赭魁状如小芋子，肉白皮黄。"《唐本草》注认为陶所说是土卵。梁汉（今陕西汉中）人名之黄独，蒸食之，非赭魁也。《唐本草》注云："赭魁，大者如斗，小者如升，叶似杜衡，蔓生草木上，有小毒。"《蜀本草·图经》云："赭魁苗蔓延生，叶似萝摩，根若菝葜，皮紫黑，肉黄赤，大者轮囷（古代圆形粮仓）如升，小者若拳。"又云："陶所说为是也"。《梦溪笔谈》云："赭魁，南中极多，肤黑肌赤，似何首乌。彼人以染皮制靴。闽人谓之余粮。"

[2] **土卵** 《纲目》认为土卵即土芋（见"211 土芋"条）。并将此处土卵的文字并入土芋文内为一条。此处土卵文末云："不闻有功也"。但陈藏器在"土芋"条明言"解诸药毒，生研水服，当吐出恶物便止"，与土卵"不闻有功"不相应。疑土卵、土芋非同一物也。

783 射罔[1]

本功外，主瘘疮[2]，疮根结核，瘰疬[3]，毒肿及蛇咬[4]，先取药涂肉四畔，渐渐近疮，习习逐病至骨。疮有熟脓及黄水出，涂之；若无脓水，有生血及新伤肉破，即不可涂[5]，立杀人。亦如杀走兽，傅箭镞射之，十步倒也。（《证类》页243，《大观》卷10页6，《纲目》页972）

【校注】

[1] **射罔** 为毛茛科植物乌头的汁煎。陶弘景注云："八月采乌头，捣榨茎取汁，日煎为射罔，

猎人以傅箭射禽兽，中人亦死，宜速解之。”《本经》云：“乌头，其汁煎之名射罔，杀禽兽。”

[2] **瘘疮** 见“222 博落回”注[8]。

[3] **瘰疬** 见“6 水银粉”注[4]。

[4] **蛇咬** 《梅师方》治蛇虺螫人，以射罔涂螫处，频易。

[5] **若无脓水，有生血及新伤肉破，即不可涂** 乌头剧毒，其汁煎成射罔更毒。一般不能涂疮口，有脓疮口，吸收较慢；新伤口或有鲜血出处，吸收极快，绝对不能涂，误涂必杀人。射罔毒即乌头毒。轻度中毒，恶心、呕吐、口舌麻木，肢体颤动。稍重度中毒即昏迷，失去知觉，接近死亡。所以乌头用于麻醉很不安全，用于局部止痛有一定疗效。《圣惠方》治风、腰脚冷、痹痛，用川乌头（人工栽培的）三分，去皮脐，生捣罗，酽醋调，涂于故帛上傅之，须臾痛止。所以乌头善治肢体麻木酸痛，毒性大，慎用。乌头分川乌、草乌两种。川乌是人工栽培的，草乌是野生的。本书“220 独自草”，《纲目》作“独白草”，并认为该草是野生乌头，《纲目》将“独自草”全文并入“乌头”条下。

784 天雄[1]

身全短无尖，周匝四面有附子孕十一个，皮苍色即是天雄[2]。宜炮皱拆后，去皮尖底用之。不然阴制用并得。（《证类》页 244，《大观》卷 10 页 5，《纲目》页 970）

【校注】

[1] **天雄** 为毛茛科植物乌头形长而细的根。陈承《别说》云：“天雄者，始种乌头而不生诸附子、侧子之类，经年独生长大者是也。蜀人种之忌生此，以为不利。如养蚕而为白僵之类也。”

[2] **身全短无尖，周匝四面有附子孕十一个，皮苍色即是天雄** 按陈藏器所讲天雄，实际是乌头。生附子的乌头，其主根短；不生附子的乌头，其主根长。陶弘景云：“天雄似附子，细而长便是，长者乃至三四寸许。”《日华子》云：“天雄大长，少角刺而虚；附子大短，有角而实；乌头次于附子。”

785 附子[1]

无八角，陶强名之，古方多用八角附子[2]，市人所货，亦八角为名。附子醋浸削，如小指，内耳中，去聋。去皮炮令拆[3]，以蜜涂上炙之，令蜜入内，含之勿咽，其汁主喉痹。（《证类》页 242，《大观》卷 10 页 1，《纲目》页 962）

【校注】

[1] **附子** 为毛茛科植物乌头的旁生块根。《本草图经》云：“元种者，母为乌头，其余大小者为附子。其长三二寸者为天雄，割削附子旁尖芽角为侧子。本只种附子一物，至成熟后有此四物（今天雄、乌头、附子、侧子）。”陶弘景云：“附子、乌头、天雄本并出建平（今四川巫山），谓之三建。

今宜都（今湖北宜都）、佷山（今湖北长阳）最好，谓为西建；钱塘间者谓为东建，气力劣弱。”

［2］**八角附子** 陶弘景云：“附子以八月上旬采八角者良。”《本草图经》云：“附子以八角者为上”。陈藏器认为，附子无八角，陶强名之。

［3］**炮令拆** 陶弘景云：“凡用三建（附子、乌头、天雄）皆热灰微炮令拆，勿过焦，惟姜附汤生用之。”《本草图经》云：“如方药要用乌头、附子，须炮令裂，去皮脐使之。”按：乌头、附子含多种剧毒生物碱，经过炮或久煮，则破坏一部分毒质。昔日因炮制不合规范，中毒死人的事很多。为安全计，入汤剂的乌头、附子，应先煮半小时。

786 侧子[1]

冷酒调服，治遍身风疹[2]。（《证类》页245，《大观》卷10页9，《纲目》页972）

【校注】

［1］**侧子** 为毛茛科植物乌头侧根之小者。陶弘景注云：“侧子即附子边角之小者，脱取之。”《唐本草》注云：“侧子与附子皆从乌头旁出也。以小者为侧子，大者为附子。今亦有以附子角为侧子。”《本草图经》云：“割削附子旁尖角为侧子，又附子绝小者为侧子。”据此侧子有两种，一是切附子角为侧子，二是以附子绝小者为侧子。这个绝小者没有标准。《纲目》以绝小者琐细，能从篮中漏下，称漏篮子。《雷公炮炙论》称之为木鳖子，服之令人丧目。

［2］**治遍身风疹** 《雷公炮炙论》云：“侧子只是附子旁有小颗附子如枣核者是，宜生用，治风疹神妙也。”

787 射干[1]

鸢尾[2]，按：此二物相似，人多不分。射干总有三物，《佛经》云：夜干貂獄，此是恶兽，似青黄狗，食人。郭云：能缘木。又阮公诗云：夜干临层城，此即是树。今之射干，殊高大者。本草射干，即人间种为花卉，亦名凤翼，叶如鸟翅，秋生红花赤点。鸢尾亦人间多种，苗低下于射干，如鸢尾，春夏生紫碧花者是也。又注云：据此犹错，夜干花黄，根亦黄色。（《证类》页252，《大观》卷10页28，《纲目》页986）

【校注】

［1］**射干** 为鸢尾科植物射干。本条陈藏器辨明射干同名异物有三：一是恶兽名貂獄，二是树木，三是花卉。本草所讲射干为花卉。《本草图经》云：“射干，春生苗，高二三尺，叶似蛮姜而狭长，横张疏如翅羽状，叶中抽茎似萱草而强硬，六月开花黄红色，瓣上有细纹，结实作房，其中子黑色，根多须，皮黄黑，肉黄赤。三月采根阴干。”

［2］**鸢尾** 为鸢尾科植物鸢尾。《唐本草》注云：“鸢尾叶似射干而阔，不抽长茎，花紫碧色，

根似高良姜，皮黄肉白，有小毒。嚼之輒人咽喉。”《本草图经》云：“鸢尾布地而生，叶扁阔于射干。苏云，花紫碧色，根如高良姜者是也。”《蜀本草》云：“此草，叶名鸢尾，根名鸢头。”

788　鸢尾[1]

主飞尸[2]，游蛊[3]著喉中，气欲绝者，以根削去皮，内喉中，摩病处，令血出为佳。（《证类》页246，《大观》卷10页14，《纲目》页988）

【校注】

[1] **鸢尾**　见“787 射干”注［2］。《别录》云：“鸢尾，有毒。疗头眩，杀鬼魅。一名乌园。生九疑（湖南宁远县南）山谷，五月采。”

[2] **飞尸**　见“149 草犀根”注［7］。

[3] **游蛊**　见“554 鼋”注［6］。

789　半夏[1]

高一二尺[2]，生泽中熟地。根如小指、正圆，所谓羊眼半夏也[3]。（《证类》页246，《大观》卷10页11，《纲目》页980）

【校注】

[1] **半夏**　本条是《开宝本草》注“由跋”条时所引的陈藏器文。按：半夏为天南星科植物半夏的块茎。《别录》云：“半夏生槐里（今陕西武功）。”陶弘景云：“今第一出青州（今山东益都）。”《本草图经》云：“以齐州（今山东济南）者为佳。二月生苗一茎，茎端出三叶，浅绿色，颇似竹叶而光。根下相重生，上大下小，皮黄肉白。五月采者虚小，八月采者实大，以圆白陈久者为佳。”半夏善除痰止呕，生半夏外用消痈肿。

[2] **高一二尺**　《本草图经》注天南星云：“陈藏器云，半夏高一二尺，由跋高一二寸，此正误，相反言也。今由跋苗高一二尺，半夏高一二寸，亦有盈尺者。”

[3] **所谓羊眼半夏也**　《本草图经》云：“其生平泽者甚小，名羊眼半夏。”据此，羊眼半夏即半夏之小者。

790　由跋[1]

苗高一二寸[2]，似蒟蒻，根如鸡卵，生林下，所谓由跋也。（《证类》页246，《大观》卷10页14，《纲目》页979）

【校注】

[1] **由跋** 为天南星科植物由跋。《本草图经》云："由跋绝类半夏，而苗高近一二尺许，根如鸡卵，大多生林下。或云即虎掌之小者。"《蜀本草·图经》云："春抽一茎，茎端直，八九叶，根圆扁而肉白。"

[2] **苗高一二寸** 见"789 半夏"注［2］。疑"寸"为"尺"之误。今本《大观》作"寸"，人卫本《政和》作"尺"。

791 莨菪子[1]

主痃癖[2]，安心定志，聪明耳目，除邪逐风，变白。性温，不寒[3]。取子洗暴干，隔日空腹，水下一指捻，勿令子破，破即令人发狂[4]。亦用小便浸之令泣，小便尽，暴干，依前服之。(《证类》页 250，《大观》卷 10 页 22，《纲目》页 953)

【校注】

[1] **莨菪子** 为茄科植物莨菪的种子。《蜀本草·图经》云："叶似王不留行、菘蓝等，茎、叶有细毛，花白，子壳作罂子形，实扁细，若粟米许，青黄色。六月、七月采子，日干。"

[2] **痃癖** 见"59 桑灰"注［3］。

[3] **性温，不寒** 《本草图经》云：莨菪子按《本经》云性寒，后人多云大热。

[4] **勿令子破，破即令人发狂** 完整子吞下，吸收慢，不易达到中毒浓度。子破极易被吸收，引起中毒，使人谵语狂乱。余曾见一病人，因身痛不可耐，吞半酒杯莨菪子，昏睡三日方醒。

792 蛇衔[1]

主蛇咬。种之亦令无蛇。今以草内蛇口中，纵伤人，亦不能有毒矣。(《证类》页 253，《大观》卷 10 页 30，《纲目》页 921)

【校注】

[1] **蛇衔** 为蔷薇科委陵菜属植物蛇含。《本经》名"蛇全"。《唐本草》注云："'全'字乃是'含'字，陶见误本，宜改为'含'。'含''衔'义同。"陶弘景注："蛇衔有两种，并生石上，当用细叶黄花者。"《本草图经》云："蛇含，生益州（四川成都）山谷。一茎五叶或七叶，八月采根，阴干。"

793 草蒿[1]

主鬼气[2]，尸疰伏连[3]，妇人血气，腹内满及冷热久痢[4]。秋冬用子，春夏用苗，并捣绞汁服，亦暴干为末，小便中服。如觉冷，用酒煮。又烧为灰，纸八九重，淋取汁，和石灰去息肉、靥子[5]。一名莪蒿[6]。（《证类》页250，《大观》卷10页23，《纲目》页852，《本草和名》卷上）

【校注】

［1］**草蒿** 即青蒿。为菊科植物黄花蒿。《蜀本草·图经》云："叶似茵陈而背不白，高四尺许。四月、五月采苗，日干。"《本草图经》云："春生苗，叶极细嫩，时人亦取杂诸香菜食之，至夏高三五尺，秋后开细淡黄花，花下便结子如粟米大。八月、九月采子阴干。"

［2］**鬼气** 见"104 车脂"注［2］。崔元亮《海上方》治骨蒸鬼气，青蒿煎汁和猪胆为丸服。

［3］**尸疰伏连** 即劳瘵。见"398 古厕木"注［3］。

［4］**久痢** 《日华子》云："青蒿治泻痢，饭饮调末五钱匕。"

［5］**去息肉、靥子** 《食疗本草》云："青蒿烧灰淋汁和石灰煎，治恶疮瘢靥。"按：青蒿烧灰，生碳酸钾，同石灰煮，即生成氢氧化钾溶液。该溶液腐蚀性大，能烂息肉、恶疮。点时很痛，极易损伤健康皮肤。

［6］**一名莪蒿** 见《本草和名》卷上"草蒿"条引《拾遗》。

794　羊桃[1]

味甘，无毒。主风热，羸老，浸酒服之。生蜀川川谷中，草高一尺，叶长小，亦石羊桃根也。（《证类》页273，《大观》卷11页28，《纲目》页1049）

【校注】

［1］**羊桃** 本品同名异物很多。一为木名。《山海经·丰山》："其木多羊桃，状似桃而方茎。"二为果名。猕猴桃科猕猴桃名羊桃，酢酱草科植物五敛子名羊桃。三为草名。《尔雅》云："长楚，铫弋。"郭璞注："今羊桃也，或曰鬼桃，叶似桃，花白，子如小麦，亦似桃。"《诗·桧风》："隰有苌楚。"陆机疏云："苌楚，今羊桃是也。叶长而狭，花紫赤色，其枝茎弱，过一尺引蔓于草上，今人以为汲灌。"郝懿行《尔雅义疏》认为，陆机所云即夹竹桃。夹竹桃是夹竹桃科植物，是木类，非草类。《本草》将羊桃列在草类，则羊桃应是草名。陶弘景云："羊桃，山野多有，甚似农桃，又非山桃。子小细，苦不堪啖，花甚赤。《诗》云，隰有苌楚者即此。"《唐本草》注云："羊桃，多生沟渠隍堑之间。人取煮以洗风痒及诸疮肿极效。"

795　酸模[1]

叶酸美，小儿折食其英。根主暴热、腹胀，生捣绞汁服，当下痢，杀皮肤小虫。叶似羊蹄，是山大黄，一名当药。《尔雅》云：须，薞芜。注云：似羊蹄而细，味酸可食[2]。（《证类》页267，《大观》卷11页13，《纲目》页1061）

【校注】

[1] **酸模** 为蓼科植物酸模。陶弘景注“羊蹄”条云：“又一种极相似而味醋，呼为酸模，根亦疗疥。”

[2] **注云：似羊蹄而细，味酸可食** 《纲目》引〔藏器曰〕作郭璞注云：“似羊蹄而叶细，味酸可食。一名蓨也。”按：《尔雅注疏》卷八云，须，飧芜。郭注为“飧芜似羊蹄，叶细，味酢，可食。”并无“一名蓨也”四字。此四字是苏颂《本草图经》引郭璞注释酸模所加的按语，既非郭璞之文，也非陈藏器之文。郝懿行《尔雅义疏》，据《纲目》所云，以为“一名蓨也”出于陈藏器，可疑。

796 乌韭[1]

烧灰，沐发令黑[2]。生大石及木间阴处，青翠茸茸者，似苔而非苔也。(《证类》页278，《大观》卷11页44，《纲目》页1090)

【校注】

[1] **乌韭** 本品同名异物很多。《别录》云：“垣衣，一名乌韭。生古垣墙阴。”《纲目》云：“土马鬃，土墙上乌韭也。”《唐本草》注云：“乌韭即石衣，亦曰石苔，又名石发，生岩石阴不见日处。”《日华子》云：“石衣，是阴湿处山石上苔，长者可四五寸，又名乌韭。”根据以上所述，乌韭似是金发藓属的部分种。

[2] **烧灰，沐发令黑** 《日华子》云：“石衣又名乌韭。烧灰，沐头长发。”

797 虎杖[1]

主风在骨节间及血瘀[2]，煮汁，作酒服之。叶捣，傅蛇咬[3]。一名苦杖，茎上有赤点者是。(《证类》页333，《大观》卷13页46，《纲目》页933)

【校注】

[1] **虎杖** 为蓼科植物虎杖。陶弘景云：“状如大马蓼，茎斑而叶圆。”《蜀本草·图经》云：“虎杖，生下湿地作树，高丈余，其茎赤，根黄，二月、八月采根，日干。”

[2] **主风在骨节间及血瘀** 虎杖能祛风，配防风、防己、秦艽，治风湿性筋骨疼痛。虎杖能破血瘀、通经。

[3] **叶捣，傅蛇咬** 虎杖能解毒消肿，治蛇咬、痈肿疮毒、跌仆损伤、烫火伤。

798 鼠尾草[1]

平，主诸痢[2]，煮汁服，亦末服。紫花，茎叶堪染皂，一名乌草，又名水青

也。(《证类》页273,《大观》卷11页29,《纲目》页922)

【校注】

[1] **鼠尾草** 陶弘景云:“田野甚多,人采作滋染皂。”《蜀本草·图经》云:“所在下湿地有之,叶如蒿,茎端夏生四五穗,若车前,有赤、白二种花。七月采苗,日干。”《尔雅》:“葝,鼠尾。”释曰:可以染皂,一名鼠尾。

[2] **主诸痢** 《别录》云:“鼠尾草,主鼠瘘寒热,下痢脓血不止,白花者主白下,赤花者主赤下。”《本草图经》云:“鼠尾,古治痢多用之。姚氏云,浓煮汁如薄饴,饮五合,日三。赤下用赤花,白下用白花。”按:现代植物学,鼠尾草是唇形科植物,圆锥花序。而《本草》的鼠尾草,生下湿地,叶如蒿,茎端夏生四五穗,若车前,明显是穗状花序,与植物学的鼠尾草当是同名异物。《本草》“鼠尾草”能止痢止血、染皂,说明它含有鞣质;唇形科植物似无此功用。所以本条鼠尾草,当非唇形科植物的鼠尾草。

799 马鞭草[1]

主癥癖、血瘕[2]、久疟[3]、破血,作煎如糖,酒服[4]。若云似马鞭梢,亦未近之。其节生紫花,如马鞭节。(《证类》页269,《大观》卷11页18,《纲目》页920)

【校注】

[1] **马鞭草** 为马鞭草科植物马鞭草。《唐本草》注云:“苗似狼牙及茺蔚,抽三四穗,紫花,似车前穗,类鞭梢,故名马鞭。”

[2] **主癥癖、血瘕** 马鞭草能活血通经。《圣惠方》治妇人月水滞涩成癥瘕块,马鞭草根苗五斤,剉细,水五斗,煮至一斗,去滓,熬成膏,每食前,温酒调下半匙。

[3] **久疟** 马鞭草能截疟,单用一至二两煎服。《药性论》云:“马鞭草味苦,有毒。”大剂量单用宜注意。

[4] **作煎如糖,酒服** 《纲目》作“杀虫,捣烂煎取汁熬如饴,空心酒服一匕。”16字。按:此16字原出《药性论》,非陈藏器文。

800 苎根[1]

破血[2]。渍苎与产妇温服之,将苎麻与产妇枕之,止血晕。产后腹痛,以苎安腹上则止。蚕咬人,毒入肉[3],取苎汁饮之。今以苎近蚕种,则蚕不生也。(《证类》页270,《大观》卷11页19,《纲目》页870)

【校注】

[1] **苎根** 为荨麻科植物苎麻的根。《本草图经》云:“苎麻,其皮可以绩布。苗高七八尺,叶

如楮叶，面青背白，有短毛，夏秋间著细穗，青花，其根黄白而轻虚，二月八月采。”

[2] **破血** 荨麻科苎麻根，以止血为主，并不用于破血。如《小品方》治胎漏下血，以苎根配阿胶、当归、熟地合用。《圣济总录》治各种出血、咳血、吐血、尿血、崩漏、衄血，以苎根配蛤粉、白垩、人参合用。如果苎根破血，岂能用于各种出血。但野苎麻叶能破血。元·李仲南《永类钤方》云：“凡诸伤瘀血不散，五六月收野苎叶、苏叶，擂烂，傅金疮上。如瘀血在腹内，顺流水绞汁服即通，血皆化为水。以生猪血试之，可验也。秋冬用干叶亦可。”

[3] **蚕咬人，毒入肉** 苎根能解毒，消痈肿，通淋。《肘后方》治恶毒疮，用苎根三升，水三斗，煮浴，每日涂之。

801 菰菜[1]

味甘，无毒，去烦热，止渴，除目黄，利大小便，止热痢。杂鲫鱼为羹，开胃口，解酒毒，生江东池泽。菰葑[2]上如菌，葑是菰根，岁久浮在水上者。主火烧疮[3]。烧为灰，和鸡子白涂之。《吕氏春秋》[4]曰：菜之美者，越路之菌[5]是也。晋张翰[6]见秋风起思之。(《证类》页267,《大观》卷11页14,《纲目》页1067)

【校注】

[1] **菰菜** 为禾本科植物菰的嫩笋。《蜀本草·图经》云：“菰生水中，叶似蔗、荻，久根盘厚，夏月生菌细堪啖，名菰菜。”《本草图经》云：“菰，即江南人呼为茭草者，生水中，叶如蒲苇辈，刈以秣马甚肥。春生笋，甜美堪啖，即菰菜也，又谓之茭白。其岁久者中心生白台如小儿臂，谓之菰手，今人作菰首。”(详“658 菰首”条）一般菰菜、菰首混称，并不细分。

[2] **菰葑** 《本草图经》云：“菰草根相结而生，久则并土浮于水上，彼人谓之菰根。”是菰葑即菰根。

[3] **主火烧疮** 《外台秘要》治烫火所灼，未成疮，取菰蒋草根烧取灰，用鸡子黄和封。《拾遗》用鸡子白和封之。

[4] **《吕氏春秋》** 见“118 繁露水”注[7]。

[5] **越路之菌** 越指越地，今浙江。菌即菰。郭璞注《尔雅》“蘧蔬”云：“似土菌，生菰草中。”越路之菌即越地的菰菜。

[6] **晋张翰** 张翰，晋吴郡（今江苏苏州）人，字季鹰。善文，为避当时政事混乱，急欲还乡，乃托辞见秋风起，思故乡菰菜、莼羹、鲈鱼鲙，辞官回吴。后来诗文中常以鲈鲙莼羹作为退休的典故。

802 半天河[1]

在槐树间者。主诸风及恶疮[2]、风瘙疥痒，亦温取洗疮。(《证类》页131,《大观》卷5页20,《纲目》页558)

【校注】

[1] **半天河** 陶弘景云："此竹篱头水及空树中水。"本条指明用槐树孔中水。

[2] **恶疮** 见"20 铁锈"注[2]。

803 三白草[1]

捣绞汁服，令人吐逆[2]，除胸膈热痰，亦主疟及小儿痞满。按：此草初生无白，入夏叶端半白如粉，农人候之莳田，三叶白草便秀，故谓之三白。若云三黑点[3]，古人秘之。据此即为未识，妄为之注尔。其叶如薯蓣，亦不似水荭。（《证类》页 276，《大观》卷 11 页 38，《纲目》页 932）

【校注】

[1] **三白草** 《纲目》云："三月生苗，高二三尺。茎如蓼，叶如章陆及青葙。四月其颠三叶面上，三次变作白色，余叶仍青不变。五月开花成穗，如蓼花状，而色白微香，结细实，根长白虚软，有节须，状如泥菖蒲根。"《纲目》所述与三白草科植物三白草同。所云开花成穗，实为总状花序，其样子像穗。花序下一至三片叶，开花时常为乳白色。

[2] **捣绞汁服，令人吐逆** 《医心方》卷 25 引《拾遗》云："小儿痞，三白草捣汁服之，令人吐。"

[3] **若云三黑点** 此文出《唐本草》注："三白草，叶如水荭，上有三黑点"。《拾遗》评《唐本草》注有误。故云："据此即为未识，妄为之注尔。其叶如薯蓣，亦不似水荭。"《纲目》认为《唐本草》注所云是马蓼，非三白草。

804 猪膏草[1]

有小毒[2]。主久疟痰痫[3]，生捣绞汁服，得吐出痰。亦碎傅蜘蛛咬、虫蚕咬、蠼螋溺疮[4]。似荏，叶有毛，一名武膏[5]。苏云无毒，误耳。（《证类》页 279，《大观》卷 11 页 45，《纲目》页 880）

【校注】

[1] **猪膏草** 即猪膏莓。《梦溪笔谈》云："火杴（豨莶）乃本草名猪膏莓者，后人不识，重出此条也。"《纲目》据张咏进豨莶丸表及成讷进豨莶丸方表，同意《梦溪笔谈》的看法。并将豨莶、猪膏莓并为一条。《蜀本草·图经》云："猪膏莓，叶似苍耳，两枝相对，茎叶俱有毛，黄白色，五月、六月采苗，日干。"《纲目》认为猪膏莓即豨莶。豨莶为菊科植物，则猪膏莓亦当是菊科植物。

[2] **有小毒** 《唐本草》谓猪膏莓无毒。陈藏器评曰："苏云无毒，误耳"。

[3] **主久疟痰痫** 陈藏器谓猪膏莓能治疟。又豨莶草亦治疟，每日煎一两，分二服，连用 3 日。《纲目》谓猪膏莓即豨莶，此亦可为佐证。

[4] **蠼螋溺疮** 见“34 砺石”注[7]。《纲目》引陈藏器文，在“蠼螋溺疮”以前文中，有“虎伤，狗咬”四字。按：此四字原出《开宝本草》注文，非陈藏器文。

[5] **一名武膏** 见《本草和名》卷上引《拾遗》。

805 五叶莓[1]

叶有五桠，子黑，一名乌蔹草。（《证类》页280，《大观》卷11页47，《纲目》页1048）

【校注】

[1] **五叶莓** 即乌荃莓。本条据《大观》引陈藏器文。《证类》脱此文。陶弘景云：“五叶莓，生人家篱墙间，捣傅疮肿，蛇、虫咬处。”《唐本草》注云：“乌蔹莓，蔓生，叶似白蔹，生平泽。”《蜀本草·图经》云：“蔓生，茎端五叶，花青白色，俗呼为五叶莓。”按：植物学中乌蔹莓为葡萄科植物。

806 故麻鞋底[1]

主消渴，煮汁服之。鞋网绳如枣大，妇人内衣有血者，手大钩头棘针二七枚，三物并烧作灰，以猪脂调傅狐刺疮[2]，出虫。取麻鞋尖头二七为灰，岁朝井华水服之，又主遗溺[3]。又故麻鞋底烧令赤，投酒煮粟谷汁中服之，主霍乱转筋。（《证类》页274，《大观》卷11页30，《纲目》页1489）

【校注】

[1] **故麻鞋底** 《唐本草》云：“水煮汁服之，解紫石英发毒，又主霍乱吐下不止，及解食牛马肉毒，腹胀吐痢不止者。”

[2] **狐刺疮** 见“94 蚁穴中土”注[2]。

[3] **遗溺** 《外台秘要》云：“尿床，取麻鞋网带及鼻根等七量，以水七升，煮取二升，分再服之。”

807 阿魏[1]

一名兴渠。（《本草和名》卷18引《拾遗》，又《证类》页224，《大观》卷9页17，《纲目》页1379）

【校注】

[1] **阿魏** 《唐本草》云：“苗叶根茎酷似白芷，捣根汁日煎作饼者为止，截根穿曝干者为次。

体性极臭而能止臭。"《本草图经》云："旧说似白芷。今广州出者云是木膏液滴酿成。二说不同。按：《酉阳杂俎》云阿魏木，长八九尺，皮色青黄，其枝汁出如饴，久乃坚凝名阿魏，与广州所上相近。"《纲目》亦认为阿魏有草、木两种。今日的阿魏为伞形科植物阜康阿魏或新疆阿魏，产于新疆。

808 琥珀[1]

止血，生肌，合金疮[2]。和大黄、鳖甲，作散子[3]，酒下方寸匕，下恶血，妇人腹内血尽即止。宋高祖时，宁州（今云南曲靖）贡琥珀枕，碎以赐军士傅金疮。《汉书》云：出罽国，初如桃，凝乃成焉。苏于琥珀注后，出瑿[4]功状。按：瑿本功外，小儿带之辟恶，磨滴目翳赤瘴等。（《证类》页297，《大观》卷12页19，《纲目》页1471）

【校注】

[1] **琥珀** 为古代松科植物的树脂埋入地下经久凝结而成。陶弘景云："琥珀，是松脂沦入地，千年所化。今烧之亦作松气。俗有琥珀中有一蜂，形色如生。此或当蜂为松脂所粘，因坠地沦没尔。"《海药本草》云："凡验真假，于手心熟磨，吸得芥为真。"

[2] **止血，生肌，合金疮** 琥珀外用有收敛止血、生肌、合金疮、消痈肿之效。内服能活血化瘀，治癥瘕、经闭、外伤瘀痛、血淋，亦可镇惊安神。

[3] **和大黄、鳖甲，作散子** 《海药本草》云："琥珀、鳖甲、京三棱各一两，延胡索半两，没药半两，大黄六铢，熬捣为散，空心酒服三钱匕，治癥瘕气块。产后减大黄，治产后血晕闷绝、儿枕痛。"

[4] **瑿** 《唐本草》注云："瑿、琥珀二物烧之皆有松气，为用与琥珀同，补心安神、破血尤善。状似玄玉而轻，从西戎来，高昌（今新疆吐鲁番以东处）人名为木瑿，谓玄玉为石瑿。洪州（今江西南昌）出石间得者，烧作松气，破血生肌与琥珀同。见风拆破，不堪为器。"

809 桂[1]

按：菌桂、牡桂、桂心[2]，已上三色并同是一物。按：桂林、桂岭因桂为名，今之所生，不离此郡。从岭以南际海，尽有桂树，惟柳、象州[3]最多。味既辛烈，皮又厚坚。土人所采，厚者必嫩，薄者必老。以老薄者为一色，以厚嫩者为一色。嫩既辛香，兼又筒卷；老必味淡，自然板薄。板薄者，即牡桂也，以老大而名焉；筒卷者，即菌桂也，以嫩而易卷。古方有筒桂，字似菌字，后人误而书之，习而成俗，至于书传，亦复因循。桂心，即是削除皮上甲错，取其近里，辛而有味。（《证类》页289，《大观》卷12页3，《纲目》页1355）

【校注】

[1] **桂** 为樟科植物桂树，其皮为肉桂，其枝名桂枝。由于皮的老嫩厚薄不同、气味浓淡差异，即形成多种不同的名称，其间品质差异很大。《纲目》认为桂树皮厚，味辛烈为肉桂，肉桂去内外皮为桂心。桂树皮薄味淡为牡桂。另一种主治与肉桂、牡桂不相同者为箘桂（菌桂）。

[2] **箘桂、牡桂、桂心** 陈藏器云："筒卷者，即箘桂也，以嫩而易卷；板薄者，即牡桂也，以老大而名焉；桂心，即削除皮上甲错，取其近里，辛而有味。"

[3] **柳、象州** 今广西柳州、象州。

810 枫皮[1]

本功外，性涩，止水痢[2]。苏云下水肿，水肿非涩药所疗，苏为误尔。又云：有毒，转明其谬。水煎，止下痢为最。（《证类》页 305、356，《大观》卷 12 页 37、又卷 14 页 40，《纲目》页 1370、1475）

【校注】

[1] **枫皮** 本条《嘉祐本草》在"枫香脂""枫柳皮"两药下，同引之。而两药都是《唐本草》新增的药。那么陈藏器是针对哪一条讲的呢？从陈的评文"苏云下水肿，水肿非涩药所疗"来看，陈氏是针对枫香脂讲的。因枫香脂文中有"主水肿下水气"，而枫柳皮文中无。所以《嘉祐本草》在"枫柳皮"条下重引"枫皮"是误引。盖《嘉祐本草》混淆枫香脂、枫柳皮为一物，前者为金缕梅科植物枫香树，后者为胡桃科植物枫杨。由于历史条件所限，岂能苛责古人。《唐本草》注枫香脂云："树高大，叶三角。商（今陕西商县）、洛（今河南洛阳）之间多有。"又注枫柳皮云："叶似槐，茎赤，根黄，子六月熟绿色而细，取茎皮用。出原州（今宁夏固原）。"又云："枫柳皮有毒，主风龋齿。"《纲目》在"枫柳"集解下云："苏恭言枫柳有毒，陈藏器驳之，以为枫柳皮即今枫树皮，性涩能止水痢，陈说误矣。"其实陈说不误。陈是据枫香树皮而言之。由于陈标题为"枫皮"，未明确指出是枫柳皮，还是枫树皮。《纲目》以为陈氏所讲的"枫皮"是指"枫柳皮"，其实陈氏所讲的"枫皮"，是指"枫树皮"。见上文。

[2] **性涩，止水痢** 陈藏器谓"枫皮性涩，止水痢"，是指枫香脂树皮，苏颂《本草图经》亦云："枫香脂树，似白杨，甚高大，叶圆而作歧，有三角而香。其皮性涩，止水痢，水煎服之。"

811 女贞[1]

似枸骨[2]。其子为木虿子，可合药。木虿[3]在叶中，卷叶如子，羽化为虿，非木子。（《证类》页 306，《大观》卷 12 页 38，《纲目》页 1447）

【校注】

[1] **女贞** 《唐本草》注："女贞叶似枸骨及冬青树。其实九月熟黑，似牛李子，陶云与秦皮为

表里误矣。秦皮叶细冬枯，女贞叶大冬茂，殊非类也。”按：女贞为木犀科植物；冬青为冬青科植物，见“325 冬青”条。

［2］**枸骨**　见“326 枸骨”。

［3］**木虻**　见“895 木虻”。

812　蕤核[1]

子生熟，足睡、不眠立据[2]。（《证类》页 307，《大观》卷 12 页 41，《纲目》页 1442）

【校注】

［1］**蕤核**　蔷薇科植物扁核木的核仁。《本草图经》云：“蕤核生函谷（今河南灵宝）川谷及巴西（今四川阆中），今河东（今山西）亦有之。木高五七尺，茎间有刺，叶细似枸杞而尖长，花白，子红紫色，附枝茎而生，类五味子。六月成熟，五月、六月采实，去核壳阴干。”

［2］**立据**　原脱，按《雷公炮炙论·序》文补。

813　五加皮[1]

花者，治眼䁾，人擣末酒调服自正[2]。（《证类》页 302，《大观》卷 12 页 29，《纲目》页 1450）

【校注】

［1］**五加皮**　今日的五加有南、北两种。南者为萝摩科植物杠柳的根皮，北者为五加科植物的根皮。古书所讲五加多指北五加。《蜀本草·图经》云：“树生，小丛赤蔓，茎间有刺，五叶生枝端，根若荆根，皮黄黑，肉白，骨硬。”

［2］**治眼䁾，人擣末酒调服自正**　《大观》原作：“治眼𦟛（通“痈”），人擣末酒调服自止”，据《雷公炮炙论·序》改。其序云：“目辟眼䁾，有五花而自正。注云，五加皮是也，其叶有雌雄。三叶为雄，五叶为雌。须五叶者作末，酒浸饮之，其目䁾者正。”关于“眼䁾”，各家解释不一。朱骏声《通训定声》引《炮炙论》断“眼”为“䀹”，谓“䀹者，视袤不正”。《大观》《政和》引陈藏器序作“眼𦟛”，即目痈。《康熙字典》《中华大字典》引《炮炙论》释“眼䀹”为“目不正”。也有人认为“眼䁾”即“眼睢”。《一切经音义》云：“睢，仰视貌。”（即眼睑下垂）

814　沉香[1]

枝叶并似椿，苏云如橘，恐未是也[2]。其枝节不朽，最紧实者为沉香；浮者为煎香；以次形如鸡骨者为鸡骨香；如马蹄者为马蹄香；细枝未烂紧实青为青桂香。其马蹄、鸡骨只是煎香。苏乃重云，深觉烦长。并堪熏衣去臭，余无别功。又

杜蘅叶[3]，一名马蹄香，即非此者，与前香别也。(《证类》页307，《大观》卷12页43，《纲目》页1361)

【校注】

[1] **沉香** 为瑞香科植物沉香及白木香。《唐本草》注云："沉香、青桂、鸡骨、马蹄、煎香等同是一树，叶似橘叶，花白，子似槟榔，大如桑椹，紫色而味辛，树皮青色，木似榉柳。"《南越志》云："交州（今越南河内）有蜜香树，欲取，先断其根，经年后，外皮朽烂，木心与节坚黑，沉水者为沉香。浮水面平者为鸡骨，最粗者为栈香。"

[2] **苏云如橘，恐未是也** 即苏敬说"沉香叶如橘叶"。陈藏器说"恐未是"。按：沉香有沉香树和白木香。但前者叶与橘叶大小相同，均为椭圆状披针形；而后者叶呈椭圆形或卵形，与橘叶不尽相同。苏敬所言指沉香树的叶，陈藏器所言可能指白木香的叶。二人所见原植物不同，故有分歧。

[3] **杜蘅叶** 即土细辛，一名马蹄香。为马兜铃科细辛属植物杜衡。功用似细辛。对散风寒、化痰饮止咳、止风湿痛均不及细辛。但能活血解毒，可治跌打损伤，捣烂外敷蛇咬伤。

815 檀香[1]

主心腹痛，霍乱[2]，中恶[3]，鬼气，杀虫。白檀树如檀[4]，出海南[5]。(《证类》页309，《大观》卷12页47，《纲目》页1366)

【校注】

[1] **檀香** 《唐本草》无檀香，此名出"沉香"条陶弘景注中。《证类本草》从陶弘景注中分出一个"檀香"名，且无内容。其下续以陶弘景注："白檀消热肿"。但《唐本草》引陶注作"消风肿"。按：《日华子》云："檀香，热"。既然性热，岂能消热肿。疑"热肿"为"风肿"之误。但《本草图经》引檀香作"消风热肿毒"。

[2] **主心腹痛，霍乱** 《日华子》云："檀香，热，无毒。治心痛、霍乱、肾气腹痛，浓煎服，水磨傅外肾，并腰肾痛处。"

[3] **中恶** 见"93 仰天皮"注[2]。

[4] **白檀树如檀** 《本草图经》云："檀香木如檀，生南海（今广州），有数种，其色有黄白紫之异，今人盛用之。真紫檀旧在下品。檀木生江淮（长江淮河）及河朔（黄河以北之地）山中，其木作斧柯者，亦檀香类，但不香耳。"叶廷珪《香谱》云："皮实而色黄者为黄檀，皮洁而色白者为白檀，皮腐而色紫者为紫檀。其木并坚重清香，而白檀尤良。"今日的檀香为檀科植物檀香的木心，能理气散寒、止心腹痛、开胃止呕。

[5] **海南** 古代的海南泛指我国的广东、广西和越南的沿海广大地区。《通典》记有"海南林邑国出沉香"。林邑即今越南最南端。

816 乳香[1]

盖薰陆[2]之类也。其性温，疗耳聋，中风口噤[3]，妇人血气[4]，能发酒，理

风冷，止大肠泄澼，疗诸疮令内消[5]。（《证类》页309，《大观》卷12页47，《纲目》页1371）

【校注】

[1] **乳香** 《本草图经》云："《广志》云：波斯国（伊朗的古国）松木脂有紫赤如樱桃者名乳香，盖薰陆之类，今人通谓乳香为薰陆。然至粘难研，用时以缯袋挂于窗隙间良久，取研之乃不粘。"《梦溪笔谈》云："乳香即薰陆香也。如乳头者为乳香，榻地者为榻香。"今日乳香为橄榄科植物乳香树的树脂，能活血消肿、止痛生肌。

[2] **薰陆** 《南方草木状》云："薰陆出大秦国（古罗马），其木生于海边沙上，盛夏木胶出沙上，夷人取得卖与贾客。"

[3] **中风口噤** 中风分闭症、脱症。闭症可见口噤，脱症则唇缓涎流出。闭症可用乳香制剂。乳香气芳香走窜，内能宣通脏腑，外能透达经络。但脱症即禁用。

[4] **妇人血气** 《海药本草》云："乳香善治妇人血气。"《博济方》载治子死腹中，黄明乳香细研为末，和猪血为丸，酒磨下。

[5] **疗诸疮令内消** 乳香能活血消痈肿。《外科发挥》载治疮疡肿毒初起，赤肿焮痛，属阳证者，乳香、没药、金银花、天花粉、归尾、炮山甲、皂刺、赤芍、贝母、防风、白芷煎服，能使痈肿内消。此方古名"仙方活命饮"，在昔日为痈肿初起要方。但其作用强度与速度敌不过今日的抗生素。如果某些患者对抗生素过敏时，亦可用此方。

817 檗皮[1]

主热疮疱起，虫疮[2]，血痢，下血[3]，杀蛀虫[4]。煎服主消渴。（《证类》页299，《大观》卷12页24，《纲目》页1383）

【校注】

[1] **檗皮** 即黄柏。为芸香科植物黄檗（关黄柏）或黄皮树（川黄柏）。《本草图经》云："黄檗生汉中（今陕西汉中），以蜀中（今四川）者为佳，木高数丈，叶类茱萸及椿叶，经冬不凋，皮外白，里深黄，根作结块。五月、六月采皮，去粗皴，曝干，其根名檀桓。"

[2] **主热疮疱起，虫疮** 黄柏通治诸疮。《本经》云："黄柏主蚀疮"。《别录》云："黄柏主口疮"。单用或配他药合用。

[3] **血痢，下血** 黄柏能清热燥湿。下焦湿热所致热痢、血痢、下血、带下、淋浊、痔漏均可用。

[4] **杀蛀虫** 昔日造纸，用黄柏水处理后，其纸不被虫蛀。

818 辛夷[1]

今时所用者，是未发花时，如小桃子，有毛，未折时取之。所云用花开者及在二月，此殊误尔[2]。此花江南地暖，正月开，北地寒，二月开，初发如笔，北人呼为木笔。其花最早，南人呼为迎春。（《证类》页304，《大观》卷12页33，《纲目》页1361）

【校注】

［1］**辛夷** 为木兰科植物木兰的花蕾。《蜀本草·图经》云：“树高数仞（丈），叶似柿叶而狭长，正月、二月花似着毛小桃，色白而带紫，花落而无子，夏杪复着花如小笔。又有一种，三月花开，四月花落，子赤似相思子。花、叶与无子者同。”

［2］**所云用花开者及在二月，此殊误尔** 《唐本草》注云：“方云去毛，用其心，然难得，而滋人面。比用花开者，易得而且香也。”陈藏器对《唐本草》所云“用花开者”驳之。《本草衍义》亦同意陈氏之说：“辛夷先花后叶，花未开时，其花苞有毛，光长如笔，有红、紫二本，入药当用紫色者，仍须未开时收取，入药当去毛苞。”《别录》云：“用之去心及外毛，毛射人肺，令人咳。”

819 榆荚[1]

主妇人带下，和牛肉作羹食之。四月收实作酱，似芜荑，杀虫，以陈者良。嫩叶作羹食之，压丹石，消水肿。江东有刺榆，无大榆[2]。皮入用，不滑[3]，刺榆秋实[4]，故陶错误也[5]。（《证类》页298，《大观》卷12页21，《纲目》页1416）

【校注】

［1］**榆荚** 为榆科植物榆树的果实嫩荚。一名榆钱，春季未出叶前，采摘绿色未成熟的翅果。《别录》云：“榆皮，八月采实。”《唐本草》注云：“榆，三月实熟，寻即落矣，今称八月采实，恐《本经》误也。”《通志略》云：“榆，其类有十数种。榆即大榆，生荚如钱。采其初生者作糜羹食之，令人多睡。”嵇叔夜《养生论》云：“豆令人重，榆令人瞑（入睡）。”

［2］**江东有刺榆，无大榆** 大榆即白榆。《本草图经》云：“白榆，先生叶，却著荚，皮白色，剥之刮去上粗皮，为榆白皮，《尔雅》谓榆白粉。今妇人滑胎方多用。小儿白秃不生发，捣末苦酒调涂。刺榆有刺如柘，古人所茹者美于白榆。《尔雅》谓枢茎。”

［3］**皮入用，不滑** 刺榆皮不滑。大榆（白榆）皮滑。《别录》云：“榆皮性滑利。”《本经》云：“榆皮主大小便不通，利水道。”《食疗本草》云：“生榆皮利小便，主石淋。”《子母秘录》疗妊娠胎死腹中，或母病欲下胎，榆白皮煮汁，服二升，此亦因榆皮有滑利的作用。

［4］**刺榆秋实** 大榆春季结实，刺榆秋季结实。

［5］**故陶错误也** 陶在“榆皮”后注云：“此即今榆树剥取皮、刮去上赤皮用，性滑利。”按：榆树有大榆、刺榆，大榆皮滑利，刺榆不滑。江东有刺榆无大榆。而陶说“此即今榆树”，句中“此”指《本经》“榆皮”（大榆），句中“今榆树”指刺榆。因陶所在的江东无大榆，所以陈藏器说陶是错误的。

820　酸枣[1]

按：酸枣，既是枣中之酸，更无他异，此即真枣，何复名酸。既云其酸，又云其小。今枣中酸者，未必即小；小者，未必即酸。虽欲为枣，生文展转未离于枣。若道枣中酸者，枣条无令睡之功；道棘子不酸，今人有众呼之目。枣、棘一也，酸、甜两焉。纵令以枣当之，终其非也。嵩阳子曰：余家于滑台，今酸枣县即滑之属邑也，其地名酸枣焉。其树高数丈，径围一二尺，木理极细，坚而且重，其树皮亦细，文似蛇鳞。其枣圆小而味酸，其核微圆，其仁稍长，色赤如丹，此医之所重，居人不易得。今市之卖者，皆棘子为之。（《证类》页299，《大观》卷12页22，《纲目》页1440）

【校注】

[1] **酸枣**　《本草图经》云："酸枣野生，多在坡坂及城垒间，似枣木而皮细，其木心赤色，茎叶俱青，花似枣花，八月结实，紫红色，似枣而圆小，味酸，当月采实，取核中仁阴干。一说惟酸枣县（今河南滑县）出者为真。其木高数丈，径围一二尺，木理极细，坚而且重，其皮亦细，文似蛇鳞，其核仁稍长而色赤如丹，亦不易得。今市之货者，皆棘实耳。"《本草衍义》云："酸枣，小则为棘，大则为酸枣。棘多生崖堑上，久不樵则成干，人方呼为酸枣。此物才及三尺，便开花结子，但窠小者气味薄，木大者气味厚。后有"白棘"条，乃是酸枣未长大时枝上刺也；及至长成，其刺亦少，实亦大。故枣取大木，棘取小窠也。"

821　槐实[1]

本功外，杀虫，去风[2]。合房折取阴干，煮服，味一如茶。明目，除热泪，头脑、心胸间热风烦闷，风眩欲倒[3]，心头吐涎如醉，漾漾如船车上者。花堪染黄[4]；生上房，七月收之，染皂木为灰，长毛发。（《证类》页292，《大观》卷12页9上，《纲目》页1398）

【校注】

[1] **槐实**　为豆科植物槐树的果实，一名槐角，其花蕾名槐米，其花朵名槐花。《本草图经》云："槐实，其木有极高大者。按，《尔雅》云'槐有数种，叶大而黑者名櫰，槐昼合夜开者名守宫槐，叶细而青绿者，但谓之槐，其功用不言有别。四、五月开花，六、七月结实。'"

[2] **去风**　槐实去肠风，止便血、痔血。《局方》治痔瘘脱肛、肠风便血、血色鲜红者，槐角、地榆、黄芩、防风、枳壳、当归为丸服。

[3] **风眩欲倒**　槐实能泻肝火，止头晕目赤。配黄芩、决明子、赤芍合用。无实时用花配黄芩、

菊花、夏枯草煎服亦行。单用槐花泡茶饮亦可。

[4] **花堪染黄** 《本草衍义》云:"槐花,今染家亦用。收时折其未开花,煮一沸,出之,釜中有所澄下稠黄滓,渗漉为饼,染色更鲜明。治肠风泻血甚佳,不可过剂。"

822 苏合香[1]

按:狮子屎[2],赤黑色,烧之去鬼气,服之破宿血,杀虫。苏合香色黄白,二物相似而不同。人云狮子屎是西国草木皮汁所为,胡人将来,欲人贵之,饰其名尔。(《证类》页310,《大观》卷12页48,《纲目》页1375)

【校注】

[1] **苏合香** 为金缕梅科植物苏合香树的树脂。《梁书》云:"中天竺国(印度古国)出苏合,是诸香汁煎之。"又云:"大秦(古罗马)人采苏合,先煎其汁以为香膏。"

[2] **狮子屎** 陶弘景云:"苏合香俗传云是狮子屎"。《唐本草》注云:"苏合香从西域及昆仑来,紫赤色,与紫真檀相似,坚实,极芬香,惟重如石,烧之灰者好,云是狮子屎,此是胡人诳言,陶不悟之,犹以为疑也。"按:《唐本草》注所云,狮子屎即苏合香。而陈藏器说是二物相似而不同,狮子屎赤黑色,苏合香色黄白。按:《梁书》云"大秦人采苏合,先煎其汁以为香膏,乃卖其滓与诸人,是以展转来达中国,不大香也。"疑陈藏器所讲的狮子屎,即煎苏合香剩下渣滓。

823 橘柚[1]

本功外,中实冷酸有聚痰,甜者润肺。皮堪入药,子非宜人。其类有朱柑、乳柑、黄柑、石柑、沙柑;橘类有朱橘、乳橘、塌橘,山橘、黄淡子。此辈皮皆去气调中[2],实总堪食,就中以乳柑为上。《本经》合入果部,宜加实子,入木部非也。岭南有柚,大如冬瓜。(《证类》页461,《大观》卷23页5,《纲目》页1281)

【校注】

[1] **橘柚** 橘、柚原是两种植物,前者为芸香科多种橘树的果实,后者为芸香科柚树的果实,两种果实大小各异。但古书常统称为"橘柚"。《吕氏春秋》云:"果之美者,有云梦(今湖北云梦)之橘柚。"郭璞注:"柚似橙而大"。孔安国注《尚书》"厥包橘柚"云:"小曰橘,大曰柚。"《唐本草》注:"柚皮厚味甘,不如橘皮味辛而苦。"橘皮未熟时呈青色名青皮,熟时呈橙红色为陈皮。柚皮外层名化橘红。

[2] **此辈皮皆去气调中** "此辈皮"即指柑皮、橘皮。《拾遗》仍以"橘柚"为总类通称,并将"橘柚"分为"柑""橘"两类。但今日已不用"橘柚"为统名,而以"柑橘"为统称,用以代表柑橘属中的宽皮柑橘类。柑类花大(花径3厘米以上),果皮海绵层较厚,难剥;橘类花小(花径2.5厘米以下),果皮海绵层薄,易剥。橘皮能去气调中、燥湿化痰。青皮是橘的幼果皮,力猛于橘皮,

能破气、散结、止痛，亦能消积行滞。

824 苦竹笋[1]

主不睡，去面目并舌上热黄，消渴[2]，明目，解酒毒，除热气，健人。诸笋[3]皆发冷血及气。淡竹根[4]，煮取汁，主丹石发热、渴，除烦热。久渴心烦服竹沥[5]。(《证类》页317，《大观》卷13页5，《纲目》页1227、1476)

【校注】

[1] **苦竹笋** 为禾本科植物苦竹的嫩茎芽。《本草图经》云："苦竹有二种。一种出江西及闽(福建)中，本(根)极粗大，笋味殊苦，不可啖；一种出江浙，近地亦时有，肉厚而叶长阔，笋微有苦味，俗呼甜苦笋。"

[2] **消渴** 《食医心镜》云："苦竹笋主消渴，利水道，下气，理风热脚气，取蒸煮食之。"

[3] **诸笋** 《别录》云："竹笋(《蜀本》作"诸笋")，味甘，无毒。主消渴，利水道，益气，可久食。"

[4] **淡竹根** 《日华子》云："淡竹并根，味甘，冷，无毒，消痰，治热狂烦闷、中风失音不语、壮热、头痛、头风，并怀妊人头旋倒地，止惊悸、温疫迷闷、小儿惊痫天吊。"

[5] **久渴心烦服竹沥** 此文出《本草拾遗·序》。《雷公炮炙论·序》作"久渴心烦，宜投竹沥。"按：竹沥为淡竹或苦竹的茎杆用火烤灼流出的汁液，为痰家圣药，能滑痰利窍、定惊透络，适用于中风痰迷、痰热惊痫、痰热喘咳。

825 秦皮[1]

一名水檀[2]。忽然叶开，当有大水[3]，故以名之。(《本草和名》卷上引《拾遗》，《证类》页325，《纲目》页1402)

【校注】

[1] **秦皮** 为木犀科植物多种白蜡树的皮。又胡桃科植物核桃楸的枝皮亦作秦皮用。

[2] **一名水檀** 《别录》作"秦皮，一名石檀"。《唐本草》注："以叶似檀，故名石檀。"《本草图经》云："其木大都似檀，枝杆皆青绿色，叶如匙，头许大而不光，并无花实，根似槐根，二月、八月采皮，阴干。其皮有白点而不粗错，俗呼为白桪木。取皮渍水便碧色，书纸看之青色，此为真也。"

[3] **忽然叶开，当有大水** 此文原出"檀木"条。《本草图经》在"沉香"条下云："又有檀香，木如檀。檀木生江淮及河朔(黄河以北之地)山中，亦类檀香，但不香耳。至夏有不生者，忽然叶开，当有大水。农人候之，以测水旱，号为水檀。"《拾遗》在"秦皮"下亦有此文，不知是否有误。

826 合欢皮[1]

杀虫[2]。捣为末，和铛下墨生油调，涂蜘蛛咬疮，及叶并去垢。叶至暮即合，故云合昏也，一名茸树，一名棫[3]。（《证类》页 332，《大观》卷 13 页 44，《纲目》页 1403，《本草和名》卷上）

【校注】

[1] **合欢皮** 为豆科植物合欢的树皮。《本草图经》云："木似梧桐，枝甚柔弱，叶似皂荚、槐等，极细而繁密，互相交结，每一风来，辄似相解，不相牵缀。其叶至暮而合，故一名合昏。五月花发红白色，瓣上若丝茸然，至秋而实作荚，子极薄细。采皮及叶用。"

[2] **杀虫** 《日华子》云："夜合皮杀虫。煎膏，消痈肿并续筋骨。"对疮疥瘙痒，用合欢皮煎汤外洗，以杀疥虫。

[3] **一名茸树，一名棫** 见《本草和名》卷上"合欢皮"引《拾遗》。

827 芜荑[1]

作酱食之[2]，主五野鸡病[3]，除疮癣[4]。其气膻者，良。此山榆仁也。（《证类》页 322，《大观》卷 13 页 19，《纲目》页 1418）

【校注】

[1] **芜荑** 为榆科植物大果榆。陶弘景云："芜荑出高丽（朝鲜古国），状如榆，荚气臭如犱，彼人皆以作酱食之，性杀虫。"《尔雅·释木》云："无姑，其实夷。"注："无姑，姑榆也。生山中，叶圆而厚。剥取皮合渍之，其味辛香，所谓芜荑。"《拾遗》谓芜荑即山榆仁也。

[2] **作酱食之** 《本草衍义》云："芜荑有大、小两种。小芜荑即榆荚也。揉取仁，酝（酿）为酱，味尤辛。入药当用大芜荑。治大肠寒滑及多冷气，不可缺也。"

[3] **主五野鸡病** 见"183 益奶草"注［1］。《日华子》云："芜荑治肠风痔瘘、恶疮疥癣。"

[4] **除疮癣** 孟诜云：治热疮，捣和猪脂涂。芜荑和白蜜治湿癣，和沙牛酪疗一切疮。

828 食茱萸[1]

杀鬼魅及恶虫毒[2]，起阳，杀牙齿虫痛[3]。树皮杀牙齿虫，止痛[4]。《本经》已有吴茱萸，云是口拆者。且茱萸南北总有，以吴为好，所以有吴之名。两处俱堪入食，若充药用，要取吴者。止可言汉之与吴[5]，岂得云食与不食。其口拆者是日干，口不拆者是阴干。《本经》云吴茱萸，又云生宛朐[6]，宛朐既非吴地，以此为食者耳，苏重出一条[7]。（《证类》页 322，《大观》卷 13 页 17，《纲目》页 1325）

【校注】

[1] **食茱萸** 《本草图经》云："食茱萸，功用与茱萸同。或云即茱萸中颗粒大，经久色黄黑，堪啖者是。今南北皆有之。其木亦甚高大，有长及百尺者，枝茎青色，上有小白点，叶正类油麻，花黄，蜀人呼其子为艾子。宜入食羹中，能发辛香。"陈藏器认为食茱萸即吴茱萸，茱萸南北都有，以吴地为好，故有吴名。《纲目》认为陈藏器不对。并云"食茱萸、吴茱萸乃一类二种。郑樵《通志》云：榄子一名食茱萸。榄子形味似茱萸，因可食，名食茱萸，茱萸取吴地者名吴茱萸。陈氏不知食茱萸即榄子，重出榄子一条。"见前"424榄子"条。《唐本草》云："食茱萸，味辛、苦，大热，无毒。功用与吴茱萸同，少为劣尔。疗水气用之乃佳。"

[2] **杀鬼魅及恶虫毒** 《食疗》云："食茱萸杀鬼毒，中贼风口偏不语者，取子一升，美豉三升，好酒五升和煮四五沸，冷服半升，日三四服，得汗便差。"

[3] **杀牙齿虫痛** 《食疗》云："齿痛，食茱萸酒煎含之。"

[4] **树皮杀牙齿虫，止痛** 以上8字，《纲目》引藏器云，列在吴茱萸根及白皮主治项目下。《纲目》又以"榄子"条文（见"424榄子"）列在"食茱萸"条主治中，并注出典为藏器。前者，《纲目》可能是错列；后者《纲目》视榄子即食茱萸，故并列为一条。

[5] **汉之与吴** 汉，原为陕西汉中，此处意为北方；吴，原为江苏苏州，此处意为南方。陈藏器认为茱萸只能按产地分，不应按食与不食来分。

[6] **宛朐** 今山东菏泽。

[7] **苏重出一条** 陈藏器认为食茱萸即吴茱萸，不应再列食茱萸，故说苏敬重出食茱萸一条。但《纲目》认为苏敬并未重出，倒是陈藏器重出"榄子"一条（见上文注[1]）。今日所讲的吴茱萸、食茱萸为两种植物。前者为芸香科植物多种吴茱萸的果实，后者为芸香科植物樗叶花椒的果实。

829 茗、苦搽[1]

寒，破热气，除瘴气，利大小肠[2]。食之宜热，冷即聚痰。搽是茗嫩叶，捣成饼，并得火良。久食令人瘦，去人脂[3]，使不睡。（《证类》页325，《大观》卷13页24，《纲目》页1327）

【校注】

[1] **茗、苦搽** 即茶叶，为山茶科植物茶的嫩叶。《本草图经》云："早采为茶，晚取为茗，一名荈，蜀人谓之苦搽，今通谓之茶。春中始生嫩叶，蒸焙去苦水，乃可饮。《茶经》曰：'茶者，南方佳木，自一尺二尺至数十尺，其巴川峡山有两人合抱者，伐而掇之，木如瓜芦，叶如栀子，花如白蔷薇，实如栟榈，蒂如丁香，根如胡桃。'"《本草衍义》云："茗，苦搽，今茶也。其文有陆羽《茶经》、丁谓《北苑茶录》、毛文锡《茶谱》、蔡宗颜《茶山节对》，其说甚详。"

[2] **破热气，除瘴气，利大小肠** 《唐本草》云："茗，主瘘疮，利小便，去痰热渴，令人少睡，春采之；苦搽，主下气，消宿食，作饮加茱萸、葱、姜等良。"

[3] **久食令人瘦，去人脂** 《本草图经》云："大都饮茶，少则醒神思，过多则致疾病，故唐母

景茶饮序云：‘释滞消壅，一日之利暂佳。’”按：茶久服令人瘦，去脂，似对减肥有益。

830 桑叶[1]

汁，主霍乱腹痛，吐下，冬月用干者，浓煮服之。皮研取白汁合金疮，又主小儿吻疮[2]。枝细剉大釜中，煎取如赤糖，去老风及宿血[3]。叶桠者名鸡桑，最堪入用。椹[4]，利五藏关节，通血气，久服不饥。多收曝干，捣末蜜和为丸，每日服六十丸，变白不老[5]。取黑椹一升，和科斗子一升，瓶盛封闭，悬屋东头，一百日尽化为黑泥，染白鬓如漆。又取二七枚和胡桃脂研如泥，拔去白发，点孔中，即生黑者。桑柴火炙蛇，则见足。(《证类》页315，《大观》卷13页1，《纲目》页570、1429)

【校注】

[1] **桑叶** 为桑科植物桑树的叶。《本草图经》云：“桑叶以夏秋再生者为上，霜后采之。煮汤淋渫手足，去风痹殊胜。”

[2] **皮研取白汁合金疮，又主小儿吻疮** 《本草图经》云：“皮中白汁，主小儿口疮，傅之便愈。又以涂金刃所伤燥痛，须臾血止，更剥白皮裹之，令汁得入疮中良。”“吻疮”，见“289甲煎”注[3]。

[3] **枝细剉大釜中，煎取如赤糖，去老风及宿血** 《近效方》云：“桑枝，平，疗遍体风痒干燥、脚气、风气、四肢拘挛，桑枝细切一小升，先熬令香，然后煎服。”

[4] **椹** 即桑树成熟的果实，能补血，止渴，润大便。

[5] **变白不老** 单用桑椹为丸，或配何首乌、熟地、旱莲草、女贞子、枸杞子为丸，治头发早白。

831 庵摩勒[1]

主补益，强气力[2]。合铁粉用一斤，变白不老。取子压取汁，和油涂头，生发，去风痒。初涂发脱后生如漆。人食其子，先苦后甘，故曰余甘。(《证类》页331，《大观》卷13页40，《纲目》页1302)

【校注】

[1] **庵摩勒** 《唐本草》云：“一名余甘，生岭南（今广东、广西、越南）交（今越南河内）、广（今广东广州）、爱（今越南清化）等州。”《唐本草》注云：“树叶细，似合欢，花黄，子似李、柰，青黄色，核圆作六七棱，其中仁亦入药。”《本草图经》云：“木高一二丈，枝条甚软，叶青细密，朝开暮敛如夜合，而叶微小，春生冬凋，三月有花，著条而生如粟粒，微黄，随即结实作荚，每

条三两子，至冬而熟，如李子状，青白色，连核作五六瓣，干即并核皆裂。并作果子，啖之初苦而后甘，故名余甘。”今日庵摩勒为大戟科植物油柑的果实。

［2］**主补益，强气力**　《唐本草》认为还主风虚热气。

832　巴豆[1]

主癥癖[2]，痃气[3]，痞满[4]，腹内积聚，冷气血块，宿食不消，痰饮吐水。取青黑大者，每日空腹服一枚[5]，去壳，勿令白膜破，乃作两片，并四边不得有损缺，吞之以饮压令下，少间腹内热如火，痢出恶物，虽痢不虚。若久服亦不痢，白膜破者弃之。生南方，树大如围，极高不啻一丈也。(《证类》页339，《大观》卷14页1，《纲目》页1423)

【校注】

［1］**巴豆**　陶弘景云：“出巴郡（今四川巴县），似大豆，最能泻人，新者佳。用之皆去心皮乃秤。又熬令黄黑别捣如膏，乃和丸尔。”《本草图经》云：“今嘉（今四川乐山）、眉（今四川眉山）、戎（今四川宜宾）州皆有。木高一二丈，叶如樱桃而厚大，十二月叶渐凋，二月复渐生，至四月旧叶落尽，新叶齐生，即花发成穗微黄色，五六月结实，八月熟而黄，一房共实三粒。”巴豆为大戟科植物巴豆的果实。入药取仁炒焦黑用，或榨去油名巴豆霜。或将巴豆与神曲共研，使油为神曲所稀释，以达到合适的巴豆霜含油的浓度。巴豆峻泻，炒焦黑或去油为霜，泻下力稍缓。可治积滞、腹水、水肿。外用可治恶疮疥癣。

［2］**癥癖**　癥，见“59 桑灰”注［2］。癖，见“59 桑灰”注［3］。

［3］**痃气**　见“192 天竺干姜”注［2］。

［4］**痞满**　见“175 甜藤”注［3］。

［5］**取青黑大者，每日空腹服一枚**　巴豆五六月结实作房，生青，至八月熟而黄。所云取大黑青者，即未成熟的巴豆。并云去壳，勿令白膜破吞之。所谓白膜，即种皮，薄而坚脆，种皮弄破，可见种仁，有油质，绝对不能口尝。就是种皮不破，也不能口尝，也不能吞。陈藏器的吞巴豆一法，不可轻试。巴豆仁能引起黏膜充血发疱溃烂剧痛。

833　樟材[1]

味辛，温，无毒。主恶气[2]，中恶[3]，心腹痛，鬼注[4]，霍乱[5]，腹胀，宿食不消，常吐酸臭水，酒煮服之，无药处用之。江东舸船[6]多是樟木。斫取札用之，弥辛烈者佳。亦作浴汤治脚气，除疥癣风痒，作履除脚气。县名豫章[7]，因木为名也。(《证类》页349，《大观》卷14页27，《纲目》页1368)

【校注】

[1] **樟材** 为樟科植物樟树的木材。《嘉祐本草》注钓樟，引《拾遗》“樟材”条释钓樟，故《嘉祐本草》认为樟材即钓樟。但《纲目》认为樟材即樟木，与钓樟不是同一植物，所以《纲目》将樟木与钓樟分立为二条。

[2] **恶气** 见“34 砺石”注[4]。

[3] **中恶** 见“93 仰天皮”注[2]。

[4] **鬼注** 见“19 锻镞下铁屑”注[3]。

[5] **霍乱** 见“1 铜盆”注[2]。

[6] **舸船** 船的一种。《初学记》引周迁《舆服杂事》：“欲轻行，则乘海舸。合木船也。”

[7] **豫章** 今江西南昌。

834 白杨[1]

去风痹[2]，宿血[3]，折伤[4]，血沥在骨肉间，痛不可忍，及皮肤风瘙肿[5]。杂五木[6]为汤，捋[7]浸损处。北土极多，人种墟墓间，树大皮白。或云叶无风自动，此是移（音移）杨，非白杨也。（《证类》页347，《大观》卷14页23，《纲目》页1415）

【校注】

[1] **白杨** 为杨柳科植物山杨。《本草图经》云：“白杨株大叶圆如梨，皮白，木似杨，故名白杨。”

[2] **风痹** 见“186 难火兰”注[2]。

[3] **宿血** 见“34 砺石”注[2]。

[4] **折伤** 见“566 予脂”注[7]。

[5] **皮肤风瘙肿** 《唐本草》云：“白杨树皮主毒风脚气肿，四肢缓弱不随，毒气游易在皮肤中。”

[6] **五木** 见“427 扶移木皮”注[5]。

[7] **捋** 用手指顺着抹过去。

835 小檗[1]

凡是檗木皆皮黄，今既不黄，自然非檗。小檗如石榴，皮黄，子赤如枸杞子，两头尖，人剉枝以染黄，若云子黑而圆，恐是别物，非小檗也。（《证类》页354，《大观》卷14页36，《纲目》页1385）

【校注】

[1] **小檗** 《本草图经》“檗木”注云：“又下品有“小檗”条，木如石榴，皮黄，子赤如枸杞，两头尖，人剉以染黄。”此文与《拾遗》所云同。《唐本草》注云：“其树枝叶与石榴无别，但花异，子细黑圆如牛李子尔。”陈藏器认为《唐本草》注所云“子黑而圆”恐是别物，非小檗也。今日的小檗为小檗科植物多种小檗的通称。《唐本草》云：“小檗，味苦，大寒，无毒。主口疮疳䘌，杀诸虫，去心腹中热气。一名山石榴。”陶弘景注“檗木”云：“又有一种小树，状如石榴，其皮黄而苦，俗呼为子檗，亦主口疮。”从形态与功用看，子檗和《唐本草》“小檗”同，故子檗即小檗。

836 荚蒾[1]

主六畜[2]疮中蛆，煮汁作粥灌之，蛆立出。皮堪为索[3]。生北土山林间。(《证类》页354，《大观》卷14页37，《纲目》页1401)

【校注】

[1] **荚蒾** 陆机《草木疏》云：“荚蒾，名击蒾，一名羿先，盖檀榆之类也。”《唐本草》注云：“叶似木槿及似榆作小树，其子如溲疏。两两相并，四四相对而色赤，味甘。煮树枝汁和作粥甚美，以饲小儿杀虫。”

[2] **六畜** 指牛、马、羊、鸡、犬、豕（猪）。

[3] **皮堪为索** 指夹蒾植物的皮能够制绳索。今日的荚蒾为忍冬科植物荚蒾。

837 柳絮[1]

主止血[2]，治小儿一日、五日寒热，煎柳枝浴。《本经》以絮为花，花即初发时黄蕊，子为飞絮，以絮为花，其误甚矣。江东人通名杨柳，北人都不言杨，杨树叶短，柳树叶长。(《证类》页343，《大观》卷14页10，《纲目》页1412)

【校注】

[1] **柳絮** 为杨柳科植物垂柳的具毛的种子。《本经》以絮为花，陶弘景亦云：“花熟随风，状如飞雪”。陈藏器指出絮是种子，初发时黄蕊为花。《本草衍义》云：“柳絮之下连小黑子，因风而起，得水湿处便生，如地丁类，多不因种植，于人家庭院中自然生出。”

[2] **止血** 《外台秘要》治金疮血出，柳絮封之，即止。《经验方》治吐血咯血，柳絮焙研，米饮服一钱。

838 梓树[1]

与楸木皮本同末异，若柏叶之有松身，苏敬以二木为一，误也[2]。(《证类》页

351、360,《大观》卷 14 页 29、52,《纲目》页 1392、1393)

【校注】

[1] **梓树** 《诗·鄘风》云:“椅、桐、梓、漆”。陆机疏云:“梓者,楸之疏理白色而生子者为梓。”《纲目》云:“木理白者为梓,赤者为楸。”楸、梓皆为紫葳科植物。梓树叶圆卵形,三枚轮生或对坐。楸树叶三角状卵形,对生。树干端直,高达 30 米。

[2] **苏敬以二木为一,误也** 苏敬以楸木、梓木为一本。《唐本草》注云:“此二树花叶取以饲猪,并能肥大易养。”

839 苏方[1]

寒。主霍乱呕逆及人常呕吐。用水煎服之。破血[2],当以酒煮为良。(《证类》页 348,《大观》卷 14 页 24,《纲目》页 1419)

【校注】

[1] **苏方** 即苏方木,简称苏木,为豆科植物苏木的心材。《南方草木状》云:“苏方树类槐,黄花黑子,出九真(今越南清化)。”《唐本草》注云:“苏方,人用染色。交州(今越南河内)、爱州(今越南清化)有,树似庵罗,叶若榆,抽条长丈许,黄花,子生青熟黑。”

[2] **破血** 《唐本草》云:“苏方木,味甘、咸,平,无毒。主破血,产后血胀闷欲死者,水煮,苦酒煮五两,取浓汁服之,效。”

840 接骨木[1]

有小毒。根皮主痰饮[2],下水肿及痰疟[3]。煮服之,当痢下及吐,不可多服。叶主疟,小儿服三叶,大人服七叶,并生捣绞汁服,得吐为度。《本经》[4]云无毒,误也。(《证类》页 356,《大观》卷 14 页 40,《纲目》页 1465)

【校注】

[1] **接骨木** 为忍冬科植物接骨木。《唐本草》注:“接骨木,叶如陆英,花亦相似,但作树,高一二丈许,木轻虚无心,斫枝插便生。人家亦种之,一名木蒴藋。”

[2] **痰饮** 见“226 离鬲草”注[5]。

[3] **痰疟** 见“110 生熟汤”注[4]。

[4] **《本经》** 此处《本经》指《唐本草》。因接骨木是《唐本草》新增药。《唐本草》说接骨木无毒,实际有毒,所以陈藏器说:“《本经》云无毒,误也。”

841 木天蓼[1]

今时所用出凤州[2]，树高如冬青[3]，不凋，出深山。人云多服损寿，以其逐风损气故也。不当以藤天蓼为注。既云木蓼，岂更藤生？自有藤蓼尔[4]。（《证类》页352，《大观》卷14页32，《纲目》页1464）

【校注】

[1] **木天蓼** 《唐本草》注云："作藤蔓，叶似柘，花白，子如枣许，无定形，中瓤似茄子。味辛，啖之当姜、蓼。其苗藤，切，以酒浸服，或以酿酒去风冷癥癖。今出安州（今湖北安陆）、申州（今河南信阳）。"陈藏器评曰："既云木蓼，岂更藤生？"

[2] **凤州** 今陕西凤县。

[3] **树高如冬青** 陈藏器谓木蓼是树。陆机《诗疏》："河内人（今陕西）谓木蓼为栎，椒榝之属也。其子房生为梂。木蓼子亦房生。"《唐本草》注作藤蔓生，故陈藏器驳之。

[4] **尔** 其后，《纲目》引陈藏器有："藤蓼生江南、淮南山中，藤着树生，叶如梨，光而薄，子如枣，即苏恭以为木天蓼者。又有小天蓼，生天目山、四明山，树如栀子，冬日不凋，野兽食之。是有三天蓼，俱能逐风，而小者为胜"69字。此69字与《开宝本草》"小天蓼"文基本相同，只是文句前后排列次序不同。《纲目》视为陈藏器《拾遗》文，并入"木天蓼"条内，并出"校正"云："并入拾遗小天蓼"。本条末"自有藤蓼尔"，说明《拾遗》有"藤蓼"条。联系《纲目》木天蓼"校正"并入《拾遗》小天蓼，则《拾遗》还有小天蓼。今作附录如下。

［附］藤蓼

生江南、淮南山中，藤着树生，叶如梨，光而薄，子如枣，即苏敬以为木天蓼者。

［附］小天蓼

生天目山、四明山，树如栀子，冬日不凋，野兽食之。是有三天蓼，俱能逐风，而小者为胜。

842 乌臼叶[1]

好染皂。子多取压为油涂头[2]，令白为黑。为灯极明。服一合，令人下痢，去阴下水。（《证类》页354，《大观》卷14页37，《纲目》页1422）

【校注】

[1] **乌臼叶** 为大戟科植物乌桕树的叶。《唐本草》注云："乌桕树高数仞，叶似梨、杏，花黄白，子黑色。"

[2] **子多取压为油涂头** 《日华子》云："乌桕子，凉，无毒。压汁梳头可染发；炒作汤，下水气。"《本草衍义》云："取子出油，燃灯及染发。"

843 赤爪[1]

陶注于杉条中[2]，鼠楂一名羊梂，即赤爪也。煮汁洗漆疮，效。《尔雅》云：朹，其实梂。有梂草，自裹其子，房生为梂。又爪木一名羊梂，一名鼠楂梂，此乃名同耳。梂似小楂而赤[3]，人食之，生高原。(《证类》页356，《大观》卷14页41，《纲目》页1274)

【校注】

[1] **赤爪** 为蔷薇科野山楂或山楂的果实。《唐本草》注云："小树生高五六尺，叶似香菜，子似虎掌爪，大如小林檎，赤色。出山南申（今河南信阳）、安（今湖北安陆）、随（今湖北随州）等州。"

[2] **陶注于杉条中** "杉"，《证类》原作"松"，查"松"条无陶注，而"杉"条有陶注，据此以改。陶于"杉"条注云："又有鼠楂，去地高尺余许，煮以洗漆疮多差。"

[3] **又爪木一名羊梂，一名鼠楂梂，此乃名同耳。梂似小楂而赤** 《纲目》云："唐本有赤爪，后人不知即山楂。自丹溪朱氏始著山楂，而后遂为要药。"

844 檀树[1]

如檀，出海南[2]。本功外，心腹痛，霍乱[3]，中恶[4]，鬼气[5]，杀虫。(《证类》页354，《大观》卷14页37，《纲目》页1366)

【校注】

[1] **檀树** 《嘉祐本草》在"紫真檀"条下引《拾遗》"檀树"条作注释，说明檀树即紫真檀。又前"815檀香"条，《拾遗》称之为白檀树。叶廷珪《香谱》云："皮实而色黄者为黄檀，皮洁而色白者为白檀，皮腐而色紫者为紫檀。其木并坚重清香，而白檀尤良。"今日紫檀为豆科植物紫檀心材。

[2] **海南** 泛指我国的广东、广西和越南的广大地区。

[3] **霍乱** 见"1铜盆"注[2]。

[4] **中恶** 见"93仰天皮"注[2]。

[5] **鬼气** 见"104车脂"注[2]。

845 楞木[1]

味苦，有小毒。皮主赤白久痢[2]、口鼻中疳虫[3]，去疥䘌[4]，主鬼注[5]、传尸[6]、蛊毒[7]、下血[8]。根皮去鬼气[9]，取一握细切，以童儿小便二升，豉一合，宿浸，绞取汁，煎一沸，三五日一度服。叶似椿，北人呼为山椿，江东人呼为虎目。叶脱处有痕，如白樗散木也。（《证类》页344，《大观》卷14页15，《纲目》页1388）

【校注】

[1] **樗木**　《本草图经》云："椿、樗二木，形干大抵相类。但椿木实而叶香，可啖；樗木疏而气臭。"椿木为楝科植物香椿，樗木为苦木科植物臭椿。二者根部或树干部内皮均可入药，能收涩止血止痢。

[2] **赤白久痢**　见"379角落木皮"注［1］。

[3] **口鼻中疳虫**　即疳䘌疮。初发鼻中赤痒，连唇生疮，涕多而黄，皮毛枯焦，肌肤枯瘦，手足潮热。多由小儿营养不良或某些慢性病所致。

[4] **疥䘌**　指疥疮和䘌疮。䘌疮亦称阴疮，见"581蚬"注［6］。

[5] **鬼注**　见"19锻锈下铁屑"注［3］。

[6] **传尸**　见"398古厕木"注［3］。

[7] **蛊毒**　见"135猪槽中水"注［2］。

[8] **下血**　是下部出血的通称。如痔疾出血、大便出血、妇女崩漏出血。

[9] **鬼气**　见"104车脂"注［2］。

解纷（二） 卷第九

846 生人发　847 人溺　848 马乳
849 黄牛乳　850 羊乳　851 阿胶
852 酥　853 湿酪　854 醍醐
855 犀角　856 羚羊角　857 牛肉
858 马肉及血　859 狗　860 麋
861 虎骨　862 豹　863 风狸
864 兔　865 鼺鼠　866 猪肉
867 驴　868 鼹鼠　869 獭
870 貒　871 鸡　872 鹅
873 鹜　874 鹰肉　875 雀肉
876 鹳脚骨及嘴　877 雄鹊　878 鸲鹆
879 燕屎　880 孔雀　881 鸬鹚
882 蜜　883 蜂子　884 土蜂
885 牡蛎　886 海蛤　887 秦龟
888 蠵蠵　889 鲤鱼肉　890 鳝鱼
891 鲫鱼　892 伏翼　893 猬脂
894 蚱蝉　895 木虻　896 蛴螬
897 水蛭　898 鳖　899 鮀鱼甲
900 乌贼鱼骨　901 蟹　902 原蚕屎
903 鲛鱼皮　904 虾蟆、蟾蜍　905 雄鼠
906 蚺蛇　907 蝮蛇　908 蛇蜕
909 雀瓮　910 蚯蚓粪土　911 蜣螂
912 田中螺　913 甲香　914 蜗牛

846 生人发[1]

挂果树上，乌鸟不敢来食其实。又人逃走，取其发于纬车上，却转之，则迷乱不知所适矣。(《证类》页363，《大观》卷15页1，《纲目》页1812)

【校注】

[1] **生人发** 《本经》作"发髲"。《本草衍义》云："发髲即陈旧经年岁者，如橘皮皆橘也，而取其陈者。狼毒、麻黄、吴茱萸、半夏、枳实之类，皆须陈者，谓之六陈，入药更良。败蒲亦然。"按：生人发煅炭，即成血馀炭。有止血消瘀敛疮之功。

847 人溺[1]

寒，主明目，益声、润肌肤，利大肠，推陈致新，去咳嗽肺痿[2]，鬼气[3]，痓病[4]。弥久停臭者佳。恐冷，当以热物和温服。久臭溺，浸蜘蛛咬，于大瓮中坐浸，仍取乌鸡屎炒，浸酒服，不尔恐毒入。

口中涎及唾，取平明未语者，涂癣疥[5]良。(《证类》页365，《大观》卷15页4，《纲目》页1816)

【校注】

[1] **人溺** 《本草衍义》云："人溺须童男者，产后温一杯饮，压下败血恶物。"

[2] **去咳嗽肺痿** 《唐本草》注云："人溺主久嗽上气失声。"关于肺痿，古书所释各异。《金匮要略》以咳吐浊唾涎沫为主症。其症有咳嗽，吐稠黏涎沫，咳声不扬，动则气促，口干咽干，消瘦，或见潮热，皮毛干枯，舌干红。《外台秘要》以传尸、气急咳者为肺痿。《医宗必读》以皮毛枯萎为肺痿。

[3] **鬼气** 见“104 车脂”注 [2]。

[4] **痉病** 即痉病。《杂病源流犀烛》称痉痓。筋强直不柔称为痉，口噤而角弓反张称为痓。

[5] **癖疥** 见“445 马疡木根皮”注 [2]。

848 马乳[1]

味甘，治热，性冷利[2]。(《证类》页 373，《大观》卷 17 页 1，《纲目》页 1742)

【校注】

[1] **马乳** 《别录》云：“马乳止渴”。

[2] **治热，性冷利** 《唐本草》注云：“马乳与驴乳性同冷利，止渴疗热。”

849 黄牛乳

生服利人[1]，下热气；冷补润肤，止渴；和酥煎三五沸食之，去冷气、痃癖[2]、羸瘦[3]。凡服乳，必煮一二沸停冷啜之，热食即壅。不欲顿服，欲得渐消，与酸物相反，令人腹中结癥。凡以乳及溺屎去病，黑牛胜黄牛。(《证类》页 373，《大观》卷 16 页 12，《纲目》页 1734)

【校注】

[1] **生服利人** 《唐本草》注云：“牛乳性平，生饮令人痢。”如果同荜茇煎服，反而能止痢。《太平广记》云：“贞观中太宗苦于气痢，众医不效。有术士进以乳汁煎荜茇，服之立差。”

[2] **痃癖** 见“59 桑灰”注 [3]。

[3] **羸瘦** 《食医心镜》云：“主消渴，口干。牛乳微寒，补虚羸。”

850 羊乳

补虚[1]，与小儿含之，主口疮[2]，不堪充药，为其膻故。羊五脏补人五脏[3]。肝主明目[4]，薄切，日干为末，和决明子、蓼子并炒香，捣筛为丸，每日服之，去盲暗。皮作臛，食之去风[5]。屎烧灰，沐发长黑，和雁肪涂头生发[6]。(《证类》页 372、379，《大观》卷 16 页 9，《纲目》页 1724)

【校注】

[1] **补虚** 《别录》云：“羊乳，温，补寒冷虚乏。”陶弘景云：“牛乳、羊乳实为补润，故北人多皆肥健。”

[2] **与小儿含之，主口疮**　《日华子》云："羊乳利大肠，含疗口疮。"

[3] **羊五脏补人五脏**　《别录》云："羊肺补肺，主咳嗽；羊心止忧恚膈气；羊肾补肾气，益精髓。"

[4] **肝主明目**　《食疗本草》云："肝性冷，治肝风虚热，目赤暗痛。热病后失明者，以青羊肝或子肝薄切，水浸傅之，极效。"

[5] **皮作臛，食之去风**　《食疗本草》云："取羊皮去毛，煮羹补虚劳。煮作臛食之，去一切风，治脚中虚风。"

[6] **屎烧灰，沐发长黑，和雁肪涂头生发**　《食疗本草》云："羊屎黑人毛发，主箭镞不出，粪和雁膏傅毛发落，三宿生。"

851　阿胶

阿井水煎成胶[1]，人间用者多非真也。凡胶俱能疗风[2]，止泄[3]，补虚[4]。驴皮胶主风为最。（《证类》页372，《大观》卷16页11，《纲目》页1751）

【校注】

[1] **阿井水煎成胶**　陶弘景云："出东阿（今山东东阿、阳谷之间），故曰阿胶。"郦道元《水经注》云："东阿有井（在阳谷县东北60里）大如轮，深六七丈，岁常煮胶以贡天府。"《别录》云："阿胶，煮牛皮作之，出东阿。"可见古时阿胶，是用牛皮煮作的。《本草图经》云："陈藏器云驴皮胶主风为最。今时方家用黄明胶多是牛皮，《本经》阿胶亦用牛皮，是二皮亦通用。然今牛皮胶以胶物者，不堪药用之。"

[2] **凡胶俱能疗风**　《广济方》：治诸风手脚不遂，腰脚无力。驴皮胶微炙热，先煮香豉二合，水一升煮之，去滓入胶，更煮，胶烊如饧，顿服之。

[3] **止泄**　《和剂局方》："治赤白下痢，阿胶（炒，水化成膏）一两，黄连三两，茯苓二两，为末，丸如梧子大，每服五十丸，日三。"

[4] **补虚**　阿胶治血虚最好，配当归、黄芪、党参为丸服。《小儿药证直诀》治阴虚燥咳，阿胶、杏仁、甘草、马兜铃、牛蒡子煎服。

852　酥[1]

堪合诸膏，摩风肿[2]，踠跌[3]，血瘀。（《证类》页373，《大观》卷16页13，《纲目》页1750）

【校注】

[1] **酥**　陶弘景云："酥是牛羊乳所为。《佛经》称乳成酪，酪成酥。"《唐本草》注云："酥有牛酥、羊酥，而牛酥胜羊酥。"

［2］**风肿** 多指皮肤出现局限性风疹块，皮肤作痒，抓后皮肤现风团，风团水肿高出皮肤，但有的很快消失。

［3］**踠跌** 《玉篇》："踠，曲脚也。"踠跌即足跌。

853 湿酪[1]

止渴[2]。味酸，寒，无毒。主马黑汗，和水灌之，差为度。干酪强于湿酪，牛者为上。(《证类》页373，《大观》卷16页13，《纲目》页1750)

【校注】

［1］**湿酪** 陈藏器分酪为干酪、湿酪两种，并说干酪强于湿酪。陶弘景引《佛经》称："乳成酪，酪成酥，酥成醍醐。"

［2］**止渴** 《日华子》云："牛酪，冷，止烦渴，热闷，心膈热痛。"《食疗本草》云："酪，寒，主热毒，止渴，除胃中热。患冷人勿食羊乳酪。"

854 醍醐[1]

性滑，以物盛之皆透。唯鸡子壳及葫瓢盛之不出。(《证类》页373，《大观》卷16页13，《纲目》页1751)

【校注】

［1］**醍醐** 《本草衍义》云："作酪时，上一重凝者为酪面，酪面上其色如油者为醍醐，熬之即出。"《唐本草》云："醍醐，优于酥，生酥中。"又注云："此酥之精液也。好酥一石有三四升醍醐。"

855 犀角[1]

按：犀肉，主诸蛊蛇兽咬毒，功用劣于角。《本经》有通天犀，且犀无水陆两种，并以精粗言之。通天者，脑上角千岁者长且锐，白星彻端，能出气通天，则能通神，可破水，骇鸡，故曰通天。《抱朴子》[2]曰：通天犀，有白理如线者，以盛米，鸡即骇矣。其真者，刻为鱼，衔之入水，水开三尺。其鼻角一名奴角，一名食角。《尔雅》云：兕[3]似牛，一角。犀似豕，三角。复云多似象，复如豕三角。陶据《尔雅》而言，不知三角之误也。又曰雌者是兕，而形不同，未知的实。(《证类》页383，《大观》卷17页17，《纲目》页1767)

【校注】

［1］**犀角**　为犀科动物多种犀的角。《本草图经》云："犀似牛，猪首，大腹，卑脚，脚有三蹄，色黑。好食棘。其皮每一孔皆三毛。顶一角，或云两角，或云三角。"按：犀角极昂贵，可用水牛角代之。《别录》云："水牛角疗时气寒热头痛。"《日华子》云："水牛角治热毒风并壮热"。说明水牛角具有犀角功效。《海药本草》云："凡犀屑了，以纸裹于怀中良久，合诸色药物，绝为易捣。"《归田录》云："人气粉犀"。

［2］**《抱朴子》**　见"71 执日取天星上土"注［3］。

［3］**兕**　《尔雅·释兽》云："兕，似牛。"郭璞注："一角，青色，重千斤。"《说文》云："兕，如野牛，其皮坚厚可制铠。"《纲目》云："大抵犀、兕一物，古人多言兕，后人多言犀。北音多言兕，南音多言犀。"今日犀产于印度、尼泊尔、缅甸、泰国、马来西亚及印度尼西亚一带。但《诗经》中多处记有兕，说明在《诗经》时代，黄河流域有犀的存在。《孟子·滕文公下》云："周公相武王……驱虎、豹、犀、象而远之。"近年陕西地区出土文物中有象骨，说明古代黄河中上游确有犀、象等动物存在。

856　羚羊角[1]

主溪毒[2]及惊悸烦闷[3]，卧不安，心胸间恶气，毒瘰疬[4]。肉主蛇咬，恶疮[5]。山羊、山驴、羚羊三种相似[6]，医工所用，但信市人，遂令汤丸或致乖舛。且羚羊角有神，夜宿以角挂树不着地，但取角弯中深锐紧小，犹有挂痕者，即是真；慢无痕者非。作此分别，余无他异。真角耳边听之，集集鸣者良[7]。陶云一角者谬也[8]。（《证类》页382，《大观》卷17页15，《纲目》页1773）

【校注】

［1］**羚羊角**　为牛科动物赛加羚羊的角。陶弘景云："角甚多节，蹙蹙圆绕。别有山羊角极长，惟一边有节，节亦疏大，不入药用。"《本草图经》云："今秦（今甘肃天水）、陇（今陕西陇县）州山中皆有，人多捕得货，其形似羊，青而大，其角长一二尺，有节，如人手指握痕，又至劲，今人入药皆用此角。"

［2］**溪毒**　见"149 草犀根"注［4］。

［3］**惊悸烦闷**　《肘后方》云："治血气逆心烦满。烧羚羊角，若（或）水羊角，末，水服方寸匕。"

［4］**瘰疬**　见"6 水银粉"注［4］。

［5］**恶疮**　见"20 铁锈"注［2］。

［6］**山羊、山驴、羚羊三种相似**　《本草图经》云："陶弘景以角多节、蹙蹙圆绕者为羚羊。而角极长，惟一边有节、节亦疏大者为山羊，山羊即《尔雅》所谓羱羊也。《唐本草》注以一边有蹙文又疏慢者为山驴。羚羊、山羊、山驴大都相似，今人相承用之。"

［7］**真角耳边听之，集集鸣者良**　《衍义》评曰："陈藏器取耳边听之集集鸣者良，亦强出此

说。今将他角附耳皆集集有声。"《本草图经》云："今牛羊诸角但杀之者，听之皆有声，不必专羚羊角也。"

[8] **陶云一角者谬也** 《纲目》评曰："陶氏言羚羊有一角者，而陈氏非之。按，《寰宇志》云：安南高石山出羚羊，一角极坚。则羚羊固有一角者矣。"

857 牛肉[1]

平。消水肿[2]，除湿气，补虚，令人强筋骨壮健。鼻和石燕煮汁服，主消渴。肝和腹内百叶作生姜醋食之，主热气，水气，丹毒，压丹石发热，解酒劳。五脏，主人五脏。黄牛肉，小温，补益腰脚。独肝者，有大毒，食之痢血至死。北人疗牛瘦，多以蛇从鼻灌之，则为独肝也；水牛则无之。以前二色牛肉，自死者发痼疾[3]、痃癖[4]，令人成疰病[5]。落崖死者良。黄牛乳，生服利人，下热气，冷补，润肌，止渴。和蒜煎三五沸食之，主冷气痃癖羸瘦。凡服乳，必煮一二沸，停冷啜之，热食则壅；不欲顿服，欲得渐消，与酸物相反，令人腹中结癥。凡以乳及溺屎去病者，黑牛强于黄牛。酥，堪合诸膏，摩风肿，踠跌[6]，血瘀。醍醐更佳，性滑，以物盛之皆透，唯鸡子壳及葫芦盛之不出。屎热灰[7]傅灸疮不差者。水牛、黄牛角鰓[8]及在粪土中烂白者，烧为黑灰，末服，主赤白痢。口中涎[9]，主反胃；又取老牛涎沫如枣核大，置水中服之，终身不噎。口中龄草[10]，绞取汁服，止哕。《本经》不言黄牛、乌牛、水牛，但言牛。牛有数种，南人以水牛为牛，北人以黄牛、乌牛为牛。牛种既殊，入用亦别也。(《证类》页378，《大观》卷17页7，《纲目》页1738)

【校注】

[1] **牛肉** 为牛科动物水牛或黄牛的肉。《别录》云："牛肉，味甘，平，无毒。主消渴，止唍泄，安中益气，养脾胃。自死者不良。"陶弘景云："自死谓疫死，肉多毒。"

[2] **消水肿** 《食医心镜》云："主水气浮肿，肚腹胀满，小便涩少。牛肉一斤熟蒸，以姜、醋空心食。"

[3] **痼疾** 见"489 鹿"注[3]。

[4] **痃癖** 见"59 桑灰"注[3]。

[5] **疰病** 见"237 缩砂蜜"注[3]。

[6] **踠跌** 即脚曲足跌。

[7] **屎热灰** 《别录》云："屎，燔之，主鼠瘘恶疮。"

[8] **水牛、黄牛角鰓** 《蜀本草》云："沙牛角鰓，主下闭瘀血，女子带下，下血，烧为灰，暖酒服之。"《药性论》云："黄牛角鰓灰，性涩，能止妇人血崩不止，赤白带下，止冷痢泻血。"

[9] **口中涎** 《日华子》云："涎止反胃呕，治噎。要取，即以水洗口后，盐涂之，则重吐出。"

《本草图经》云："涎主反胃。又取老牛涎沫如枣核大，置水中服之，终身不噎。"（此文与陈藏器所云同）

[10] **口中龆草** 牛反刍时，回到口腔中的草被重新细嚼，混有口涎，为龆草，一名牛转草。《医学正传》云："治反胃噎膈，牛转草、杵头糠各半斤，糯米一升，为末，取黄母牛涎和，丸龙眼大，煮熟食之。入砂糖二两尤妙。"

858 马肉及血[1]

有小毒，食之当饮美酒即解[2]。妇人怀妊不得食马、驴、骡，为其十二月胎，骡又不产。马头骨于水上流浸之，则无水蜞[3]（音其）。又埋安午地，令宜蚕。凡收白马茎[4]，当以游牝时，力势正强者，生取得为良。马牙烧作灰，唾和绯帛贴疔肿上根出。屎绞取汁，主伤寒时疾，服之当吐下，亦主产后诸血气，及时行病起合阴阳垂死者[5]，并温服之。用马屎及溺[6]，当以白者最良。（《证类》页375，《大观》卷17页1，《纲目》页1742）

【校注】

[1] **马肉及血** 《别录》云："马肉，味辛、苦，冷。主热，下气，长筋，强腰脊。"《食疗本草》云："生马血入人肉中，多只三两日便肿，连心则死。有人剥马被骨伤手指，血入肉中，一夜致死。"

[2] **食之当饮美酒即解** 《食疗本草》云："食诸马肉，心闷，饮清酒即解，浊酒即加。"

[3] **水蜞** 即水蛭。

[4] **白马茎** 《本草经》云："白马茎，主伤中脉绝，阴不起。"孟诜云："白马茎益丈夫阴气。阴干者末，和苁蓉蜜丸，空心酒下，日再，百日见效。"

[5] **合阴阳垂死者** 孟诜云："男子患未可（未愈）及新差（刚愈）后，合阴阳（同房事）垂至死，取白马粪五升，绞取汁，好器中盛，停一宿，一服三合，日夜二服。"

[6] **马屎及溺** 《别录》云："马屎名马通，微温，主妇人崩中，止渴及吐下血，鼻衄，金创，止血。马溺，味辛，微寒。主消渴，破癥坚积聚，男子伏梁积疝，妇人瘕疾，铜器承饮之。"

859 狗

正黄色者肉温补[1]，宜腰肾，起阳道[2]。骨煎为粥热补，令妇人有子，乳汁主青盲[3]。取白犬生子目未开时，乳汁注目中，疗十年盲，狗子目开即差。胆涂恶疮[4]。肾主妇人产后肾劳如疟者，妇人体热用猪肾，体冷即用犬肾。肝、心主狂犬咬，以傅疮上。屎主瘭疽[5]彻骨痒者，当烧作灰涂疮，勿令病者知。又屎和腊月猪脂傅瘘疮[6]，又傅溪毒[7]，疔肿[8]出根。颈下毛主小儿夜啼，绛袋盛系着儿两手。狗肝主脚气[9]攻心，作生姜、醋进之，当泄，先泄勿服之。（《证类》页381，《大观》卷17页13，《纲目》页1720）

【校注】

[1] **正黄色者肉温补** 陶弘景云："黄狗肉大补虚"。《日华子》云："犬黄者大补虚，余色微补。古言薯蓣凉而能补，犬肉暖而不补。虽有此言，服终有益。然奈秽甚，不食者众。"

[2] **起阳道** 强壮性的活动，可治阳痿。

[3] **青盲** 《诸病源候论》："青盲者，谓眼本无异，瞳子黑白分明，直不见物耳。"指眼外观无异常而逐渐失明者。

[4] **胆涂恶疮** 《别录》云："胆主痂疡恶疮"。

[5] **瘭疽** 见《千金方》。疽发于手指端或足趾端。初现红点，次变黑，小如黍豆，大如梅李，肿痛彻心，腐筋烂骨，脓如小豆汁。

[6] **瘘疮** 见"222 博落回"注[8]。

[7] **溪毒** 见"149 草犀根"注[4]。

[8] **疔肿** 见"269 断罐草"注[1]。

[9] **脚气** 见"274 灵床下鞋履"注[2]。

860 麋[1]

主人心粗豪。取心肝曝干，为末，酒下一具，便即小胆。若小心食之，则转怯不知所为，道家名白脯者，麋鹿是也。（《证类》页386，《大观》卷17页24，《纲目》页1783）

【校注】

[1] **麋** 为鹿科动物獐。《本草图经》云："獐之类甚多，麋，其总名也。有有牙者，有无牙者，用之皆同。然其牙不能噬啮。崔豹《古今注》曰：獐有牙而不能噬，鹿有角而不能触，是也。"《纲目》曰："獐似鹿而小，无角，大者不过二三十斤，无香。有香者麝也，俗称土麝，呼为香獐是矣。"

861 虎骨[1]

虎威[2]，令人有威，带之临官佳，无官为人所憎威。有骨如乙字，长一寸，在胁两旁，破肉取之；尾端亦有，不如胁者。胆[3]，主小儿惊痫[4]。肉及皮主疟。骨煮汁浴小儿，去疮疥，鬼注，惊痫[5]。屎主鬼气[6]。眼光主惊邪[7]，辟恶，镇心[8]。凡虎夜视，以一目放光，一目看物。猎人候而射之，弩箭才及，目光随堕地，得之者如白石是也[9]。（《证类》页384，《大观》卷17页19，《纲目》页1761）

【校注】

[1] **虎骨** 为猫科动物虎的骨。《食疗本草》云："主筋骨风急痛，胫骨尤妙。"虎是受保护动物，可用其他祛风湿药如木瓜、五加皮、桑寄生、千年健、威灵仙代用。

[2] **虎威** 《纲目》引"藏器曰"作"威骨"。《大观》《政和》俱作"虎威"。

[3] **胆** 孟诜云："虎胆主小儿疳痢，惊神不安，研水服之。"

[4] **惊痫** 见"208 风延母"注[3]。

[5] **骨煮汁浴小儿，去疮疥，鬼注，惊痫** 《别录》云："虎骨主除邪恶气，杀鬼疰毒，止惊悸，主恶疮鼠瘘，头骨尤良。"

[6] **鬼气** 见"104 车脂"注[2]。

[7] **眼光主惊邪** 《杨氏产乳》云："疗小儿惊痫，以虎睛一豆许，火炙为末，水和服之。"

[8] **辟恶，镇心** 《日华子》云："虎睛镇心及小儿惊啼，疳气，客忤。"

[9] **如白石是也** "白石"，《纲目》引"藏器曰"作"虎魄"，义为虎的魂魄。《本草衍义》对陈藏器评曰："陈藏器所注乙骨之事及射之目光堕地如白石之说，必得之于人，终不免其所诬也。"但《纲目》维护陈藏器之说，并说《衍义》未达其理耳。

862 豹[1]

主鬼魅神邪[2]，取鼻和狐鼻煮服之，亦主狐魅也[3]。(《证类》页387，《大观》卷17页25，《纲目》页1764)

【校注】

[1] **豹** 为猫科动物豹。《诗》云："赤豹黄罴"。陆机疏云："尾赤而文黑，谓之赤豹。"《本草衍义》云："豹肉，毛赤黄，其纹黑如钱而中空，比比相次。此兽猛捷过虎。"《纲目》在"豹"条下引"藏器曰"："豹皮不可藉睡，令人神惊，其毛入人疮中有毒。"《证类》未见此文。

[2] **鬼魅神邪** 泛指某些精神疾患。神志出现异常，古人认为是被鬼物所魅。

[3] **狐魅也** 传说狐狸狡猾，善于迷人。北魏·杨衒之《洛阳伽蓝记·卷四·法云寺》云："当时有妇人著彩衣者，人皆指为狐魅。"《外台秘要》载崔氏疗梦与鬼神交通及狐魅方，用豹鼻、野狐鼻各七枚，狐头骨一具，雄黄、阿魏等为丸，烧熏患者。

863 风狸[1]

溺，主诸色风[2]。人取养之，食果子，以笼子，溺如乳，甚难得。似兔而短，在高树，候风而吹至彼树。一名鼠狼[3]。出邕州以南。(《证类》页386，《大观》卷17页23，《纲目》页1788，《本草和名》卷上)

【校注】

[1] **风狸** 《嘉祐本草》以陈藏器本草“风狸”条释狸骨。狸为猫科动物豹猫。《本草图经》云：“狸有多种，邕州（今广西南宁）又有一种风狸，似兔而短，多栖息高木，候风而吹过他木。”《纲目》云：“风狸因风腾越，故名。”

[2] **溺，主诸色风** 《本草图经》作“溺主风”，无“诸色”2字。《纲目》引陈藏器文同，亦无“诸色”2字。

[3] **一名鼠狼** 见《本草和名》卷上“风狸”引《拾遗》。

864 兔[1]

寒，平。主热气湿痹[2]。毛烧灰，主灸疮不差[3]。骨主久疥[4]，醋摩傅之。肉久食弱阳，令人色痿[5]；与姜同食令人心痛[6]。头主难产，烧灰末酒下[7]。兔窍有五六穴。子从口出，今怀妊忌食其肉者，非为缺唇，亦缘口出[8]。（《证类》页385，《大观》卷17页21，《纲目》页1794）

【校注】

[1] **兔** 为兔科动物多种兔的通称。

[2] **主热气湿痹** 《纲目》注此文出处为“日华子”。《证类》引《日华子》仅作“兔肉治渴健脾，生吃压丹毒。”

[3] **毛烧灰，主灸疮不差** 《本草图经》云：“兔毛烧灰主灸疮不差。”《百一方》治火烧疮，取兔腹下白毛烧，胶以涂毛上，贴疮立差，待毛落即差。

[4] **骨主久疥** 《日华子》云：“兔骨治疮疥、刺风、鬼疰。”

[5] **肉久食弱阳，令人色痿** 孟诜云：“八月至十一月可食，大都损阳事，绝血脉。”《食疗本草》云：“八月至十月，其肉酒炙吃，以性冷故也。大都绝人血脉，损房事，令人痿黄。”

[6] **与姜同食令人心痛** 《食疗》云：“兔肉不宜与姜、橘同食之，令人卒心痛，不可治也。又，兔与姜同食成霍乱。”《梅师方》同。

[7] **头主难产，烧灰末酒下** 《日华子》云：“兔头骨和毛髓烧为丸，催生落胎，并产后余血不下。”《唐本草》注云：“兔皮毛合烧为灰，酒服，主产后胞衣不出及余血抢心欲死者，极验。”

[8] **怀妊忌食其肉者，非为缺唇，亦缘口出** 前10字沿袭陶弘景。陶云：“妊娠不可食，令子唇缺。”后4字出自陈藏器。陈藏器说不足信。但陶弘景话对后世影响很大，民间怀妊者仍有忌食兔肉的习惯。

865 鼺鼠[1]

陶云有水马，生海中，主产[2]。按：水马，妇人临产带之，不尔临时烧末饮服，亦可手持之。出南海，形如马，长五六寸，虾类也。《南州异物志》[3]云：妇人难产，割裂而出者，手握此虫，如羊之产也。生物中，羊产最易。(《证类》页393，《大观》卷18页11，《纲目》页1689)

【校注】

[1] **鼺鼠** 亦称大飞鼠。为鼯鼠科动物多种鼯鼠的通称。其中橙足鼯鼠的粪名五灵脂。《别录》云："生山都（今湖北襄阳）平谷。"陶弘景注："鼺是鼯鼠，一名飞生，状如蝙蝠，大如鸱鸢，毛紫色，暗夜行飞，生人取其皮毛以与产妇持之，令儿易产。"

[2] **陶云有水马，生海中，主产** 陶弘景注"鼺鼠"云："又有水马，生海中，是鱼虾类，状如马形，亦主易产。"《本草衍义》云："水马，首如马，身如虾，背伛偻，身有竹节纹，长二三寸，今谓之海马。"按：水马即海马。《拾遗》在"虫鱼"部已立"海马"条（见前555海马），此处又重出水马。

[3] **《南州异物志》** 见"45琉璃"注[2]。

866　猪肉[1]

寒。主压丹石，解热，宜肥。热人食之，杀药动风。肝主脚气[2]，空心切作生以姜、醋进之，当微泄；若先痢，即勿服。胆主湿䘌病[3]，下脓血不止，干呕羸瘦，多睡面黄者。取胆和生姜汁，酽醋半合，灌下部，手急捻，令醋气上至咽喉，乃放手，当下五色恶物及虫子。又主瘦病，咳嗽，取胆和小便、生姜、橘皮、诃梨勒、桃皮煮服。又主大便不通[4]，取猪、羊胆，以苇筒著胆缚一头，内下部入三寸，灌之，入腹立下。又主小儿头疮，取胆汁傅之。猪胰，主肺瘘咳嗽[5]，和枣肉浸酒服之，亦能主痃癖[6]羸瘦，又堪合膏练缯帛。腊月猪脂杀虫，久留不败。猪黄，主金疮血痢。野猪脂，酒服下乳汁，可乳五儿。齿灰主蛇咬[7]。(《证类》页389，《大观》卷18页1，《纲目》页1718，《医心方》页699)

【校注】

[1] **猪肉** 《日华子》云："肉疗水银风。久食令人虚肥，动风气。"

[2] **肝主脚气** 《千金翼》治风毒脚气，猪肝作生脍，食之取利。

[3] **胆主湿䘌病** 《梅师方》治热病有䘌蚀人，猪胆一枚，苦酒一合，同煎三两沸，温饮之。

[4] **主大便不通** 《伤寒论》治津液内竭，便硬不可攻，宜猪胆为导。大猪胆一枚，取汁，和少许醋，以灌谷道内，如一食顷，当大便出宿食恶物，甚效。

[5] **猪胰，主肺瘘咳嗽** 《肘后方》治肺气咳嗽，猪胰一具薄切，苦酒煮食。

[6] **痃癖** 见"59桑灰"注[3]。

[7] **齿灰主蛇咬** 《日华子》云："齿治小儿惊痫，烧灰服，并治蛇咬。"

867 驴[1]

黑者，溺及乳，并主蜘蛛咬，以物盛浸之。疮亦取驴溺处臭泥傅之，亦佳。蚰蜒入耳，取驴乳灌耳中，当消成水。（《证类》页391，《大观》卷18页390，《纲目》页1746）

【校注】

［1］**驴** 《唐本草》云："驴乳主小儿热急黄等，多服使痢。"《日华子》云："驴肉，凉，无毒。解心烦，止风狂。酿酒治一切风。脂傅恶疮疥及风肿。头汁洗头风，风屑。皮煎胶食，治一切风并鼻洪、吐血、肠风、血痢及崩中带下。"

868 鼹鼠[1]

肉，主风，久食主疮疥[2]痔瘘[3]，膏堪摩诸恶疮[4]。《本经》所说，即是小于鼠在地中行者，陶亦云形如鼠，尾黑，常穿耕地中，讨掘即得，如《经》所言，乃是今之鼢鼠，小口尖者。其鼹鼠是兽，非鼠之俦，大如牛，前脚短，皮入鞦辔[5]用。《庄子》[6]云：饮河满腹者。又隐鼠阴穿地而行，见日月光则死，于深山林木下土中有之。主大瘘疮。陶又云此是鼠王，其溺精一滴成一鼠，灾年则多，是处皆有。又能土中行，今博访山人，无精溺成鼠事，亦不能土中行，此是人妄说，陶闻而记尔。既小鼢鼠，亦是鼹鼠，即是有二鼹鼠。物异名同尔。（《证类》页393，《大观》卷18页10，《纲目》页1802）

【校注】

［1］**鼹鼠** 《别录》首载鼹鼠，谓在土中行。陶弘景注云："鼹鼠，俗中一名隐鼠，一名鼹鼠。形如鼠，大而无尾，黑色，长鼻甚强，常穿耕地中行，讨掘即得。"又云："今诸山林中有兽，大如水牛，形似猪，灰赤色，下脚似象，胸前尾上皆白，有力而钝，亦名鼹鼠。此是鼠王，其精溺一滴落地，辄成一鼠。"陈藏器根据陶弘景所注，谓鼹鼠有二，大者如牛，小者即鼢鼠。但对陶弘景所云"鼠王，其精溺一滴落地，辄成一鼠"，博访山人无其事，确认是人妄说，陶闻而误记。《本草衍义》亦评曰："陶氏注鼹鼠，不合更引今诸山林中大如水牛形似猪，灰赤色者也。"

［2］**疮疥** 见"383 枕材"注［7］。

［3］**痔瘘** 见"176 孟娘菜"注［2］。

［4］**恶疮** 见"20 铁锈"注［2］。

［5］**鞦辔** 鞦即秋千，辔是驾驭马的缰绳。《本草图经》云："有一种名鼹鼠，似牛而鼠首，足黑色，大者千斤，多伏于水，出沧州（今河北沧州），彼人取其肉食之，皮可作鞦辔。"《晋书》云：

"宣城（今安徽宣城）郡出隐鼠，大如牛，形似鼠，脚类象而驴蹄。毛灰赤色，胸前尾上白色。有力而钝。"

[6] **《庄子》** 见"64 土消"注 [5]。

869 獭[1]

主鱼骨鲠[2]不可出者，取足于项下爬之，亦煮汁食。皮毛主水瘊病[3]者，作褥及履著之，并煮汁服。屎主鱼脐疮[4]，研傅之。亦主驴马虫颡，细研灌鼻中。（《证类》页 392，《大观》卷 18 页 8，《纲目》页 1796）

【校注】

[1] **獭** 《本草图经》云："獭，北土人驯养以为玩，《广雅》一名水狗。有两种：有獱獭，形大，头如马，身似蝙蝠。《淮南子》云：养池鱼者，不畜獱獭。"《本草衍义》云："獭四足俱短，头与身尾皆褊毛，色若故紫帛，大者身与尾长三尺余，食鱼，居水中，出水亦不死，亦能休于大木上，世谓之水獭。"按：水獭为鼬科动物水獭，是半水栖兽类，挖洞于水边的树根或苇草灌丛下面。

[2] **主鱼骨鲠** 《别录》云："獭肝却鱼鲠"。陶弘景云："獭骨亦疗食鱼骨鲠"。《外台秘要》治鱼骨鲠，含水獭骨即下。

[3] **水瘊病** 见"394 紫衣"注 [2]。

[4] **屎主鱼脐疮** 《纲目》云："獭屎主鱼脐疮，研末水和敷之，即脓出痛止。"

870 貒[1]

脂，主传尸[2]，鬼气[3]，疰忤[4]，销于酒中服之。亦杀马漏脊虫疮，服丹石人食之良。一名獾豚，极肥也。（《证类》页 392，《大观》卷 18 页 9，《纲目》页 1791）

【校注】

[1] **貒** 《广雅》云："貒，獾也。"《方言》云："獾，关西（今陕西）谓之貒。"古时视貒、獾为同物。《本草衍义》云："貒肥矮，毛微灰色，头连脊毛一道黑，觜尖黑，尾短阔。"《纲目》云："貒，猪獾也；獾，狗獾也。二者相似而略殊。貒状似小猪豚，形体肥而行钝。其耳聋，见人乃走。足短尾短，尖喙褐毛；狗獾似小狗而肥，尖喙矮足，尾短深毛。皮可为裘领。"但生物学中将鼬科动物猪獾称为獾。

[2] **传尸** 见"398 古厕木"注 [5]。

[3] **鬼气** 见"104 车脂"注 [2]。

[4] **疰忤** 见"66 铸钟黄土"注 [2]。

871 鸡[1]

主马咬疮及剥驴马伤手。热鸡血及热浸之。黄雌鸡温补，益阳[2]。白鸡，寒，利小便，去丹毒风[3]。白屎，雄鸡三年者，能为鬼神所使；乌雌鸡杀鬼物。卵白，解热烦。尿炒服之，主虫咬毒。黄脚鸡，主白虎病[4]，布饭病处，将鸡来食饭，亦可抱鸡来压之。雄鸡肋血，涂白癜风[5]，疬疡风[6]。鸡子，益气，多食令人有声。一枚以浊水搅，煮两沸，合水服之，主产后痢；和蜡作煎饼，与小儿食之，止痢[7]。取二枚破著器中，以白粉和如稀粥，顿服之，主妇人胎动腰脐，下血。又取一枚打开，取白，酽醋如白之半，搅调吞之，主产后血闭不下。又取卵三枚，醋半升，酒二升，搅和，煮取二升，分四服，主产后血下不止。又，白虎病，取鸡子揩病处，咒愿送粪堆头，不过三度差。白虎是粪神[8]，爱吃鸡子。鸡屎[9]和黑豆炒，浸酒，主贼风，风痹，破血。(《证类》页397，《大观》卷19页1，《纲目》页1667)

【校注】

[1] **鸡** 为雉科动物家鸡。《本草图经》云："鸡之类最多、丹雄鸡、白雄鸡、乌雄、雌鸡、头、冠、血、肠、肝、胆、肶胵里黄皮、卵黄白、屎白等并入药。"《本草衍义》云："丹雄鸡，今言赤鸡者是也。盖以毛色言之。《经》注皆不言鸡发风，今体有风人，食之无不发作。"

[2] **黄雌鸡温补，益阳** 《本草图经》云："其肉虽有小毒，而补虚羸最要，故食治方中多用之。"

[3] **丹毒风** 即丹毒。见"22 淬铁水"注[2]。

[4] **白虎病** 见"41 白师子"注[2]。

[5] **白癜风** 见"58 自然灰"注[2]。

[6] **疬疡风** 见"710 糟笋中酒"注[3]。

[7] **止痢** 《本经》云："发髲合鸡子黄煎，消为水，疗小儿惊热下痢。"

[8] **白虎是粪神** 见"41 白师子"条全文。

[9] **鸡屎** 《千金方》治小儿惊啼，烧鸡屎白，米饮之。

872 鹅[1]

主消渴，取煮鹅汁饮之。苍鹅[2]食虫，白鹅[3]不食虫。主射工[4]，当以苍者良；主渴，以白者胜。(《证类》页400，《大观》卷19页6，《纲目》页1657)

【校注】

[1] **鹅** 为鸭科动物鹅。陶弘景云："东川多溪毒（见《肘后方》中人发寒热），养鹅以辟之。"

[2] **苍鹅** 《日华子》云："苍鹅，冷，有毒。发疮脓。"文中"发疮脓"，确有此事。在昔日无抗生素时，患外症，特别是背痈，不能食鹅肉，食则难救。

[3] **白鹅** 《日华子》云："白鹅，凉，无毒。解五脏热，止渴。脂润皮肤。"

[4] **射工** 见"266 豚耳草"注[1]。

873 鹜[1]

《尸子》[2]云野鸭为凫，家鸭为鹜[3]，不能飞翔，如庶人[4]守耕稼[5]而已。（《证类》页400，《大观》卷19页6，《纲目》页1660）

【校注】

[1] **鹜** 为鸭科动物家鸭。陶弘景云："鹜即是鸭。然有家鸭、有野鸭。"《通训定声》云："鹜，飞行舒迟，驯扰不畏人，今之家鸭也。"

[2] **《尸子》** 杂家书，20篇，尸佼（约公元前390—约前300）撰，尸佼原为秦相商鞅门客，鞅被刑后，佼恐联诛，逃亡入蜀，自为此书。《史记·孟子荀卿列传》谓"楚有尸子"。《汉书·艺文志》杂家谓"尸佼，鲁人。"

[3] **家鸭为鹜** 《本草衍义》谓鹜为野鸭，并举唐·王勃《滕王阁记》"落霞与孤鹜齐飞"为书证。《纲目》不同意《衍义》的看法，仍以陈藏器所说为是。

[4] **庶人** 即老百姓。

[5] **耕稼** 原是耕种，种地的，此处指农民。

874 鹰肉[1]

食之，主邪魅、野狐魅[2]。嘴及爪，主五痔[3]、狐魅，烧为末服之。（《证类》页402，《大观》卷19页12，《纲目》页1703）

【校注】

[1] **鹰肉** 为鹰科动物苍鹰的肉。《别录》云："鹰屎白，主伤挞，灭瘢。"陶弘景云："灭瘢，鹰屎应合僵蚕、衣鱼为膏也。"

[2] **邪魅、野狐魅** 见862豹注［2］。

[3] **五痔** 见"183益奶草"注［1］。

875 雀肉[1]

起阳道，食之令人有子[2]，冬月者良。腊月收雀屎，俗呼为青丹，主痃癖，诸块、伏梁[3]，和干姜、桂心、艾等为丸，入腹能烂痃癖。患痈，苦不溃，以一枚傅之立决[4]。又急黄欲死，以两枚细研，水温服之[5]。（《证类》页401，《大观》卷19页9，《纲目》页1684）

【校注】

［1］**雀肉** 为文鸟科麻雀的肉。

［2］**起阳道，食之令人有子** 孟诜云："其肉十月以后，正月以前，食之续五脏不足气，助阳道，益精髓。"

［3］**雀屎，俗呼为青丹，主痃癖，诸块，伏梁** 雀屎，今一名白丁香，以雄者为佳。能除痃癖、诸块、伏梁等癥瘕包块。《别录》云："雄雀屎以蜜和为丸，饮服主癥癖。"

［4］**患痈，苦不溃，以一枚傅之立决** 雄雀屎有腐蚀作用。《别录》云："雄雀屎，疗目痛，决痈疖。"《梅师方》云："治诸痈不消已成脓，惧针，不得破，雀屎涂疮头上，即易之。"

［5］**急黄欲死，以两枚细研，水温服之** 此以雄雀屎内服治急黄。单纯雄雀屎有腐蚀作用，加水稀释后，可减小腐蚀作用。

876 鹳[1]脚骨及嘴

主喉痹[2]，飞尸[3]，蛇虺[4]咬，及小儿闪癖，大腹痞满[5]，并煮汁服之，亦烧为黑灰饮服。有小毒，杀树木，秃人毛发，沐汤中下少许，发尽脱，亦更不生。人探巢取鹳子，六十里旱[6]。能群飞激云，云散雨歇。其巢中以泥为池，含水满池中，养鱼及蛇，以哺其子[7]。（《证类》页404，《大观》卷19页15，《纲目》页1655）

【校注】

［1］**鹳** 陶弘景云："鹳有两种，似鹄而巢树者为白鹳；黑色曲颈者为乌鹳。今宜用白者。"按：鹳为鹳科动物白鹳。

［2］**喉痹** 见"164 陈思岌"注［4］。

［3］**飞尸** 见"149 草犀根"注［7］。

［4］**蛇虺** 见"234 青黛"注［2］。

［5］**痞满** 见"175 甜藤"注［3］。

［6］**人探巢取鹳子，六十里旱** 古人爱鸟，怕农民伤害鸟，乃以干旱吓唬人。

［7］**其巢中以泥为池……以哺其子** 《本草衍义》评无此事。并云："此禽多在楼殿吻上作窠，日夕人观之。故知其未审耳！"本句后，《纲目》引"藏器曰"有："鹳之伏卵恐冷，取礜石围之，以助暖气"15字。此15字原出张华《博物志》。查《大观》《政和》"礜石""鹳骨"条，均未见陈藏器引过此文。

877 雄鹊[1]

子，下石淋，烧作灰，淋取汁饮之，石即下。（《证类》页404，《大观》卷19页15，《纲目》页1699）

【校注】

[1] **雄鹊** 为鸦科动物喜鹊。《别录》云："雄鹊肉，味甘，寒，无毒。主石淋，消结热。"

878 鸲鹆[1]

主吃[2]，取炙食之，小儿不过一枚差也。腊月得者，主老嗽[3]。目睛，和乳汁研，滴目[4]，瞳子能见云外之物。五月五日取子，去舌端，能效人言[5]。又可使取火。(《证类》页404，《大观》卷19页14，《纲目》页1696)

【校注】

[1] **鸲鹆** 为椋鸟科动物八哥。头前后喙处有一小撮丛毛。《唐本草》注："鸟似鵙而有帻（头巾，指一小撮丛毛）者是。"

[2] **主吃** 《日华子》云："治嗽及吃噫，下气，炙食之。"

[3] **主老嗽** 《食疗》云："治老嗽，腊日采之，五味炙食之，或作羹食。"

[4] **目睛，和乳汁研，滴目** 《日华子》云："眼睛和乳点眼甚明"。

[5] **能效人言** 雄鸲鹆善鸣，经笼养训练，能模仿人言。

879 燕屎[1]

有毒，主疟。取方寸匕，令患者发日平旦，和酒一升，搅调，病人两手捧碗，当鼻下承取气，慎勿入口，毒人。又主蛊毒[2]，取屎三合，熬令香，独头蒜十枚去皮，和捣为丸，服三丸如梧桐子，蛊当随痢下而出。(《证类》页401，《大观》卷19页10，《纲目》页1687)

【校注】

[1] **燕屎** 为燕科动物各类的通称。陶弘景云："燕有两种：有胡、有越。紫胸轻小者是越燕；胸斑黑，声大者是胡燕。"

[2] **蛊毒** 见"135 猪槽中水"注[2]。

880 孔雀[1]

味咸，无毒。(《证类》页403，《大观》卷19页13，《纲目》页1701)

【校注】

[1] **孔雀** 为雉科动物绿孔雀。羽毛翠绿，带有金属光泽。尾羽延长成尾屏，上具五色金翠钱纹，开屏时尤为艳丽。尾屏比身长大二倍有余。雌鸟无尾屏。陶弘景云："孔雀出广（今广东广州）、益（今四川成都）诸州。"《唐本草》注："孔雀，交（今越南河内）、广（今广东广州）有，剑南（今四川剑阁以南）原无。"

881 鸬鹚[1]

本功外，主易产，临时令产妇执之。此鸟胎生，乃从口出，如兔吐儿[2]，二物产同，其疗亦一。又其类有二种，头细身长，项上白者名鱼鸡[3]。杜台卿《淮赋》云：鸬鹚吐雏于八九，鸡鹊衔翼而低昂。（《证类》页404，《大观》卷19页16，《纲目》页1664）

【校注】

[1] **鸬鹚** 为鸬鹚科动物鸬鹚。《别录》云："鸬鹚屎，一名蜀水花，去面黑皯、黡志。头，微寒，主鲠及噎，烧服之。"

[2] **此鸟胎生，乃从口出，如兔吐儿** 此乃沿陶弘景之误。陶弘景云："此鸟不卵生，口吐其雏，独为一异。"《本草衍义》驳云："尝官地澧州（今湖南澧县），公宇后有大树一株，其上有三四十巢，日久观之，既能交合，兼有卵壳布地，其色碧，岂得雏吐口中，全未考寻，可见当日陶、陈听人误言也。"

[3] **鱼鸡** 《政和》作"鱼蚊"，《本草图经》作"白鲛"，郭璞注《尔雅》作"鱼鸡"。《纲目》同郭注。

882 蜜[1]

主牙齿疳䘌[2]，唇口疮[3]，目肤赤障[4]，杀虫。按：寻常蜜，亦有木中作者，亦有土中作者。北方地燥，多在土中；南方地湿，多在木中，各随十地所宜而生，其蜜一也。崖蜜别是一蜂，如陶所说，出南方岩岭间，生悬崖上，蜂大如宝，房著岩窟，以长竿刺令蜜出，承取之，多者至三四石，味硷色绿，入药用胜于凡蜜。苏敬是荆襄间人，地无崖险，不知之者，应未博闻[5]。今云石蜜，正是岩蜜也，宜改为岩字。甘蔗石蜜，别出《本经》[6]。张司空云：远方山郡幽辟处出蜜，所着巉岩石壁，非攀缘所及，惟于山顶篮舆自悬挂下，遂得采取。蜂去余蜡著石，鸟雀群飞来啄之尽，至春蜂归如故，人亦占护其处。宣州[7]有黄连蜜，色黄，味苦，主目热，蜂衔黄连花作之。西京[8]有梨花蜜，色白如凝脂，亦梨花作之，各随所出。（《证类》页410，《大观》卷20页1，《纲目》页1502）

【校注】

[1] **蜜** 《本经》名石蜜。陶弘景云："石蜜即崖蜜也，高山岩石间作之，色青赤，味小硷，食之心烦。其蜂黑色似虻。又木蜜呼为食蜜，悬树枝作之，色青白。又有土蜜于土中作之，色青白，味硷。"

[2] **牙齿疳䘌** 见"241 甘松香"注[4]。

[3] **唇口疮** 见"289 甲煎"注[5]。

[4] **目肤赤障** 见"355 那耆悉"注[3]。

[5] **苏敬是荆襄间人，地无崖险，不知之者，应未博闻** 苏敬注《本经》"石蜜"云："蜜既蜂作，当去石字。"陈藏器认为石蜜即崖蜜，高山岩石间作之。苏敬是荆襄（今湖北）间人，地平，无高山岩石，故不知崖蜜即石蜜。

[6] **甘蔗石蜜，别出《本经》** 此处《本经》即指《唐本草》。因《唐本草》另有"石蜜"条，与《神农本草经》"石蜜"为同名异物。《唐本草》的"石蜜"系指用牛乳汁和砂糖煎成的，一名乳糖；《神农本草经》"石蜜"由蜜蜂作之。

[7] **宣州** 今安徽宣城。

[8] **西京** 今陕西西安。

883 蜂子[1]

主丹毒[2]，风疹[3]，腹内留热，大小便涩，去浮血，妇人带下，下乳汁。此即蜜房中白如蛹者，其穴居者，名土蜂，最大螫人至死。其子亦大白，功用同蜜蜂子也。（《证类》页411，《大观》卷20页4，《纲目》页1505）

【校注】

[1] **蜂子** 陶弘景云："蜂子应是蜜蜂子，取其未成头足时炒食之。又酒渍以傅面，令面悦白。"《本草图经》云："蜂子即蜜蜂子也，如蛹而白色；大黄蜂子即人家屋上作房及大木间㵒瓠蜂子也；土蜂子即穴土居者。"《岭表录异》云："宣、歙（今安徽宣城、歙县）人取蜂子法，大蜂结房于山林间，大如巨钟，其中数百层，土人采时须以草衣蔽体，以捍其毒螫，复以烟火熏散蜂母，乃敢攀缘崖、木，断其蒂，一房蜂子或五六斗至一石，以盐炒曝干，寄入京洛，以为方物。"

[2] **丹毒** 见"22 淬铁水"注[2]。

[3] **风疹** 见"287 螺厣"注[3]。《圣济总录》谓蜂子治大风疠疾，须眉堕落。用蜜蜂子、胡蜂子、黄蜂（并炒）各一分，白花蛇、乌梢蛇、僵蚕、全蝎各一两，地龙半两，蜈蚣、壁虎各15枚，丹砂一两，雄黄一分，龙脑半钱，为末，每服一钱匕。温蜜汤调下，日三五服。按：大风疠疾即麻风，此病极难治。本方以毒药攻之。

884 土蜂[1]

蠮螉注苏云：土蜂，土中为窠，大如乌蜂。按：土蜂赤黑色，烧末油和傅蜘蛛

咬疮，此物能食蜘蛛，亦取其相伏也。（《证类》页446，《大观》卷20页4，《纲目》页1506）

【校注】

[1] **土蜂** 为土蜂科昆虫土蜂。《唐本草》注“蠮螉”云：“土蜂，土中为窠，大如乌蜂，不伤人，非蠮螉。蠮螉不入土中为窠。”因蠮螉亦称上蜂，故苏敬辨之。《本草图经》云：“土蜂子即穴土居者，其蜂最大，螫人或至死。而今宣城（今安徽宣城）蜂子乃掘地取之，似土蜂也。故郭璞注《尔雅》土蜂云：今江东呼大蜂在地中作房者为土蜂，啖其子，即马蜂，荆（今湖北）、巴（今四川）间呼为蟺。”按：本条为《嘉祐本草》所引，作为“蜂子”的注文。又，唐慎微在《证类本草》中亦引本条作“蠮螉”的注文。

885 牡蛎[1]

捣为粉，粉身，主大人小儿盗汗[2]。和麻黄根、蛇床子、干姜为粉，去阴汗[3]。肉煮食，主虚损，妇人血气，调中，解丹毒。肉于姜、醋中生食之，主丹毒，酒后烦热，止渴。天生万物皆有牝牡，惟蛎是咸水结成块。然不动阴阳之道，何从而生。经言牡者，应是雄者[4]。（《证类》页412，《大观》卷20页6，《纲目》页1638，《医心方》页168、703）

【校注】

[1] **牡蛎** 为牡蛎科动物多种牡蛎的通称。《本草图经》云：“牡蛎生海边，初才如拳石，四面渐长，有一二丈者，崭岩如山。每一房内有蠔肉一块，肉之大小，随房所生，大房如马蹄，小者如人指面。每潮来，则诸房皆开，有小虫入则合之以充腹。海人皆凿房，以烈火逼开之，挑取其肉。而其壳左顾者为雄，右顾者则牝蛎。”

[2] **盗汗** 见“595故绯帛”注[5]。

[3] **阴汗** 见“68铸铧鉏孔中黄土”注[3]。

[4] **经言牡者，应是雄者** 《酉阳杂俎》云：“牡蛎言牡，非谓雄也。”《本草衍义》同意《酉阳杂俎》的说法。且如牡丹，岂可更有牝丹也。

886 海蛤[1]

主水癊[2]，取二两，先研三日，汉防己、枣肉、杏人二两，葶苈子六两，熬，研成脂为丸，一服十丸，利下水。海蛤是海中烂壳[3]，久在泥沙、风波淘洗，自然圆净，有大有小，以小者久远为佳，亦非一一从雁腹中出也。

文蛤[4]是未烂时壳犹有文者，此乃新旧为名，二物本同一类。假如雁食蛤壳，岂择文与不文？苏敬此言，殊为未达。至如烂蚬蚌壳，亦有所主，与生不同。陶云副品，正其宜矣。《说文》曰：千岁燕化为海蛤，一名伏老，伏翼化为，今亦生子滋长也。(《证类》页416，《大观》卷20页14、15，《纲目》页1644)

【校注】

[1] **海蛤** 为帘哈科动物青蛤。《药性论》云："海蛤治水气浮肿，下小便，治嗽逆上气。主治项下瘤瘿。"

[2] **主水痫** 即治水痫肿满。陈藏器用海蛤、汉防己、枣肉、杏仁各二两，葶苈子六两为丸服，一服十丸，利下水。按：藏器未言明丸之大小，一般以梧子大为准。

[3] **海蛤是海中烂壳** 原来陶弘景注为"海蛤至滑泽，云从雁屎中得之二三十过方为良。"陈藏器驳陶弘景海蛤经雁食之从粪中出过多次的说法。指出"海蛤是海中烂壳，久在泥沙、风波淘洗，自然圆净……非一一从雁腹中出也。"

[4] **文蛤** 为帘蛤科动物文蛤。陶弘景云："文蛤小大而有紫斑，此既异类而同条，若别之则数多，今以为附见而在副品限也。"按：海蛤、文蛤都是《本经》药，陶弘景作《本草经集注》时收录"本经药"365种，其中有4种是并条的，如"文蛤"是并在"海蛤"条作为一条计算，视文蛤为海蛤的副品。苏敬不同意陶弘景的做法，并说"夫天地间物无非天地间用，岂限其数为正、副耶？"因此苏敬在编《唐本草》时，又将海蛤、文蛤分立为二条。陈藏器不赞同苏敬所为，并说"苏敬此言，殊为未达。陶云副品，正其宜矣。"所以陈藏器又将海蛤、文蛤并为一条论述。

887 秦龟[1]

苏云秦龟即是蠵蠵[2]，按：蠵蠵生海水中，生山阴者非蠵蠵矣。今秦龟是山中大龟如碑下趺者[3]，食草根竹笋，深山谷有之，卜人取以占山泽[4]。《汉书》[5]十朋有山龟，即是此也。揭取甲，亦如蠵蠵，堪饰器物。龟溺[6]，主耳聋，滴耳中差。(《证类》页413，《大观》卷20页8，《纲目》页1627)

【校注】

[1] **秦龟** 陶弘景云："此即山中龟不入水者，形大小无定。"《蜀本草·图经》云："今江南、岭南（今广东、广西）并有，冬月藏土中，春夏秋即游溪谷。而云秦龟，应以地名为别故也。"

[2] **苏云秦龟即是蠵蠵** 陈藏器认为苏敬"秦龟即是蠵蠵"可疑，并指出蠵蠵生海水中，生山阴（指秦龟）者非蠵蠵。《蜀本草·图经》亦云："苏言秦龟即蠵蠵，非为通论。"《本草衍义》云："秦龟即生于秦者，秦地山中多老龟，极大而寿。"

[3] **如碑下趺者** 古代立碑，其下镶立在龟形石座上，为碑下趺。

[4] **卜人取以占山泽** 古时卜卦人常用龟版占卜山泽及疑难问题。

[5] **《汉书》** 见"338 灵寿木根皮"注[2]。

[6] **龟溺** 《本草图经》云："药中用龟尿最难得。孙光宪《北梦琐言》云：取雄龟于瓷盘中，

置之于后以镜照，龟见镜中影，往往淫发而失尿，急以物收取之。”

888 蠵蠵[1]

秦龟[2]注陶云：广州有蠵蠵，其血主俚人毒箭。按：蠵蠵，人被毒箭伤烦闷欲死者，剖取血傅伤处。此是焳铜及螯汁毒，南人多养用之。似龟，生海边，有甲文，堪为物饰。（《证类》页414，《大观》卷20页8，《纲目》页1627）

【校注】

[1] **蠵蠵** 《蜀本草·图经》云：“又灵龟出涪陵郡（今重庆涪陵），大甲，似玳瑁，即蠵蠵龟也。”《岭表录异》云：“蠵蠵，俗谓之兹夷，大者人立背上，可负而行。潮（今广东潮州）、循（今广东惠州）间甚多，乡人取壳以生得全者为贵。”

[2] **秦龟** 《纲目》云：“秦龟是山龟，蠵蠵是泽龟。盖一类二种。其入药、饰器、功用同。”

889 鲤鱼肉[1]

主安胎[2]，胎动，怀妊身肿[3]，煮为汤食之。破冷气，痃癖[4]，气块，横关，伏梁[5]，作鲙以浓蒜齑食之。胆主耳聋[6]，滴耳中。目为灰，研傅刺疮中风水疼肿，汁出即愈[7]，诸鱼目并得。鲤鱼，从脊当中数至尾，无论大小，皆有三十六鳞，亦其成数也。（《证类》页419，《大观》卷20页10，《纲目》页1596，《医心方》页700）

【校注】

[1] **鲤鱼肉** 为鲤科动物鲤鱼的肉。《本草图经》云：“即赤鲤鱼也。其脊中鳞一道，每鳞上皆有小黑点，从头数至尾，无论大小皆三十六鳞。古语云：五尺之鲤与一寸之鲤，大小虽殊，而鳞之数等是也。”

[2] **主安胎** 《日华子》云：“怀妊人胎不安，用绢裹鳞和鱼煮羹，熟后去鳞食之验。”

[3] **怀妊身肿** 孟诜云：“鲤鱼白煮食之，疗水肿脚满下气。”

[4] **破冷气，痃癖** 《日华子》云：“鲤鱼肉治咳嗽，疗脚气，破冷气，痃癖。”痃癖，见“59 桑灰”注［3］。

[5] **横关，伏梁** 泛指体内长形瘕块。

[6] **胆主耳聋** 胆亦治目疾。《本经》云：“鲤鱼胆主目热赤痛。”《药性论》云：“鲤鱼胆点眼，治赤肿翳痛。”

[7] **目为灰，研傅刺疮中风水疼肿，汁出即愈** 《食疗本草》云：“刺在肉中风水肿痛者，烧鲤鱼眼睛作灰，纳疮中，汁出即可。”此二文全同，《食疗》早于《拾遗》，是《拾遗》转录《食疗》之文。

890　鳝鱼[1]

主湿痹气，补虚损，妇人产后淋沥，血气不调，羸瘦，止血，除腹中冷气肠鸣也。血，主癣及瘘，断取血涂之。夏月于浅水中作窟如蛇，冬蛰夏出，宜臛食之，证俗音鳝鱼，音善字，或作鳝。诸书皆以鳣为鳝。《本经》以鳣为鼍，仍足鱼字，殊为误也。《风土记》云：鳝鱼夏出冬蛰，亦以气养和实时节也。《颜氏家训》[2]云：《后汉书》鹳雀衔三鳝鱼（音善），多假借作鳣。魏武《四时食制》：鳣鱼大如五斗，躯长一丈，即鳣鱼也。若如此长大，鹳雀不能胜一，况三头乎？是鳝鱼明矣。今宜作鳝字。作臛当重煮之，不可以桑薪煮之，亦蛇类也。（《证类》页418，《大观》卷20页17，《纲目》页1609）

【校注】

[1] **鳝鱼**　为鳝科动物黄鳝。《蜀本草·图经》云："似鳗鲡鱼而细长，亦似蛇而无鳞，有青黄二色，生水岸泥窟中。"《本草衍义》云："鳝鱼腹下黄，世谓之黄鳝，动风气，多食令人霍乱，屡见之。"

[2] **《颜氏家训》**　见"536 鳣鱼肝"注［3］。

891　鲫鱼[1]

头主咳嗽，烧为末服之。肉主虚羸，五味熟煮食之。鲙主小儿大人丹毒[2]，水谷不调下痢，亦主赤白痢及五野鸡病[3]。（《证类》页418，《大观》卷20页18，《纲目》页1602，《医心方》页174、283、575、579、701）

【校注】

[1] **鲫鱼**　为鲤科动物鲫鱼。《蜀本草·图经》云："形亦似鲤，色黑而体促，肚大而脊隆。所在池泽皆有之。"

[2] **丹毒**　见"22 淬铁水"注［2］。

[3] **五野鸡病**　见"183 益奶草"注［1］。

892　伏翼[1]

主蚊子。五月五日取倒悬者，晒干，和桂、薰陆香为末，烧之，蚊子去。取其血滴目，令人不睡，夜中见物[2]。（《证类》页402，《大观》卷19页11，《纲目》页1687）

【校注】

[1] **伏翼** 为蝙蝠科动物蝙蝠。《唐本草》注："伏翼以其昼伏有翼尔。李氏本草云'即天鼠也'。其屎灰酒服方寸匕，主子死腹中。"从《唐本草》注"伏翼屎下死胎"及《续传信方》"疗马扑损痛"看，说明伏翼屎和鼯鼠的屎（五灵脂）均有活血化瘀止痛之功，但后世以治目疾为主。

[2] **取其血滴目，令人不睡，夜中见物** 《本经》云："伏翼主目瞑，明目，夜视有精光。"

893 猬脂[1]

主耳聋，可注耳中。皮[2]及肉，主反胃，炙黄食之。骨食之令人瘦，诸节渐缩小[3]。肉食之主瘘。（《证类》页423，《大观》卷21页1，《纲目》页1805）

【校注】

[1] **猬脂** 为刺猬科动物刺猬的脂肪。《本草图经》云："猬，生田野山林中，状类貒豚，脚短，多刺，尾长寸余，人触近便藏头足，外皆刺，不可得捉。惟见鹊则反腹受啄。"

[2] **皮** 《本经》云："猬皮主五痔，阴蚀，下血赤白五色，血汁不止。"按：猬皮烧末与血馀炭有同功，内服治各种出血，调膏外涂可治外伤出血或溃疡不敛。

[3] **骨食之令人瘦，诸节渐缩小** 《食疗本草》云："猬肉炙食之良，不得食其骨也。其骨能瘦人，使人缩小也。"如果属实，则适量猬骨可以减肥。按：唐代风尚，人以肥胖为美，凡对肥胖不利的食物皆忌服。

894 蚱蝉[1]

蟪蛄、寒螿、蛁蟟、蛁母、蜩蜺[2]，并蝉注陶云：蟪蛄四月、五月鸣，小紫青色者。而《离骚》云：蟪蛄鸣兮啾啾，此乃寒螿耳。二月鸣者，名宁蛁母，似寒螿而小。七月鸣者名蛁蟟，色青。《诗》[3]曰：鸣蜩嘒嘒，形大而黑，古人食之。古《礼》云：雀、鷃、蜩、范，范有冠，蝉有绥。按：蜩已上五虫，并蝉属也。《本经》云：蝼蛄，一名蟪蛄，本功外，其脑煮汁服，主产后胞不出，自有正传。然蟪蛄非蝼蛄，二物名字参错耳。《字林》[4]云：蝉，蟪蛄也。蝘，蝉属也。《草木疏》云：蝉一名蛁蟟，青徐[5]间谓之蜓蟧，楚[6]人名之蟪蛄，秦燕[7]谓之蛥蚗。郭璞注云：俗呼之为蝉，宋卫[8]谓之蜩螗，楚谓之蟪蛄，关东[9]谓之蟧蟧。陶又注桑螵蛸云：俗呼螳螂为蛁蟟[10]，螳螂即非蝉类，陶误也。蜩蟟退皮，研一钱匕，井花水服，主牙病。寒螿、蜩蜺，《月令》谓蜺也。蛁母亦小蝉。《礼》注云：蜩，蝉也；范，蜂也，已有。《本经》自蜩已上，并无别功也。（《证类》页427，《大观》卷21

页 8，《纲目》页 1544）

【校注】

[1] **蚱蝉**　为蝉科昆虫蚱蝉。是蝉类中最大者，夏日鸣声甚大。幼虫栖息土中，吸树根液汁，出土蜕壳成蝉，其壳名蝉衣、蝉蜕、蝉退。

[2] **蟪蛄、寒螿、蛁蟟、蚱母、蜩螗**　是蝉属中的各个种。每种各有一些异名。各个种的蝉名在不同地区又作为蝉的别名。其中有的蝉名亦非蝉属专有名。如蟪蛄又是蝼蛄的异名。陈藏器对此详加说明。

[3] **《诗》**　即《诗经》。见“427 扶移木皮”注 [9]。

[4] **《字林》**　见“214 狎菜”注 [2]。

[5] **青徐**　今山东、苏北一带。

[6] **楚**　今湖南、湖北一带。

[7] **秦燕**　今陕西、河北。

[8] **宋卫**　今河南。

[9] **关东**　今山西。

[10] **蛁蟟**　蝉之小者，七八月出现，鸣声“呜—呜—呜……”，亦称呜呜蝉。

895　木虻[1]

陶云：此虻不啖血，似虻而小。苏云：江岭已南有木虻，长大绿色，一作青色者，何有虻而不啖血，陶误耳[2]。按：木虻从木叶中出，卷叶如子，形圆著叶上，破之初出如白蛆，渐大羽化，拆破便飞，即能啮物。塞北[3]亦有，岭南[4]极多，如古度化成蚁耳[5]。《本经》既出木虻，又出蜚虻，明知木虻是叶内之虻，飞虻是已飞之虫，飞是羽化，亦犹在蛹，如蚕之与蛾尔，既是一物，不合二出，应功用不同，后人异注尔。（《证类》页 433，《大观》卷 21 页 20，《纲目》页 1554）

【校注】

[1] **木虻**　陈藏器认为木虻是蜚虻的蛹，状如蛆，藏在卷曲木叶内。待羽化为成虫，飞出名蜚虻。蜚虻即虻虫，能破血消癥，治蓄血发狂、经闭、癥瘕、跌扑损伤瘀血痛。

[2] **陶云：此虻不啖血……陶误耳**　以上 39 字，为陈藏器转录苏敬评陶氏之语。陶弘景说木虻不啖血，而且小于虻。苏敬说，何有木虻而不啖血，而且木虻比蜚虻大一倍，所以苏说“陶误耳。”

[3] **塞北**　见“166 孝文韭”注 [4]。

[4] **岭南**　见“7 诸金有毒”注 [2]。

[5] **古度化成蚁耳**　《齐民要术》引《交州记》曰：“古度树不花而实，实从皮中出，大如安石榴，色赤可食。其实中如有蒲梨者，取之数日不煮，皆化成虫，如蚁有翼，穿皮飞出。”古度亦见《文选·吴都赋》“松梓古度”。

896 蛴螬[1]

主赤白游疹[2]，以物发疹。破碎蛴螬，取汁涂之。《本经》云：生粪土中，陶云能背行者，苏云在腐木中。柳木中者皮白，粪中者皮黄，以木中者为胜。按：蛴螬居粪土中，身短，足长，背有毛筋，但从水人，秋蜕为蝉，飞空饮露，能鸣高洁。蝎[3]在朽木中，食木心，穿如锥刀，一名蠹，身长足短，口黑无毛，节慢，至春羽化为天牛，两角状如水牛，色黑，背有白点，上下缘木飞腾不遥。二虫出处既殊，形质又别，苏乃混其状，总名蛴螬，异乎蔡谟彭蜞，几为所误。苏敬此注，乃千虑一失矣。《尔雅》云：蟦，蛴螬；蝤蛴，蝎。郭注云：蛴螬在粪土中，蝎在木中，桑蠹是也。饰通名蝎，所在异也。又云：啮桑，注云似蜗牛，长角，有白点，喜啮桑树作孔也。（《证类》页428，《大观》卷21页10，《纲目》1540）

【校注】

[1] **蛴螬** 为金龟子科多种金龟子的幼虫通称。啮植物根，为地下害虫。《尔雅》云："蟦，蛴螬。"郭璞注："在粪土中"；又云："蝤蛴，蝎。"郭注："在木中，今虽通名为蝎（非全蝎之蝎），所在异。"苏敬认为蝎亦是蛴螬。陈藏器指出蝎是天牛的幼虫，不能与蛴螬混为一谈。这样混称，犹如蔡谟不识蟛蜞，当作螃蟹吃，几乎中毒而死。

[2] **赤白游疹** 见"197 海根"注［8］。

[3] **蝎** 此处蝎非全蝎之蝎，是蝤蛴，也泛指木中蠹虫。

897 水蛭[1]

本功外，人患赤白游疹[2]及痈肿毒肿[3]，取十余枚，令啗（一作吮）病处，取皮皱肉白，无不差也。冬月无蛭虫，地中掘取，暖水中养之，令动，先洗去人皮咸[4]，以竹筒盛蛭缀之，须臾便咬，血满自脱，更用饥者。崔知悌令两京无处预养之，以防缓急，收干蛭当展其身，令长腹中有子者去之。此物难死，虽加火炙，亦如鱼子，烟熏三年，得水犹活，以为楚王之病也[5]。（《证类》页448，《大观》卷22页17，《纲目》页1535）

【校注】

[1] **水蛭** 为水蛭科动物多种蛭的通称。《本草图经》云："水蛭，一名蜞，此有数种，生水中者名水蛭，亦名马蟥；生山中者名石蛭；生草中者名草蛭；生泥中者名泥蛭，并皆著人及牛马股胫间，啮咂其血。"又云："石蛭等并头尖腹粗，不堪入药，误用之则令人目中生烟不已，渐致枯损，不

可不辨也。”

［2］**赤白游疹** 见“197 海根”注［8］。

［3］**痈肿毒肿** 见“384 鬼膊藤”注［1］。本条是用活水蛭吸血消痈肿毒肿。

［4］**先洗去人皮咸** 水蛭畏咸卤，人及牛马股胫被水蛭啮咂时，用盐卤滴水蛭，则水蛭自脱。本条讲用水蛭吸痈肿毒血前，为了使水蛭吸着肿处皮肤，预先应洗去咸。

［5］**以为楚王之病也** 王充《论衡》云：“蛭乃食血之虫，楚王殆有积血之病，故食蛭而病愈也。”

898 鳖[1]

主热气[2]，湿痹[3]，腹中激热。细擘，五味煮食之，当微泄。膏脱人毛发，拔去涂孔中即不生；若欲重生者，以白犬乳汁涂拔处，当出黑毛也。颔下有软骨，如龟形，食之令人患水病。有以此为药者，蜗牛、鳖头[4]，脱肛皆烧末傅之自缩[5]。（《证类》页 425，《大观》卷 20 页 4，《纲目》页 1630）

【校注】

［1］**鳖** 为鳖科动物鳖。陶弘景云：“生取甲，剔去肉为好。”《本草衍义》云：“鳖甲九肋者佳，煮熟者不如生得者。仍以酽醋炙黄色用。”《药性论》云：“鳖甲主癥块痃癖，除骨热，骨节间劳热。”

［2］**主热气** 鳖善滋阴，以治阴虚发热为主。《温病条辨》治热病伤阴、夜热早凉、舌红少苔、形瘦脉细，以鳖甲、知母、青蒿、丹皮、生地煎服。

［3］**湿痹** 《肘后方》治卒腰痛，不得俯仰，鳖甲一枚，捣末，服方寸匕。

［4］**鳖头** 姚和众治小儿因痢脱肛，鳖头甲烧灰末，取粉扑之。

［5］**有以此为药者……傅之自缩** 以上 19 字，辑自《医心方》页 171、569。

899 鲍鱼甲[1]

按：鲍鱼合作鼍字，《本经》作鮀。鱼之别名，已出《本经》。今以“鼍”为“鲍”，非也，宜改为“鼍”字。肉至美，食之主恶疮、腹内癥瘕[2]。甲更佳，炙浸酒服之。口内涎有毒。长一丈者，能吐气成雾致雨；力至猛，能攻陷江岸，性嗜睡，恒目闭；形如龙，大长者，自啮其尾；极难死，声甚可畏。人于穴中掘之，百人掘，亦须百人牵，一人掘，亦须一人牵，不然终不可出。梁·周兴嗣常食其肉，后为鼍所喷，便为恶疮。此物灵强，不可食。既是龙类，宜去其鱼。（《证类》页 431，《大观》卷 21 页 14，《纲目》页 1577）

【校注】

[1] **鮀鱼甲** 即鼍龙。为鼍科动物扬子鳄。陶弘景云："鮀，即今鼍甲，用之当炙，皮可以贯鼓。"《本草图经》云："鮀甲即鼍也。形似守宫，长一二丈，背尾俱有鳞甲，善攻堤岸，夜则鸣吼，舟人甚畏之。"

[2] **食之主恶疮、腹内癥瘕** 《本经》云："鮀鱼甲，主心腹癥瘕、伏坚积聚、疮疥死肌。"

900 乌贼鱼骨[1]

主小儿痢下[2]，细研为末，饮下之。亦主妇人血瘕[3]，杀小虫并水中虫，投骨于井中，虫死。腹中墨，主血刺心痛，醋磨服之[4]。海人云：昔秦王东游，弃算袋于海，化为此鱼。其形一如算袋，两带极长，墨犹在腹也。(《证类》页 428，《大观》卷 21 页 11，《纲目》页 1615)

【校注】

[1] **乌贼鱼骨** 为乌鲗科动物无针乌鲗或金乌鲗的内贝壳。《本草图经》云："乌贼，能吸波噀墨以溷水，使水匿，不能为人所害。其形若革囊，口在腹下，八足，聚生口傍。只一骨，厚三四分，似小舟，轻虚而白。又有两须如带，可以自缆。腹中墨，中以书也。(但字迹逾年消失)"

[2] **主小儿痢下** 乌贼骨性收敛，可以止痢。只能用于久痢，初痢不可用。可配赤石脂合用。《食疗本草》云："骨主小儿、大人下痢，炙令黄，去皮，细研成粉，粥中调服之。"

[3] **亦主妇人血瘕** 《本经》云："乌贼骨主癥瘕无子。"《素问》治月事衰少不来，治之以四乌鲗骨，一藘茹为末，丸以雀卵，大如小豆。每服五丸。

[4] **腹中墨，主血刺心痛，醋磨服之** 《日华子》云："治心痛，炒其墨，醋调服也。"按：心痛多指胃痛。今日以乌贼骨、浙贝母、瓦楞子、甘草按 5∶2∶3∶2 配为散，治胃痛吐酸水或慢性溃疡出血。

901 蟹[1]

脚中髓及脑并壳中黄，并能续断绝筋骨[2]，取碎之，微熬，内疮中，筋即连也。八月腹内有芒，食之无毒。其芒是稻芒，长寸许，向东输海神，开腹中，犹有海水。《本经》云：伊、洛水中者石蟹[3]，形段不同，其黄傅久疽疮，无不差者。(《证类》页 426，《大观》卷 21 页 7，《纲目》页 1634)

【校注】

[1] **蟹** 为多种蟹的通称。陶弘景云："蟹类甚多，蝤蛑、拥剑、蟛蜞皆是。海边又有蟛蜞，似蟛蜞而大，似蟹而小，不可食。蔡谟初渡江，不识而啖之，几死。叹曰：读《尔雅》不熟，为劝学者

所误。”《本草图经》云：“蟹，八足二螯（蟹第一对脚，状如钳），大者箱（头胸腹聚合如方箱）角两出，足节屈曲，行则旁横。”

［2］**能续断绝筋骨**　《百一方》治金疮续筋，多取蟹黄及脑并足中肉，熬末内（纳）疮中。

［3］**石蟹**　同名异物很多：一为古代节肢动物化石的石蟹；二为山区溪流及小河中的溪蟹，白天隐藏石块下，俗称石蟹，头胸甲近圆形，是淡水中小型蟹，近似种类很多；三是生于海底的石蟹，是石蟹科动物，形如蟹，腹部由多块骨板组成，第五对足短小有钳，隐藏在鳃腔中，外观呈四对足，头胸甲略呈三角形。陈藏器所讲石蟹指的是哪一种呢？陈在“石蟹”条后讲“形段不同，其黄傅久疽疮无不差者”。此明指为活的石蟹，当非化石。又生于海底的石蟹不易得，只有生山溪的石蟹易得。据此，陈氏所言“石蟹”，疑是“溪蟹。”石蟹具有蟹的功能，不仅能愈疽疮，亦能化漆。洪万《夷坚志》云：“襄阳一盗被生漆涂两目，发配不能睹物，有村叟寻一石蟹，捣碎滤汁点之，则漆随汁出而疮愈也。”

902　原蚕屎[1]

一名蚕沙，净收取晒干，炒令黄，袋盛，浸酒去风，缓诸节不随，皮肤顽痹，腹内宿冷，冷血瘀血，腰脚疼冷。炒令热，袋盛热熨之，主偏风筋骨瘫缓[2]，手足不随，及腰脚软，皮肤顽痹。(《证类》页429，《大观》卷21页16，《纲目》页1520)

【校注】

［1］**原蚕屎**　为蚕蛾科家蚕的屎。《本草图经》云：“原蚕是重养者，俗呼为晚蚕。蚕沙亦须用晚出者。”

［2］**主偏风筋骨瘫缓**　《本草衍义》云：“治近感瘫风，以三升醇酒拌蚕屎五斗蒸热，于暖室中铺于油单上，令瘫风人就所患一边卧着温热，厚盖覆，汗出为度。未全愈间再作。”手足不随，皮肤顽痹亦适用。

903　鲛鱼皮[1]

一名沙鱼，一名鳆鱼。皮主食鱼中毒，烧末服之。鳆鱼皮，是装刀靶者[2]，正是沙鱼也。石决明又名鳆鱼，甲一边着石，光明可爱，此虫族，非鱼类，乃是同名耳。沙鱼一名鲛鱼，子随母行，惊即从口入母腹也，其鱼状貌非一，皮上有沙，堪揩木，如木贼也。(《证类》页434，《大观》卷21页23，《纲目》页1615)

【校注】

［1］**鲛鱼皮**　即鲨的皮。鲨是鳃裂位于侧面的板鳃鱼类的通称，种类很多。《蜀本草·图经》云：“鲛鱼，圆广尺余，尾长尺许，惟无足，背皮粗错。”《本草图经》云：“鲛鱼，南人谓之沙鱼，然有二种：其最大而长喙如锯者，谓之胡沙，性善而肉美；小而皮粗者曰白沙，肉僵而有小毒。”

[2] **是装刀靶者** 《唐本草》云："鲛鱼皮，主蛊气，蛊疰方用之。即装刀靶䱜鱼皮也。"《本草衍义》云："今人取鲛鱼皮饰鞍剑。"

904 虾蟆[1]、蟾蜍

二物各别，陶将蟾蜍功状注虾蟆条中，遂使混然采取无别。今药家所卖，亦以蟾蜍当虾蟆，且虾蟆背有黑点，身小，能跳接百虫，解作呷呷声，在陂泽间，举动极急。《本经》书功，即是此也。蟾蜍身大背黑无点，多痱磊[2]，不能跳，不解作声，行动迟缓，在人家湿处。本功外，主温病身斑者，取一枚生捣，绞取汁服之[3]，亦烧末服。主狂犬咬发狂欲死，作脍食之[4]，频食数顿。屎主恶疮，谓之土槟榔[5]。出下湿地处，往往有之。术家以肪软玉，及五月五日收取，即是此也。又有青蛙、蛙蛤、蝼蝈、长肱、石榜、蠼子之类，或在水田中，或在沟渠侧，未见别功，故不具载。《周礼》[6]掌蝈氏，去蛙黾，焚牡菊灰洒之则死。牡菊无花菊也。《本经》云：虾蟆一名蟾蜍，误矣。（《证类》页440，《大观》卷22页1，《纲目》页1557）

【校注】

[1] **虾蟆** 即蛤蟆，为蛙科动物泽蛙。《本经》所讲的"虾蟆"，其实物是蟾蜍。犹如《本经》所讲的"通草"，其实物是木通。陶弘景在《本经》"虾蟆"条，以蟾蜍释之。陈藏器详辨虾蟆、蟾蜍的不同。盖古时虾蟆、蟾蜍混称。《洽闻记》云："虾蟆大者名田父。"韦宙《独行方》治蚕咬，取田父脊背上白汁和蚁子灰涂之差。田父脊背上有白汁，则田父当是蟾蜍；又田父是虾蟆之大者，则大虾蟆亦是蟾蜍。后世为了区分虾蟆与蟾蜍，在虾蟆前冠以"癞"字，或称癞蛤蟆。癞蛤蟆即蟾蜍，与蛤蟆不同。癞蛤蟆为蟾蜍科动物中华大蟾蜍和黑眶蟾蜍。其耳后腺分泌白浆，收取干燥名蟾酥，有解毒、止痛、催醒作用，治痈疽疔疮、咽喉肿痛、吐泻腹痛、神志昏迷等症。

[2] **多痱磊** 陶弘景云："蟾蜍腹大，皮上多痱磊，其皮汁甚有毒，犬啮之口皆肿。"

[3] **主温病身斑者，取一枚生捣，绞取汁服之** 陶弘景云："人得温病斑出困者，生食蟾蜍一两枚者，无不差。"

[4] **主狂犬咬发狂欲死，作脍食之** 《南北史》："张畅弟牧，尝为猘犬所伤。医云：宜食虾蟆脍。牧甚难之，畅含笑先尝，牧因此乃食。"

[5] **土槟榔** 见"65 土槟榔"。

[6] **《周礼》** 见"520 鸦目"注[4]。

905 雄鼠[1]

脊骨，未长齿多年不生者效[2]。（《证类》页441，《大观》卷22页2，《纲目》页1799）

【校注】

[1] **雄鼠** 《别录》作牡鼠，并云："牡鼠疗踒折，续筋骨，捣傅之，三日一易。肉主小儿哺露大腹，炙食之。粪主小儿痫疾，大腹时行劳复。"《梅师方》治烫火烧疮，痛不可忍，取鼠一头杀死，油中浸煎之，候鼠焦烂尽成膏，研之，仍以绵裹绞去滓，待冷傅之，日三度，止痛。

[2] **脊骨，未长齿多年不生者效** 此文出陈藏器序。但《雷公炮炙论·序》亦有此文："长齿生牙，赖雄鼠之骨末"。并注云："其齿若折，年多不生者，取雄鼠脊骨作末揩折处，齿立生如故。"

906 蚺蛇[1]

本功外，胆主破血，止血痢，蛊毒[2]下血，小儿热丹[3]，口疮疳痢[4]。肉主飞尸游蛊[5]。喉中有物，吞吐不得出者，作脍食之，其脍著醋，能卷入箸，以芒草为箸，不然终不可脱，至难死。开肋边取胆，放之犹能生，三五年平复也。(《证类》页443，《大观》卷22页8，《纲目》页1584)

【校注】

[1] **蚺蛇** 为蟒蛇科动物蟒蛇。《本草图经》云："今岭南（广东、广西）州郡皆有之。此蛇极大。"《酉阳杂俎》云："蚺蛇长十丈，尝吞鹿，鹿消尽，乃绕树出骨养疮（骨从皮出成疮口）。"

[2] **蛊毒** 见"135 猪槽中水"注［2］。

[3] **小儿热丹** 见"22 淬铁水"注［2］。

[4] **口疮疳痢** 《圣惠方》："治小儿疳疮，蚺蛇胆细研，水调涂之。"《杨氏产乳》："疗温痢久不断，食不下，蚺蛇胆大如豆二枚，煮通草汁，研胆饮之。"

[5] **飞尸游蛊** 飞尸，见"149 草犀根"注［7］。游蛊，见"554 鼋"注［6］。

907 蝮蛇[1]

按：蛇既众多，入用非一。《本经》虽载，未能分析。其蝮蛇形短，鼻反，锦文，亦有与地同色者。著足断足，著手断手，不尔合身糜溃。其蝮蛇七、八月毒盛时，啮树以泄其气，树便死。又吐口中涎沫于草木上，著人身肿成疮，卒难主疗，名曰蛇漠疮。蝮所主略与虺[2]同。众蛇之中，此独胎产[3]。本功外，宣城[4]间山人，取一枚，活著器中，以醇酒一斗投之，埋于马溺处，周年以后，开取酒味犹存，蛇已消化。有患大风[5]及诸恶风，恶疮瘰疬[6]，皮肤顽痹[7]，半身枯死[8]，皮肤手足脏腑间重疾，并主之。不过服一升已来，当觉举身习习；服讫，服他药不复得力。亦有小毒，不可顿服[9]。腹中死鼠，主鼠瘘[10]。脂磨著物皆透。又主癞[11]，取一枚及他蛇，亦得烧，坐上，当有赤虫如马尾出，仍取蛇肉塞鼻中。亦

主赤痢[12]，取骨烧为黑末，饮下三钱七，杂蛇亦得。(《证类》页445，《大观》卷22页13，《纲目》页1590)

【校注】

[1] **蝮蛇** 为蝮蛇科动物蝮蛇。《本草图经》云："蝮蛇胆，其蛇黄黑色，黄颔尖口，毒最烈。取其胆以为药，主䘌疮。肉酿作酒，以治大风及诸恶风疮、瘘瘰瘰疬、皮肤顽痹等。陈藏器说：蛇中，此蛇独胎产，形短，鼻反，锦文，其毒最猛，著手断手，著足断足，不尔合身糜溃。"

[2] **虺** 古书上所讲的一种毒蛇。《诗·斯干》"维虺维蛇"。《疏·释鱼》曰："蝮虺。舍人曰：蝮，一名虺。孙炎曰，江淮以南谓虺为蝮。广三寸，头如拇指，有牙最毒。"陶弘景认为蝮、虺是二种，虺形短而扁，毒不异于蚖。

[3] **众蛇之中，此独胎产** 蝮蛇生活于平原及较低山区，呈卵胎生。陈藏器在那个时代就能认识到此问题，实在是可贵。

[4] **宣城** 安徽宣城。

[5] **大风** 多指麻风病。

[6] **恶疮瘰疬** 恶疮，见"20铁锈"注[2]；瘰疬，见"6水银粉"注[4]。

[7] **皮肤顽痹** 《素问·痹论》有"皮痹"。《张氏医通》解释："皮痹即寒痹，邪在皮毛，瘾疹风疮，搔之不痛。"

[8] **半身枯死** 即半身不遂。全身一侧上下肢偏废不用，或兼疼痛，久则患肢肌肉枯瘦，神志无异常变化。

[9] **有小毒，不可顿服** 有毒的药，小量分多次服，不易中毒，大量顿服易中毒。

[10] **鼠瘘** 即瘰疬。

[11] **癞** 多指麻风病的后期。《别录》云："蝮蛇肉酿作酒，疗癞疾。"

[12] **赤痢** 即血痢。见"657蜀葵"注[7]。

908 蛇蜕[1]

主疟，取正发日，以蜕皮塞病人两耳；临发又以手持少许，并服一合盐醋汁，令吐也。(《证类》页444，《大观》卷22页9，《纲目》页1582)

【校注】

[1] **蛇蜕** 为多种蛇脱下的皮膜。陶弘景云："蛇蜕皆须完全，石上者弥佳，烧之甚疗诸恶疮。"蛇蜕、蛇床子、苦参、白矾煎汤，洗疥癣风痒。

909 雀瓮[1]

本功外，主小儿撮口病[2]，先剺[3]小儿口旁，令见血，以瓮碎取汁涂之，亦生捣鼠妇并雀瓮汁涂。小儿多患此病，渐渐以撮不得饮乳者是。凡产育时，开诸物口不令闭，相厌之也。打破绞取汁，与平常小儿饮之，令无疾。《本经》云：蛅蟖房也。陶云：蚝虫卵也[4]，且蚝虫身扁，背上有刺，大小如蚕，安有卵如雀卵哉，陶为深误耳。雀瓮一名雀痈，为其形似瓮而名之，痈、瓮声近耳。其虫好在果树上，背有五色裥毛[5]，刺人有毒。欲老者，口中吐白汁，凝聚渐硬，正如雀卵，子在其中作蛹，以瓮为茧，羽化而出，作蛾放子如蚕子于叶间，岂有蚝虫卵如雀卵大也。(《证类》页 450，《大观》卷 22 页 21，《纲目》页 1516)

【校注】

[1] **雀瓮** 《别录》云："生树枝间，蛅蟖房也。"陶弘景云："蛅蟖，蚝（音辣 là）虫也，此虫多在石榴树上，俗名蚝虫，其背毛螫人。生卵形如雀子，大如巴豆。蚝亦作蛓（杨瘌子）。"按：雀瓮为刺蛾科昆虫黄刺蛾的虫茧。

[2] **撮口病** 即脐风，以唇口收紧，撮如鱼口为特征。并有舌强唇青、痰涎满口、气促、啼声不出、身热面黄等症。系新生儿因断脐不洁，感染破伤风。七日出现口噤，又名七日风。

[3] **剺** 用刀或锐针划刮。

[4] **陶云：蚝虫卵也** 陶弘景注雀瓮云："蚝虫，其背毛亦螫人，生卵形如雀子，大如巴豆。"

[5] **五色裥毛** 《本草图经》作"五色斑"。

910 蚯蚓[1]粪土[2]

疗赤白久热痢，取无沙者，末一升，炒令烟尽，水沃，取半大升，滤去粗滓，空肚服之。(《证类》页 445，《大观》卷 22 页 10，《纲目》页 1564)

【校注】

[1] **蚯蚓** 《药性论》名"地龙子"。为巨蚓科动物参环毛蚓和缟蚯蚓。前者称广地龙，后者称土地龙。

[2] **粪土** 即蚯蚓屎。《外台秘要》治火丹，取曲蟮粪水，和如泥傅之。

911 蜣螂[1]

治蜂瘘，烧死蜣螂末和醋傅之[2]。(《证类》页 451，《大观》卷 22 页 24，《纲目》页 1546)

【校注】

[1] **蜣螂** 为金龟子科动物屎格螂。《本经》一名蛣蜣。陶弘景云："庄子云'蛣蜣之智在于转丸。'其喜入人粪中取屎丸而却推之，俗名为推丸。当取大者，其类有三四种，以鼻头扁者为真。"

《本草图经》云："蜣螂类极多，取其大者又鼻高目深者名胡蜣螂，用之最佳。五月五日取，蒸而藏之，临用当炙，勿置水中，令人吐。"

[2] **治蜂瘘，烧死蜣螂末和醋傅之** 此方亦治鼠瘘、附骨痈及各种疮。

912 田中螺[1]

在水田中，圆大者是。小小泥有棱名蛣螺[2]，亦止渴，不能下水。食之当先米泔浸去泥，此物至难死，有误泥在壁中，三十年[3]犹活，能伏气饮露唯生，穿散而出即死。煮食之，利大小便，去腹结热，目下黄，脚气冲上，小腹急硬，小便赤涩，手脚浮肿。生浸取汁饮之，止消渴。碎其肉，傅热疮。烂壳烧为灰末服，主反胃、胃冷，去卒心痛[4]。(《证类》页449，《大观》卷22页19，《纲目》页1650)

【校注】

[1] **田中螺** 为田螺科动物中国圆田螺，个体大，壳高4厘米以上，壳质薄。陶弘景云："生水田中及湖渎岸侧，形圆，大如梨、橘者，人亦煮食之。煮汁亦疗热，醒酒，止渴。患眼痛，取真珠并黄连纳其中，良久汁出，取以注目中多差。"

[2] **蛣螺** 《本草和名》作"蝺螺"。《大观》作"蜹螺"。《嘉祐本草》在"蜗篱"条引陈藏器云："蜗篱，一名师螺，小于田螺，上有棱，生溪水中。寒，汁主明目，下水，亦呼为螺。"《纲目》称为蜗螺、螺蛳。按：螺蛳为田螺科各种类的通称，壳高4厘米以上为圆田螺属，壳高4厘米以下、壳面有螺棱为环棱螺属。陈藏器所云："蛣螺、师螺，小于田螺，上有棱"，当是环棱螺属动物。

[3] **三十年** 《医心方》705页引《拾遗》作"二十岁"，《纲目》作"数年"。

[4] **烂壳烧为灰末服，主反胃、胃冷，去卒心痛** 《医学正传》："治湿痰心痛，螺蛳壳洗净，烧存性，研末，酒服方寸匕，立止。"此处所言心痛，实即指胃痛，尤以胃酸过多，用煅螺蛳壳研末服，可靠。此与海蛤壳、瓦楞子功能相近，凡蚌壳类、贝类的壳经火煅后，都有此作用。外用可以敛疮。其陈旧者名曰螺蛳壳。

913 甲香[1]

主甲疽[2]、瘘疮[3]，蛇蝎蜂螫，疥癣，头疮[4]，馋疮[5]。(《证类》页455，《大观》卷22页33，《纲目》页1650)

【校注】

[1] **甲香** 《本草图经》云："甲香，海螺之厣也。《南州异物志》曰：甲香，大者如瓯面，前一边直挽长数寸围，壳岨峿有刺，其厣杂众香烧之益芳，独烧则臭，一名流螺。"《本草衍义》云："甲香善能管香烟，与沉、檀、龙、麝用之，甚佳。"本条据《海药本草》引陈氏云。

[2] **甲疽** 同甲疽疮。见"289 甲煎"注[1]。

[3] **瘘疮** 见“222 博落回”注[8]。

[4] **头疮** 多指头癣。见“648 胡荽”注[6]。

[5] **馋疮** 见“289 甲煎”注[5]。

914 蜗牛[1]

有以似为药者。蜗牛、鳖头，脱肛皆烧末傅之自缩[2]。(《证类》页569，《大观》卷21页18，《纲目》页1567，《医心方》页569、171)

【校注】

[1] **蜗牛** 为蜗牛科动物蜗牛。陶弘景云：“蜗牛，头形如蛞蝓，但背负壳尔。”《药性论》：“蜗牛一名螺牛，有小毒。能治大肠脱肛。生研取服，止消渴。”

[2] **脱肛皆烧末傅之自缩** 《圣惠方》治大便脱肛收不得，用蜗牛一两烧灰，猪脂和傅之，立缩。又方：治蜈蚣咬，取蜗牛汁滴入咬处。按：蜗牛、蛞蝓行所过处，遗有汁迹，蜈蚣、蚂蚁俱畏此汁迹。

解纷（三）　卷第十

915	蓬蘽	916	藕实	917	梅实
918	柿	919	木瓜	920	芋
921	乌芋	922	杏仁	923	石榴
924	苋实	925	繁缕	926	芜菁
927	菘菜	928	菾菜	929	水苏
930	香薷	931	假苏	932	白蘘荷
933	荏叶	934	蓼	935	薤
936	韭	937	大蒜	938	苦瓠
939	水芹	940	芸薹	941	莼
942	胡麻	943	胡麻油	944	麻子
945	大豆	946	蒲州豉	947	赤小豆
948	大麦	949	小麦	950	粟米粉
951	陈廪米	952	酒	953	醋
954	石脾	955	玉伯	956	石濡
957	鬼目	958	鬼盖	959	马唐
960	牛舌实	961	羊乳根	962	棑华
963	蕙实	964	白菖	965	天蓼
966	地朕	967	地筋	968	蘽根
969	苗根	970	荆茎	971	丁公寄
972	城东腐木	973	桑蠹虫	974	石蠹虫
975	行夜	976	蜗篱	977	薰草

915　蓬蘽[1]

变白，不老[2]，《佛说》云：苏蜜那花点灯，正言此花也。笮取汁，合成膏，涂发不白[3]。食其子，令人好颜色[4]。叶挼绞取汁，滴目中，去肤赤，有虫出如丝线。其类有三种，四月熟，甘美如覆盆子者是也[5]，余不堪入药。今人取茅莓当覆盆，误矣。(《证类》页465，《大观》卷23页12，《纲目》页1005)

【校注】

[1] **蓬蘽**　各家所指实物，互不一致。李当之以人所食的莓为蓬蘽，陶弘景以覆盆子的根为蓬蘽，《唐本草》注以覆盆子为蓬蘽，《开宝本草》以覆盆子苗茎为蓬蘽，《本草图经》从《开宝》之说。陈士良认为蓬蘽别是一种似蚕莓子，红色，其叶似野蔷薇，有刺，食之酸甘。《本草衍义》亦认为蓬蘽别是一种，非覆盆也。《本草会编》认为蓬蘽是寒莓，沿堑作丛蔓生，茎小叶密多刺，其实四五十颗作一朵，一朵大如盏面，霜后始红。《纲目》认为蓬蘽即割田藨，藤蔓繁衍，茎有倒刺，逐节生叶，叶大如掌，状类小葵叶，面青背白，厚而有毛，六七月开小白花，就蒂结实，三四十颗成簇，生青黄，熟紫黯，微有黑毛，状如熟椹而扁，冬月苗叶不凋。植物学的蓬蘽为蔷薇科植物灰白毛莓。

[2] **变白，不老**　《本草经》云："蓬蘽，味酸、咸，平。主安五脏，益精气，长阴令坚，强志倍力，有子。久服轻身不老。"

[3] **笮取汁，合成膏，涂发不白**　《本草图经》云："笮其子取汁，合膏，涂发不白。"

[4] **食其子，令人好颜色**　《本草图经》云："昌容服之以易颜。其法，四五月候其实成采之，曝干，捣筛，水服三钱匕。"《唐本余》云："耐寒湿，好颜色。"(按：《唐本余》即《蜀本草》。)

[5] **四月熟，甘美如覆盆子者是也**　此文提示，陈藏器亦认为蓬蘽不是覆盆子。《纲目》认为覆盆茎蔓小于蓬蘽，有钩刺，一枝五叶，叶小，面背皆青，光薄无毛，开白花，四月实成，子小于蓬蘽而稀疏，生青黄，熟乌赤，冬月苗凋，俗名插田藨。《尔雅》所谓蒛，缺盆也。植物学覆盆子为蔷薇科植物掌叶覆盆子。覆盆子能涩精缩尿，治遗精、遗尿。配五味子、枸杞子、菟丝子、车前子治遗精；配山萸肉、桑螵蛸、益智仁治遗尿。

916　藕实

莲也[1]。本功外，食之宜蒸，生则胀人[2]。腹中薏令人吐[3]，食当去之。经秋正黑者，名石莲，入水必沉，惟煎盐卤能浮之[4]。石莲，山海间，经百年不坏，取得食之，令发黑不老。藕[5]，本功外，消食止泄，除烦，解酒毒，压食及病后热渴。荷鼻[6]，味苦，平，无毒。主安胎，去恶血，留好血，血痢煮服之，即荷叶蒂也。叶及房[7]，主血胀腹痛，产后胎衣不下，酒煮服之。又主食野菌毒，水煮服之。郑玄云：芙渠之茎曰荷。的中薏，食之令人霍乱。（《证类》页461，《大观》卷23页2，《纲目》页1338）

【校注】

[1] **莲也**　《别录》云："藕实，一名莲。"陶弘景云："藕实即今莲子。八九月取坚黑者，干，捣破之。"此处单言"莲"是指莲子。但植物学睡莲科植物的莲是指藕的全植物。《日华子》云："莲子止痢，治腰痛，治泄精，安心。"

[2] **食之宜蒸，生则胀人**　孟诜云："莲子，生食微动气，蒸食之良。"

[3] **腹中薏令人吐**　陆机《草木疏》云："莲，青皮里白子为的。的中有青为薏。味甚苦。故里语云'苦如薏'。"意即莲子心为种子中幼叶及胚根，能清心热除烦。《温病条辨》治温热病汗出过多，伤心液，神昏谵语，以莲子心、连翘心、玄参心、竹叶卷心、犀角、麦门冬煎汤服。

[4] **经秋正黑者，名石莲，入水必沉，惟煎盐卤能浮之**　石莲子为莲子老熟坠于淤泥，经久坚黑如石者。比水重，入水则沉。但盐卤比重大于石莲，故能浮之。石莲能除湿热，治热毒噤口痢。

[5] **藕**　陶弘景云："宋帝时太官作血衉（音勘），疱人削藕皮误落血中，遂皆散不凝，医乃用藕疗血多效也。"

[6] **荷鼻**　即荷叶蒂，安胎，止血痢泄泻。治妊娠胎动不安。配藕节亦治暴吐血。

[7] **叶及房**　即荷叶及莲房。荷叶能祛暑、止血，治暑热泄泻，荷叶、银花、扁豆花、西瓜翠衣煎服。荷梗亦有同功。荷梗、苏梗、藿香梗合用，可除暑湿胸闷不舒。叶、莲房炒炭通治各种出血，如尿血、大便出血、妇女崩漏，配地榆、陈棕炭等合用。

917　梅实[1]

本功外，止渴[2]，令人膈上热。乌梅去痰，主疟瘴[3]，止渴调中，除冷热痢[4]，止吐逆。梅叶，捣碎，汤洗衣易脱也。嵩阳子云：清水揉梅叶，洗蕉葛衣，经夏不脆[5]。余试之验。（《证类》页467，《大观》卷23页16，《纲目》页1254）

【校注】

[1] **梅实** 为蔷薇科植物梅的果实。从树上采取青梅，经烟熏为乌梅，经曝晒为白梅。陶弘景云："白梅和药以点志，蚀恶肉也。"梅有腐蚀作用，乌梅亦可用。梅味酸，古代无醋，以梅代醋作调味剂。《毛诗疏》云："梅曝干为腊羹、臛、齑中。"但多食损齿，孟诜云："乌梅多食损齿。"

[2] **止渴** 乌梅酸涩，能止渴、止血、止泻、止咳。

[3] **主疟瘴** 孟诜云："乌梅，治疟方多用之。"《本草图经》云："南方疗劳疟劣弱者，用乌梅十四枚，豆豉二合，桃、柳枝各一虎口握，甘草三寸长，生姜一块，童子小便二升，煎七合，温服。"

[4] **除冷热痢** 《肘后方》："治赤白痢，下部疼重，以乌梅二十枚打碎，水二升，煮取一升，顿服。"

[5] **清水揉梅叶，洗蕉葛衣，经夏不脆** 《纲目》云："夏衣生霉点，梅叶煎汤洗之即去，甚妙。"

918 柿[1]

本功外，日干者温补，多食去面䵟[2]，除腹中宿血[3]。剡县[4]火干者名乌柹[5]，人服药口苦及欲吐逆，食少许立止。蒂煮服之，止哕气[6]。黄柿和米粉作糗，蒸与小儿食之，止下痢[7]。饮酒食红柿，令人心痛直至死，亦令易醉。陶云解酒毒，失矣[8]。（《证类》页468，《大观》卷23页18，《纲目》页1277，《医心方》页575）

【校注】

[1] **柿** 为柿树科柿属多种植物的通称。《本草图经》云："柿之种亦多，黄柿生近京州郡，红柿南北通有，朱柿出华山而皮薄更甘珍，椑柿出宣、歙（安徽宣城、歙县）。"

[2] **多食去面䵟** 孟诜云："干柿二斤，酥一斤，密半升。先和酥蜜，铛中消之，下柿煎十数沸，器贮之。每日空腹服三五枚，化面上黑点，久服甚良。"

[3] **除腹中宿血** 孟诜云："干柿、红柿，厚肠胃，涩中，健脾胃气，消缩血。"

[4] **剡县** 今浙江嵊县。

[5] **乌柿** 陶弘景云："今乌柿火熏者性热，断下，又疗狗啮疮。"《别录》云："火柿主杀毒，疗金疮、火疮，生肉止痛。"

[6] **蒂煮服之，止哕气** 柿蒂善降逆止呃。《症因脉治》："治胃寒呃逆，以柿蒂、丁香、生姜、党参煎服。或以柿蒂、旋复花、代赭石、生姜、半夏、党参煎服亦效。此方亦治气虚呃逆。"

[7] **止下痢** 《医心方》卷25引《拾遗》云："柿，小儿食之，止下痢。"

[8] **陶云解酒毒，失矣** 查《新修本草》"柿"条下陶注无此文。唯《唐本草》注有"软熟柿解酒热毒"。则此文中"陶云"应改"苏云"。

919 木瓜[1]

本功外，下冷气，强筋骨[2]，消食，止水痢后渴不止，作饮服之。又脚气冲心[3]，取一颗去子，煎服之，嫩者更佳。又止呕逆、心膈痰唾。(《证类》页467，《大观》卷23页17，《纲目》页1271)

【校注】

[1] **木瓜** 为蔷薇科植物木瓜的果实。陶弘景云："木瓜，山阴（浙江绍兴）兰亭尤多，彼人以为良果。最疗转筋（两腿肚痉挛）。"《本草图经》云："宣城（今属安徽）者为佳。其木状若柰，花生于春末而深红色。其实大者如瓜，小者如拳。宣州种莳尤谨，遍满山谷。始实成，则镞纸花薄其上，夜露日曝，渐而变红，花文如生，本州以充上贡焉。"木瓜善治吐泻转筋、脚气、筋骨痛。

[2] **强筋骨** 对筋骨无力、腰膝痛或手足麻木，以木瓜、当归、川芎、威灵仙、海风藤、乳香、没药、地龙为丸服。《本草衍义》云："腰脚膝无力，木瓜不可缺也。"

[3] **脚气冲心** 《千金方》："治脚气入腹，困闷腹胀痛，以木瓜、吴茱萸煎服。"《奇效良方》治脚气足膝肿痛，以木瓜、大腹皮、茯苓、陈皮、紫苏、木香、羌活、甘草煎服。

920 芋[1]

本功外，食之令人肥白。小者极滑，吞之开胃及肠闭。产后煮食之，破血[2]，饮其汁，止血渴。芋有八九种，功用相似。野芋[3]生溪涧，非人所种者，根叶相类耳。取根，醋摩傅虫疮、疥癣，入口毒人。又有天荷亦相似而大也[4]。(《证类》页469，《大观》卷23页19，《纲目》页1222)

【校注】

[1] **芋** 为天南星科植物芋的块茎。陶弘景注："钱塘（今浙江钱塘）最多，生则有毒莶，不可食。"《唐本草》注云："芋有六种。有青芋、紫芋、真芋、白芋、连禅芋、野芋。其青芋细长毒多，初煮要须灰汁，易水煮熟，乃堪食尔。"又云："其叶如荷叶而长，根类于薯蓣而圆。《本草图经》云：其类虽多，叶盖相似，叶大如扇，广尺余。"

[2] **破血** 《日华子》云："芋，冷，破宿血，去死肌。"

[3] **野芋** 为天南科植物野芋的根茎。陶弘景云："野芋名老芋，形叶相似，根并杀人。人不识而食之垂死者，他人以土浆及粪与饮之，得活。"《唐本草》注："野芋大毒，不堪啖也。"《纲目》云："野芋根辛冷，有大毒。醋摩傅虫疮疥癣。其叶捣涂毒肿初起，无名者即消。亦涂蜂虿螫，良。"

[4] **又有天荷亦相似而大也** 《纲目》云："小者为野芋，大者为天荷，俗名海芋。"又云："海芋生蜀中（今四川）。春生苗，高四五尺。大叶如芋叶而有干。夏秋间，抽茎开花，如一瓣莲花。味辛，有大毒。主治疟瘴、毒肿、风癞。"按：海芋为天南星科植物海芋的根茎。

921 乌芋[1]

食之令人肥白。小者极滑，吞之开胃及肠闭[2]。(《医心方》页697，《大观》卷23

页 21，《证类》页 469，《纲目》页 1345）

【校注】

[1] **乌芋** 同名异物有二：一指凫茨（荸荠），一指慈姑（茨菰、藉姑）。但二者在各书中，均以乌芋为正名。《名医别录》、陶弘景、《唐本草》注所言乌芋，均是慈姑；《本草图经》《本草衍义》所言乌芋，均为荸荠。《别录》云："乌芋，一名藉姑，一名水萍。二月生叶如芋。"陶弘景云："今藉姑生水田中，叶有桠，状如泽泻，不正似芋，其根黄，似芋子而小。"《唐本草》注："乌芋，一名槎牙，一名茨菇。生水中，叶似錍箭镞、泽泻之类也。"《本草图经》云："乌芋，今凫茨也。苗似龙须而细，正青色，根黑，如指大，皮厚有毛。"《本草衍义》云："乌芋，今人谓之荸荠。皮厚色黑，肉硬白者，谓之猪荸荠；皮薄泽色淡紫，肉软者，谓之羊荸荠。"

[2] **食之令人肥白。小者极滑，吞之开胃及肠闭** 《医心方》在"乌芋"名下，引《别录》、陶弘景、《唐本草》注文，都是慈姑的内容。但《医心方》在"乌芋"名下所引《拾遗》文"食之令人肥白。小者极滑，吞之开胃及肠闭"，是录自"芋"条下陈藏器文，非乌芋（指慈姑）的文字。（见"920 芋"条）

922 杏仁[1]

本功外，杀虫[2]。烧令烟未尽，细研如脂，物裹内蠹齿孔中。亦主产门中虫疮痒不可忍者，去人及诸畜疮、中风。取仁去皮，熬令赤，和桂末研如泥，绵裹如指大，含之利喉咽，去喉痹、痰唾咳嗽、喉中热结生疮[3]。杏酪，浓煎如膏服之，润五脏，去痰嗽。生熟吃俱得，半生半熟杀人。（《证类》页 474，《大观》卷 23 页 32，《纲目》页 1250）

【校注】

[1] **杏仁** 为蔷薇科植物多种杏的核中种仁。《本草图经》云："其实亦数种。黄而圆者名金杏，熟最早。其扁而青黄者名木杏，酢，不及金杏。五月采，破核去双仁。"陶弘景云："药中用之，汤浸去尖皮，熬令黄。"杏仁止咳平喘、润肠通便闭。

[2] **杀虫** 《千金方》云："治疳虫蚀鼻生疮，烧杏核，压取油傅之。"又方："治痔谷道痛，取杏仁熬熏，杵膏傅之。"

[3] **喉中热结生疮** 《千金方》云："治喉痹，杏仁熬熟杵如弹子，含咽其汁。为末，帛裹，含之亦得。"潞公《药准》云："治咽喉痒痛、失音不语，杏仁、桂心各一两，同研匀，用半熟蜜和如樱桃大，新帛裹含，咽津，大效。"

923 石榴[1]

本功外，东引根及皮[2]，主蚘虫，煎服。子止渴，花、叶干之为末[3]，和铁丹服之，一年变毛发色黑如漆。铁丹，飞铁为丹，亦铁粉之属是也。(《证类》页475，《大观》卷23页33，《纲目》页1279)

【校注】

[1] **石榴** 《名医别录》作安石榴。为石榴科植物石榴的果实。《本草图经》云："本生西域。陆机与弟云书云，张骞为汉使外国十八年，得涂林安石榴是也。木不甚高大，枝柯附干，自地便生作丛，种极易息，析其条盘土中便生。花有黄、赤二色，实亦有甘、酢二种，甘者可食，酢者入药。"

[2] **东引根及皮** 《本草图经》云："东行根并壳入杀虫及染须发等药。治寸白虫，取醋石榴根切一升，东南引者良，水二升三合，煮取八合，去滓，著少米作稀粥，空腹食之，虫即下。"《十全方》治寸白虫方同。石榴皮亦能杀虫，其性收涩，亦治久泻久痢脱肛、崩漏带下，外用治癣止痒。

[3] **花、叶干之为末** 《本草图经》云："石榴花及叶，主心热吐血、衄血等。干之作末，吹鼻中立止。"

924 苋实[1]

忌与鳖同食。今以鳖细锉，和苋于近水湿处置之，则变为生鳖[2]。紫苋杀虫毒。陶以马齿与苋同类。苏亦于苋条出马齿功用[3]，按：此二物厥类既殊，合从别品。(《证类》页500，《大观》卷27页10，《纲目》页1211，《医心方》页706)

【校注】

[1] **苋实** 为苋科植物苋的种子。《蜀本草·图经》云："有赤苋、白苋、人苋、马苋、紫苋、五色苋六种，惟人、白二苋入药用。"《本草图经》云："人苋小，白苋大。其子霜后方熟，实细而黑。主翳目黑花，肝风客热。紫苋主气痢，赤苋主血痢。"

[2] **忌与鳖同食……则变为生鳖** 此文承袭《食疗本草》之说。《食疗本草》云："苋菜不可与鳖肉同食，生鳖瘕。又取鳖甲如豆片大者，以苋菜封裹之，置于土坑内，上以土盖之，一宿尽变成鳖儿也。"

[3] **马齿功用** 苏敬注云："马苋，一名马齿草，味酸，寒，无毒。主诸肿瘘、疣目，捣揩之。饮汁主反胃，诸淋，金疮血流，破血癥癖，小儿尤良。用汁洗紧唇、面疱。"余详见"662 马齿苋"条。

925 繁缕[1]

主破血，产妇煮食之，及下乳汁。产后腹中有块痛[2]，以酒炒，绞取汁，温服。又取曝干为末，醋煮为丸，空腹三十丸，下恶血。(《证类》页520，《大观》卷29页10，《纲目》页1209)

【校注】

[1] **繁缕** 孔志约《唐本草序》云："异繁缕于鸡肠"。这是孔志约评陶弘景分繁缕、鸡肠为二物。《肘后方》亦视为二物，该书治卒淋方，以繁缕、鸡肠草二物同用。但《唐本草》《本草图经》《本草衍义》皆视繁缕、鸡肠为一物，到《纲目》又分繁缕、鸡肠为二物。《纲目》云："繁缕即鹅肠，非鸡肠，下湿地极多。正月生苗，叶大如指头，细茎引蔓，断之中空，有一缕如丝。三月以后渐老，开细瓣白花，结小实，大如稗粒，中有细子如葶苈子。鹅肠味苦，茎空有缕，花白色；鸡肠味微苦，咀之涎滑，茎中无缕，色微紫，花亦紫色，以此为别。"《别录》云："繁缕主积年恶疮不愈。"

[2] **产后腹中有块痛** 《药性论》云："繁缕味苦，主治产后血块，炒热和童子小便服，良。长服，恶血尽出。治恶疮有神验之功。"

926 芜菁[1]

主急黄、黄疸及内黄腹结不通[2]，捣为末，水绞汁服，当得嚏，鼻中出黄水，及下痢。《仙经》云：长服可断谷、长生。和油傅蜘蛛咬，恐毒入肉，亦捣为末，酒服。芜菁园中无蜘蛛，是其相畏也。为油入面膏，令人去黑皯[3]。今并、汾、河朔间[4]烧食其根，呼为芜根，犹是芜菁之号，芜菁南北之通称也。塞北[5]种者，名九英蔓菁，根大，并将为军粮。松菜，南土所种多是也。（《证类》页501，《大观》卷27页3，《纲目》页1189）

【校注】

[1] **芜菁** 陶弘景云："芦菔是今温菘，其根可食，叶不中啖。芜菁，根细于温菘，而叶似菘。其子与温菘相似，小细尔。"《唐本草》注云："芜菁，北人名蔓菁，根叶及子乃是菘类。"按：芜菁为十字花科植物芜菁的块根。

[2] **主急黄、黄疸及内黄腹结不通** 《孙真人食忌》治黄疸如金，眼睛黄、小便赤。用生蔓菁子末，熟水服方寸匕，日三服。

[3] **为油入面膏，令人去黑皯** 孟诜云："蔓菁子压油，涂头能变蒜发。又研子，入面脂极去皱。"如确能去皱，大有美容之功，值得进一步研究。

[4] **并、汾、河朔间** 并，今山西太原；汾，今山西汾阳；河朔，指黄河以北的地区。

[5] **塞北** 见"166 孝文韭"注[4]。

927 菘菜[1]

去鱼腥，动气发病，姜能制其毒。叶大多毛者是。（《证类》页506，《大观》卷27页13，《纲目》页1186）

【校注】

[1] **菘菜** 为十字花科植物青菜及白菜。陶弘景云："菜中有菘，最为常食，性和利人，无余逆忤。其子可作油，傅头长发。有甘草而食菘，令病不除。"《唐本草》注："菘有三种，有牛肚菘，叶最大厚，味甘；紫菘叶薄细，味少苦；白菘似蔓菁也。菘子黑，蔓菁子紫赤，大小相似。唯芦菔子黄赤色，大数倍，复不圆也。"《日华子》云："梗长叶瘦，高者为菘；叶阔厚短肥而卑及梗细者为芜菁也。"《食疗本草》云："北无菘菜，南无芜菁也。"

928 莙菜[1]

擣绞汁服之，主冷热痢[2]，又止血生肌。人及禽兽有伤，折傅之立愈。又收取子，以醋浸之，揩面令润泽有光。（《证类》页513，《大观》卷28页16，《纲目》页1207）

【校注】

[1] **莙菜** 为藜科植物莙荙菜。变种莙菜即莙荙菜。孟诜曾载莙荙，《拾遗》亦著录之，见"672莙荙"条。《纲目》在"莙菜"条并入莙荙菜。并云："莙菜，正二月下种，宿根亦自生。其叶青白色，似白菘菜叶而短，茎亦相类，但差小耳。生、熟皆可食，微作土气。四月开细白花，结实状如茱萸梂而轻虚，土黄色，内有细子。根白色。"莙菜块根可制砂糖。叶与糖渣可作饲料。

[2] **主冷热痢** 《开宝本草》按别本注云："夏月以其菜研，作粥，解热，又止热毒痢。擣傅灸疮，止痛易差。"

929 水苏[1]

叶有雁齿。荠苧自是一物，非水苏[2]。（《证类》页515，《本草图经》引，《大观》卷28页13，《纲目》页842）

【校注】

[1] **水苏** 为唇形科植物水苏。《唐本草》注："水苏生下湿水侧，苗似旋复而叶相当，大香馥。青（今山东益都）、齐（山东历城）、河间（今河北河间）人名为水苏，江左（长江下游苏南、皖南）名为荠苧，吴（今江苏苏州）、会（今浙江会稽）谓之鸡苏。主吐血、衄血，下气消谷大效。"

[2] **荠苧自是一物，非水苏** 《唐本草》注说："水苏，江左名为荠苧。"《本草图经》云："陈藏器谓荠苧自是一物，非水苏。水苏叶有雁齿。"《本草衍义》云："水苏气味与紫苏不同，辛而不和，然一如苏，面不紫，及周围槎丫如雁齿，香少。"孟诜云："鸡苏一名水苏，熟擣，生叶帛裹，塞耳疗聋。又头风目眩者，以清酒煮汁一升服。产后中风服之弥佳。煮汁洗头令发香，白屑不生。"

930 香薷[1]

气辛，一名鼠蓂[2]。（《证类》页515，《大观》卷28页14，《纲目》页834，《本草和名》卷18）

【校注】

[1] **香薷** 为唇形科香薷的通称。商品药材香薷为其同属植物海州香薷。《本草图经》云："今所在皆种，但北土差少，似白苏而叶更细，十月中采干之。一作香茸。"《别录》云："香薷，味辛，微温。主霍乱腹痛吐下，散水肿。"

[2] **一名鼠麹** 见《本草和名》卷18引《拾遗》。

931 假苏[1]

一名姜芥，即今之荆芥是也，姜荆语讹耳。按：张鼎《食疗》[2]云，荆芥一名析蓂。《本经》既有荆芥，又有析蓂，如此二种定非一物。析蓂是大荠，大荠是葶苈子，陶、苏大误；与假苏又不同，张鼎亦误尔。荆芥本功外，去邪，除劳渴，主疗肿、出汗，除风冷[3]。煮汁服之；杵和酢傅疗肿。新注云：产后中风，身强直[4]，取末酒和服，差。（《证类》页513，《大观》卷28页8，《纲目》页836）

【校注】

[1] **假苏** 即荆芥。为唇形科植物荆芥。《吴氏本草》云："假苏，名荆芥，叶似落藜而细，蜀（今四川）中生啖之。"

[2] **张鼎《食疗》** 《嘉祐本草》所引书传云："《食疗本草》，唐同州（陕西大荔）刺史孟诜（约公元621—713）撰。张鼎又补其不足者89种，并归为227条，皆说食药治病之效。凡三卷。"公元713年陈氏《拾遗》引有张鼎《食疗》，则张鼎修《食疗》当在713年以前。据《宋史·艺文志》所载，张鼎撰有《晤玄子安神养生方》1卷。

[3] **主疗肿、出汗，除风冷** 荆芥能散风寒，发表出汗。《医学正传》治外感风寒及痈肿初起有表证，以荆芥、防风、羌活、独活、柴胡、前胡、薄荷、川芎、甘草、桔梗合用，能出汗解表。有痈肿时，再加银花、连翘、赤芍，去防风、羌活、独活。

[4] **产后中风，身强直** 荆芥能祛风解痉，治产后感风发痉，项背强、口噤。《本草图经》云："荆芥穗一物治产后血晕，捣筛，每用末二钱匕，童子小便一酒盏，调热服，立效。口噤者，撬齿灌之皆效。近世名医用之，无不如神。"

932 白蘘荷[1]

为主蛊之最[2]。有赤白二种。白者入药，昔人呼为覆菹。赤者堪啖，及作梅果多用[3]。古方亦干末水服，主喉痹[4]。（《证类》页513，《大观》卷28页10，《纲目》页885）

【校注】

[1] **白蘘荷** 《纲目》作"蘘荷"，并入有名未用"蘘草"为一，又云："蘘荷为根，蘘草为叶，其主治亦颇相近，今并为一云。"按：蘘荷为姜科植物蘘荷的根茎。《本草图经》云："春初生，叶似甘蕉，根似姜而肥。其根茎堪为菹，其性好阴，在木下生者尤美。"

[2] **为主蛊之最** 《别录》云："白蘘荷，微温。主中蛊及疟。"

[3] **作梅果多用** 《本草衍义》云："白蘘荷，八九月间腌贮之，以备冬月作蔬果。"

[4] **主喉痹** 《外台秘要》云："喉中及口舌生疮烂，酒渍蘘荷根半日，含漱其汁，差。"又本条见《本草图经》引。

933 荏叶[1]

捣傅虫咬[2]及男子阴肿[3]。江东[4]以荏子为油[5]，北土以大麻为油，此二油俱堪油物，若其和漆，荏者为强尔。(《证类》页507，《大观》卷27页16，《纲目》页842)

【校注】

[1] **荏叶** 陶弘景云："荏，状如苏，高大白色，不甚香。其子研之，杂米作糜，甚肥美，下气，补益。榨其子作油，日煎之，即今油帛、和漆所用。"

[2] **捣傅虫咬** 《日华子》云："荏叶去狐臭，傅蛇咬。"梅师方同。

[3] **男子阴肿** 《食疗本草》云："荏叶杵之，治男子阴肿，生捣和醋封之。"

[4] **江东** 见"23 铁蕉"注[2]。

[5] **以荏子为油** 萧炳云："有大荏，形似野荏高大，叶大于小荏一倍，不堪食。人收其子以充油绢帛，与大麻子同。"

934 蓼[1]

主痃癖[2]。每日取一握，煮服之。人霍乱转筋[3]，多取煮汤及热捋脚。叶捣傅狐刺疮，亦主小儿头疮[4]。又云蓼、蕺俱弱阳。人为蜗牛虫所咬，毒遍身者，以蓼子浸之，立差。蛞蝓咬，取蓼捣傅疮上及浸之。又蓼，一名女憎，是其弱阳事也[5]，不可近阴，令弱也。诸蓼并冬死，惟香蓼宿根重生。人为生菜，最能入腰脚也。(《证类》页510，《大观》卷28页1，《纲目》页929，《医心方》页416、708)

【校注】

[1] **蓼** 为蓼科蓼属植物泛称。《本草图经》云："蓼类甚多，有紫蓼、赤蓼、青蓼、马蓼、水蓼、香蓼、木蓼等七类。紫、赤二蓼，叶小狭而厚。青、香二蓼，叶亦相似而俱薄。马、水二蓼，叶

俱阔大，上有黑点。木蓼，一名天蓼。诸蓼花皆红白，子皆赤黑。木蓼花黄白，子皮青滑。”陶弘景云：“马蓼，生下湿地，茎斑叶大有黑点，亦有两三种，其最大者即是荭草。”荭草，又名水荭，即水蓼。《别录》云：“荭草，如马蓼而大，生水旁。”植物学荭草为蓼科蓼属植物红蓼。本条所讲的蓼似指诸蓼而言。其中水蓼见“776 荭草”，木蓼见“841 木天蓼”。

[2] **痃癖** 见“59 桑灰”注 [3]。

[3] **人霍乱转筋** 人吐泻太过，出现小腿肚挛搐。《药性论》云：“若霍乱转筋，取子一把，香豉一升。先切叶，以水三升煮取二升，内（纳）豉汁中，更煮取一升半，分三服，又与（给）大麦面相宜。”

[4] **主小儿头疮** 《药性论》云：“蓼实治小儿头疮，捣末和白蜜，一云和鸡子白，涂上，虫出，不作瘢。”

[5] **蛞蝓咬……是其弱阳事也** 此文辑自《医心方》416、708 页引《拾遗》。又文中“一名女憎”，《本草和名》卷 18 作“一名女增。”

935 薤[1]

调中，主久痢不差[2]，腹内常恶者但多煮食之。赤痢，取薤致黄檗煮服之，差。(《证类》页 512，《大观》卷 28 页 6，《纲目》页 1179)

【校注】

[1] **薤** 为百合科植物薤或小根蒜。《唐本草》注云：“薤有赤、白二种。白者补而美，赤者主金疮。”薤能通胸阳，治胸痹痛。《金匮要略》治胸痹，痛彻心背，用薤白半升，栝楼实一枚，白酒七升，煮二升，分二服。

[2] **主久痢不差** 《食医心镜》云：“主赤白痢下，薤白一握，切，煮作粥食之。”

936 韭[1]

温中下气，补虚[2]，调和脏腑，令人能食，益阳[3]，止泄白脓、腹冷痛[4]，并煮食之。叶及根生捣绞汁服，解药毒，疗狂狗咬人欲发者，亦杀诸蛇、虺、蝎恶虫毒[5]。取根捣和酱汁灌马鼻虫颡。又捣根汁多服，主胸痹骨痛不可触者[6]。俗云韭叶是草钟乳，言其宜人，信然也。注云，取子生吞三十粒，空心盐汤下，止梦泄精及溺白[7]，大效。(《证类》页 511，《大观》卷 28 页 5，《纲目》页 1172)

【校注】

[1] **韭** 为百合科植物韭。《本草图经》云：“圃人种莳，一岁而三四割之，其根不伤，至冬壅培之，先春而复生。信乎一种而久者也。菜中此物最温而益人。”

[2] **温中下气，补虚** 《日华子》云：“韭，热，下气，补虚乏。”

[3] **益阳** 即增强男子性功能。《日华子》云："韭，益阳，止泄精，暖腰膝。"

[4] **止泄白脓、腹冷痛** 《食医心镜》云："韭，止水谷痢，作羹粥、煠炒任食之。"

[5] **杀诸蛇、虺、蝎恶虫毒** 《日华子》云："蛇、犬咬并恶疮，韭捣傅。"

[6] **主胸痹骨痛不可触者** 孟诜云："胸痹，心中急痛如锥刺，不得俯仰，自汗出，或痛彻背上，不治或至死。取生韭五斤，洗，捣汁灌少许。"《日华子》云："胸痹骨痛甚，取韭生研汁服。"从此二方看，韭有薤白样功效，亦能治胸痹骨痛。胸痹骨痛类似现代心绞痛。

[7] **取子……止梦泄精及溺白** 韭菜子能壮阳固精，治阳痿遗精、遗尿、白浊、白带过多。《外台秘要》："治虚劳尿精，新韭子二升，十月霜后采，好酒八合，渍一宿，明旦捣一万杵。平旦服方寸匕，温酒下，日再服，佳。"

937 大蒜[1]

去水恶瘴气，除风湿，破冷气，烂痃癖，伏邪恶[2]，宣通温补，无以加之。初食不利目，多食却明，久食令人血清，使毛发白，疗疮癣。生食去蛇虫溪盛等毒。昔患痃癖者，尝梦人教每日食三颗大蒜，初时依梦，遂至瞑眩，口中吐逆，下部如火；后有教令取数片合皮截却两头吞之，名为内炙，以此大效。又鱼骨鲠不出，以蒜内鼻中即出。独颗者杀鬼去痛，入用最良。(《证类》页517，《大观》卷29页4，《纲目》页1182)

【校注】

[1] **大蒜** 《别录》名"葫"。陶弘景云："今人谓葫为大蒜，谓蒜为小蒜，以其气类相似也。性最熏臭。取其子，初种之，成独子葫，明年则复其本也。"《别录》云："葫，主散痈肿、䘌疮。"《肘后方》炙背肿令消，取独头蒜，横截厚一分，安肿头上，炷艾如梧子，炙蒜上百壮，勿令大热，若觉痛即擎起蒜，蒜焦更换新者，勿令损皮肉。

[2] **破冷气，烂痃癖，伏邪恶** 《日华子》云："蒜，疗冷风、痃癖、温疫气、蛇虫伤、恶疮疥溪毒、沙虱，并捣贴之。"

938 苦瓠[1]

煎取汁，滴鼻中，出黄水，去伤寒鼻塞、黄疸[2]。又，取一枚，开口，以水煮中搅取汁，滴鼻中，主急黄。又取未硬者，煮令热，解开，熨小儿闪癖。食苦瓠中毒者，煮黍穰汁饮之[3]。(《证类》页517，《大观》卷29页1，《纲目》页1232，《医心方》页577、706)

【校注】

[1] **苦瓠** 为葫芦科植物苦葫芦。《蜀本草》云："瓠有甘、苦二种，甘者大，苦者小，即陶云小者名瓢是也。今人以苦瓠疗水肿甚效，亦能令人吐。"《药性论》云："苦瓠瓤治水气浮肿、面目肢节肿胀，下大水气疾。"

[2] **去伤寒鼻塞、黄疸** 《伤寒类要》："治黄疸，苦葫芦瓤如大枣许大，以童子小便二合浸之，三两食顷，取两酸枣许，分内两鼻中，病人深吸气，及黄水出，良。"又，瓜蒂为末，吹鼻出黄水，亦有同样功效。

[3] **食苦瓠中毒者，煮黍穰汁饮之** 以上12字辑自《医心方》页706引《拾遗》云。又《唐本草》注云："苦瓠服之过分，令人吐利不止者，宜以黍穰灰汁解之。"

939 水芹[1]

茎叶捣绞取汁，去小儿暴热，大人酒后热毒，鼻塞身热，利大小肠。茎、叶、根并寒。子温，辛。渣芹[2]，平。主女子赤白沃，止血，养精神，保血脉，益气，嗜饮食，利人口齿，去头中热风。和醋食之，亦能滋人。患鳖癥不可食。(《证类》页519，《大观》卷29页7，《纲目》页1200，《医心方》页578、709)

【校注】

[1] **水芹** 《蜀本草·图经》云："水芹生水中，叶似芎䓖，花白色而无实，根亦白色。"《开宝本草》云："水芹即芹菜也，有两种。荻芹取根，白色；赤芹取茎、叶，并堪作菹及生菜，味甘。"《食疗本草》云："水芹，寒，养神益力，令人肥健，杀石药毒。"

[2] **渣芹** 《嘉祐本草》在"水芹"条下引陈藏器"水芹"作为注释文。唐慎微在"水芹"条又引陈藏器"渣芹"作为注释文。陈藏器言水芹茎、叶、根并寒，言渣芹平。从性味不同看，水芹、渣芹似是二物。陶弘景论水芹时并云："又有渣芹，可为生菜，亦可生啖。"又陈藏器论渣芹主治与《食医心镜》"芹菜"文相同。则渣芹即《食医心镜》所讲的芹菜。盖"芹菜"是个通名，各书所言具体实物未必是同一物。《纲目》云："芹有水芹、旱芹。水芹生江湖陂泽之涯；旱芹生平地，有赤、白二种。二月生苗，其叶对节而生，似芎䓖。其茎有节，棱而中空，其气芬芳。五月开细白花，如蛇床花。"今日所讲的芹菜，指伞形科植物旱芹。

940 芸薹[1]

破血，产妇煮食之。子，压取油，傅头令头发长黑。又，煮食主腰脚痹，捣叶傅赤游疹[2]，久食弱阳[3]。(《证类》页522，《大观》卷29页13，《纲目》页1185)

【校注】

[1] **芸薹** 《唐本草》云："芸薹，味辛，温，无毒。主风游丹肿、乳痈。"《开宝本草》云：

"主破癥瘕结血。今俗方病人得吃芸薹，是宜血病也。"《日华子》云："芸薹，凉，治产后血风及瘀血。胡臭人不可食。"《纲目》云："芸薹，方药多用，诸家注亦不明，今人不识为何菜？珍（李时珍）访考之，乃今油菜也。"自从李时珍订芸薹为油菜，后世皆从时珍之说。但从文献上看，芸薹又不像是油菜。从《唐本草》《开宝本草》《日华子》三家论芸薹功效看，芸薹能活血化瘀、消痈肿。但今日油菜并无此作用。《唐本草》说芸薹味辛温，今日油菜并无辛味。陈藏器说芸薹久食弱阳，今日油菜为人常食之菜，未闻有弱阳之事。从药性、药效看，芸薹似非油菜，或是芥类的菜。《杨氏产乳》："治产后恶露不下，血结冲心刺痛，芸薹子、当归、赤芍、桂心等分为末，每服二钱，赶下恶物。"而油菜子并不能治产后恶露不下。温隐居《海上仙方》："治产后血晕。芸薹子、生地等分为末。每服二钱，姜七片，酒、水各半盏，童便半盏，煎七分，温服即苏。"油菜子无此功效。

［2］**赤游疹**　见"197 海根"注［8］。

［3］**久食弱阳**　孟诜云："若先患腰膝，不可多食，必加极。又极损阳气，发口疮齿痛。"今日油菜常食、多食，俱无此等不良副作用。

941　莼[1]

虽水草，性热壅。按：此物温病起食者多死，为体滑脾，不能磨，常食发气，令关节急，嗜睡。若称上品，主脚气，脚气论中令人食之，此误极深也。常所居近湖，湖中有莼及藕，年中大疫，既饥，人取莼食之，疫病差者亦死。至秋大旱，人多血痢，湖中水竭，掘藕食之，阖境无他，莼、藕之功于斯见矣。（《证类》页 519，《大观》卷 29 页 6，《纲目》页 1071）

【校注】

［1］**莼**　为睡莲科植物莼菜。《齐民要术》云："莼，性纯而易生。种以浅深为候，水深则茎肥而叶少，水浅则茎瘦而叶多，其性逐水而滑，故谓之莼菜。"《唐本草》注："三四月至七八月通名丝莼，味甜体软；霜降以后至十二月名瑰莼，味苦体涩。"《保生余录》："治痈疽疮疖。马蹄草茎（即莼）、莕丝菜（凫葵）各取半碗，同苎麻根五寸去皮，捣烂，傅肿处四周，春夏秋日换四五次，冬日换二三次，甚效。"按：莼与凫葵（莕）形态极相似，古人视为一物。《诗经》："薄采其茆"。陆机《诗疏》云："茆，南人谓之莼"。《毛传》云："茆，凫葵也。"郭璞注《山海经》云："茆，凫葵也。"

942　胡麻[1]

花，阴干，渍取汁，溲面至韧易滑。（《证类》页 481，《大观》卷 24 页 1，《纲目》页 1101）

【校注】

[1] **胡麻** 陶弘景云："淳黑者名巨胜，本生大宛，故名胡麻"。《唐本草》注云："胡麻都以乌者良、白者劣尔。"胡麻为脂麻科植物脂麻。《梦溪笔谈》云："胡麻即今油麻。中国只有大麻，其实为蕡，张骞自大宛得油麻种来，故名胡麻，以别中国大麻也。"《本草衍义》云："胡麻诸家之说参差不一，只是今脂麻。其种出于大宛，故言胡麻。胡麻（其色紫黑）与白油麻（白脂麻）为一物。尝官于顺安军（今河北高阳）、雄（今河北雄县）、霸（今河北霸县）州之间，备见之。"

943　胡麻油[1]

大寒，主天行热秘，肠内结热，服一合，取利为度。食油损声，令体重。生油杀虫，摩恶疮。叶[2]，沐头长发。（《证类》页483，《大观》卷24页6，《纲目》页1101，《医心方》页688）

【校注】

[1] **胡麻油** 即胡麻字榨的油。《别录》云："胡麻油，生者摩疮肿，生秃发。"《药性论》云："胡麻生油涂头，生毛发。"《食疗本草》云："胡麻油主音痖，涂之生毛发。"

[2] **叶** 《本草经》云："胡麻叶名青蘘。"《药性论》云："叶捣汁，沐浴甚良。"《日华子》云："叶作汤沐，润毛发，滑皮肤，益血色。"

944　麻子[1]

下气，利小便，去风痹皮顽。炒令香，捣碎，小便浸取汁服。妇人倒产，吞二七枚，即正。麻子去风，令人心欢。压为油，可以油物。早春种为春麻子，小而有毒。晚春种为秋麻子，入药佳。（《证类》页482，《大观》卷24页3，《纲目》页1106）

【校注】

[1] **麻子** 为桑科植物大麻的种子。东汉崔寔谓大麻有雌、雄株。其后分雄株为枲或牡麻；雌株为苴或子麻。陶弘景云："麻蕡即牡麻，牡麻则无实，今人作布及履用之。"《唐本草》注云："有子之麻为苴。"《沈氏尊生书》治肠燥津枯便秘，火麻仁、杏仁、桃仁、枳壳、当归、生地为丸服。此方适合老人、虚人、妇女产后血虚津枯便秘。

945　大豆[1]

炒令黑烟未断，及热投酒中，主风痹、瘫痪、口噤[2]，产后诸风[3]。食罢，生服半两，去心胸烦热，热风恍惚，明目，镇心，温补。久服好颜色，变白，去风，不忘。煮食，寒，下热气肿，压丹石烦热。汁解诸药毒[4]，消肿。大豆，炒食极热，煮食之及作豉极冷。黄卷[5]及酱[6]，平。牛食温，马食冷。一体之中，用之数变。(《证类》页486，《大观》卷25页1，《纲目》页1134)

【校注】

[1] **大豆** 为豆科植物大豆。《本草图经》云："有黑、白二种。入药用黑者。"《千金方》："治身肿浮，乌豆（黑大豆）一升，水五升，煮取三升汁，去渣，内酒五升，更取三升，分温三服，不差再合服之。"若身肿，因营养不良，用大豆煮食，亦行。《本经》云："大豆涂痈肿"。按：痈肿初起，生大豆捣为末，醋调傅肿处，干则易之，日夜不停。

[2] **主风痹、瘫痪、口噤** 《千金方》治中风口噤，用大豆一升，熬去腥，勿使太熟，杵末，蒸之气遍，以酒一升淋之，温服一升，覆衣取汗。

[3] **产后诸风** 《食医心镜》云："治产后风虚，五缓六急，手足顽痹，头旋眼眩，血气不调，大豆一升炒令熟，热投三升酒中，密封，随性饮之。"

[4] **汁解诸药毒** 《别录》云："大豆杀乌头毒。"《食疗本草》云："生大豆杀乌头、附子毒。"

[5] **黄卷** 陶弘景云："以大豆为蘖牙，生便干之，名为黄卷。"《食疗本草》云："卷蘖长五分者，破妇人恶血良。"按：大豆黄卷能解表利湿热，可治暑湿发热汗少，胸闷不舒，亦治风湿热痹，胫膝骨节痛，但作用很弱，重症不行。

[6] **酱** 《食疗本草》云："酱主火毒，杀百药毒。"《肘后方》："汤火烧灼未成疮，豆酱汁傅之。"

946 蒲州豉[1]

味咸，无毒。主解烦热、热毒寒热[2]、虚劳，调中发汗[3]，通关节，杀腥气，伤寒鼻塞[4]。作法与诸豉不同，其味烈。陕州[5]又有豉汁[6]，经年不败，大除烦热，入药并不如今之豉心[7]，为其无盐故也。(《证类》页493，《大观》卷25页16，《纲目》页1147)

【校注】

[1] **蒲州豉** 蒲州，今山西永济。夏天蒸熟黑大豆摊席上，覆盖桑叶、鲜青蒿，待变黄取出，去桑、蒿，置瓮中，拌清水润之，封口二十日，取出晒干。

[2] **主解烦热、热毒寒热** 豉能解表，配薄荷、连翘能散风热。对热病后期，余热未清，胸中烦闷，不得眠，豉合栀子煎服，能清余热。

[3] **调中发汗** 《药性论》云："豉，主除烦躁，治时疾热病发汗。"

[4] **伤寒鼻塞** 《肘后方》治恶寒发热，头痛鼻塞，用豆豉配葱白煎服。

[5] **陕州** 今河南三门峡市。

[6] **豉汁** 《食疗本草》云："陕府豉汁，甚于常豉，以大豆为黄蒸，每一斗加盐四两，椒四

两，春三日，夏两日，冬五日，即成半熟。加生姜五两，埋于马粪中。黄蒸以好豉心代之。”

[7] **豉心** 是合豉时取其中心者，非剥皮取心。

947 赤小豆[1]

和桑根白皮煮食之，主湿气痹肿。小豆和通草煮食之，当下气无限，名脱气丸。驴食脚轻，人食体重。(《证类》页487，《大观》卷25页3，《纲目》页1130)

【校注】

[1] **赤小豆** 为豆科植物赤小豆及赤豆。陶弘景云：“小豆，性逐津液，久服令人枯燥。”《本草经》云：“赤小豆，主下水，排痈肿脓血。”《食疗本草》云：“治脚气及大腹水肿，赤小豆和鲤鱼烂煮，食之。”

948 大麦[1]

作面食之，不动风气，调中止泄，令人肥健。大麦、穬麦[2]，《本经》前后两出。苏云青稞麦是大麦，《本经》有条；粳、稻二米，亦如大、穬两麦。苏云稻是谷之通名，则穬是麦之皮号。麦之穬，犹米之与稻。《本经》于“米”“麦”条中重出“皮”“壳”两件者，但为有壳之与无壳也。苏云大麦是青稞，穬麦是大麦。如此则与米注不同，自相矛盾。愚谓大麦是麦米，穬麦是麦谷[3]，与青稞种子不同。青稞似大麦，天生皮肉相离，秦陇以西种之。今人将当本麦米粜之，不能分也。(《证类》页492，《大观》卷25页13，《纲目》页1112)

【校注】

[1] **大麦** 为禾本科植物大麦。麦粒有稃紧密粘合不能分离，为有稃大麦；或能分离，称为青稞，是大麦的一种。《唐本草》注云：“大麦出关中，即青稞麦，形似小麦而大，皮厚，故谓大麦。”陈承《别说》云：“大麦，今以粒皮似稻者为之。作饭滑，饲马良。”《别录》云：“大麦，味咸，温，微寒，无毒。主消渴，除热、益气，调中。”《药性论》云：“大麦糵（麦芽），味，甘，无毒。能消宿食，破冷气，去心腹胀满。”

[2] **矿麦** 《本草图经》云：“矿麦有二种，一种类小麦，一种类大麦，皆比大、小麦差大。”陈承《别说》云：“矿麦，今以似小麦而大，粒色青黄。京东西、河北呼为黄颗。关中又有一种青颗，粒微小，色微青，专以饲马。”《别录》云：“矿麦，味甘，微寒，无毒。主轻身，除热。作糵，温，消食，和中。”

[3] **愚谓大麦是麦米，矿麦是麦谷** 陈藏器认为大麦是麦米，即麦粒与稃壳分离；矿麦是麦谷，即麦粒与稃壳紧密粘合不能分离。但《本草图经》不同意陈氏之说，并云：“矿麦即大麦一种皮厚者。

陈藏器谓即大麦之连壳者，非也。”

949　小麦[1]

秋种夏熟，受四时气足，自然兼有寒温。面热麸冷[2]，宜其然也。河、渭以西，白麦面凉，以其春种缺二时气使之然也。（《证类页491，《大观》卷25页12，《纲目》页1109）

【校注】

[1] **小麦**　为禾本科植物小麦。陈承《别说》云：“小麦即今人所磨为面，日常食者。八、九月种，夏至前熟。一种春种，不及经年者良。”孙真人云：“麦，心之谷也。心病宜食。主除热、止渴、利小便、养心。”《金匮要略》以小麦合甘草、大枣治脏躁症。按：此方治神经官能症确有良效，安全无毒副作用。

[2] **面热麸冷**　面，见“688 面”条；麸，见“687 麸”条。

950　粟米粉[1]

解诸毒，主卒得鬼打[2]，水搅服之。亦主热腹痛，鼻衄[3]，并水煮服之。秔[4]、粟总堪为粉，粟强。浸米至败者损人。（《证类》页488，《大观》卷25页6，《纲目》页1125）

【校注】

[1] **粟米粉**　为禾本科植物粟米研为粉。粟，北方通称谷子，去壳名小米。粟之粘者名秫。粟类中有一种特别好的品种，古称为粱。《唐本草》注：“粟类有多种，而并细于粱。”粟贮存久者名陈粟。《别录》云：“粟米，主养肾气，去胃脾中热，益气；陈者，主胃热，消渴，利小便。”

[2] **鬼打**　见“19 锻锧下铁屑”注［2］。

[3] **鼻衄**　即鼻出血。

[4] **秔**　即粳。稻去壳，为粳米。粳米不粘，糯米粘。

951　陈廪米[1]

和马肉食之，发痼疾[2]。凡米，热食即热，冷食则冷，假以火气，体自温平。吴人[3]以粟为良，汉地[4]以粳为善，亦犹吴纻[5]郑缟[6]。盖贵远贱近之义焉。确论其功，粟居前也。（《证类》页497，《大观》卷26页7，《纲目》页1149）

【校注】

[1] **陈廪米** 陶弘景云："此今久入仓陈赤者，汤中多用之。人以作醋，胜于新粳米。"据陶所云，陈廪米即陈粳米。《本草衍义》云："陈廪米，今诸家注说皆不言是秔米（粳米）、是粟米，然秔、粟二米，陈者性皆冷。煎煮亦无膏腻。入药者，今人多用新粟米。"

[2] **瘤疾** 见"489 麂"注[3]。

[3] **吴人** 指江苏苏州人，此处有代表南方的含义。

[4] **汉地** 指陕西汉中，此处有代表北方的含义。

[5] **纻** 指纻麻。

[6] **缟** 指莎草。

952 酒[1]

本功外，杀百邪，去恶气[2]，通血脉，厚肠胃[3]，润皮肤，散石气，消忧发怒，宣言畅意。智人饮之则智，愚人饮之则愚[4]。《书》曰[5]：若作酒醴尔，惟曲糵。苏敬乃广引葡萄蜜等为之，此乃以伪乱真，殊非酒本称。至于入药，更亦不堪。凡好酒欲熟，皆能候风潮而转，此是合阴阳矣。（《证类》页487，《大观》卷25页5，《纲目》页1161，《医心方》页691）

【校注】

[1] **酒** 《唐本草》注："酒有葡萄、秫（粟之粘者）、黍（稷之粘者）、秔（不粘的粳米）、粟（不粘的小米）、曲、蜜等作酒。醴（酿之一宿，仅有酒味）以曲为。而葡萄、蜜等独不用曲。惟米酒入药。"

[2] **杀百邪，去恶气** 《别录》云："酒，味苦、甘、辛，大热，有毒。行药势，杀百邪恶毒气。"陶弘景云："昔三人晨行触雾，一人健，一人病，一人死。健者饮酒，病者食粥，死者空腹。此酒势辟恶，胜于作食。"

[3] **通血脉，厚肠胃** 《日华子》云："酒，通血脉，厚肠胃，除风及下气。"

[4] **智人饮之则智，愚人饮之则愚** 以上12字，辑自《医心方》卷30引《拾遗》。

[5] **《书》曰** 即《尚书》。见"323 枳壳"注[3]。

953 醋[1]

破血运，除癥块坚积[2]，消食，杀恶毒，破结气，心中酸水痰饮。多食损筋骨。然药中用之，当取二三年米酢良。苏云葡萄、大枣皆堪作酢，缘渠是荆楚人，土地俭啬，果败犹取以酿醋，糟醋犹不入药，况于果乎。（《证类》页494，《大观》卷26页1，《纲目》页1159）

【校注】

[1] **醋** 陶弘景云："醋亦谓之醯，以有苦味，俗呼为苦酒。愈久愈良。"《本草衍义》云："醋，酒糟为之。然有米醋、麦醋、枣醋。米醋最酽，入药多用。"《肘后方》："治痈已有脓，当坏，以苦酒和雀屎傅痈头上，如小豆大，即穿。"又方："治面多皯䵳或似雀卵色者，苦酒渍术常以拭面，即渐渐除之。"

[2] **破血运，除癥块坚积** 《日华子》云："醋，治妇人产后血运，下气，除烦，破癥结。"又患感冒者，其卧室常得醋气亦佳。缘醋坊制醋者从不患感冒也。

954 石脾[1]

"芒硝"注中陶云：取石脾为消石，以水煮之，一斛得三斗，正白如雪，以石投中则消，故名消石。按：石脾、芒硝、消石，并生西戎[2]卤地，咸水结成，所生次类相似。(《证类》页97，《大观》卷3页39，《纲目》页713)

【校注】

[1] **石脾** 《别录》云："石脾，味甘，无毒。主胃寒热益气，令人有子。一名胃石，一名膏石，一名消石。生隐蕃山谷石间，黑如大豆，有赤文，色微黄而轻薄如碁子，采无时。"陶弘景云："但不知石脾复是何物？《本草》乃有石脾、石肺，人无识者。皇甫既是安定（甘肃镇原）人，又明医药，或当详之。"

[2] **西戎** 见"53流黄香"注[5]。

955 玉伯[1]

今之石松[2]，生石上，高一二尺，山人取根、茎浸酒去风血，除风瘙[3]，宜老。"伯"应是"柏"字，传写有误。(《证类》页539，《大观》卷30页3，《纲目》页1091)

【校注】

[1] **玉伯** 陈藏器云："应作'玉柏'"。《别录》云："玉伯，味酸，温，无毒。主轻身益气，止渴。一名玉遂。生石上如松，高五六寸，紫花。用茎叶。"既云"生石上如松，用茎叶"，则玉伯的"伯"字，当从"木"旁。

[2] **石松** 为石松科植物石松。见"346石松"条。

[3] **风瘙** 即风痒。

956 石濡[1]

生石之阴，如屋游[2]、垣衣[3]之类，得雨即展，故名石濡。早春青翠，端开

四叶，山人名石芥，性冷，明目，令人不饥渴。（《证类》页539，《大观》卷30页3，《纲目》页1088）

【校注】

[1] **石濡** 《别录》云："石濡，主明目，益精气，令人不饥渴，轻身长年。一名石芥。"《纲目》认为石濡即石蕊，并将石濡文并入"石蕊"条内。关于石蕊详见"159 石蕊"条。陈藏器说石濡有"端开四叶"，但石蕊并无"端开四叶"。

[2] **屋游** 即瓦苔。陶弘景云："此古瓦屋上青苔衣也。"

[3] **垣衣** 《唐本草》注云："此即古墙北阴青苔衣也。"

957 鬼目[1]

一名排风，一名白幕[2]。《尔雅》云：符，鬼目。注云：叶似葛子，如耳珰[3]，赤色。（《证类》页540，《大观》卷30页4，《纲目》页1046）

【校注】

[1] **鬼目** 同名异物有四：鹿目、羊蹄、紫葳、白英，均以鬼目为异名。本条鬼目，讲的实物为白英的子。详见"740 白英"条。但白英性味、主治、功用，与《别录》"鬼目"并不相同。《别录》云："鬼目，味酸，平，无毒。主明目，一名来甘，实赤如五味，十月采。"陶弘景云："俗人今呼白草子（白英的子）亦为鬼目，此乃相似也。"所以陶氏并不确认白英与《别录》鬼目为同一物。但《纲目》视《别录》鬼目与白英为一物。

[2] **白幕** 同名异物有三：白英、白薇、天雄，均以白幕为异名。

[3] **耳珰** 同耳珰珠。见"740 白英"注［8］。

958 鬼盖[1]

名为鬼屋，如菌，生除湿处，盖黑，茎赤。和醋傅肿毒、马脊肿、人恶疮[2]。杜正伦云：鬼伞，夏日得雨，聚生粪堆，见日消黑，此物有小毒。（《证类》页540，《大观》卷30页4，《纲目》页1246）

【校注】

[1] **鬼盖** 《别录》云："鬼盖，味甘，平，无毒。主小儿寒热痫。一名地盖。生垣墙下，丛生，赤。旦生暮死。"陶弘景云："一名朝生，疑是今鬼伞也。"《纲目》云："此亦土菌之类，朝生夕死者。烧灰治疔肿，以针刺破四边，纳灰入内，经宿出根。"

[2] **恶疮** 见"20 铁锈"注［2］。

959 马唐[1]

生南土废稻田中，节节有根，著土如结缕草，堪饲马[2]，云马食如糖，故曰马唐。煎取汁，明目，润肺。《广雅》[3]云：马唐，马饭也。（《证类》页540，《大观》卷30页4，《纲目》页934）

【校注】

[1] **马唐** 《别录》云："马唐，味甘，寒。主调中，明耳目。一名羊麻，一名羊粟。生下湿地，茎有节，生根。五月采。"

[2] **节节有根，著土如结缕草，堪饲马** 莸草同此（见"299 莸草"）。《纲目》在"莸草"条并入有名未用《别录》马唐。

[3] **《广雅》** 原作《尔雅》。查《尔雅》仅有"莸，蔓于"，并无"马唐，马饭也。"只有《广雅》记载"马唐，马饭也"，据此改。

960 牛舌实[1]

今东人呼田水中大叶如牛耳，亦呼为牛耳菜。（《证类》页540，《大观》卷30页4，《纲目》页1063）

【校注】

[1] **牛舌实** 《别录》云："牛舌实，味咸，温，无毒。主轻身益气。一名彖尸（《纲目》作'豕首'）。生水中泽旁，实大叶长尺。五月采。"《纲目》云："今人呼羊蹄为牛舌菜，恐羊蹄是根，此是其实。"

961 羊乳根[1]

似荠苨而圆，大小如拳，上有角节，剖之有白汁，人取根当荠苨，三月采。苗作蔓，折有白汁。（《证类》页540，《大观》卷30页4，《纲目》页728）

【校注】

[1] **羊乳根** 同名异物有二，一是枸杞，二是沙参。《纲目》认为羊乳根是南沙参，形状似荠苨，所以陈藏器说"人取根当荠苨"。《纲目》将本条并在"沙参"条内。但《本草图经》讲沙参七月间紫花，而《别录》讲羊乳根三月采，立夏后母死。《别录》云："羊乳，味甘，温，无毒。主头眩痛，益气，长肌肉。一名地黄。三月采，立夏后母死。"二者生态不同，说羊乳根是沙参可疑。

962 榧华[1]

按：榧（音斐）树似杉，子如槟榔，食之肥美。主痔，杀虫。春华，并与《本经》相会。《本经》虫部云：彼子。苏注云："彼"字合从木。《尔雅》云：彼，一名榧[2]。陶复于果部重出榧，此即是其华也[3]。（《证类》页541，《大观》卷30页7，《纲目》页1303）

【校注】

［1］**榧华**　榧音"斐"，同"榧"。陈藏器云"并与《本经》（榧实）相会。《本经》虫部云：彼子。"《纲目》将榧华并在"榧实"条下。陈藏器认为榧即榧实，与彼子是同物异名。《本经》云："彼子，味甘，温。主腹中邪气，去三虫、蛇螫、蛊毒、鬼疰、伏尸。"《别录》云："彼子有毒，生永昌（今云南保山）。"又云"榧实，味甘，无毒。主五痔，去三虫、蛊毒、鬼疰。生永昌。"

［2］**《尔雅》云：彼，一名榧**　《唐本草》注引作"《尔雅》云：彼，杉。"并注云："其树大连抱，高数仞，叶似杉，其木如柏，作松理，肌细软，堪为器也。"

［3］**此即是其华也**　此言榧华即榧实的花。《别录》云："榧华，味苦。主水气，去赤虫，令人好色，不可久服。春生乃采。"

963 蕙实[1]

五月收，味辛，香，明目，正应是兰蕙之蕙[2]。（《证类》页542，《大观》卷30页8，《纲目》页829）

【校注】

［1］**蕙实**　《别录》云："蕙实，味辛，主明目，补中。"又云："根茎中涕，疗伤寒寒热出汗、中风面肿、消渴、热中，逐水。生鲁山平泽。"

［2］**兰蕙之蕙**　兰蕙即是兰科植物兰花的一种。《本草衍义》云："今江陵（今湖北江陵）、鼎（今湖南常德）、澧（今湖南澧县）州山谷之间颇有之，山外平田即无，多生阴地幽谷。叶如麦门冬而阔且韧，长及一二尺，四时常青。花黄绿色，中间瓣上有细紫点。春芳者为春兰；秋芳者为秋兰，色淡。开时满室尽香。"又，菊科植物兰草及唇形科植物泽兰，亦称兰，其叶香，花不香。而兰科的兰花，其花香，叶不香。中国古代记载兰花专著有十多种。南宋·赵时庚《金漳兰谱》，论述各种兰花品种特征、品质高下及栽培、管理方法。

964 白菖[1]

即今之溪荪也，一名菖阳。生水畔，人亦呼为菖蒲，与石上菖蒲都别，大而臭

者是，亦名水菖蒲，根色正白，去蚤虱。(《证类》页542，《大观》卷30页9，《纲目》页1065，《本草和名》卷7)

【校注】

[1] **白菖** 即天南星科植物菖蒲。陈藏器谓大而臭者是，根色白，去蚤虱，通称菖蒲，其异名有水菖蒲、溪荪、菖阳。它与石菖蒲不同。按：白菖蒲高二三尺，生于池泽，叶肥；生于溪涧叶瘦。而石菖蒲高一尺以下或四五寸，生水石间，叶有剑脊，根瘦节密，能除痰开窍，去湿开胃，可用于热病神昏，或耳鸣耳聋。《别录》云："白菖，味甘，无毒。主食诸虫。一名水菖，一名水宿，一名茎蒲。十月采。"

965 天蓼[1]

即今之水荭，一名游龙，亦名大蓼。(《证类》页543，《大观》卷30页10，《纲目》页1465)

【校注】

[1] **天蓼** 蓼有多种(见"934蓼")。其中马蓼、水蓼、木蓼皆称天蓼。陈藏器谓天蓼即今之水荭。则本条天蓼即指水荭而言。水荭又名荭草，见《本草图经》及本书"776荭草"条。但天蓼、荭草性味、主治各异，兹比较如下。

《别录》云："天蓼，味辛，有毒。主恶疮，去痹气。一名石龙。生水中。"又云："荭草，味咸，微寒，无毒。主消渴，去热，明目，益气。一名鸿藹。如马蓼而大，生水旁。五月采实。"从二者性味、主治、功用的不同来看，陈氏所云天蓼即水荭，未必可信。又《唐本草》"木天蓼"条，其性味辛，温，有小毒，与《别录》"天蓼，味辛，有毒"倒是很相近。疑《别录》"天蓼"或是《唐本草》"木天蓼"同类物。

966 地朕[1]

一名地锦[2]，一名地噤。叶光净，露下有光，蔓生，节节著地。(《证类》页543，《大观》卷30页10，《纲目》页1082)

【校注】

[1] **地朕** 《别录》云："地朕，味苦，平，无毒。主心气、女子阴疝、血结。一名承夜，一名夜光。三月采。"

[2] **地锦** 《嘉祐本草》有地锦，并云："地锦草，味辛，无毒。主流通血脉，亦可用治气。生近道田野。出滁州(安徽滁州)者尤良。茎叶细弱，蔓延于地，茎赤，叶青紫色，夏中茂盛。六月开红花，结细实。取苗子用之。'络石'注有'地锦'，是藤蔓之类，虽与此名同，而其类全别。"藤蔓

地锦详见“282 地锦”条。《纲目》将地朕并入《嘉祐本草》“地锦”条。现代用的地锦为大戟科植物地锦草，能止各种出血，止泻、止痢、利疸。

967 地筋[1]

如地黄，根、叶并相似，而细、多毛。生平泽。功用亦同地黄，李邕方用之。(《证类》页 543，《大观》卷 30 页 10，《纲目》页 784)

【校注】

[1] **地筋** 《别录》云：“地筋，味甘，平，无毒。主益气，止渴，除热在腹脐，利筋。一名菅根，一名土筋。生泽中，根有毛。三月生，四月实白。三月三日采根。”陶弘景注：“疑此犹是白茅而小异也。”但陈藏器说地筋如地黄，根叶并相似，功用亦同地黄。地黄与白茅相差很大。不知何者为是？

968 虆根[1]

苗如豆。《尔雅》云：摄虎，虆。注云：江东呼虆为藤，似葛而虚大，今武豆也，荚有毛，一名巨荒，千岁虆是也。(《证类》页 543，《大观》卷 30 页 11，《纲目》页 1051)

【校注】

[1] **虆根** 《别录》云：“虆根，主缓筋，令不痛。”陈藏器认为虆根即千岁虆，详见“745 千岁虆”。

969 苗根[1]

“茜”字从西，与“苗”字相似，人写误为“苗”，此即“茜”也。(《证类》页 543，《大观》卷 30 页 11，《纲目》页 1040)

【校注】

[1] **苗根** 《别录》云：“苗根，味咸，平，无毒。主痹及热中、伤跌折。生山阴谷中蔓草木上。茎有刺，实如椒。”陈藏器认为“苗”即“茜”之讹。“苗根”即“茜根”。详见“754 茜根”条。《纲目》在“茜草”条并入《别录》“苗根”。按：苗根味咸，平；茜根味苦，寒。二者性味不同，未必是同一物。

970 荆茎[1]

即今之荆树也[2]，煮汁堪染，其洗灼疮[3]及热焱疮[4]，有效。(《证类》页544，《大观》卷30页12，《纲目》页1456)

【校注】

[1] **荆茎** 《别录》云："荆茎，疗灼烂。八月、十月采，阴干。"

[2] **即今之荆树也** 荆有牡荆、蔓荆。牡荆作树。《唐本草》注云："牡荆作树，不为蔓生。"据陈藏器所云，荆茎即牡荆。《纲目》亦将荆茎并入"牡荆"条内。《别录》云："牡荆实，味苦，温，无毒。主除骨间寒热，通利胃气，止咳逆下气。"《唐本草》注引《别录》云："荆叶味苦，平，无毒，主久痢、霍乱、转筋、血淋、下部疮湿䘌。薄脚，主脚气肿满。其根味甘、苦，平，无毒。水煮服，主心风、头风、肢体诸风，解肌发汗。"

[3] **灼疮** 即烧伤成疮。

[4] **热焱疮** 见"243马藻"注[3]。

971 丁公寄[1]

即丁公藤[2]也[3]。(《证类》页544，《大观》卷30页13，《纲目》页1055)

【校注】

[1] **丁公寄** 《别录》云："丁公寄，味甘。主金疮痛，延年。一名丁父。生石间，蔓延木上，叶细，大枝，赤茎，母大如磺黄，有汁。七月七日采。"

[2] **丁公藤** 《本草图经》云："南藤，即丁公藤也。生南山山谷，今出泉州（福建泉州）。生依南木，故名南藤。"《开宝本草》云："南藤，一名丁藤。"但南藤味辛、温，丁公寄味甘，二者性味、形态各异，恐非同一物。《纲目》亦将丁公寄并入"南藤"条。详见"428南藤"。

[3] **也** 其后，《纲目》有"始因丁公用有效，因以得名"11字，《大观》《政和》无。

972 城东腐木[1]

即今之城东古木。木在土中，一名地至[2]。主心腹痛、鬼气。城东者，犹取东墙之土也。杜正伦方云：古城住木煮汤服，主难产，此即其类也。(《证类》页545，《大观》卷30页13，《纲目》页1481)

【校注】

[1] **城东腐木** 《别录》云"城东腐木，味咸，温。主心腹痛，止泄、便脓血。"陈藏器认为城

东腐木即城东古木。木在土中者名地至。

[2] **地至** 《纲目》引陈藏器曰作“地主”。

973 桑蠹虫[1]

桑蠹去气，桃蠹[2]辟鬼，皆随所出，而各有功，又，主小儿乳霍。(《证类》页545，《大观》卷30页14，《纲目》页1541)

【校注】

[1] **桑蠹虫** 《别录》云：“桑蠹虫，味甘，无毒。主心暴痛、金疮、肉生不足。”按：桑蠹虫为桑树干中桑天牛的幼虫。陈藏器在“蛴螬”(见“896 蛴螬”)条云：“蝎在木中，桑蠹是也。又云啮桑，注云似蜗牛，长角，有白点，喜啮桑树作孔也。”《蜀本草》注：“今诸朽树中蠹虫，俗通谓之蝎。惟桑树中者近方用之，治眼得效。‘有名未用·虫类’中有‘桑蠹’一条，即此是也。”

[2] **桃蠹** 《别录》云：“食桃树虫也。”《本草经》云：“桃蠹，杀鬼、邪恶、不祥。”

974 石蠹虫[1]

伊、洛间[2]水底石下有虫，如蚕解放丝连缀小石如茧[3]。春夏羽化作小蛾，水上飞，一名石下新妇。(《证类》页545，《大观》卷30页14，《纲目》页1521)

【校注】

[1] **石蠹虫** 《别录》云：“主石癃，小便不利。生石中。”

[2] **伊、洛间** 见“546 鲵鱼”注[3]。

[3] **如蚕解放丝连缀小石如茧** 《本草衍义》云：“石蚕，生水中石上作丝茧如钗，长寸许，以蔽其身，色如泥，蚕在其中，此所以谓之石蚕也。”《纲目》根据《衍义》及陈藏器所云，遂以石蠹虫为石蚕，又将石蠹虫并入“石蚕”条内。《本草经》云：“石蚕，味咸，寒。主五癃，破石淋，堕胎。肉，解结气，利水道，除热。一名沙虱。”从主治功用相同看，石蠹虫即石蚕。动物学中的石蚕为石蚕科昆虫石蛾的幼虫。

975 行夜[1]

屁盘虫，一名负盘[2]，一名夜行。蜚蠊，又名负盘。虽则相似，终非一物。戎人食之，味极辛辣。屁盘虫有短翅，飞不远，好夜中出行，触之气出也。(《证类》页545，《大观》卷30页14，《纲目》页1552)

【校注】

［1］**行夜**　《别录》云："行夜，疗腹痛、寒热、利血。一名负盘。"

［2］**负盘**　《纲目》云："负盘有三：行夜、蜚蠊、𧑓螽，皆同名而异类。行夜与蜚蠊形状相类，但以有廉姜气味者为蜚蠊，触之气出者为屁盘。"按陈藏器所云，行夜即屁盘虫。

976　蜗篱[1]

一名师螺，小于田螺，上有棱，生溪水中[2]。寒，汁主明目，下水[3]，亦呼为螺[4]。（《证类》页545，《大观》卷30页14）

【校注】

［1］**蜗篱**　《纲目》引《别录》作"蜗螺"。《别录》云："蜗篱，味甘，无毒。主烛馆（烛睆，翳也），明目。生江夏（湖北云梦一带）。"

［2］**生溪水中**　《纲目》注出处为《别录》。

［3］**下水**　《纲目》注出处为《别录》。

［4］**螺**　陈藏器谓蜗篱"亦呼为螺"。此螺小于田螺，大如指头，壳厚有棱。主治功用同田中螺，详见"912田中螺"。

977　薰草[1]

明目止泪，疗泄精，去邪恶气、伤寒头疼。一名蕙草。生下湿地，三月采，阴干，脱节者良。按：薰草，即蕙根也，叶如麻，两两相对，此即是零陵香。（《证类》页232，《大观》卷30页14，《纲目》页829）

【校注】

［1］**薰草**　《别录》云："薰草，味甘，平，无毒。主明目，止泪，疗泄精。去臭恶气，伤寒头痛，上气，腰痛。一名蕙草。生下湿地。三月采，阴干，脱节者良。"陈藏器"薰草"条，在转录《别录》文后，加按语"按：薰草，即蕙根也，叶如麻，两两相对，此即是零陵香也。"按：薰草同名异物很多，而且名称互用，形成名、物极为混乱。从各物形态上看，互不相同，但称呼确相同。兹分述如下。

①燕草：《南越志》云："燕草，又名薰草。"陶弘景云："俗人呼燕草，状如茅香者为薰草。"

②蕙草：郑樵《通志·草木略》云："兰即蕙，蕙即零陵香。"《楚辞》云："既滋兰之九畹，又树蕙之百亩。"张揖《广雅》云："卤，薰也，其叶谓之蕙。"按：《通志》所言蕙（零陵香），实即兰花。兰花仅花香，而草不香。《本草衍义》云："零陵香至枯干犹香"。

③《山海经》"薰草"：《山海经》云"薰草，麻叶方茎，气如蘼芜，可以止疠。"陈藏器云"薰草，叶如麻，两两相对。此即是零陵香。"陈氏所言薰草很像罗勒一类植物。

④《梦溪笔谈》“零陵香”：《笔谈》云：“零陵香，唐人谓之铃铃香，谓花倒悬枝间如小铃也。”《笔谈》所言零陵香为报春花科植物灵香草，单叶互生。而陈藏器所言零陵香为“麻叶，两两相对”。二者显然不是同一物。

以上四物，都名薰草、蕙草、零陵香。至于本条薰草所指实物，当非①、②两物，可能是③、4两物。此外，《开宝本草》所讲的零陵香，是糅合上述四物为一体，难以确指是何物。（见《证类》页232）。

附录一　《本草拾遗》研究

一、《本草拾遗》研探提要

《本草拾遗》为唐·陈藏器所撰，掌禹锡《补注所引书传》称陈藏器是唐开元中，京兆府三原县县尉，《秘书省续编到四库阙书目》称陈藏器是四明人，李时珍《本草纲目》所云同此。《古今图书集成医部全录》卷507《医术名流列传》云："按，《医学入门》，陈藏器，唐三元尹，撰《神农本草经》，曰《本草拾遗》。"

（一）《本草拾遗》的撰述年代

本书撰写的时间，当是在唐开元年间（713—741）。因为《本草拾遗》"骨碎补"条注云："本名猴姜，开元皇帝以其主伤折、补骨碎，故作此名耳。"按宋·钱易《南部新书·辛集》（丛书集成初编本，商务版79页）云："开元二十七年(739)，明州人陈藏器撰《本草拾遗》云'人肉治羸疾'。自是闾阎相效割股，于今尚之。"则《本草拾遗》当成书于公元739年。正好是《唐本草》颁行80年后。

（二）《本草拾遗》卷数

《唐书·艺文志》《崇文总目辑释》《通志·艺文略》《玉海》《宋史·艺文志》《和名抄引用汉籍》、掌禹锡《补注所引书传》皆作10卷。唯《秘书省续编到四库阙书目》云："陈藏器，四明人，《本草拾遗》二十卷。"疑20卷为10卷之误。

（三）《本草拾遗》的组成

掌禹锡《补注所引书传》云："《本草拾遗》，陈藏器撰。以《神农本草经》虽有陶、苏补集之说，然遗逸尚多，故别为序例一卷，拾遗六卷，解纷三卷，总曰《本草拾遗》，共十卷"。可见《本草拾遗》是由"序例""拾遗"和"解纷"3部分组成。

"拾遗"是拾补《唐本草》遗漏的药物，掌禹锡在《补注本草》中和宋·僧赞宁《竹谱》皆说陈藏器作《本草拾遗》，是因为《神农本草经》虽有陶弘景、苏敬诸人增注，但是仍有遗漏，故为拾补。所以《拾遗》收载的药物，都是不见录于《唐本草》书中的。

（四）《本草拾遗》收载药数

对《证类本草》所标注的"陈藏器云"进行统计，得知《本草拾遗》共收载628种药物，这些品种都是不见录于《唐本草》的。其中有很多的药，曾为后世本草如《海药本草》《开宝本草》《嘉祐本草》《证类本草》等书所引用。计《海药本草》引用2种，《开宝本草》引用64种，《嘉祐本草》引用59种，《证类本草》引用488种，《医心方》引用25种……剔除其重复，尚有628种。可见《本草拾遗》载药数不会少于628种。

（五）《本草拾遗》"解纷"的内容

"解纷"是讨论药物品种混乱以及辨别前代本草舛误的。因此，其中所录的药物，大多已见于《唐本草》。在讨论品种问题方面，如苏颂《本草图经》记载："陈藏器解纷云：'蒁，味苦，色青；姜黄，味辛，温，色黄；郁金，味苦，寒，色赤，主马热病，三物不同，所用全别。'"（见《证类》页228下6～7行）又如"桂"条，陈藏器本草云："菌桂、牡桂、桂心，以上三种，并同是一物。……板薄者即牡桂也，筒卷者即菌桂也。古方有筒桂，字似菌字，后人误而书之，习而成俗。"（见《证类》页289上20行）

在辨别前代本草错误方面，如"姜黄性热不冷，《本经》（指《唐本草》，下同）云寒，误也。""接骨木有小毒，《本经》云无毒，误也。""橘柚，《本经》合入果部，宜加实字，入木部非也。"

本书卷2～卷7所论药物，都是《唐本草》遗漏的药物，"解纷"又都是论述《唐本草》已见录的药物，而有些药物，在"拾遗"和"解纷"中皆分别记载之。例如，地松是《唐本草》不载的药物，应收录在"拾遗"中；但天名精的别名亦称地松，则是《唐本草》已见录的药物，陈氏为注释天名精，又在"解纷"中重出地松。所以《嘉祐本草》批评陈藏器云："据陈藏器'解纷'合陶、苏二说，亦以天名精为地松，则今此条不当重出。虽陈藏器'拾遗'别立'地松'条，此乃藏器自成一书，务多条目尔。'解纷''拾遗'亦自差互。"

（六）《本草拾遗》的药物分类

本书对药物的分类，基本上与《唐本草》的分类相同，有玉石、草、木、兽禽、虫鱼、果菜米等各部，每部又分为上、中、下三品。

（七）《本草拾遗》的特点

《本草拾遗》一书的特点有以下几个方面。

1. 参考资料广博

从《证类本草》中统计，在冠有"陈藏器曰"的条文中，引用的书名如史书、地志、杂记、小学、医方等共116种，书名从略。其中有些书是与陈氏几乎同时代人的作品。如张鼎《食疗本草》《崔知悌方》等。

2. 内容丰富

正如李时珍所说那样："其所著述，博极群书，精核物类，订绳谬误，搜罗幽隐，自本草以来，一人而已。肤浅之士，不察其该详，惟诮其僻怪。宋人亦多删削。岂知天地品物无穷，古今隐显亦异，用舍有时，名称或变。岂可以一隅之见而讥多闻哉。如海马、胡豆之类，皆隐于昔而用于今；仰天皮、灯花、败扇之类，皆万家所用者。若非此书收载，何以稽考。"

3. 重视实际，不迷信古人

例如《神农本草经》有"柳华，一名柳絮"。按："华"同"花"。陈藏器从实地观察，发现柳絮不是柳树花，而是柳树的种子。所以陈藏器说："柳絮，《本经》以絮为花，花即初发时黄蕊，子为飞絮。以絮为花，其误甚矣。"

（八）《本草拾遗》对医药的贡献

《本草拾遗》对医药的贡献有如下几个方面。

1. 发现了维生素 B_1 缺乏病

例如“稻米”条云：“黍米及糯饲小猫犬，令脚屈不能行。”（见《证类》页495）

2. 指出了无机碱的腐蚀作用

如“草蒿”条云：“草蒿，烧为灰，淋取汁，和石灰，去息肉。”（见《证类》页250）

3. 对药物毒性的认识

如“莨菪子”条云：“勿令子破，破即令人发狂。”（见《证类》页249）

4. 认识生物碱可由伤口吸收中毒

如“乌头”条云：“乌头，有生血（出血处）及新伤肉破，即不可涂，立杀人。”（见《证类》页243）

5. 记载热敷物理疗法

如“六月河中诸热砂”条云：“取干砂日曝，令极热，伏坐其中，冷则更易之，取热彻通汗”；“主风湿顽痹不仁，筋骨挛缩，脚疼冷风掣，瘫缓。”（见《证类》页99）

6. 记载制药的飞法

如“针砂”条云：“飞为粉，功用如铁粉。”（见《证类》页114）

7. 记载了不少可贵的理化知识史料

（1）升华法。“烟药”条云：“取铁片阔五寸烧赤，以药置铁上，用磁碗，以猪脂涂碗底，药飞上，待冷即开，如此五度。”（见《证类》页99）此乃升华法，猪脂涂碗底作冷却剂。

（2）比重的认识。“藕实”条云：“石莲，入水必沉，惟煎盐卤能浮之。”（见《证类》页460）“乳穴中水”条云：“其水浓者，秤重他水，煎上有盐花，此真乳液也。”（见《证类》页139）

（3）过滤。“草蒿”条云：“烧为灰，纸八九重，淋取汁。”（见《证类》页250）

（4）石油的记载。“石漆”条云：“堪燃，烛膏半缸，如漆，不可食……《博物志》：酒泉南山石出，其水如肥肉汁，取著器中，如凝脂正黑，与膏无异。”（见《证类》页97）

（5）盐的渗透压作用。“蟹膏投漆中化为水”条云：“蚯蚓破之，去泥，以盐涂之化成水。”（见《证类》页140）

（6）从植物灰中取盐。“食盐”条云：“按，盐……惟西南诸夷稍少，人皆烧竹及木盐当之。”（见《证类》页106）

（7）碱的发现。“自然灰”条云：“自然灰……能软琉璃玉石如泥，至易雕刻，及浣衣令白。”（见《证类》页119）

（8）硫化银的发现。“黄银”条云：“今人作乌银，以硫黄熏之再宿，泻之出，即其银黑矣。”（见《证类》页97）

（9）鞣酸铁的发现。“针砂”条云：“针砂性平，无毒，堪染白为皂（黑），及和没食子（含鞣酸）染须至黑。”（见《证类》页114）

（10）酒的防腐作用。“甜糟”条云：“甜糟……杀腥，去草菜毒，藏物不败。”（见《证类》页487）

但是毋庸讳言，由于历史条件的限制，书中也存在一些封建迷信的糟粕，例如“姑获”条云：“姑获能收人魂魄，今人一云乳母鸟，言产妇死，变化作之，能取人之子以为己子。”（见《证类》页408）类似的例子很多，此处从略。为保持历史文献原貌，辑复中一承其旧，以供学者研究参考。

二、陈藏器撰《本草拾遗》时引用的文献

从后世引录陈藏器《本草拾遗》的文字中可以看出，陈藏器《本草拾遗》药物条文中引有很多书名，这些书名都是陈藏器撰《本草拾遗》时参考的文献。兹将陈藏器《本草拾遗》所引的书名摘录如下。每个书名后所附的药名，即指陈藏器《本草拾遗》在该药名条文中引用其相关内容的书名。药名前所标的号码代表该药名在1957年人卫版《重修政和经史证类备用本草》中的页次，而非本书中所排序次。

《汉书》：413 秦龟。

范晔《后汉书》：374 蔡苴机、418 鳣鱼。

《续汉书》：215 独自草。

《魏书》：498 东廧 。

《新道书》：170 救穷草。

《书记》：406 凤凰台。

《五行书》：408 钩鹆。

《尚书》：323 枳壳，335 故甑蔽。

《左传》：408 姑获，437 负蠜。

《列仙传》：169 百草花。

徐表《南方记》：479 都角子。(《艺文类聚》引作徐衷《南方记》)

徐表《南州记》：335 都咸子。

《广州记》：311 皋芦叶，362 瓜芦，470 荔枝，437 予脂。

顾《广州记》：170 鸡候菜。

顾徵《广州记》：319 槟榔。(《艺文类聚》引作顾徵《广州记》，又引作顾微《广州记》)

刘欣期《交州记》：311 含水藤。

盛弘之《荆州记》：186 兰草。

东方朔《十洲记》：137 碧海水。

《十州仙记》：99 玉膏。

《太康地记》：215 大瓠藤。

《风土记》：418 鳣鱼。

《乾宁记》：179 肉苁蓉。

《三秦记》：169 薇。

《蜀王本记》：408 杜鹃。

《荆楚岁时记》：98 大石镇宅，408 杜鹃，408 姑获，516 秦荻梨，409 鬼车。

《续齐谐记》：138 繁露水。

《拾遗记》：436 蚱蜢。

《玄中记》：408 姑获。

《搜神记》：456 青蚨，509 蕨叶。

《汉武帝洞冥记》：138 繁露水，337 救月杖。

《异志》：406 凤凰台；436 海马。

《异物志》：311 蜜香，387 灵猫阴，480 摩厨子。

《南州异物志》：182 琉璃，98 流黄香，393 鼺鼠，395 果然肉，393 水马，479 橄榄木。

《临海异物志》：192 石莼，519 莼。

《临海志》：348 桄榔子（按《宋志》，小说家及其著作有沈如筠《异物志》。按郑樵《通志·艺文略》，有吴·丹阳太守万震《南州异物志》，后汉·杨孚《异物志》，隋·沈莹《临海水土异物志》。又《艺文类聚》引有陈祈畅《异物志》和杨孝元《交州异物志》）

《博物志》：97 石漆，350 无患子，139 生熟汤，374 蔡苴机，374 海獭，140 蟹膏，355 盐肤子，407 鸡鹊，438 鼷鼠。

《南越志》：192 石莼，311 皋芦叶，362 瓜芦，519 莼。

《华阳国志》：348 桄榔子，374 蔡苴机。

《八郡志》：348 桄榔子。

《广志》：169 薇，186 兰草，214 兜纳香，240 迷迭香，259 藒车香，348 桄榔子，352 益智子，498 狼尾草，498 东廧，470 荔枝，480 韶子。

《魏志》：154 女萎。（陈寿《魏志·樊柯传》）

《蜀志》：348 桄榔子。

《魏略》：214 兜纳香，240 迷迭香，374 土拨鼠。

《佛说》：464 蓬蘽。

《说文》：416“文蛤”条下转载的海蛤。

《异苑》：182 天名精，408 杜鹃，192 越王馀筭。

《异类》：137 玉井水，169 百草花。

《字林》：215 猙菜，427 蚱蝉。

《鸿宝万毕术》：98 大石镇宅。

《淮南子万毕》：456 青蚨。

《颜氏家训》：418 鱓鱼，421 鳣鱼。

《国语》：140 诸水。

《尔雅》：486 大豆，509 翘摇，541 栟华，543 藁根，540 马唐，540 鬼目，438 鼷鼠，457 螳蜣，459 木蠹，498 茵米，498 狼尾草，167 菥蓂子，182 天名精，201 通草，208 石龙芮，165 白英，259 藒车香，267 羊蹄，286 毒菌，169 薇，287 梨豆，362 檀，383 犀角，387 鼺鼺，395 果然肉，407 巧妇鸟，407 鱼狗，407 鸡鹊，408 鹏鸱膏，408 布谷脚脑骨，408 蚊母鸟，408 钩鹆。

《广雅》：456 青蚨，496 稷米。

《方言》：459 留师蜜。

崔豹《古今注》：313 木蜜，506 苦菜。

陶注：406 阳乌。

《新注》：406 鹳，435 嘉鱼，442 淡菜，437 蛊虫，119 户垠下土。

苏敬注《本经》：456 茧卤汁。

李善注：435 嘉鱼。

杜注《左传》：437 负蠜。

郭注：427 蚱蝉。

郭注《尔雅》：208 石龙芮，259 藒车香，335 柟木，395 果然肉，421 鳣鱼，427 蚱蝉，457 螳蜣。

《尔雅注》：336 古棕板，408 钩鹆。

郑注《礼记》：406 鹦，408 布谷脚脑骨，460 藕实，467 木瓜。

《礼注》：427 蚱蝉。

《金水》：99 玉膏。(《金水》卷中)

《内则》：408 鹁目，496 稷米。

《吕氏春秋》：138 繁露水。

《古礼》：427 蚱蝉。

《周礼》：139 方诸水，408 布谷脚脑骨，184 茜根，408 鹁目，408 姑获，440 虾蟆。

《白泽图》：140 诸水，409 鬼车。

《山海经》：387鬣鬣，459 活师，313 帝休。

《本经》：458 山蛩虫，406 凤凰台，427 蚱蝉，228 姜黄，355 接骨木，461 橘柚。(按：陈藏器引《本经》云，是指《唐本草》。例如228 姜黄、355 接骨木，都是《唐本草》新增药，此等药物条文中所引"《本经》云"，当指《唐本草》而言。)

《仙经》：501 芜菁。

《佛经》：252 射干。

《法华经》：311 蜜香。

《阳陵子明经》：138 六天气。

《天竺法真登罗山疏》：407 鹫雉。

《诗义疏》：306 女贞，509 翘摇。

《诗曰》：427 蚱蝉。

《毛诗》：187 千岁蘽。

阮公诗：252 射干。

《续英华诗》：408 鹏鸱膏。

《楚辞》：140 诸水，408 杜鹃。

《离骚》：427 蚱蝉。

《上林赋》：156 柴胡。

《南都赋》：215 风延母。

《吴都赋》：221 海藻，348 桄榔子，420 文鳐鱼，435 嘉鱼，480 君迁子，480 椺子。

《魏武帝赋》：407 鹖鸡。

杜台卿《淮赋》：404 鸬鹚，458 大红虾。

《庄子》：127 东壁土，406 鹨，408 钩鹆。

《抱朴子》：119 执日取天星上土，435 嘉鱼，144 菊花。

《淮南子》：139 夏冰。

《嵩阳子》：298 酸枣，466 梅实，497 罂子粟。

张司空：91 太乙余粮，312 曼游藤，410 石蜜，127 东壁土，408 钩鹆，477 杨梅。

徐嗣伯：366 男子阴毛。

刘元绍：437 鳙鱼。

贾谊：408 鸮目。

李邕：306 女贞。

郭景纯：387 鬮鬮。

东方朔：138 繁露水。

崔豹：458 大红虾。

张鼎：431 鮀鱼甲，436 鼍（鱓鱼）。

张鼎《食疗》：361 桃竹笋，513 假苏。

《食谱》：139 夏冰。

《药录》下卷：436 齐蛤。

《南方草木状》：215 耕香，215 优殿，479 橄榄。

《草木疏》：187 千岁虆，427 蚱蝉。

《广济方》：336 紫衣，362 石荆。（按：《通志略》第 12 页，《明皇开元广济方》第 5 卷，《崇目》有《南广华宗寿昇元广济方》3 卷；《宋志》174 页同此。）

《范注方》：360 楸木皮。

《崔知悌方》：119 市门土，457 螲蛸，171 地衣草，448 水蛭。（《两唐志》作《纂要方》10 卷，《外台》作“崔氏方”。）

《灵宝方》：144 菊花，313 檀桓。

《李邕方》：170 龙珠，543 地筋，176 络石。

《百一方》：286 毛茛，456 海螺，259 狗耳，456 豉虫，457 溪鬼虫。

《杜正伦方》：544 城东腐木，540 鬼盖。

《杂方》：362 车家鸡栖木。

陈藏器《本草拾遗》药物条文中共引书名 127 种，其中有不少是同书异名。如徐表《南方记》和徐表《南州记》可能是同一种书；又如《广州记》、顾《广州记》、顾徵《广州记》是同一本书；《临海志》《临海异物志》，是同一本书；《鸿宝万毕术》《淮南子万毕》也是同一本书。同是一书，在某些药物条文中引书名，但在另一些药物条文中只引作者名。例如，313“木蜜条”引崔豹《古今注》，在 458“大红虾”条仅记崔豹云；361“桃竹笋”条引张鼎《食疗》，在 431“鮀鱼甲”条仅记张鼎云；170“龙珠”条引《李邕方》，在 306“女贞”条仅记李邕云；421“鳣鱼”条引郭注《尔雅》，在 427“蚱蝉”条仅记郭注（郭璞注）；又 387“鬮鬮”条仅记郭景纯（郭璞别名）。类似此例很多。这些体例不一之处，究竟是陈氏原书如此，还是后世各书摘引时化裁所致，不详。从所引 127 种书名中，除去重复，实有 116 种。

三、《本草拾遗·序》和《雷公炮炙论·序》关系辨析

《证类本草》墨盖下，有些条文转载《本草拾遗·序》，其内容和《雷公炮炙论·序》文中内容相比，其中相同者很多。兹列表比较如下，详见表1。

表1 《证类》引《本草拾遗·序》与《雷公炮炙论·序》相同处

药名	《证类》页次	《雷公炮炙论·序》	《证类》页次	《本草拾遗·序》
竹叶	41	久渴心烦，宜投竹沥。	317	久渴心烦，服竹沥。
象胆	41	象胆挥粘，乃知药有情异。	371	象胆挥粘。
雄鼠	41	长齿生牙，赖雄鼠之骨末。注云："其齿若折，年多不生者，取雄骨作末，齿立生如故。"	441	雄鼠脊骨，末，长齿，多年不生者效。
五加皮	41	目辟眼⿰目離，有五花而睚正。注云："五加皮是也。其叶有雌雄，三叶为雄，五叶为雌。须使五叶者，作末，酒浸饮之，其目⿰目離者正。"	301	五加皮花者，治眼⿰目離人，捣末，酒调服，自正。
甘瓜子	41	血泛经过，饮调瓜子。注云："甜瓜子内仁捣作末，去油，饮调服之，立绝。"	504	甘瓜子，止月经太过，为末，去油，水调服。
五倍子	41	肠虚泄痢，须假草零。注云："捣五倍子作末，以熟水下之，立止也。"	333	泄痢，熟汤服。
苁蓉、鳝鱼	41	强筋健骨，须是苁、鳝。注云："苁蓉并鳝鱼二味作末，以黄精汁丸服之，可力倍常十也。出《乾宁记》中。"	179	强筋健髓，苁蓉、鳝鱼为末，黄精酒丸服之，力可十倍。此说出《乾宁记》。
延胡索	41	心痛欲死，速觅延胡。注云："以延胡作散，酒服之，立愈也。"	231	延胡索，止心痛，酒服。
蕤核	41	蕤子熟生，足睡、不眠立据。	306	蕤子生熟，足睡不眠。
神砂（硇砂）	41	铁遇神砂，如泥似粉。	125	飞炼有法，亦能变铁。
	41	除癥去块，全仗硝硇。	125	硇砂主妇人、丈夫羸瘦积病，食饮不消，痃癖。
硝石	41	脑痛欲亡，鼻投硝末。注云："头痛者，以硝石作末，内鼻中，立止。"	86	头痛欲死，鼻内吹硝末愈。

上表内竹叶、象胆等药，都见录于陈藏器《本草拾遗》序文中，其内容与《雷公炮炙论·序》中药物主治功用、文句相同。

《雷公炮炙论·序》与《本草拾遗》序文，不仅所讲药物主治功用和文句相同，而且两序所引的文献亦相同。例如唐代文献《乾宁记》同为两序所引用。

两序内容虽相同，但非同一书。《本草拾遗·序》即《本草拾遗》的序；《雷公炮炙论·序》当是雷敩《炮炙论》的序。

两序内容既相同，就有相互抄引的可能，究竟谁抄引谁的？要看序中某些资料出现的时间。

（1）《本草拾遗·序》出现的时间。《本草拾遗·序》即《本草拾遗》的序。陈藏器什么时候作《本草拾遗》序呢？按宋·钱易《南部新书·辛集》记载："开元二十七年（739），明州人陈藏器撰《本草拾遗》。"则《本草拾遗·序》成于739年。

（2）《雷公炮炙论·序》中某些资料出现的时间。《证类本草》卷4"水银"条墨盖下"雷公文"文中有"夜交藤"，夜交藤即何首乌。《日华子》云："其药本草无名，因何首乌见藤夜交，即采食，有功，因以采人为名。"椐《本草图经》云，此事出于唐元和七年（812）。

《证类本草》卷9"补骨脂"条下"雷公云"："补骨脂，凡使性本大燥毒，用酒浸一宿后，漉出，却用东流水浸三日夜，却蒸，从巳至申出，日干用。"据《本草图经》云："唐郑相国为南海节度，元和七年（812）有诃陵国舶主李摩诃进补骨脂，郑相国因病常服，其功神验。元和十年二月，郑罢郡归京，录方传之。"由此可见，"雷公"所云补骨脂炮制资料，当是812年以后才有的事。

又如《证类本草》卷11"仙茅"条下转载"雷公云"炮制内容，据《本草图经》记载，仙茅原为婆罗门僧进献唐明皇，当时禁方不传。天宝（742—755）之乱，方书流散，此药才传入民间。然"雷公云"收载仙茅详细炮制法，则此法当出自742年以后。

以上3例所述资料，时间上比《本草拾遗·序》成书时间晚。类似例子很多，此处从略。

将上述两条相比，后者晚于前者，这就提示《证类本草》转载《雷公炮炙论·序》中某些资料有可能是抄引《本草拾遗·序》的。此指两序中相同的资料而言。

盖最初出现的《雷公炮炙论》久佚，其名仅见于敦煌出土的《五脏论》及

《郡斋读书志》。《证类本草》转载“雷公云”及其序，是唐慎微从后人续编的《雷公炮炙论》转引的。后人续编的《雷公炮炙论》杂有唐代出现的文献、药物、地名和制药工具。例如，《雷公炮炙论·序》载有唐代文《乾宁记》，同样亦可能抄引唐代《本草拾遗·序》。这也可证明，原始雷敩的《雷公炮炙论》久佚，《证类本草》转载的《雷公炮炙论》为后人所续编。

四、《证类本草》"陈藏器余"的讨论

《证类本草》共30卷，其中21卷的卷末载有"陈藏器余"的药物，兹将各卷收载"陈藏器余"的药，统计如下。

卷3玉石部上35种，卷4玉石部中40种，卷5玉石部下35种，卷6草部上上46种，卷7草部上下10种，卷8草部中上22种，卷9草部中下10种，卷10草部下上25种，卷11草部下下11种，卷12木部上26种，卷13木部中45种，卷14木部下26种，卷15人部10种，卷16兽部上5种，卷17兽部中4种，卷18兽部下5种，卷19禽部26种，卷20虫鱼上23种，卷21虫鱼中21种，卷22虫鱼下36种，卷23果部13种，卷26米谷部11种，卷27菜部3种，以上总计488种。

"陈藏器余"是什么书呢？它即是陈藏器《本草拾遗》，兹论证如下。

（1）《本草纲目》卷1，在"采集诸家本草药品总数"标题下，采自陈藏器《本草拾遗》368种，草部68种，谷部11种，菜部13种，果部20种，木部39种，服器部34种，火部1种，水部26种，土部28种，金石部17种，虫部24种，介部10种，鳞部28种，禽部26种，兽部15种，人部8种。

将《纲目》各部所采集"陈藏器《本草拾遗》"药物条目及内容，用《证类本草》各卷末"陈藏器余"药物条目及内容勘比，基本相同，说明《纲目》所采集"陈藏器《本草拾遗》"各药，均来自于《证类本草》"陈藏器余"的药物。这就提示《纲目》认为《证类本草》"陈藏器余"即是陈藏器《本草拾遗》。

（2）从掌禹锡、唐慎微所引"陈藏器云"测知，"陈藏器余"即是"陈藏器《本草拾遗》"。在《证类本草》某些药物条文下，有掌禹锡、唐慎微引陈藏器《本草拾遗》资料作注文。但掌氏、唐氏对注文出处并不标"陈藏器《本草拾遗》"全书名，都用"陈藏器云"代之。

将掌氏、唐氏所引"陈藏器云"资料同《证类本草》"陈藏器余"文勘比，其文义及词句都相同。这就提示"陈藏器余"其实即陈藏器《本草拾遗》。兹举三例说明如下。

（1）《证类本草》97页"陈藏器余"标题下有："石黄，雄黄注中苏云，通名黄石。按，石黄，今人敲取精明者为雄黄，外黑者为熏黄，主恶疮，杀虫，熏疮疥虮虱，和诸药熏嗽。其武都雄黄，烧不臭；熏黄中者，烧则臭，以此分别之。苏云通名，未之是也。"

《证类本草》101 页“雄黄”条，掌禹锡引“陈藏器云”的文字和“陈藏器余”的文字完全相同。说明《证类》所引“陈藏器余”资料是出于陈藏器《本草拾遗》。

（2）《证类本草》431 页“鮀鱼甲”条掌禹锡引陈藏器云：“鼍甲功用同鳖甲，炙烧浸酒，主瘰疬，杀虫，鼠瘘疮，风顽疥瘙。肉主湿气邪气诸蛊。张鼎云，膏摩风及恶疮。”

此文与《证类本草》436 页“陈藏器余”标题下“鼍”条文全同。由此可见，“陈藏器余”即陈藏器《本草拾遗》。

（3）《证类本草》192 页“陈藏器余”标题下有：石莼，味甘，平，无毒。下水，利小便，生南海水石上。《南越志》云：似紫菜，色青。《临海异物志》曰：附石生也。

《证类本草》219 页“莼”条，唐慎微引陈藏器云：“石莼，味甘，平，无毒。下水，利小便，生南海石上。《南越志》云：似紫菜，色青。《临海异物志》曰：附石生是也。”

比较上述两处文字全同，由此可见“陈藏器余”的资料，是出于陈藏器《本草拾遗》。

上述石黄、石莼、鼍均是“陈藏器余”中的药物；而掌禹锡和唐慎微所引“陈藏器云”作注的资料，也有此等药，而且它们条文全相同；这些说明“陈藏器余”和掌氏、唐氏注文“陈藏器云”，是同出于陈藏器《本草拾遗》一书中。

现在要问，《证类本草》各卷末罗列陈藏器《本草拾遗》的诸般药物条目，为何不冠以原书名，而要冠以“陈藏器余”呢？这可能与唐慎微作《证类本草》时所规定的体例有关。

唐慎微作《证类本草》是取掌禹锡《嘉祐本草》和苏颂《本草图经》合编而成。掌禹锡作《嘉祐本草》时，除取陈藏器《本草拾遗》资料作注释外，还取《本草拾遗》中一些药作为《嘉祐本草》新增药，掌氏在该等新增药条末注明“新补见陈藏器”。这个“陈藏器”即为陈藏器《本草拾遗》的简称。

掌禹锡所取陈藏器《本草拾遗》书中的药物，是《本草拾遗》中极小的一部分，其余的大部分药物均未收录。

到唐慎微作《证类本草》时，除取《本草拾遗》资料作注释外，还把陈藏器《本草拾遗》中掌氏未收录的药物，亦即《本草拾遗》中剩余的药，全部收入《证类本草》中，并冠以“陈藏器余”为标题。所以“陈藏器余”，即是代表陈藏器

《本草拾遗》中未被掌禹锡所采集、剩余下来的药物。

在《证类本草》中，各卷末所列“陈藏器余”药物和《嘉祐本草》新增药（其余条末标有“新补见陈藏器”）皆出于陈藏器《本草拾遗》同一书中。又《嘉祐本草》注文中所引“陈藏器云”和唐慎微《证类本草》墨盖子下引的“陈藏器云”，也是出于陈藏器《本草拾遗》同一本书。这可从掌禹锡在“枫香脂”条引“陈藏器云”和唐慎微在“枫柳皮”条下引“陈藏器云”相勘而测知之。

《证类本草》305页掌禹锡在“枫香脂”条引陈藏器云：“枫皮，本功外，性涩，止水痢。苏云下水肿，水肿非涩药所疗，苏为误尔。又云，有毒，转明其谬。水煎，止下痢为最。”

《证类本草》356页唐慎微在“枫柳皮”条引陈藏器云：“枫柳皮，性涩，止水痢。苏云下水肿，肿非涩药所治，所治有殊，苏为误矣。又云，有毒，转明其谬。水煎，止痢为最。”

比较两家引文完全相同，从而证明两家所引“陈藏器云”，是出于陈藏器《本草拾遗》同一本书。

五、金陵本《本草纲目》引“陈藏器余”药错简例

《证类本草》各卷末列有“陈藏器余”药，共有488种，大部分为《纲目》所采集。其中有几味药，《纲目》援引时，存在错简问题。兹举例如下。

（一）“特蓬杀”条的药名与条文的错简

《证类本草》卷3页99，在“陈藏器余”标题下，有“特蓬杀，味辛、苦，温，小毒。主飞金石用之，炼丹亦须用。生西国，似石脂、蛎粉之类。能透金、石、铁，无碍下通出。”

金陵本《纲目》卷11页1158，在“蓬砂”条末“附录”亦有“特蓬杀”，注出《拾遗》。并引“藏器曰”：“味苦，寒，无毒。主折伤内损瘀血、烦闷欲死者，酒消服之。南人毒箭中人，及深山大蝮伤人，速将病者顶上十字厘之，出血水，药末傅之，并傅伤处，当上下出黄水数升，则闷解。俚人重之，以竹筒盛，带于腰，以防毒箭。亦主恶疮，热毒痈肿、赤白游风、瘘蚀等疮，并水和傅之。出贺州山内石上，似碎石、硇砂之类。”

比较两书所引陈藏器余所述的特蓬杀，条文内容全不相同，究竟哪一本是对的呢？

按：《本草纲目》是以《证类本草》为底本编纂的。当然《证类本草》是对的。

查《证类本草》卷3页97“陈藏器余”另一味“石药”条。其内容与金陵本《纲目》“特蓬杀”的内容全同。这就说明金陵本《纲目》将“陈藏器余”下“石药”条的内容错简在“特蓬杀”药名之下。所以金陵本《纲目》卷11页1158“蓬砂”条末“附录”题的药名为“特蓬杀”，而药名下条文却是“陈藏器余”中“石药”之下的文字。

（二）“蟨（音惭）菜”条错简

金陵本《纲目》卷15页1552“蟨菜”条引《拾遗》云：“蟨菜，味辛，平，无毒。主破血，产后腹痛，煮汁服。生江南阴地，似益母，方茎对节，白花。”

此文与成化本《政和》卷6“陈藏器余”栏下“蟨菜”条文同。但与人卫本

《政和》卷6页171“蟚菜”条勘比发现，在条末（即白花之后）缺少“花中甜汁饮之如蜜”8字，该8字《纲目》错简在卷18第2000页白药子附录的“甘家白药”条文中。

这种错简原存于成化本《政和》。李时珍作《本草纲目》以成化本《政和》为底本，故其错简亦同成化本《政和》的错简。

（三）“蓼荞”条错简

金陵本《纲目》卷26页2355“薤”条附录有“蓼荞”，注出《拾遗》，并引“藏器”曰：“味辛，温，无毒。主霍乱腹冷胀满，冷气攻击，腹满不调，产后血攻，胸膈刺痛，煮汁服之。生平泽，其苗如葱韭。”

此文与成化本《政和》卷6“陈藏器余”标题下“蓼荞”同，与人卫本《政和》卷6页171“蓼荞”条文不同。在《纲目》引文中有“生平泽”“其苗如葱韭”；在人卫本《政和》作“亦捣敷蛇咬疮，生高原”“亦食其苗如葱韭”。其中差异是因《纲目》所据成化本《政和》存在错简所致。

又人卫本《政和》“蓼荞”条末还有“如小蒜而长，产后作羹食之良”12字。此12字，成化本《政和》错简在其他条中。《纲目》承袭成化本《政和》之误，该条亦无此12字。

（四）“甘家白药”条文错简

金陵本《本草纲目》卷16页2000“白药子”条下附录中有“甘家白药”。《纲目》注出典为《拾遗》，并引“藏器”曰：“味苦，大寒，有小毒。主解诸药毒，水研服，即吐出。未尽再吐。与陈家白药功相似。二物性冷，与霍乱下痢相反。出龚州以南，生阴处，叶似车前，根如半夏，其汁饮之如蜜，因此而名。岭南多毒物，亦多解毒物，岂天资之乎?”

此文中“其汁饮之如蜜”6字，在文理上、医理上均与全文精神不相符。文中所有“其汁”，未言明甘家白药有什么汁。从“甘家白药”条文所言性味上看，甘家白药味苦，既然味苦，其汁又如何能饮之如蜜？这是自相矛盾的。

从甘家白药作用上看，谓甘家白药“水研服，即吐出”，此与“其汁饮之如蜜”也不符。既然汁甜如蜜，那么水研服怎么会吐呢？这是违背医理的。

根据医理药理来看，“其汁饮之如蜜”6字，不像“甘家白药”条文中的文字。

在《本草纲目》“甘家白药”条中“其汁饮之如蜜”6字后，又有“因此而名”4字。这样一来，甘家白药的“甘”字，似乎是因“其汁饮之如蜜”味甘而得。

在“甘家白药”条文中，亦提到“陈家白药”名字。如果“甘家白药”是因“甘”字而得名，那么“陈家白药”的“陈”字，又因什么而得名的呢？

查成化本《政和本草》卷6页66和人卫影印《政和本草》页171，在“甘家白药”条文中，对“因此而名”4字俱作“甘家亦因人为号”7字。由此可见，《本草纲目》转录《政和本草》的“甘家白药”的条文，是经过化裁的，化裁的结果使文义全非。

另外在成化本《政和》中的“甘家白药”条全文如下：“甘家白药，味苦，大寒，有小毒。主解诸药毒，与陈家白药功用相似。人吐毒物，疑不稳，水研服之，即当吐之，未尽又服。此二药性冷，与霍乱下痢相反，出龚州以南。甘家亦因人为号。叶似车前，生阴处，根形如半夏，岭南多毒物，亦多解物，岂天资之乎？汁饮之如蜜。”

试看此文末“汁饮之如蜜”5字，与全文格格不入。无论在文理、医理上都讲不通。

查人卫影印《政和本草》页171“甘家白药”条文末无此“汁饮之如蜜”5字。人卫影印本“鳌菜”条末有此5字。由此可见成化本“甘家白药”条末的“汁饮之如蜜”5字，是从“鳌菜”条末错简到本条中的。

从《本草纲目》、成化本《政和》对“甘家白药”条存在相同错简的情况来看，明代李时珍《本草纲目》所参考的《政和本草》，是明代成化本《政和本草》。

六、《开宝本草》采集《本草拾遗》药物例证

《开宝本草》是北宋政府组织马志、卢多逊等人编纂的国家级药典本草，原书佚，其文散存在《证类本草》中。

《证类本草》所存《开宝本草》的新增药，其条末标注“今附”。《嘉祐本草·序例》云：“凡《开宝本草》所增者，亦注其末曰‘今附’。”

但是《开宝》所增的药，仅有条末注“今附”二字，并未讲明所增的药是出于何书。

如果把《证类本草》标注“今附”的药物条文和《医心方》转载同一药的条文进行勘比，可以看出《证类本草》所标有“今附”的同一药物，是出自陈藏器《本草拾遗》，兹举例如下。

（一）“蒻头”条

《证类本草》卷11页283载：蒻头，味辛，寒，有毒。主痈肿风毒，摩傅肿上；捣碎，以灰汁煮成饼，五味调和为茹食，主消渴。生，戟人喉出血。生吴、蜀，叶似由跋、半夏，根大如椀，生阴地，雨滴叶下生子，一名蒟蒻。又有斑杖，苗相似，至秋有花，直出，生赤子，其根傅痈肿毒甚好，根如蒻头，毒猛，不堪食。今附。

此条末标有“今附”二字，说明《证类本草》中“蒻头”条文出自《开宝本草》。那么《开宝本草》“蒻头”条又采自何书呢？

查《医心方》卷3页709，“蒻头”条引《拾遗》云：“蒻头，味辛，寒，有毒。主痈肿风毒，摩傅肿上。捣碎，以灰汁煮成饼，五味调焉，茹食之，主消渴。生即戟喉出血。生吴、蜀。叶如半夏，根如椀，好生阴地，雨滴叶生子，一名蒟蒻。又有斑杖根，苗相似，至秋有花，直出，赤子。其根傅痈肿，毒于蒻，不可食。”

将上述两家所载“蒻头”条文进行勘比，完全相同。《医心方》援引“蒻头”注明出《拾遗》。则《开宝本草》新增药“蒻头”，当是采自陈藏器《本草拾遗》。在马志、卢多逊《开宝本草》序中亦云：“仍采陈藏器《本草拾遗》、李含光《音义》等，合新（指‘今附’新增药）旧药983种。”

（二）“淋石”条

《证类本草》卷5页135，淋石，无毒。主石淋。此是患石淋人或于溺中出者，如小石，水磨服之，当得碎石，随溺出也。今附。

按：本条末注“今附”二字，说明本条为《开宝本草》的新增药。但《开宝本草》未注明淋石采自何书。

查《医心方》卷12页266引《本草拾遗》云：“有以病为药者，淋石，主石淋，水磨服之，当碎石随溺出也。人患石淋或于溺中出，正如小石，非他物也。”

将《开宝本草》“今附”的淋石，和《医心方》引《本草拾遗》的淋石进行勘比，其内容基本相同。说明《开宝本草》“淋石”条采自陈藏器《本草拾遗》。

（三）“生银”条

《证类本草》卷4页110载：生银，寒，无毒。主热狂惊悸、发痫恍惚、夜卧不安、谵语、邪气鬼祟。服之明目镇心，安神定志；小儿诸热丹毒，并以水磨服，功胜紫雪。出饶州乐平诸坑，生银矿中，状如硬锡，文理粗错，自然者真。今附。

此条末注“今附”二字，说明本条为《开宝本草》新增药。但《开宝本草》未注明“生银”条采自何书。

查《医心方》卷25页578，在“治小儿身热方第一百二十二”标题下，引《本草拾遗》云：“生银，小儿诸热，以水磨服，功胜紫雪。”

此方所引《拾遗》文，正与《证类本草》“今附”的“生银”条中主治内容全同。由于《医心方》以录方中所需要的内容为主，与方中无关的内容即不录。故，根据《医心方》治小儿身热方所摘生银主治内容，注明出典为《本草拾遗》，则《开宝本草》新增药“生银”条，当是采自陈藏器《本草拾遗》。

（四）“胡桃”条

《证类本草》卷23页478载：胡桃，味甘，平，无毒。食之令人肥健，润肌黑发。取瓤烧令黑未断烟，和松脂研傅瘰疬疮。又和胡粉为泥，拔白须发，以内孔中，其毛皆黑。多食利小便，能脱人眉，动风故也。去五痔。外青皮染髭及帛皆黑。其树皮止水痢，可染褐。《仙方》取青皮压油和詹糖香涂毛发，色如漆。生北土。云，张骞从西域将来。其木，春斫皮中水出，承取沐头至黑。今附。

此条末注“今附”，说明《证类本草》“胡桃”条来自《开宝本草》。但《开宝本草》未言明“胡桃”条采自何书。

查《医心方》卷4页105“治白发方”云“今案《本草拾遗》云：胡桃烧令烟尽，研和胡粉为泥，拔白发，以内孔中，其毛皆黑。”

此文与《证类本草》“胡桃”条主治相同。由于《医心方》是按“治白发方”摘录，对其他内容不录。《医心方》所录资料注明出自《本草拾遗》，说明《开宝本草》“胡桃”条是采用《本草拾遗》的。

又《医心方》卷30页695“胡桃”条引《本草拾遗》云：“胡桃，味甘，平，无毒。食之令人肥健，润肤黑发，去野鸡病（注云痔病也）。”

此文与《开宝本草》“胡桃”条文同。《医心方》注明引自《本草拾遗》，则《开宝本草》“胡桃”条当采自陈藏器《本草拾遗》。

上述“蒻头”“淋石”“生银”“胡桃”等条，在《开宝本草》中皆注有“今附”字样，说明此等药是《开宝本草》新增药。可是《开宝本草》未注明此等药采自何书。但《医心方》引用此等药条文皆注明出自陈藏器《本草拾遗》。由此可见，《开宝本草》新增药中，有不少药是采集陈藏器《本草拾遗》的。

在《开宝本草》中，不仅某些新增药采自陈藏器《本草拾遗》，就是《开宝本草》某些注文，亦是采自陈藏器《本草拾遗》。兹举“昆布”条为例。

《证类本草》卷9页222“昆布”条下，有《开宝本草》注：“[今按]陈藏器本草云，昆布主阴痨，含之咽汁。生南海，叶如手大，如薄苇，紫色。”

《开宝本草》引此文作注，标明出处为“陈藏器《本草》”，但未言出自《拾遗》。

《医心方》卷30页710“昆布”条下，亦引此文“昆布主颓卵肿（即阴痨），含汁咽之”，注出处为“《拾遗》云”。

由此可见，同一种资料，《开宝本草》引时注出处为“陈藏器《本草》”，而《医心方》援引时注出处为《拾遗》。则《开宝本草》所注“陈藏器《本草》”即是陈藏器《本草拾遗》的简称。

七、对《本草纲目》中《嘉祐本草·序例》所引“陈藏器文”的讨论

《嘉祐本草》是北宋嘉祐二至五年间（1057—1060），由掌禹锡等奉勅编修的。原书佚。其“序例”散存于《证类本草》中。

《证类本草》卷1“序例”是宋代掌禹锡撰《嘉祐本草·序例》的全文，约1300字。掌氏在这个序文开头注云：“臣禹锡等谨按徐之才《药对》、孙思邈《千金方》、陈藏器《本草拾遗·序例》如后。”从该注文可以了解，掌氏是按徐之才《药对》、孙思邈《千金方》、陈藏器《本草拾遗》三家资料撰写这个序文的。但这个序文中未注明徐、孙、陈三家之文的起止。

我们仔细研究掌氏的序文，大致可分为三段。

第一段：“夫众病积聚……夫处方者宜准此。”（《证类本草》页37下19行至页38上18行）在这段文字中，包含有“诸虚用药凡例”等内容。

第二段：“凡诸药于人……务令极细。”（《证类本草》页38上19行至页38下12行）该段包含有“诸药炮制”内容。

第三段：“诸药有宜、通、补……不遂其宜耳。”（《证类本草》页38下13行至页39上17行）该段包含有“十剂”内容。

这三段文字出典如何呢?

从掌禹锡在其“序例”开头的注文（见上文）看，其第一段文应属徐之才《药对》，第二段文应属孙思邈《千金方》，第三段文应属陈藏器《本草拾遗》。

另外从孙思邈《千金方·序例》来核对，也是如此。

查《千金方》卷1“序例”和处方第五所引“《药对》曰”文字，与掌禹锡“序例”第一段文字全同。说明掌氏“序例”第一段文字是出于徐之才《药对》。

查《千金方》卷1“序例”和处方第七的文字，与掌禹锡“序例”第二段文字全同。说明掌氏“序例”第二段文字出于《千金方》。

掌氏在序文开头，言“序例”文采自徐之才《药对》、孙思邈《千金方》、陈藏器《本草拾遗》三家文字组合而成。经查证第一段出于徐之才《药对》，第二段出于孙思邈《千金方》，余下第三段，当是出于陈藏器《本草拾遗》。

但是金陵本《本草纲目》卷2第387～388页有“陈藏器诸虚用药凡例”标题，在标题下所列的全文和《嘉祐本草·序例》第一段文字完全相同。上面论证

过，第一段文字是出于徐之才《药对》。这就说明，《本草纲目》是将徐之才文标注为陈藏器文。这种标注是可疑的。

又金陵本《本草纲目》卷1第308～313页有“十剂”标题。在此标题下，所列“十剂”内容和《嘉祐本草·序例》第三段内容相同。上面论证过，第三段文字是出于陈藏器《本草拾遗》。但《本草纲目》注“十剂”为“徐之才曰”。这样的标注也是可疑的。

从“十剂”内容上看，“十剂”也不像出于北齐徐之才。兹举两例说明如下。

（1）在“十剂”内容上，有唐代以后的药物，如“十剂”中重剂云：“重可去怯，即磁石、铁粉之属是也。”铁粉是《开宝本草》新增药，《证类本草》卷4“玉石中品”有“铁粉”，条末标明“今附”。“今附”表示《开宝本草》编纂时增附的药。《本草纲目》卷8“金石”部“钢铁”条下所列“铁粉”亦注明出“宋开宝”。而徐之才是北齐时（550—577）人，在隋、唐、宋以前。那时是否已有铁粉作为常用药很难说。如果有，为何《唐本草》不收录？直至唐代中期，陈藏器《本草拾遗》在“针砂”条才提到铁粉，则铁粉出现似在徐之才以后。

（2）讲“通”的作用，陈藏器《本草拾遗》才开始记载。例如《证类本草》“通草”条引陈藏器云：“通草利大小便，宣通去烦热。”又“防已”条引陈藏器云：“按，木、汉二防已，即是根为名，汉主水气，木主风气宣通。”其他古本草皆未见有“宣通”的记载。

八、金陵本《本草纲目》误注“陈藏器《本草拾遗》”例

《本草纲目》是以《重修政和经史证类备用本草》为蓝本编纂的，所引陈藏器《本草拾遗》（以下简称“藏器”或《拾遗》）资料，来源于《证类》。今用《证类》（人民卫生出版社 1957 年影印本）同金陵本《纲目》（上海科学技术出版社 1993 年影印本）进行勘比，发现《纲目》所引“藏器”出处与《证类》不同，表现有两种情况，见表 2、表 3。

金陵本《纲目》所引“藏器”出现上述两种情况，其原因与李时珍在编纂《本草纲目》时，所据《证类》版本不同有关，各种不同版本《证类》，其中存在很多互异文，这些互异文都能造成表 2、表 3 所述情况的产生。特别是那些质量差的版本，或错误多的版本，更容易产生这些情况。其次，在编纂时，对文献出处的标注有不当之处，或脱漏出处标记，或因誊清抄写有误而校对不精，或因刊刻讹误没有仔细校正，都会产生这些情况。

按：胡承龙刊刻金陵本《纲目》，刚结束，李时珍就逝世了，全书没有经过李时珍本人亲自过目，从而遗留表 2、表 3 所述的讹误情况。这些讹误会给后人翻刻《本草纲目》，带来以讹传讹的错误；同时给研究者参考或引用时，带来一些讹误。从文献角度讲，这些讹误最好能补正才对。

今将金陵本《纲目》有关陈藏器《本草拾遗》误注例，列表 2、表 3 如下。

表 2 《纲目》将其他文注为陈藏器《本草拾遗》文

药名	《纲目》卷，页	《纲目》注下列文为“陈藏器文”	《证类》页次	《证类》注为其他文
葈耳	11，1597	风头寒痛，风湿周痹，四肢拘挛痛，恶肉死肌，久服益气	175	《本经》
葈耳	11，1597	膝痛	175	《别录》
败天公		《纲目》卷三十八目录“败天公”药名注出“藏器”	286	《别录》
稻米	22，2194	马食之足重	495	《博物志》

续表

药名	《纲目》卷，页	《纲目》注下列文为“陈藏器文”	《证类》页次	《证类》注为其他文
藡草实	23，2228	东海洲上有草名曰藡，有实，食之如大麦，七月熟，民敛获至冬乃讫，呼为自然谷，亦曰禹馀粮，此非石之禹馀粮也	91	《本草图经》引《博物志》
辟虺雷	1，238	《纲目》引《拾遗》：如辟虺雷隐于昔而用于今	168	辟虺雷为《唐本草》余药
延胡索	13，1348	生奚国，从安东道来	290	《海药》
茅针	13，1361	通小肠，软疖	208	《日华子》
合欢	35，2921	用叶洗衣垢	332	《日华子》
牙齿	52，3981	除劳治疟蛊毒气，入药烧用	364	《日华子》
玻璃	8，948	主惊悸心热，能安心明目（见“青琅玕”引）	132	《日华子》
榼藤子	18，1933	主飞尸	356	《日华子》
冬青皮	36，3035	补益肌肤（见女贞引）	306	《日华子》
酒	25，2311	社坛余胙酒，治孩儿语迟，纳口中佳。又以喷屋四角，辟蚊子	488	《日华子》
延胡索	13，1349	根如半夏，色黄	231	《开宝》
肉豆蔻	14，1443	生胡国，胡名迦拘勒。其形圆小，皮紫紧薄，中肉辛辣	231	《开宝》
盐麸子	32，2724	生吴、蜀山谷。树状如椿。七月子成穗，粒如小豆，上有盐似雪，可为羹用。岭南人取子为末食之，酸咸止渴，将以防瘴	355	《开宝》

表3 《纲目》注陈藏器《本草拾遗》为其他文

药名	《证类》页次	《纲目》注下列文为陈藏器《本草拾遗》文	《纲目》卷，页	《纲目》注其他文
乳柑	470	治产后肌浮，为末滴服	30，2624	雷敩
芜菁	501	子为油入面膏，去黑䵟	23，2381	苏恭
虾	442	主五野鸡病	44，3477	孟诜
鲙	421	鲫鱼鲙，主久痢肠澼，大人、小儿丹毒、风眩	44，3485	孟诜
榠楂	467	气辛香，致衣箱中，杀蠹虫	30，2594	孟诜
蕨	509	小儿食之脚弱不能行	27，2454	孟诜

续表

药名	《证类》页次	《纲目》注下列文为陈藏器《本草拾遗》文	《纲目》卷，页	《纲目》注其他文
水蕲	519	患鳖癥不可食	26，2407	孟诜
奴会子	311	《拾遗》云（《纲目》无此3字）生西国诸戎，大小如苦药子，味辛，平，无毒。主治小儿无辜疳冷、虚渴、脱肛、骨立瘦损、脾胃不磨	18，1998	珣曰（《海药》）
仰天皮	120	一名掬天皮（《纲目》并在“地衣草·释名”）	21，2123	《纲目》
兔	385	肉主热气湿痹	51，3926	《日华子》
鲤鱼	419	治怀妊身肿	44，3417	《日华子》
仰天皮	120	主卒心痛、中恶，取人膏和作丸，服之七丸。亦主人、马反花疮，和油涂之	21，2123（并入“地衣草”）	大明（即《日华子》）
水苏	515	作生菜食，除肠（《纲目》作胃）间酸水	14，1510	时珍

九、金陵本《本草纲目》引《证类》中《本草拾遗》文修改例

金陵本《本草纲目》（上海科学技术出版社1993年影印，以下简称《纲目》）所引陈藏器《本草拾遗》资料，很少原文转录，多数是摘取文义，表现引文有修改。用《证类本草》（人民卫生出版社1957年影印《重修政和经史证类备用本草》，以下简称《证类》）勘比，发现的修改有4种形式：一增加字，二删除字，三改句中字，四改药名。兹列表如下。详见表4～表7。

表4　《纲目》引《本草拾遗》文时增加字

药名	《证类》页次	《证类》引《拾遗》文	《纲目》卷，页	《纲目》引《拾遗》文，文下黑点为《纲目》增加字
晕石	98	无毒，磨服之，如姜石	9，1049	味咸寒无毒，磨汁饮之，状如姜石
金石	98	味甘，作赤褐色	10，1091	味甘温，作赤褐色也
天子藉田三推犁下土	119	入官不惧	7，844	藏之，入官不惧
弹丸土	119	难产	7，857	妇人难产
执日取天星上土	119	盗贼不来	7，843	令盗贼不来
玉井水	137	人得服之长生	5，803	土人得服之多长生
千里水	137	煮药禁神，验	5，795	煮药禁神，最验
甘露蜜	138	如饧	5，789	状如饧
甘露	138	味甘	5，788	味甘，大寒
梅雨水	138	沾衣便腐，皆须曝书	5，784	沾衣便腐黑，皆须曝书画
乳穴水	138	与乳同功，近乳穴处	5，803	与钟乳同功，近乳穴处流出之泉也
赤龙浴水	137	小毒，赤蛇	5，807	有小毒，有赤蛇
粮罂中水	139	多饮令人心闷	5，807	不可多饮，令人心闷
瓷瓯中白灰	119	但看里有即收之	7，872	但看瓷里有灰，即收之备用
白菊	144	刘生丹法用白菊花汁和之	15，1519	刘生丹法用白菊汁、莲花汁、地血汁、樗汁、和丹蒸服也
铁葛	170	味甘，久服风缓	18，1965	根味甘，又服治风缓

续表

药名	《证类》页次	《证类》引《拾遗》文	《纲目》卷，页	《纲目》引《拾遗》文，文下黑点为《纲目》增加字
天竺干姜	172	似姜	26，2401	状似姜
土芋	215	当吐出恶物，煮食之，蔓如豆，根圆如卵	27，2465	当吐出恶物尽，煮熟食之，蔓生，叶如豆，其根圆如卵
必似勒	215	似马蔺子	15，1590	状似马蔺子
天麻	223	子	12，1250	子性寒
断罐草	259	作灰	21，2143	烧作灰
螺厣草	260	似螺厣，捣傅之	20，2105	壮似螺厣，捣烂傅之
甲煎	260	三年者	46，3558	三年者良
斑珠藤	312	冬取之	18，2046	冬月取之
牛领藤	336	煮汁，浸酒服	18，2047	煮汁或浸酒服
温藤	336	味甘	18，2048	茎叶味甘
白芥子	505	生太原，入镇宅用	26，2376	生太原河东，入镇宅方用
蕨叶	509	《搜神记》：有甲士折一枝	27，2455	干宝《搜神记》：有甲干折蕨一枝
黄精	142	偏精功用不如正精	18，1233	偏精功用不如正精，正精叶对生
茺蔚子	153	入面药，令人光泽	15，1548	入面药，令人光泽，治粉刺
茜草	184	主蛊	18，2006	主蛊毒
生姜	194	去冷	26，2392	去冷气
羊桃	273	浸酒服之	18，2026	根浸酒服之
酸模	276	注云：似羊蹄而细，味酸可食	19，2060 19，2061	郭璞注云：似羊蹄而稍细，味酸可食，一名蓚也

表5 《纲目》引《本草拾遗》删除字

药名	《证类》页数	《证类》引《拾遗》文	《纲目》卷，页	《纲目》引《拾遗》文，已经过删除
铁锈	96	蜘蛛虫等咬	8，929	蜘蛛虫咬
霹雳砧	98	辟不祥	10，1110	不祥
石髓	98	主寒热中	9，1039	主寒热
玄黄石	98	令人悦泽	10，1063	悦泽

续表

药名	《证类》页数	《证类》引《拾遗》文	《纲目》卷，页	《纲目》引《拾遗》文，已经过删除
六月河中诸热砂	99	筋骨挛缩脚痛，冷风瘫缓	10，1103	筋骨挛缩，冷风瘫缓
二月上壬日土	120	大宜蚕也	7，843	宜蚕
猪槽上垢土	120	煮取汁服之	7，854	煮汁服
夏冰	139	去热烦热，不可打碎食之	5，792	去热烦，不可食之
露水	137	肌肉悦泽	5，787	悦泽
冬霜	138	团食者主解酒热	5，790	食之解酒热
甑气水	139	沐头令发长密黑润	5，812	沐头令黑润
市门溺坑水	140	勿令病人知之	5，814	勿令知之
百草花	169	亦煮花汁酿酒服之，胡刚服药	21，2133	亦煮汁酿酒服，刚服药
必似勒	215	不消食	15，1590	不消
断罐草	259	和诸药末服一钱匕丁根出也	21，2143	每汤服一钱，拔根也
毛蓼	260	作汤洗疮	16，1735	作汤洗
败芒箔	285	产妇血满腹胀痛	13，1364	产妇血满腹胀
蚯蚓粪土	445	取无沙者末一升，炒令烟尽，水沃取半大升，滤去粗滓，空肚服之	7，852	取一升，炒烟尽，沃汁半升，滤尽饮之
风狸溺	386	主诸色风	51，3914	主诸风
天麻	223	花中有子如青葙子	12，1250	花中有子如葙子
甲前	260	虫蜂蛇蝎所螫之疮	46，3558	蜂蛇蝎之疮
酸模	267	生擣绞汁服	19，2061	生擣汁服
硫黄香	98	除冷杀虫	11，1168	杀虫

表6 《纲目》引《本草拾遗》改字例

药名	《证类》页次	《证类》引《拾遗》文，文下黑点是《纲目》要改的字	《纲目》卷，页	《纲目》引《拾遗》文，文下黑点是《纲目》改的字
诸金	97	毒蛇齿脱，鸩屎	8，881	毒蛇齿落，鸩鸟屎
铁锈	96	和蒜磨傅之	8，929	和蒜磨涂之
霹雳针	98	似斧刃，安二孔者	10，1109	似斧刃，穴二孔者
石栏干	98	有眼茎	8，903	有根茎

续表

药名	《证类》页次	《证类》引《拾遗》文，文下黑点是《纲目》要改的字	《纲目》卷，页	《纲目》引《拾遗》文，文下黑点是《纲目》改的字
晕石	98	投酒中服	9，1049	投酒中饮
水中石子	97	腹中胀满	10，1102	多胀满
六月河中诸热砂	99	冷则更易之，随病进药	10，1103	冷即易之，随病用药
硫黄香	98	出昆南国，在扶南三千里	8，903	出昆南，在扶南三十里
天子藉田三推犁下土	119	王者所封	7，844	王者封禅
铸铧鉏孔中黄土	119	细末摸之	7，841	细末扑之
蚡鼠壤土	119	以秫米泔汁搜作饼	7，851	以秫米泔汁和作饼
甘土	120	主草叶诸菌毒	7，839	主草药诸菌毒
柱下土	120	末服方寸匕	7，846	水服方寸匕
不木灰	136	即斫破	9，1015	则斫破
玉井水	137	故能延生	5，803	故有延生
碧海水	137	故云碧海	5，804	故曰碧海
千里水	137	扬之万过，荐羞王公	5，795	扬之万遍，荐之王公
甘露水	138	味甘美	5，788	味甘大寒
夏冰	139	食此或恐入腹，皆非正冰	5，792	食冰诚恐入腹，皆非止冰
秋露水	137	亦有拂取之	5，786	别有收取之
雹	158	酱瓮中，即如本味	5，791	纳入瓮中，即还本味
乳穴中水	139	取水作食	5，803	取水作饮
水花	139	朝预服二十丸	5，1048	每旦服二十丸
粮罂中水	139	害蚘蛊，故冢云	5，807	杀蚘虫，古文曰
甑气水	139	渐渐觉有益	5，812	久觉有益
市门坑水	140	主消渴	5，814	止消渴
白菊	158	主风眩	15，1517	去风眩
萍蓬草	169	未开前如算袋	19，2080	未开时如算袋
石蕊	169	庚褒入林霍山	21，2122	唐褒入林霍山
侍待草	170	绝伤无子	21，2143	绝阳无子
伏鸡子根	170	生者尤佳	18，1991	新者尤佳

续表

药名	《证类》页次	《证类》引《拾遗》文，文下黑点是《纲目》要改的字	《纲目》卷，页	《纲目》引《拾遗》文，文下黑点是《纲目》改的字
蓼荞	171	腹内不调，胸胁刺痛，生高原	26，2354	腹满不调，胸膈刺痛，生平泽
漏芦	182	杀虫	15，1575	杀蛊
兰草	185	苏亦强有分别	14，1481	苏亦浪别
长松	192	草似松	12，1231	叶似松
生姜	194	须热即去皮	26，2391	要热则去皮
昆布	222	颓卵肿	19，2088	阴癀肿
草蒿	250	主伏连	15，1536	主伏留
鼠尾草	273	茎叶堪染皂	16，1713	茎叶俱可染皂
马鞭草	269	主癥癖	16，1708	主癥瘕
蛇茵草	260	叶似苦杖，茎圆似苧	16，1739	叶似苦枝，茎圆似芋
蔓游藤	312	犍为牙门	18，2048	无为天门
鬼膊藤	336	子如柤	18，2047	子如樝
杨梅	477	张司空云	30，2632	张华《博物志》言
君迁子	480	止渴	30，2607	止消渴
必似勒	215	胃闭	15，1590	胸闭
毛建草	216	子和姜捣破	17，1899	子和姜捣涂腹
王瓜	219	痞满并痁	18，1959	痞满痰痁
大小蓟	221	止新血，血痢	15，1570	生新血，血崩
艾纳香	236	辟蛀	14，1474	辟蛇
甲煎	260	味辛平	46，3558	味辛温
藒车香	259	鱼蛀蚛，生彭城，郭注	14，1474	鱼蛀蠹，生徐州，郭璞
毛蓼	260	似乌蓼	16，1737	似马蓼
万一藤	260	杵筛	18，2048	杵末
螺靥草	260	藤生石上，叶微有赤色	20，2106	蔓生石上，叶微带赤色
鸭跖草	283	如鸟嘴	20，1661	如鸟喙
五毒草	284	醋磨傅疮上	18，2022	醋磨傅之（并入“赤地利”条）
鬼膊藤	336	生江南林涧中	18，2047	生江南林涧边
狼筋	396	鸣声诸孔皆沸	51，3923	鸣声诸孔皆涕
予脂（吊）	437	蛇头鳖身	42，3365	蛇头龟身

续表

药名	《证类》页次	《证类》引《拾遗》文，文下黑点是《纲目》要改的字	《纲目》卷，页	《纲目》引《拾遗》文，文下黑点是《纲目》改的字
猕猴桃	478	味咸温，变白，胃闭，肉痔	33，2749	味咸酸，白发，反胃，内痔
灰藋	485	捣碎，杀齿䘌	27，2458	捣烂，杀虫䘌
穞豆	486	一名䔍豆	24，2261	古名䔍豆
蕨叶	509	人作茹食之	27，2454	人采茹食之
水苏	515	除胃间酸水	14，1510	除肠间酸水
苦瓠	516	去伤寒	28，2489	去伤冷
芸薹	522	捣叶傅赤游疹	26，2367	捣叶傅女人吹乳
粟泔	488	洗皮肤疮疥，服之主五野鸡病，主疳痢	23，2220	洗皮肤瘙疥，饮之主五痔，治小儿疳痢

表7　《本草纲目》引《本草拾遗》改药名

《证类》页次	《证类》引《拾遗》药名	《纲目》卷，页	《纲目》引《拾遗》改的药名
97	水中石子	10，1102	水中白石
99	六月河中诸热砂	10，1102	河砂
119	瓷瓯里白灰	7，872	瓷瓯中白灰
119	社坛四角土	7，844	社稷坛土
119	户垠下土	7，845	户限下土
120	载盐车牛角上土	7，844	车辇土
120	驴溺泥土	7，855	驴尿泥
120	屋内墉下虫尘土	7，851	屋内壖下虫尘土
119	蚡鼠壤堆上土	7，851	蚡鼠壤上
120	故鞋底下土	7，846	鞋底下土
120	二月上壬日取	7，843	二月上壬日土
120	故燕窠内土	7，848	胡燕窠土
120	道中热尘土	7，844	道中热土
120	床四脚下土	7，846	床脚下土
120	蚁穴中土	7，851	蚁垤土
120	富家庭中土	7，844	富家土
120	百舌鸟窠中土	7，849	百舌窠中土
139	正月雨水	5，786	立春雨水

续表

《证类》页次	《证类》引《拾遗》药名	《纲目》卷，页	《纲目》引《拾遗》改的药名
139	乳穴中水	5，803	乳穴水
140	冢井水中	5，806	古冢中水
140	方诸水	5，789	明水
169	羊不吃草	17，1883	羊不食草
170	救穷草	12，1232	救荒草（并在“黄精”条）
251	朝生暮落花	28，2525	鬼笔
287	草禹馀粮	19，1985	䓘禹馀粮
498	菵米	23，2227	菵草
445	蚯蚓粪土（见“白颈蚯蚓”条）	7，852	蚯蚓泥
187	苣荒（见“千岁蘽”条）	18，2032	苣瓜
259	百草灰	21，2133	百草

十、金陵本《本草纲目》引《证类》中《本草拾遗》文化裁例

《本草纲目》是以《重修政和经史证类备用本草》为蓝本编写的，所引陈藏器《本草拾遗》（以下简称“藏器”或《拾遗》）药及其条文，出自《证类》。今用《证类》（人民卫生出版社1957年影印本）同金陵本《纲目》（上海科科技术出版社1993年影印本）勘比，发现《纲目》所引《拾遗》药物条文，绝大部分都化裁过。化裁情况有下列六种。

①化裁省去一些文。

②化裁增加一些异文。

③化裁后文句重排。

④化裁后一条分为二条。

⑤化裁后两条并为一条。

⑥对条文中某些句子化裁。

兹分述于下。

（一）化裁省去一些文举例

（1）《证类》页120：土蜂窠上细土，主肿毒，醋和为泥傅之，亦主蜘蛛咬。土蜂者，在地土中作窠者是。（文下画横线者，《纲目》化裁时省去，下同。）

《纲目》卷7页849化裁为：土蜂窠，醋调，涂肿毒及蜘蛛咬。

（2）《证类》页119：弹丸土，无毒。主难产，末一钱匕，热酒调服之，大有功也。

《纲目》卷7页875化裁为：弹丸土，主妇人难产，热酒服一钱。

（3）《证类》267页：灯花，末，傅金疮，止血，生肉，令疮黑，今烛花落有喜事，不尔得钱之兆也。

《纲目》卷6页831化裁为：灯花（其下注出《拾遗》），傅金疮，止血，生肉。

（4）《证类》页120：驴溺泥土，主蝴蛛咬，先用醋泔汁洗疮，然后泥傅之。黑驴弥佳，浮汁洗之更好。

《纲目》卷7页855化裁为：驴尿泥，主蜘蛛咬，傅之。

（二）化裁增加一些异文举例

（1）《证类》页120：蚁穴中出土取七枚如粒，和醋搽狐刺疮。

《纲目》卷7页851化裁为：蚁垤土主狐刺疮，取七粒和醋搽。又死胎在腹，及胞衣不下，炒三升囊盛，搨心下，自出也。（文下画曲线者，为《纲目》所增异文，下同。）

（2）《证类》页252："钩吻"引陈藏器云，人食其叶，饮冷水即死，冷水发其毒也。彼人以野葛（钩吻别名）饲人，勿与冷水至肥大，以冷水饮之至死。悬尸于树，汁滴地生菌子，收之名菌药，烈于野葛。胡蔓（钩吻异名）叶细长光润。（文下画横线者，《纲目》化裁时省去。）

《纲目》卷17页1904引陈藏器文化裁为：钩吻食叶，饮冷水即死，冷水发其毒也。彼土人毒死人，悬尸树上，汁滴地上生菌子，收之名菌药，烈于野葛也。蕹菜捣汁，解野葛毒。取汁滴葛野苗即萎死。南人先食蕹菜，后食野葛，二物相伏，自然无苦。魏武帝啖野葛至尺，先食此菜也。

（3）《证类》页445："白颈蚯蚓"下引陈藏器云，蚯蚓粪土疗赤白久热痢，取无砂者末一升，炒令烟尽，水沃，取半大升，滤去粗滓，空肚服之。

《纲目》卷44页3334引陈藏器文化裁为：白颈蚯蚓，主治温病，大热狂言，饮汁皆瘥。炒作屑，去蛔虫。去泥，盐化为水，主天行诸热，小儿热病癫痫，涂丹毒，傅漆疮。

从"白颈蚯蚓"条可见《纲目》所引陈藏器文，全是《纲目》所增异文。在此异文中，划曲线者出自陶弘景，加黑点者出自《日华子》，余下为《纲目》所加。

但《纲目》卷7页852有"蚯蚓泥"条，引陈藏器曰：蚯蚓主赤白久热痢，取一升炒烟尽，沃汁半升，滤净饮之。此则与《证类》页445"白颈蚯蚓"条陈藏器文词异义同。说明此条是《纲目》化裁陈藏器"蚯蚓粪土"条而成。

（三）化裁后文句重排举例

《纲目》引《拾遗》药，将其中"生境""形态"从条文后移至条前。这种重排，是《纲目》化裁《拾遗》文的通例。兹举例如下。

（1）《证类》页171引"陈藏器余"云：鸡脚草，味苦，平，无毒。主赤白久痢成疳。生平泽畔，赤茎对叶如百合苗。（文下划横线者是本条的生境与形态，

《证类》引此文时通常置于条后，下同。）

《纲目》卷21页2142“鸡脚草”化裁为：生泽畔，赤茎对叶如百合苗。味苦，平，无毒。主赤白久痢成疳。

（2）《证类》页171引“陈藏器余”云：蓝藤根，味辛，温，无毒。上气冷嗽，煮服之。生新罗国，根如细辛。

《纲目》卷18页2048：蓝藤根，生新罗国，根如细辛。味辛，温，无毒。主冷气咳嗽，煮汁服。

（3）《证类》页336引“陈藏器余”云：温藤，味苦温，无毒。主风血积冷，浸酒服之。生江南山谷，不凋着树生也。

《纲目》卷18页2048：温藤，生江南山谷，着树不凋。茎叶：味苦，温，无毒。浸酒服，主风血积冷。（文下加黑点者为《纲目》化裁所增。）

（四）化裁后一条分为两条举例

（1）《证类》页98引“陈藏器余”云：玻璃，味辛，寒，无毒。主惊悸心热，能安心明目，去赤眼，熨热肿，此西国之宝也，是水玉，或云千岁冰化为之。应是玉石之类，生土石中，未必是冰。今水精，精珠者极光明，置水中，不见珠也。熨目，除热泪，或火燧珠，向日取得火。（文下画横线者，被《纲目》化裁分出为“玻璃”条；文下加黑点者，被《纲目》化裁分出为“水精”条。）

《纲目》卷8页648引“藏器曰”：玻璃，西国之宝也，玉石之类，生土中。或云千岁冰所化，亦未必然。主惊悸心热，能安心明目，去赤眼，熨热肿。同页另引“藏器”文：水精，熨目，除热泪。

（2）《证类》页117：砺石，无毒。主破宿血、下石淋、除癥结、伏鬼物恶气。一名磨石。烧赤热，投酒中饮之。即今磨刀石。取垽傅蠼螋溺疮有效，又不欲人蹋之，令人患带下，未知所由。又有越砥石，极细，磨汁滴目，除障翳。烧赤，投酒中，破血瘕痛。功状极同，名又相近，应是砺矣。《禹贡》注云：砥细于砺，皆磨石也。新补见陈藏器。

条末所注“新补见陈藏器”，义为掌禹锡采《拾遗》“砺石”条为《嘉祐本草》新增药，《证类》转录之。

条中画横线者被《纲目》分出为“砥石”条；画曲线者被《纲目》分出为“越砥”条；加黑点者被《纲目》分出为“磨刀垽”条。今将《纲目》卷10第1099页分“砺石”为三条说明如下。

越砥，一名磨刀石。磨汁点目，除障翳。烧赤，投酒饮，破血瘕痛切。（注出“藏器”。）

砺石，主破宿血、下石淋、除结瘕、伏鬼物恶气。烧赤，投酒中饮之。（注出“藏器”。）

磨刀垽，傅蠼螋尿疮有效。（注出“藏器”。）

（五）化裁后两条并为一条举例

（1）《证类》页171：地衣草，味苦，平，无毒，主明目。《崔知悌方》云，服之令人目明。地上衣如草，生湿处是。（文下画横线者被《纲目》并入“地衣草”。）

《证类》页120：仰天皮，无毒，主卒心痛、中恶，取人膏和作丸，服之七丸。人膏者，人垢汗也，揩取；仰天皮者，是中庭内停污水后干地皮也，取卷起者，一名掬天皮。亦主人、马反花疮，和油涂之佳。（文下画横线者被《纲目》并入“地衣草”。以上两条中文下未画线之文，《纲目》省去之。）

以上“地衣草”“仰天皮”两条，《纲目》并为一条，以“地衣草”为正名，兹说明如下。

《纲目》卷21页2123有“地衣草”条（其下《纲目》误注出《日华》）。在“校正”下注云：“并入《拾遗》土部‘仰天皮’”。

在“释名”下并有“仰天皮”（注出《拾遗》）、“掬天皮”（注出《纲目》）。

在“集解”下引“藏器曰”：即湿地上苔衣如草状者耳。

在“气味”下引“藏器曰”：平，无毒。

在“主治”下：卒心痛、中恶，以人垢腻为丸，服七粒。又主马反花疮，生油调傅。（此文原出《拾遗》“仰天皮”，见上文“仰天皮”条下画横线文。但《纲目》误注此文出“大明”，“大明”即《日华子》简称。）

（2）《证类》页240：石芒，味甘，平，无毒。主人畜为虎狼等伤，恐毒入肉者，取茎，杂葛根，浓煮服之，亦取汁。生高山，如芒，节短。江西人呼为折草。六月、七月生穗，如荻也。

《证类》页285：败芒箔，无毒。主产妇血满腹胀痛、血渴、恶露不尽、月闭，止好血，下恶血，去鬼气疰痛癥结，酒煮服之，亦烧为末，酒下。弥久著烟者佳。今东人作箔多以草为之。《尔雅》云：芒似茅，可以为索。

以上两条，《纲目》化裁并为一条，以“芒”为正名，今说明如下。

《纲目》卷13页1363有“芒”条，其下注出《拾遗》。

在“校正”下注云：“并入《拾遗》‘石芒’‘败芒箔’。”

在“集解”下引“藏器曰”：《尔雅》“惹，杜荣。”郭璞注云，草似茅，皮可为绳索履屩也。今东人多以为箔。又曰：石芒，生高山，如芒而节短，江西呼为折，六、七月生穗，如荻。（文下画横线者，出自“败芒箔”条后半截；文下画曲线者出自“石芒”条后半截。）

在“主治”下：人畜为虎狼等伤，恐毒入内，取茎，杂葛根，浓煮汁服，亦生取汁服。又主产妇血满腹胀，血渴，恶露不尽，月闭，止好血，下恶血，去鬼气疰痛癥结，酒煮服之。亦烧末，酒下。弥久著烟者佳。（文下画横线者，出自“石芒”条前半截；文下画曲线者，出自“败芒箔”条前半截。）

（六）对条文中某些句子化裁举例

《纲目》引《拾遗》药，对药物条文极少原文抄录，绝大部分都是经过化裁，特别是句子中化裁得最多。几乎每一条中总有一两句文被化裁。兹摘录部分化裁例，列表8如下。

表8 《纲目》引《本草拾遗》化裁例

药名	《证类》页次	《证类》引《拾遗》文	《纲目》卷，页	《纲目》化裁《拾遗》文
劳铁	96	投酒中，热服之	8，923	投酒中。饮（并在“铁”条中）
霹雳针	98	并下淋，磨服	10，1110	并石淋，磨汁服
大石镇宅	98	大石镇宅，主灾异不起	11，1188	镇宅大石，主灾异不起
石栏干	98	亦煮汁服	8，945	或煮服（并在“青琅玕”条主治）
珊瑚	116	珊瑚生石岩下，刺刻之	8，946	珊瑚刺之
晕石	98	磨服之	9，1049	磨汁饮之
水中石子	97	烧石令赤，投水中，内盐数合	10，1102	烧淬水中，纳盐三合
玉膏	99	长生令人身润	8，942	亦长生润泽（并在“白玉髓”条）
市门土	119	取土临月带之，又临月产时取一钱匕，末，酒服	7，845	入月带之，产时酒服一钱
自然灰	119	先以布揩白癜风破，傅之	7，848	以布揩破乃傅之
铸钟黄土	119	置酒中温服之弥佳也	7，841	置酒服一钱
户垠下土	119	末一钱匕，酒中热服	7，845	热酒服一钱
瓷瓯里灰	119	但看里有，即收之	7，872	但为瓷里有灰，即收之备用

续表

药名	《证类》页次	《证类》引《拾遗》文	《纲目》卷，页	《纲目》化裁《拾遗》文
弹丸土	119	末一钱匕，热酒调服之，大有功效也	7，857	热酒服一钱
冢上土	119	正月朝早，将物去冢头，取古砖一口，将咒要断，一年无时疫，悬安大门也	7，847	正旦，取古冢砖，咒悬大门上，一年无疫疾
鞋底下土	120	刮取末，不服水土与诸病有异	7，846	刮下即止
醋	494	破血运	25，2308	治产后血运
瓦甑	120	好魇及无梦，取火烧死者灰，著枕中履中，即止	7，847	好魇多梦，烧人灰置枕中履中，自止（见“烧尸场上土：附方”）
地朕	543	蔓生，节节著地	20，2109	蔓延着地（并在“地锦”条）
地衣草	171	地上衣如草，生湿处是，服之令人目明	21，2123	即湿地苔衣，如草状者耳，明目
蚁穴土	120	取七枚如粒	7，851	取七粒
百舌鸟窠中土	120	末和酽醋傅	7，849	醋调敷之
水花	139	主渴，远行山无水处	9，1048	主远行无水，止渴（并在“浮石”条）
甑气水	139	朝朝梳小儿头	5，812	朝朝用梳摩小儿头
方诸水	139	方诸大蚌也，向月取之，得三二合水。陈馔明水以为玄酒，酒水也	5，785	方诸大蚌也，向月取之，得水二三合。陈馔为酒是也（见“明水”条）
三家洗碗水	140	煎令沸，以盐投中	5，813	煎沸入盐
诸水有毒	140	东晋温峤以物照水	5，824	温峤然犀照水
伏鸡子根	170	马急黄及牛疫	18，1991	马黄牛疫
天麻	223	主热毒痈肿，捣茎叶傅之	12，1250	茎叶捣傅痈肿
防已	223	汉主水气，木主风气	18，2010	治风用木防已，治水用汉防已
酸模	267	小儿折食其英	19，2060	人亦采食其英
燕蓐草	283	主哕气	21，2134	止哕啘

续表

药名	《证类》页次	《证类》引《拾遗》文	《纲目》卷，页	《纲目》化裁《拾遗》文
败芒箔	285	今东人作箔多以草为之。《尔雅》云：芒似茅，可以为索。	13，1363	《尔雅》：莣，杜荣。郭璞注云：草似茅，皮可为绳索履屩也。今东人多以为箔。
五毒草	284	一名五蕺，一名蛇菵。又有蛇菵草，如苎麻，与蕺同名也	18，2022	亦名蛇菵，名同物异（并在“赤地利”条）
蚯蚓粪土	445	滤去粗滓，空肚服之	7，852	滤净饮之
大豆	486	久服去风不忘，炒令烟未断及热，投酒中	24，2240	久服不老，炒黑热，投酒中饮之
陈家白药	170	疑毒未止，更服	18，1999	未尽，更服
茜根	184	嘉草，蘘荷与茜，主蛊为最	18，2006	嘉草者，蘘荷与茜也，主蛊为最

十一、《纲目》引《证类》中《本草拾遗》文目次

关于本书参考文献，书前略有介绍，书中各条括弧内亦记有主要索引。其中《大观》《证类》引文集中，所注索引能概括原文内容，但《纲目》所注索引不能概括原文内容。因《纲目》引文很分散，同一条目分在多处援引，括号内注的索引是极小部分，绝大部分资料皆分列在其他处。为此特将《纲目》著录《拾遗》文目次补列如下。各条前号码为1957年人民卫生出版社影印《本草纲目》页次。

附录二 《〈本草拾遗〉辑释》药名索引

（括号内数字为药物条目序次）

二画

三画

四画

五画

六画

七画

八画

九画

十画

十一画

十二画

十三画

十四画

十五画

十六画

十七画

十八画

十九画

二十画

二十一画

二十二画

二十三画

二十四画

二十六画

二十八画